合格る確率
＋場合の数

広瀬 和之 著

文英堂

「確率」「場合の数」って，いったいナニモノ？？？…

多くの受験生から，"何をどう学べばよいかがわからない"，"雲をつかむような存在"，とみなされているのが「確率」「場合の数」です．このもやもやした分野の特徴を整理し，その合理的な対策として書かれた本書の基本コンセプトを簡潔にまとめてみます．

分野としての特徴	本書の対策・著者のコメント
基本事項は小中学生でもわかるくらい薄っぺら．基本を真剣に学んでも得点に直結しない．	そうなんです．そこが他の数学分野との決定的な違いなんです．なので，「どう勉強したらいいのかわからない」という声がよく聞かれます．
努力が成果として表れにくい．	"努力の仕方"がわからなければ，当然そうなりますよね．
しかし入試頻出らしい…	困ったことに…事実そうなんです．苦手なまま放置するわけにはいきません．
他分野とは切り離されている．関連性が薄い．	その通り．たとえば数学Ⅲの微分積分を練習してたら自然と三角関数の力も底上げされたりすることもあるのですが…「確率」「場合の数」では，そういうことはまず起こりません．
よって，この分野固有の訓練・対策が必要．	ポイントは次の２つ．本書の<u>基本コンセプト</u>でもあります． 1° **視覚的**表現を心掛ける． 2° 典型手法をひととおり**暗記**する．
問題が，長い文章で書かれていることが多い．	長文を，簡潔な**視覚的**表現に変え，題意を明確に把握してから解く習慣をつけます．
気付いてみたら，自分の解答も"長文"と化している…	そうならないよう，本書の解答では**視覚的**表現，簡潔な文章を用い，それを**箇条書き**にまとめています．
「これ，類題やったことないと無理っしょ！」という，"知識"を要求する問題が多い．	そのとおり．だけど闇雲に，脈絡もなくただ問題を解きまくってそれらを全て暗記しようとするのは非効率的．本書では，全体を**５つのStage**に分け，目的に応じた「**覚えるべきもの**」を，はっきり指示します．
勉強しても，何を学んだかがはっきりしない．だから覚えられない．	**ジャスト100個**の表題付き**ITEM**ごとに，「学ぶべきこと」，「覚えるべきこと」を明示し，学習事項に対して**記憶に残る"形"**を与えます．
「計算」は中学生でもできる程度であることが多い．	たしかに．三角関数も対数も使わず，掛け算と足し算しかしないこともあります．だから，うまく行けば満点が取りやすい分野です．（本書では計算法のアドバイスもします．）
反面，ちょっとした考え違いで「０点」になる．	（長い）問題文に書かれた操作を把握し損ねたら，そこで「０点」が決まってしまいます．これを防止する最良の手段も**視覚化**です．
上記２つにより，試験での出来不出来がハッキリ分かれる．よって，**合否を決める！**	本書「合格る確率・場合の数」では 　　**目に見える形を持った努力目標** を提示します．あとはアナタのやる気次第です．

本書の紹介

■扱う分野・内容
- (a) 中心分野…数学 A：「場合の数」「確率」の全体
- (b) 数学 B：「統計的推測」の一部（事象の独立，二項分布，期待値の加法性）
- (c) 中心分野(a)との融合問題の中で，数学 B：「数列」，および（理系生に対しては）数学 III：「極限」「積分法」に関する<u>基礎レベルの知識を前提とすることがあります</u>．

〈注意〉数学 B：「統計的推測」が入試範囲として指定されている場合，本書だけではその全体はカバーしていませんから別途対策が必要です．

■本書全体の構成

小中学生レベルの基礎から，一部超高校級の高難度の問題まで，全部で100個のITEM を，習熟度，目標大学に合わせて無理なく無駄なく学べるように **5 段階 Stage** に分けて構成しました．また，各 Stage を理解するための支えとなる基本事項を特講 A～E にまとめ，それぞれ必要となる Stage の直前に置きました．

なお，本書では「場合の数」と「確率」を，基礎を固める Stage1, 2 では完全に分離して取り上げますが，基礎を習得している前提で入試問題レベルを扱う Stage3 以降では，厳格には分けずに扱います．

～特講 A：集合に関する基本用語，記号～
～特講 B：超約！「場合の数」「確率」基本事項～
Stage1：原理原則編 …「場合の数」→「確率」の順
「2個のサイコロ A，B を投げたときの目の出方：$6^2 = 36$（通り）」レベルから徹底解説．じつは，このレベルでさえ"理解"はできていない生徒が多い．
～特講 C：数値計算のコツ～
Stage2：典型手法編 …「場合の数」→「確率」の順
知っておくべき，知らないと困る考え方・手法を，1問につき1テーマずつ，もっとも純粋かつシンプルな形で一通り紹介．
Stage3：入試実戦編 …おおむね「場合の数」→「確率」の順
実際に入試で出題されるレベル．Stage2 を少し複合的に用いたりする訓練もします．
～特講 D：二項係数・二項定理・二項分布～
～特講 E：数列～
Stage4：実戦融合問題編 …「場合の数」「確率」が混在
「数列」（数学 B）などとの融合問題を中心に．Stage3 よりさらに複合度アップ！
Stage5：超高難度有名問題編 …「場合の数」「確率」が混在
大学以降の書物に原典がある，初見ではまず無理なほど高度な問題．<u>一部は受験レベルを超えます！</u>

：素数

なお，Stage4，5において，タイトルに「(数学B)」とあるITEMでは，前記分野(b)の数学B「統計的推測」を，「(数学Ⅲ)」とあるITEMでは前記分野(c)の数学Ⅲ範囲の内容を扱います．(Stage4以降は多くが「数列」と融合していますが，それは特に明示しません．)

　Stage分けの基準として，「レベル」以外に「汎用性」も考慮しています．つまり，下位のStageほど<u>目立たない</u>ながらも<u>幅広い問題</u>につながり，上位Stageほど<u>ピンポイント</u>で<u>直接役立ちやすい</u>．そんな構成になっています．

■各 ITEM の構成

　どこに何が書かれているかがハッキリし，"パッと一目で"振り返りやすくするため，各ITEMを見開き2ページに収めました．(4ページに渡るITEMが2つだけあります．)

「タイトル」	そこで学ぶテーマを"ネーミング"し，頭の中で反芻して記憶に定着しやすくします．タイトル名の上に，「場合の数」，「確率」のどちらであるかを明記します．
「内容紹介文」	「何を，どう学ぶのか」を簡潔に紹介します．「タイトル」を補完する役割も帯びています．
よくわかった度チェック！	学習内容の理解度，進歩の軌跡の記録用に． ○→完全理解，△→少しわからない個所がある，×→理解できない
ここがツボ！	そのITEMのテーマに関する問題解法の決め手となる考え方，手法の要約．そのITEMをやり終えたときに「なるほどそういうことか」と意味がわかるはずです．
例題	ITEMの中心．無数の入試問題からエッセンスを抽出し，重要ポイントが際立つオリジナル問題を用意しました．(ITEM91のみ，入試問題実物を使用しました．)
着眼 方針	解答 に入る前に，現象の捉え方，方向性の選び方を説明します．これにより，「解法の必然性」が生まれます．
解答	「わかりやすさ」・「厳密性」と「簡潔さ」の狭間で苦悩しながら，理解可能でしかも受験生の答案として「満点」と採点される範囲でできるだけ<u>短く書く</u>ことを念頭におきました．また，<u>箇条書き</u>にまとめることで，論点が明確になり，部分点も狙えることを目指しています．本書の 解答 を真似することで，実戦におけるベストな答案が作成できるようになることでしょう．
解説 補足 など	解答 で書き切れなかったことなどに関する詳しい情報を提供！
類題	例題 と共通のテーマ，考え方をもつ問題．単に数値を変えただけのそっくり問題ではありません．例題の内容が<u>理解</u>できて初めて解けるようにしてあります．
「類題解答」(別冊)	例題 の 解答 と同様です． 着眼 や 補足 なども充実しています．超高難度Stage5の一部では，本冊の補完的役割も果たします．

■視覚化一覧(巻末)

本書の基本コンセプトである「視覚化」の実例をまとめて掲載．これをときどき"ちら見"することで，視覚化手法の記憶への定着を狙います．

■用語リスト(巻末)

何かを学ぶとき，もっとも大きな障害となるのが，「知らない用語が平気で使われること」です．それを避けるためのリストです．解答などを読んでいて，「あれ，この用語ってどんな意味だっけ」と感じたら，ここを頼りに参照ページを調べて思い出せます．いつでも一瞬でこのページが開けるよう，巻末に載せています．

また，時間があるとき全体をざーーーっと眺め，「えっと…」と思った用語の頁を開いて意味を確認するだけでも，学んだことの忘却防止に役立ちます．

■問題カード(巻末)

「確率」「場合の数」の解答は，方針を立てるまでの段階がとくに重要です．本冊を開いて勉強するときは，Stage 番号，ITEM の見出し等，本書における配置が，知らず知らずのうちに「ヒント」になってしまっています．入試実戦と同様，それを取り払った状態で「方針」が見渡せるかどうかのチェックに役立ててください．カードの構成は次のとおりです．

[問題カード構成]

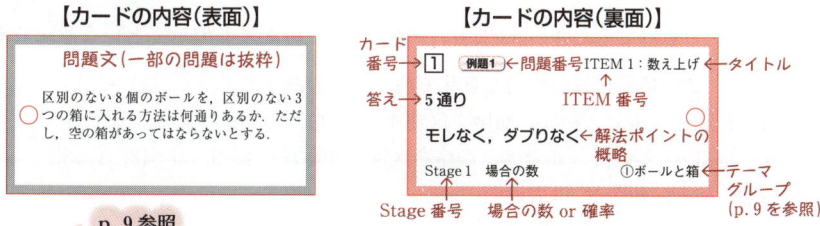

(テーマグループは，一番中心となるもの以外は記号のみを記してあります．)

[カードの並べ方例]

- テキスト配列順…カード番号は，ITEM 番号順に振ってあります．
- 「場合の数」，「確率」に分けて
- 後述する「テーマグループリスト」ごとに(→ p.9)
- 難易度…Stage 番号や↑マークを参考に
- 扱う"素材"ごとに分類して．表面の問題文に現れる「サイコロ」「玉」「カード」「トランプ」「人」「くじ」「文字a, b, c, …」「数1, 2, 3, …」「数直線」など．もちろん，素材は同じでも解法は千差万別．
- 完全にランダムに！(これでも解けるのが究極の目標)

「難易度」については，難し過ぎるものを初めから除いておいてもいいですし，敢えて難問も混ぜておき，「こんなの無理！」と判断できれば OK，とする使い方もあります．各自工夫してフル活用してください．

■ページNO.

各ページ数の横に，その数の素因数分解およびその過程が記されています．

5：素数

使用する記号・表現について

■数学記号，表現

- 「∴」：ゆえに　　「∵」：なぜならば　　「i.e.」：すなわち　　「□」：証明終り
  同じ内容を単に言い換えるときには，「i.e.」＝「つまり」を使って，たとえば
  「$a-b$ が偶数, i.e. a と b の偶奇が一致するとき，…」
  のように表します．これと同じ用途で同値記号「⟺」を乱用する人がいますが，この記号は，2つの条件が「同値である」ことをとくに強調したいときにだけ使います．
- even：偶数　　odd：奇数
- 数学書では，「式」の終わりに「ピリオド」を打つことがしばしばあります．これは，「式」も「文」の一種とみなしているからです．たとえば「$p_n = \left(\frac{1}{6}\right)^n$．」とあれば，「$p_n$ は $\left(\frac{1}{6}\right)^n$ と等しいのである．」と主張しているのだと思ってください．
- 括弧：（　）を，次のように使うことがあります．たとえば「…確率 $p\left(=\frac{1}{4}\right)$ は，…」とあれば，これは英語の文体を模したもので，「p」が「先行詞」，「$\left(=\frac{1}{4}\right)$」が「関係代名詞節」だと思ってください．つまり，「…値が $\frac{1}{4}$ である確率 p は…」という意味です．（さらに，この括弧を省いて同じ意味で使うこともあります．）
- (1, 2, 3)…「組」，「順列」（順序を区別する）→ (1, 2, 3) ≠ (2, 1, 3).
- {1, 2, 3}…「集合」，「組合せ」（順序を区別しない）→ {1, 2, 3} = {2, 1, 3}.
  〈注意〉「組」と「組合せ」は大違い！
- 積の記号「×」と「・」の使い分け
  「×」の方が「・」に比べて大きな意味の切れ目を表しています．たとえば「$5 \times 6 \cdot 4^2$」とあったら，「5と，6倍の 4^2 を掛ける」という"気持ち"を表しています．場合の数や確率で「立式」を行う際には，このような「意味の切れ目」を意識し，記号に反映させることで，自分の考えが整理され，後で見直すときにも式のもつ意味を認識しやすくなります．さらにハッキリさせたいなら，括弧を使って「$5 \cdot (6 \cdot 4^2)$」と書きます．
- 「それぞれ」という表現について．たとえば「偶数，奇数となる確率を**それぞれ** p, q とおく」というのは，「偶数となる確率を p, 奇数となる確率を q とおく」という意味です．つまり，「偶数，奇数」と「p, q」を，書かれた順番通りに対応付けているわけです．
- 「または」について．「A または B」とは　　　　　「カルノー図」(→ p. 17)
  - ㋐：A が起こり B は起こらない
  - ㋑：A が起こらず B は起こる
  - ㋒：A が起こり B も起こる

  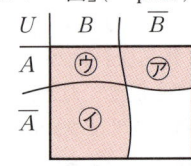

  の3つ，つまり A, B の少なくとも一方が起こることを表します．㋒のケースも含んでいることに注意．なお，「または」を記号で「∪」，あるいは英語で「or」と書くこともあります．

■本書における記号

●●●● …	コメント，補助説明，筆者の"呟き"です．（答案では不要）
┌○○○	上と同様．（答案では不要）
⇐○○	前の○○を参照せよ．
⇒○○	後の○○を参照せよ．
理系	（数学Ⅲまで学ぶ）理系生向けの内容
↑	ハイレベルな内容，問題．余力のある人向け．（無理しないでね）
着眼	主に解答の前で．問題で扱う現象に対するアプローチの仕方．
方針	主に解答の前で，解答の具体的青写真・計画．
解説	解答 の骨格となる部分を，より詳しく．
重要	その中でもとくに大切であり，覚えておきたい事柄．
補足	ちょっと気になるかもしれない疑問点に関する補助説明．
参考	問題そのものからは少し逸れるが，他で役立つ可能性のある関連事項．
発展	さらにステップアップしたい人への追加事項．余力がなければ飛ばしてよい．（発展 は，↑ が付いていなくてもハイレベルな内容です．）
注意	陥りがちな盲点，失敗例．
✕	生徒さんがよくやる特徴的な誤答例や失敗例を見せる際，それが"悪いもの"であることを視覚的に印象付けるために付す「バツ印」．
☆	Stage4 のうち，「Stage3 までで OK ？」という人もなるべくやりたい ITEM．

■マーク類凡例

常に気にかけて欲しい事柄を，以下のマークで表します．"通奏低音"のように繰り返し現れ，記憶に刻み込まれます．

○○を 視 ：視覚化　　　　　　○○を 記 ：記号化

○○を 区別 ? ：区別するか否か　　モレなく ダブりなく ：モレとダブりに注意

等確率 ? ：等確率性　　同基準 ? ：同じ基準で　　独立試行 ? ：試行として独立？

本書の使い方

■レベル

　数学A:「場合の数」「確率」が既修である人を対象に，受験に向けてこの分野の**本当の力**を付けることを目標に書かれています．中間・期末試験向けに"一夜漬け"，"付け焼刃"で点を取ることは想定していません．

　目指す入試レベルに合わせて，取り組むStage範囲を選んでください．次の表が目安です．（あくまで原則．自分の目標，到達度合いに応じて適宜アレンジしてください．）

■目標レベル ⟷ Stage 対応表

↓目標	Stage1	Stage2	Stage3	Stage4	Stage5
共通テスト	○	○	△		
一般大学	○	○	△	☆	
上位大学	○	○	○	○	○

○：全ITEM必須
△：⬆が付いたものなど，難し目なものは飛ばしてもよい．
☆：☆マークの付いたものだけはやる

〈注意〉上位大学を目指し，すでに「けっこう入試問題が解ける」という人も，必ずStage1，Stage2にも一通り取り組んでください．このレベルの基礎の欠落が，高いレベルに進んで初めて顕在化することが多いのです．

■学習順序

○　「場合の数」と「確率」は互いに密接に関係しあっており，既に一度は学んでいる場合，2つを並行して学びながらステージアップしていく方が効率的と考えます．本書はその考えに基づいて配列されています．…①

　もちろん，「場合の数」「確率」を別々にステージアップすることも可能です．…②
それぞれに対応する学習順序は次のとおりです．

① Stage1「場合の数」→ Stage1「確率」→ Stage2「場合の数」→ Stage2「確率」→ Stage3 → Stage4 → Stage5

② Stage1「場合の数」→ Stage2「場合の数」→ Stage3「場合の数」→
Stage1「確率」→ Stage2「確率」→ Stage3「確率」→ Stage4 → Stage5

ただし，Stage3では「場合の数」→「確率」という順序が少し崩れている箇所があります．また，Stage4, 5まで高度になると，「場合の数」，「確率」を分けて学ぶ意味はほとんどなくなります．

○　②方式で進める場合，時に「場合の数」ITEMの中で，「確率」ITEMの内容を参照するケースに遭遇することもあり得ますが，本書以外を通して「確率」も既習なわけですから，特に支障なく進行できるはずです．

○　確率・場合の数は，数学の中で，あまり**体系**がかっちりとはしていない分野です．なので，前記①，②の順序はあくまでも目安として，状況次第で学ぶ順序を変えたり，途中を飛ばしたりする進め方も可能です．

- また，とくに本書を一通り学んだ後では，ある共通な「テーマ」を，Stage の区切りを超えてまとめて復習するという使い方もあります．この順序で学ぶときに便利な「テーマグループリスト」を下に載せておきます．
- くれぐれも「順序」を厳格に守り過ぎ，「ステージ1に真っ剣に取り組んでいるうちに燃え尽きちゃった…」なんてことにならないよう注意してくださいね．（笑）
- 順序を守って体系的に進めるのと，脈絡なく気になった ITEM をちょろっとやってみるのと．この相対する2つのアプローチを織り交ぜて進めましょう．
- たとえ順序を気にせず脈絡なく問題を解きまくるスタイルで取り組んでも，**参照機能**の充実により，各問題間のつながり，関係が把握できるようにしてあります．
- 意図的に順序を崩して解く練習もできるよう，「問題カード」を用意しました．

■テーマグループリスト

下記リストのタイトル名は，ある程度学習が進めば何を意味するかがわかります．巻末の問題カードの裏面にも，これらテーマグループ名が記されていますので，たとえば「グループⓕ：包除原理」に関連する問題だけをまとめて復習することもできます．

- ⓐ 「隣り合う・合わない」：ITEM 18, 34
- ⓑ 「円順列」：ITEM 9, 27, 49, 50
- ⓒ 「補集合」「余事象」：ITEM 6, 17, 33, 35, 55, 56, 95, 類題 97 , 類題 98
- ⓓ 「1対1対応」：ITEM 20, 23, 24, 25, 38, 39, 40, 41, 44
- ⓔ 「"割り算"」「対応関係」：ITEM 7, 8, 26, 27, 42, 43, 44
- ⓕ 「包除原理」：ITEM 22, 33, 35, 55, 56, 97, 類題 98 , 類題 100
- ⓖ 「カルノー図」：ITEM 22, 33, 34, 35, 55, 56, 57, 58, 62, 63, 64, 65
- ⓗ 「独立反復試行」：ITEM 14, 30, 51, 52, 53, 54, 59, 70
- ⓘ 「推移グラフ」：ITEM 37, 53, 54, 93, 94, 類題 95
- ⓙ 「最短経路」：ITEM 23, 35, 36, 95
- ⓚ 「○と│」：ITEM 24, 25, 38, 39, 40, 41, 44
- ⓛ 「ボールと箱」：例題1 , 類題 1 [1], 類題 3 [2], ITEM 42, 43, 44
- ⓜ 「条件付き確率」：ITEM 15, 61, 62, 63, 64, 65, 85, 86, 87
- ⓝ 「確率漸化式」(個数の漸化式)：
  ITEM 73, 74, 75, 76, 77, 78, 79, 80, 82, 83, 85, 93, 94
- ⓞ 「期待値」：ITEM 89, 90, 99, 100
- ⓟ 「極限」(数学Ⅲ)：ITEM 70, 87, 88, 92, 94, 100

「確率」「場合の数」の学び方＋本書の活用法

○ 捉えどころのない，もやもやした「確率」「場合の数」の学習に，手応えのある明確な**"形"**を与えるための**戦略**．それは次の２つです．
　　　1° 視覚的表現
　　　2° 典型手法の暗記
本書は，この２つを**強く**意識して書かれています．

○ <u>出題者側</u>は，問題作成時に初めから問題の「文章」を書いているわけではありません．まずは「絵」を書きながら構想を練り，内容がほぼ出来上がって初めて「さて，そろそろ文章化するかな」という手順を踏んでいます．だから，<u>問題を解く側</u>の受験生も，イキナリ解答用紙に「文章」を書くのではなく，まずは視覚的に現象を捉え，視覚的な表現を使いながら解答するべきなのは当然です．

○ 上記の事情から，「確率」「場合の数」と数学の他分野の間には，「答え」に到るプロセスにおいて顕著な違いがあります．

　　数学全般：問題文 ─㋐着眼・発想→ 立式 ─㋑計算・処理→ 答え
　　確率・場合の数：問題文 ────㋐────→ 立式 ──㋑──→ 答え

つまり「確率」「場合の数」では，
　　　㋑：計算は小学生でもできる掛け算足し算だけのことも多い
反面，
　　　㋐：問題文を読み，現象を把握し，それに対してどの基本手法を適用するか
　　　　　という<u>発想段階の道のりが長い</u>

という特徴があります．この「長い道のり」を，少しでも確実に，少しでも正確に乗り切る方法が，(作問者も問題作成時に行っている)戦略1°：**視覚化**なのです．筆者は，どんなに原稿書くのがつらい時でも１度もこの「視覚化」をサボらず(笑)書き上げましたよ．だから，皆さんもサボらず「絵」を書いて書いて書きまくってください．そのような姿勢を忘れないでもらうため，前述したマーク：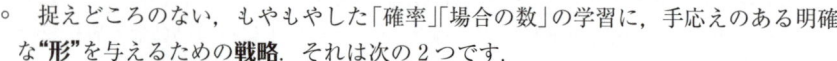をそこかしこに散りばめておきました．

○ 本書では，この㋐で用いる発想力を鍛えるため，入試本番では付くかもしれない誘導を敢えてなるべく付けないようにしてあります．

○ 発想段階㋐が長くなるもう１つの理由が，「確率」「場合の数」は他に比べて<u>「基本体系」</u>がきわめて薄いことです．たとえば「ベクトル」(数学Ｃ)という分野は，基本体系がガッシリとあります．なのでそれを習得するには時間と労力が必要ですが，逆に，１度習得してしまうと

　　　　「基本事項の理解」が「問題解法」に**直結する**　…(＊)

ことが多いので，発想段階㋐で迷うことは少なくなります．(その後の計算処理㋑は大変なことも多いですが．)

それに対して「確率」「場合の数」では，「基本事項」は小学生でも知ってる程度のショボイものでしかありません．なので(いちおうは)すぐに習得できる反面，前記(＊)のようなことは滅多に起こりません．だから，「学んだ基本」を「今，目の前にある問題」で役立てることが容易ではないのです．

○ そんな事情もあり，本書の「特講」などの「基本事項」はそこだけ読んでもあまり価値が感じられないものです．各ITEMを学ぶ前にサッと目を通し，学びながら必要に応じて振り返ってみる．それが賢い使い方です．

○ 前記(＊)が期待できないという難点を乗り切るために，筆者は生徒に

　　　　戦略2°：**「暗記」** を勧めています．

「暗記」というと，数学業界ではN.G.ワードの筆頭であり，多くの指導者に忌み嫌われています．筆者も，大っ嫌いです(笑)．ただし，この単語は次のような2つの異なる意味で使われており，それがしばしば誤解の源になっていますので御注意ください．

　　　ⓐ：理解をともなう記憶
　　　ⓑ：理解をともなわない記憶("丸暗記")

嫌われている"悪"は，ⓑ：「理解をともなわない丸暗記」の方です．一方，ⓐ「理解をともなう暗記」の方は，多くの場合"善"です．このⓐの方だと伝えるには，「暗記」というよりむしろ「覚える」「記憶する」「身に付ける」とか言った方が正しくニュアンスが伝わるのでしょうが，筆者は敢えて「暗記」という単語を選びます．これは，

　　　　本気で，完っ璧に記憶せよ！

というメッセージを明確にするためです．もちろん本書では，ⓐの「理解して暗記する」ことを目指しますので，ちゃんと理解していただくために，詳しい 解説 ，補足 などでサポートしていきます．

○ 「確率」「場合の数」においてその"完っ璧な暗記"の対象となるのが，問題解法として頻繁に現れる「典型手法」です．これをベクトルにおける「基本原理」と同じくらいの完璧さでマスターして欲しいのです．もちろん，さらにその源流にある「基本」も完璧にした上での話ですが．

　これら2つの両極端な分野それぞれにおいて，学ぶべきことの分量・段階は，おおよそ次の図のようなイメージです．(本書の対応Stageも書き入れました．)

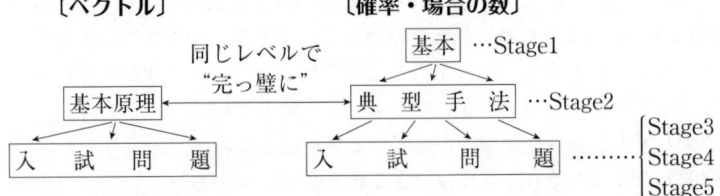

本書への取り組み姿勢はこうです：

　　Stage1，Stage2 は完っ璧に**暗記**．

　　それ以降も Stage3 → 4 → 5 の順に，目的・到達度に応じてできるだけ**暗記**．もちろん，前述したⓐ：「理解をともなう暗記」の方ですよ．

○　記憶を完全なものにするためのポイントは，やはり**反復**です．本書では，豊富な参照機能で学んだことを頻繁に振り返ることができるよう配慮していますし，学んだ内容が少し形を変えながら繰り返し現れるよう編集されています．また，「問題カード」を使うなどして学んだ内容を少し違った角度から眺める工夫もなされていますから，"上っ面"だけではない，確固たる"暗記"に到達できるでしょう．

○　本書で学ぶ際には，「確率」「場合の数」の世界にどっぷりと浸ってある程度まとまった分量を一気に進める**「短期集中学習」**が効果的だと考えます．ただし，やりっ放しで1週間も放置すればせっかく学んだことの何割かは忘却の彼方です．それを防ぐためにお勧めしたいのが"パラパラ学習"です．1度学んだことは，その直後に再び見る際には，"パラパラ"読むだけでもスーッと頭に蘇ってくるものです．これを実行して**記憶を定着させる**ことで，費やした努力を無駄にしなくて済みます．

　　毎日のように，学んだ頁を"パラパラ"めくって見て欲しい．そして紙面の<u>どこに，何が書かれているか</u>を覚えて行って欲しい．そんな願いを込めて，各 ITEM を見開き2ページにレイアウトすることにこだわりました．（かなりシンドイ作業でしたが…）

　　中でも，全ての考え方のベースとなる Stage1，Stage2 については日常的に何度も繰り返しパラパラ見るのを習慣にしてください．

○　前記（＊）が期待できないという事実は，もう1つの結果を生み出します．次の図を見てください．これは，費やした努力量に対して得られる成果の程をグラフ化したものです．

〔グラフ1：ベクトル〕　　　〔グラフ2：確率・場合の数〕

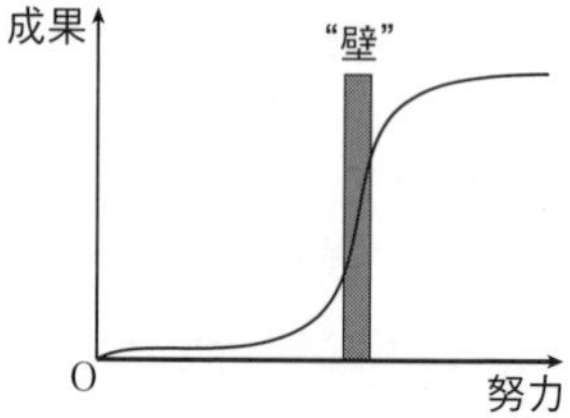

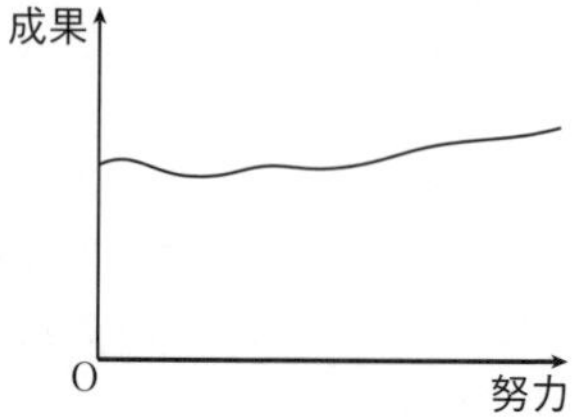

ベクトルには「基本原理の理解」という明確な"壁"があり，それを超えないと<u>まったく</u>できない反面，超えれば<u>一気に</u>できるようになります．つまり，「できる」と「できない」が明確に分かれており，努力に応じた力の向上が実感できます．一方「確率」「場合の数」は，そのような目に見える壁はなく，できるのかできないのかすらもやもやしていてよくわからないし，努力をしても伸びてるのやら伸びてないのやらもやもやしていてハッキリわからないのです．その結果として

　　　勉強してもあまり<u>伸びない</u>から，やる気が起きない．

　　　勉強しなくても<u>それなりに</u>はできるからまーいーかぁー．

となりがちです．もちろん，**それではいけません！**

○　なぜなら，「確率」「場合の数」は，入試で頻出だからです．本当に出題率が高く，毎年のように出す大学も多々あります．1大学の入試問題がせいぜい4～5題であることを考えると，これは特筆すべきことです！

- p.11 の図を見てもわかるとおり，「確率」「場合の数」は「ベクトル」に比べて単純に**多くの学習量が要求される**のですが…入試でよく出る分野なのでよかったですね．いっぱい勉強する価値があります．（笑）
◦ 「確率」「場合の数」の中でも，前記〔グラフ１〕のような成長曲線を描くタイプもあります．「どーしてもヤル気が出ない」とアナタは，とりあえずそのタイプの問題から手を付けるという手もアリです．この辺の事情に関しては，p.180 のコラムにも書きました．

◦ 参考までに，「確率」「場合の数」において「満点」が与えられる（であろう）簡潔な「答案」の書き方について，筆者は次のように指導しています．
　1° 自分の考え方を，主に図・表などを用いて**視覚的**に表現する．
　2° 文章表現はなるべく短く．1°を補完するような気持ちで，本当に大切なキーワードを核としてまとめる．けっしてダラダラ長くは書かない．
　3° 1°，2°にもとづいて，正しく立式する．
以上の３つが揃っていれば，まず大丈夫でしょう．（あとは正しく計算するまでです．）まあとにかく，本書の 解答 を真似して下さい！
◦ １つ注意しておきます．
　　　あなたは，確率・場合の数の習得のために
　　　どのくらいの時間・労力を割くべきなのでしょう？
p.2 にも書いたように，この分野は他と切り離されているため，ここで学んだことは，大まかに言って，ここでしか役立ちません．ですからアナタの受験する大学がたまたま「確率」「場合の数」を出さない大学であった場合には，費やした努力が無駄になりかねません．（思考力・現象観察力の鍛錬としては役立つかもしれませんが．）
　また，確率の難問では，努力を積み上げてきた人でも結局は本番で解けなかったという事態も時々起こります．したがって，この分野を究めて得意にし，この分野で得点して受かってやろうという目論みは，想定通りにいかないこともあり得ます．易しい，人も解けるものは確実にモノにする．その上で，難問も できる範囲 で解けるようにしていく．それが，現実的な「確率」「場合の数」に対する力の注ぎ方です．もちろん，趣味で，大好きだから「やる！」というのなら止めはしませんが．（笑）
◦ 「確率」「場合の数」の勉強は，本書で終わりではありません．本書以外の雑多な問題を，いろんな場面で解いてみて下さい．本書の内容が**身に付いていれば**，学んだことが「役立ってるなー」と実感できるでしょう．
　あるいは「やっぱりまだ初見の問題は解けないなー」という事態に出くわすかもしれません．その際には，またいつでも本書：「合格る確率＋場合の数」に戻ってきてください．そしてまた基礎から復習です．
　　　　本書をみっちり ⟵⟶ 雑多な初見問題演習を気楽に大量に
これを**繰り返す**中で，徐々に，確実に，問題が解けるようになっていくことでしょう．

もくじ

特講 A　集合に関する基本用語，記号 … 16
特講 B　超約！「場合の数」「確率」基本事項 … 18

column　「数学」と「石」……………… 20

Stage 1　原理原則編

ITEM 1　数え上げ ………………… 22
ITEM 2　順列 ……………………… 24
ITEM 3　重複順列 ………………… 26
ITEM 4　数える順序 ……………… 28
ITEM 5　場合分け ………………… 30
ITEM 6　補集合の利用 …………… 32
ITEM 7　組合せ …………………… 34
ITEM 8　同じものを含む順列 …… 36
ITEM 9　円順列 …………………… 38
ITEM 10　場合の数の比 …………… 40
ITEM 11　乗法定理(独立試行) …… 42
ITEM 12　等確率 …………………… 44
ITEM 13　同基準 …………………… 46
ITEM 14　独立反復試行 …………… 48
ITEM 15　独立でない試行(非復元抽出)… 50
ITEM 16　起こりやすさの割合 …… 52
ITEM 17　余事象の利用 …………… 54

特講 C　数値計算のコツ ………… 56

Stage 2　典型手法編

ITEM 18　隣り合う，隣り合わない(その1)… 62
ITEM 19　組合せ→順列 …………… 64
ITEM 20　順序が指定されているとき… 66
ITEM 21　対称性の活用 …………… 68
ITEM 22　包除原理 ………………… 70
ITEM 23　最短経路 ………………… 72
ITEM 24　○を｜で仕切る(その1) … 74
ITEM 25　○を｜で仕切る(その2) … 76
ITEM 26　組分け …………………… 78
ITEM 27　円順列と数珠順列 ……… 80
ITEM 28　注目すべきことのみに集中… 82
ITEM 29　一方を固定して ………… 84
ITEM 30　独立反復試行(回数指定)… 86

column　確率をめぐる誤解 ………… 88

Stage 3　入試実戦編

ITEM 31　書き出しか？法則か？ …… 90
ITEM 32　辞書式配列 ……………… 92
ITEM 33　〜〜を含む列 …………… 94
ITEM 34　隣り合う，隣り合わない(その2)… 96
ITEM 35　最短経路(通れない点) … 98
ITEM 36　最短経路"的な" ………… 100
ITEM 37　座標の変化 ……………… 102
ITEM 38　○を｜で仕切る→整数解の個数… 104
ITEM 39　○を｜で仕切る→増加列 … 106
ITEM 40　○を｜で仕切る→「連」 … 108
ITEM 41　○を｜で仕切る→アラカルト… 110
ITEM 42　ボールと箱(相互関係1) … 112
ITEM 43　ボールと箱(相互関係2) … 114
ITEM 44　ボールと箱(相互関係3) … 116
ITEM 45　トーナメント …………… 118
ITEM 46　じゃんけん ……………… 120
ITEM 47　番号と色(その1) ……… 122
ITEM 48　番号と色(その2) ……… 124
ITEM 49　円順列と確率 …………… 126
ITEM 50　立方体の塗り方 ………… 128
ITEM 51　独立反復試行：各回3事象… 130
ITEM 52　独立反復試行：〜勝したら終了… 132
ITEM 53　独立反復試行：〜勝リードで終了… 134
ITEM 54　独立反復試行：デュース … 136

ITEM 55	積が2, 6の倍数	138
ITEM 56	積が4, 12の倍数	140
ITEM 57	最大値	142
ITEM 58	最大値, 最小値	144
ITEM 59	第○回に△度目の(反復試行)	146
ITEM 60	第○回に△度目の(非復元)	148
ITEM 61	条件付き確率(単なる割合)	150
ITEM 62	条件付き確率(時の流れ)	152
ITEM 63	条件付き確率(原因の確率)	154
ITEM 64	条件付き確率(応用)	156
ITEM 65	条件付き確率(抽象的)	158
ITEM 66	事象の独立(数学B)	160
特講 D	二項係数・二項定理・二項分布	162
特講 E	数列	166
column	地味系問題・派手系問題	180

Stage 4 実戦融合問題編

☆ ITEM 67	確率の最大化	182
ITEM 68	正多角形	184
ITEM 69	2変数の条件	186
ITEM 70	独立反復試行：2連勝で終了	188
ITEM 71	「まで」から「ちょうど」へ	192
☆ ITEM 72	一定方向への推移	194
☆ ITEM 73	確率漸化式(各回2状態)	196
☆ ITEM 74	確率漸化式(明示的でない"ドミノ"構造)	200
ITEM 75	確率漸化式($1-p_n$でよい？？)	202
ITEM 76	確率漸化式("束ねる")	204
ITEM 77	確率漸化式(偶奇分け)	206
ITEM 78	確率漸化式(各回3状態：対称性あり)	208
⬆ ITEM 79	確率漸化式(各回3状態：対称性なし)	210
ITEM 80	確率漸化式(ちょうど〜になる)	212
ITEM 81	すごろく	214
ITEM 82	確率漸化式(連続しない)	216

ITEM 83	領域の分割	218
ITEM 84	確率漸化式？	220
ITEM 85	漸化式と条件付き確率	222
ITEM 86	数列 $\sum$ と条件付き確率	224
ITEM 87	区分求積法との融合(数学Ⅲ)	226
ITEM 88	e に収束(数学Ⅲ)	228
ITEM 89	期待値	230
ITEM 90	期待値と二項係数	232
ITEM 91	良問	234
⬆ column	理想的コインと現実のコイン	236

Stage 5 超高難度有名問題編

ITEM 92	巴戦(ともえ)(数学Ⅲ)	238
ITEM 93	ランダムウォーク(反射壁)	240
ITEM 94	破産の確率	242
⬆ ITEM 95	カタラン数	244
⬆ ITEM 96	ポイヤの壺	246
⬆ ITEM 97	包除原理(一般)	248
⬆ ITEM 98	乱列	250
ITEM 99	期待値の加法性(数学B)	252
⬆ ITEM 100	クーポンコレクター(数学B, 数学Ⅲ)	254

●問題カード ……………………… 巻末
●視覚化方法一覧 ………………… 巻末
●用語リスト ……………………… 巻末

ITEM 番号横の色によって「場合の数」,「確率」のいずれであるかを表しています

ITEM …：場合の数
ITEM …：確率
ITEM …：両方

特講 A 集合に関する基本用語，記号

「場合の数」および「確率」では，問題や解答の中で「集合」に関する用語・記号を用いることがあります．そこで，それらを簡単な具体例を通して確認しておきましょう．今ここで熟読する必要はありません．とりあえずサッと目を通し，本書で学習を進める中で必要だと感じる度に見ていただければ大丈夫です．

[1] ものの集まりを**集合**といい，それを構成するものを**要素**という．たとえば

　　　1 以上 30 以下の整数　…①

からなる 2 つの集合として

　　　A：「3 の倍数」，B：「5 の倍数」

を考える．集合の表し方は，次のように 2 通りある．

　　　$A = \{x \mid x$ は 3 の倍数$\}$　　{代表の文字|それが満たす条件}
　　　　　$= \{3, 6, 9, \cdots, 30\}$　　{要素の羅列}
　　　$B = \{x \mid x$ は 5 の倍数$\}$　　上の「x」と同じものを意味してはいない
　　　　　$= \{5, 10, 15, \cdots, 30\}$．

今，たとえば 6 は集合 A の要素である．このことを「6 は A に**属する**」といい，「$6 \in A$」と表す．

[2] 集合 A の要素の個数を「$n(A)$」で表す．ここでは

　　　$n(A) = 10$，$n(B) = 6$．

[3] 考察の対象としているもの全体である①を**全体集合**といい，U で表す．つまり

　　　$U = \{1, 2, 3, \cdots, 30\}$．

また，要素を全く持たない集合を考え，これを**空集合**といい記号「$\emptyset$」で表す．

[4] たとえば集合

　　　$A' = \{x \mid x$ は 6 の倍数$\} = \{6, 12, 18, \cdots, 30\}$

を考えると，A' の要素は全て A の要素にもなっている．つまり，A' が A に包含される(右図)．このとき，A' は A の**部分集合**であるといい，「$A' \subset A$」と表す．

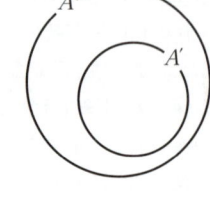

　補足　上記の集合 A, B は，もちろん全体集合 U の部分集合である．

[5] U から A の要素を除いてできる集合を，A の**補集合**といい，「$\overline{A}$」で表す．ここでは

　　　$\overline{A} = \{1, 2, 4, 5, 7, \cdots, 29\}$．

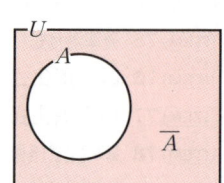

16　→ 2^4

[6]　A，B の両方に属する要素全体の集合を A，B の**共通部分**または**交わり**といい，「$\boldsymbol{A\cap B}$」で表す．ここでは，$A\cap B=\{15,\ 30\}$．

　また，A，B の少なくとも一方に属する要素全体の集合を A，B の**和集合**または**結び**といい，「$\boldsymbol{A\cup B}$」で表す．ここでは，$A\cup B=\{3,\ 5,\ 6,\ 9,\ \cdots,\ 25,\ 27,\ 30\}$．

[7]　2つの集合の関係を図示する方法として，次の2つが有名である．

〔ベン図〕

U
A
B
8個
2
個
4個
16個

A，$\overline{A}$ を輪の内，外で表す．

〔カルノー図〕

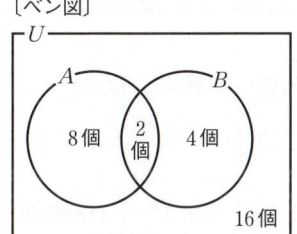

U
B
$\overline{B}$
A
2個
8個
10個
$\overline{A}$
4個
16個
20個
6個
24個
30個

A，$\overline{A}$ を線の上，下で表す．

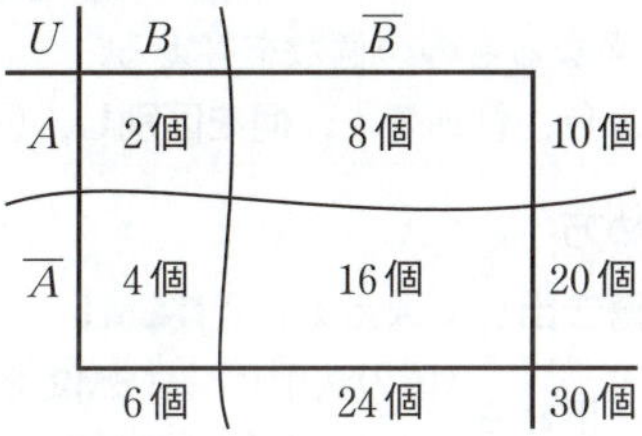

　上図に書き込まれているのは，前記の例における各集合の要素の個数であり，

$$n(A)=10,\ n(\overline{A})=20,\ n(B)=6,\ n(\overline{B})=24,$$

$$n(A\cap B)=2,\ n(A\cap\overline{B})=8,\ n(\overline{A}\cap B)=4,\ n(\overline{A}\cap\overline{B})=16.$$

　補集合 $\overline{A}$ も A と同等に扱える点で，カルノー図の方が優れている．

参考　3つの集合の関係は右下のベン図で表すことが多い．

[8]　要素の個数に関して，次の**包除原理**が有名である．（⇨ **ITEM22**）

$$n(A\cup B)=n(A)+n(B)-n(A\cap B),$$

$$n(A\cup B\cup C)=n(A)+n(B)+n(C)$$
$$-n(A\cap B)-n(B\cap C)-n(C\cap A)$$
$$+n(A\cap B\cap C).$$

U
A
B
C

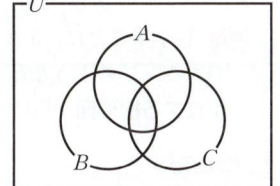

[9]　集合 A，B について，次の**ド・モルガンの法則**が成り立つ．

$\overline{A\cup B}=\overline{A}\cap\overline{B}$

赤枠囲み　斜線部

B
$\overline{B}$
A
$\overline{A}$

$\overline{A\cap B}=\overline{A}\cup\overline{B}$

赤枠囲み　斜線部

B
$\overline{B}$
A
$\overline{A}$

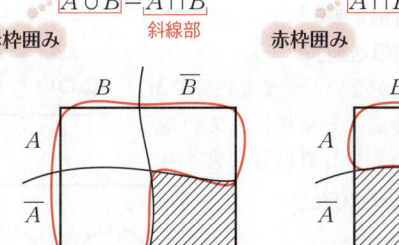

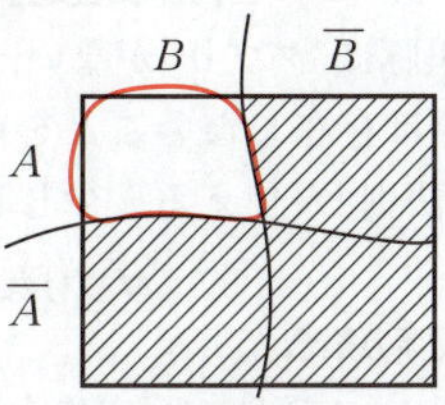

注意　ここで述べた「集合」に関する内容のほとんどは，確率で登場する「事象」に変えてもそのまま使えます．本書では，表現の簡便さを重視して，これら2つをあまり厳格に区別せずに使ってしまいます．

補足　ド・モルガンの法則は，3つ以上の集合についても同様に成り立つ．

　(例)　$\overline{A\cup B\cup C}=\overline{A}\cap\overline{B}\cap\overline{C}$

特講 B 超約！「場合の数」「確率」基本事項

 入試で超頻出のこの2分野の基本は，たったこれだけです！　詳しくはこの後の各 Stage で説明しますので，ここではサッと目を通しておけば大丈夫です．

―――――――― 場合の数 ――――――――

1 大原則　異なるものの個数を答える．
注意　順番，色，性別等々，**何を区別し，何を区別しないかを明確にとらえる**．

2 個数の求め方
- ⓐ：全て**書き出して**数える（⇨ **ITEM1** ）
- ⓑ：**法則を用いる** ┌ 積の法則（⇨ **ITEM2, 3, 4** ）→応用として"割り算"（⇨ **ITEM7, 8** ）
　　　　　　　　　　　└ 和の法則（⇨ **ITEM5** ）　　→応用として"引き算"（⇨ **ITEM6** ）

注意　ⓐの作業を通してⓑの利用に気付くことが多い．

3 積の法則　ある高校では，1年，2年，3年の3つの各学年ごとにA組，B組，C組，D組，E組の5クラスがある．この高校のクラスの総数は
$$3 \cdot 5 = 15 (通り)$$
のように"掛け算"で求まる．これを**「積の法則」**という．

注意　各学年ごとに，5クラスずつあることがポイントである．このようなとき，右図のような**均等に枝分かれする樹形図**が描けて「積の法則」が使える．

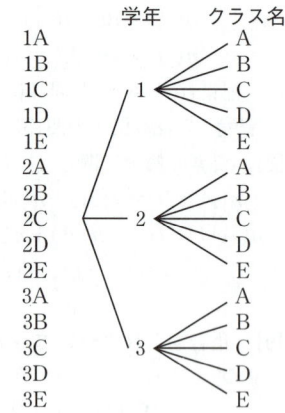

4 和の法則
白豚3匹と黒豚2匹がいる．これらの豚の総数は
$$3+2=5(匹)$$
のように"足し算"で求まる．これを**「和の法則」**という．

注意　ここでは，白豚と黒豚に"ダブリ"がない，つまり白豚でありかつ黒豚でもある豚は存在しないことを前提にしている．そのようなとき「和の法則」が使える．少し真面目に書くと，次のようになる．

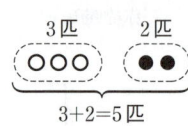

白豚の集合　　黒豚の集合　　ダブリなし
2つの集合 A, B があり，$A \cap B = \emptyset$（空集合）のとき
$$n(A \cup B) = n(A) + n(B).$$
白豚または黒豚　　白豚の数

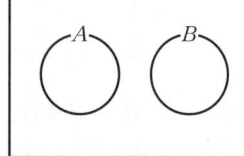

参考　ダブリがあるときには，前ページの「包除原理」（⇨ **ITEM22** ）を用いることがある．

18　→ $2 \cdot 9$ → $2 \cdot 3^2$

確率

1 確率とは？

ある**試行**(結果が偶然に支配される実験・観察)における**事象**(試行の結果起こる出来事)A の確率 $P(A)$ とは，

事象 A の，**全事象 U** に対する起こりやすさの**割合**．(⇨ **ITEM16**)

＊起こり得る事象全体
＊つまり，全体を「1」で表す
＊全事象＝Universal space

2 確率の求め方

求め方 $\begin{cases} \text{場合の数の比}(⇨ \textbf{ITEM10}) \\ \text{乗法定理}(⇨ \textbf{ITEM11}) \end{cases}$

3 場合の数の比

$P(A) = \dfrac{n(A)}{n(U)}$．

＊条件を満たす場合の数(分母と同基準)(⇨ **ITEM13**)
＊全ての場合の数(等確率)(⇨ **ITEM12**)

4 乗法定理

2つの事象 A, B がどちらも起きる事象を A と B の**積事象**といい，$A \cap B$ と表す．

(1) 乗法定理(独立試行) ＊正確には，試行の独立性が前提

2つの事象 A, B が"無関係"なとき

$P(A \cap B) = P(A) \cdot P(B)$．(⇨ **ITEM14**)

(2) 乗法定理

A, B が"無関係"とは限らないときも含め，一般に

$P(A \cap B) = P(A) \cdot P_A(B)$．(⇨ **ITEM15**)

＊条件付き確率

注意 ふつうは，(2)のことを「乗法定理」という．しかし，(1)はその特殊なケースであり，これも「乗法定理」である．本書では，実用上の利便性を図り，(1)のことを，(2)と区別して呼びたいときには「乗法定理(独立試行)」と称することにする．

5 確率の基本性質

(1) $0 \leq P(A) \leq 1$

＊$P(\varnothing)$ ＊$\varnothing$：空事象   ＊$P(U)$

(2) 2つの事象 A, B の少なくとも一方が起きる事象を A と B の**和事象**といい，$A \cup B$ と表す．A, B が**排反**，つまり $A \cap B = \varnothing$ であるとき

＊同時には起こらない，ダブリなしってこと

$P(A \cup B) = P(A) + P(B)$．＊(確率の)加法定理

参考 ダブリがあるときは，場合の数の包除原理と等価な公式を用いることがある．(⇨ **ITEM33**)

補足 事象 A に対し，「A が起きない」という事象を A の**余事象**といい，$\overline{A}$ と表す．$A \cup \overline{A} = U$, $A \cap \overline{A} = \varnothing$ であるから

$P(A) + P(\overline{A}) = 1$． i.e. $P(\overline{A}) = 1 - P(A)$．(⇨ **ITEM17**)

「数学」と「石」

英単語「calculus」の意味を辞書で調べると,「微分積分学」,「(腎臓の)結石」という一見なんの関係もなさそうな訳語が並んでいますが,これにはちゃんと理由があります.

ラテン語の語幹「calc」は「石」(とくに石灰石),接尾辞「ulus」は「小さいもの」を意味しますから,血中カルシウムの沈殿作用でできる「結石」が「calculus」=「小石」と表されることは合点がいきますね.

さて,次に「calculus」=「微分積分学」についてです.これは「differential calculus」=「微分法」,「integral calculus」=「積分法」を短くしてまとめたもので,もとの意味は「導関数,不定積分の計算法」です.そう,「calculus」には同じ語幹を持つ「calcurate」と同様,「計算」という意味があります.では,どうして「計算」のことを「石」と表すようになったのでしょう.

答えは古代ローマにあります.当時,もちろん電動式計算機などありませんし,我々が当たり前のように使っている「十進法」などの「位取り記数法」すらありませんでした.そこで古代ローマ人は,テーブルの上で小石を動かすことで計算をしていました.彼らはこの小石のことを「calculus」と呼び,「計算」と「石」とが結びついたというわけです.(※)

さらに時を遡のぼり,「石」と「数学」にまつわるこんなお話しもあります.

昔,羊飼いがいました.飼育されている羊は,朝放牧され,そして夕方には厩舎に帰ってきます.このとき全頭が帰ってきたかどうかをチェックするため,羊飼いは「石」を用いました.すなわち,朝出て行く羊が目の前を通るたびに石ころを箱に入れていきます.そして夕方,帰ってきた羊が通る度に今度は箱から石ころを取り出していきます.箱から石ころが全て取り出されたら,羊が全て帰ってきたことの証となりますね.このように羊飼いは,「羊」と「石」の間に,<u>今で言うところの「対応」</u>,より詳しくいうと「1対1対応」を作ることによって管理していたのです.また,それと同時に

　　　羊　羊　羊　…　羊
　　　石　石　石　…　石

との間に,**共通な何か**を見出していきました.つまり,<u>今の言葉を用いて言うなら</u>,

　　　「羊100頭」と「石100個」の間に,「100個」という共通な抽象概念

を発見したわけです.それを起源として「数」というものが生まれて人間界に広まり,「数学」へと発展していったとのことです.

これは,筆者が昔本で読んだ"お話し"であり,真偽の程は定かではありませんが,いかにもその情景が目に浮かぶ,信じてみたくなるお話しではあります.

それでは,現代に生きる私たちも,古いにしえの羊飼いたちと同様,「物」と「数」を対応付ける営み,つまり「数える」という素朴で大切な作業から始めましょう.

(※) Schwartzman, S. (1994). The words of mathematics : An etymological dictionary of mathematical terms used in English. Washington, D.C. : Mathematical Association of America.

Stage 1
原理原則編

p.18～p.19 にまとめてあるような,「場合の数」「確率」を考える上でもっとも根本的な基礎となる内容を確認します．ほとんど知らない人はいないくらいあたりまえなことばかりで，小学生ですら正解できる問題も含まれますが…，じつは，入試実戦レベルの問題において発生するミスの多くが，このレベルの考え方に対する理解の不完全さに起因するのです．

【基本事項シラバス】

場合の数編

場合の数を数えるときの約束：**異なるもの**の個数を数える．
→順番，色，性別等々，何を区別し，何を区別しないかを明確にとらえる．

数え方 ｛ 全て書き出して数える ➡ ITEM1
　　　　 法則を用いる ｛ 積の法則 ➡ ITEM2 ～ ITEM4
　　　　　　　　　　　　　…応用として"割り算"➡ ITEM7 , ITEM8
　　　　　　　　　　　　 和の法則 ➡ ITEM5
　　　　　　　　　　　　　…応用として"引き算"➡ ITEM6

確率編

確率 $P(A)$ とは，「事象 A の起こりやすさの割合」

求め方 ｛ 場合の数の比 ➡ ITEM10 , ITEM12 , ITEM13
　　　　 乗法定理 ➡ ITEM11 , ITEM14 , ITEM15

ITEM 1 場合の数 数え上げ

よくわかった度チェック！ ① ② ③

個数の数え方として，もっとも原始的な方法から始めましょう！ "原始的"であるがゆえ，今後様々な局面で使われます．けっして油断しないでくださいね．

ここがツボ！ 数え方に自分なりのルールを設け，モレなく，ダブりなく

例題1 区別のない 8 個のボールを，区別のない 3 つの箱に入れる方法は何通りあるか．ただし，空の箱があってはならないとする．

方針 ボールも箱も区別しませんから，「8 個」を何個ずつに分けるか，その個数だけを考え，素朴に，そして慎重に，とにかく全てを書き出し，それを"指折って"数えます．なお，「空箱 NG」ですから，「0 個」はダメですよ．

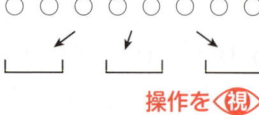
操作を視

解答
3 つの箱に入るボールの個数の内訳を全て書き出すと次のとおり．
　　$\{1, 1, 6\}, \{1, 2, 5\}, \{1, 3, 4\}, \{2, 2, 4\}, \{2, 3, 3\}$ …①
よって求める入れ方の数は **5 通り**．

{ }は順序を区別しない記号

注意1 $\{1, 1, 6\}$ と $\{1, 6, 1\}$
を「2 通り」として数えてしまってはいませんか？　本問では箱に区別がありませんから，「6 個が入るのはどの箱か？」と考えることには意味がありません．上記 2 つの分け方は同じものであり「2 通り」として数えてはなりません！

なお，p. 6 にも書いたように，順序を考えないものの集まり（集合）を表す際には「$\{1, 2, 5\}$」のように中括弧を用いるのが通例です．（順序を区別するときには「$(1, 2, 5)$」のように小括弧を用います．）

重要 このように，同じものを重複して数えてしまう"ダブルカウント"をしないことは，場合の数を数えるときの注意点の最たるものです．そしてもう 1 つの注意は全てを漏らさず数えること．

モレなく，ダブりなく

モレなく ダブりなく

これは今後場合の数を学んでいく上で全ての基本となります．今後，このことを注意すべきときに，右上に記したマークを付すことにしましょう！

上記 注意1 を見てもわかるように，個数を数えるときには，**「何を区別し，何を区別しないか」**を意識することがとても大切です．今後，その点に対して注意を促したいときに，右に記したマークを付すことにしましょう． ○○を区別?

解説 上記の「モレなくダブりなく」を実践するためには，書き出す順序に関する自分なりのルールを決めておくことが大切です．たとえば **解答** では，①のように

基本ルール：
　　　　「なるべく左に小さな数を書く」
に従って書き並べています．さらに詳しく述べると次の通りです．

　3つの数を {左，間，右} と表すとき，「左≦間≦右」を満たすものだけを書く．
　まず3つの数のうち左を「1」に決める．
　間と右に和が7になる2数を「間が小さいものから順に」並べる．
　{1, 3, 4} の次を書こうとすると {1, 4, 3} となり 間＞右 となってしまう．
　よって「左が1」はこれで終了．
　次に左を「2」にし，2以上の2数だけを用いて…
　間と右に和が6になる2数を「間が小さいものから順に」並べる．
　{2, 3, 3} の次を書こうとすると {2, 4, 2} となり 間＞右 となってしまう．
　よって「左が2」はこれで終了．
　次に左を「3」にすると，{3, 3, 3} となり和が8を超えてしまうので駄目．
　よって以上で終了！

もちろん実際にはこんなにガチガチに理論的に考えて作業する訳ではありません．「そうだそうだ言われてみればたしかにそうやってる！」と感じていただければ大丈夫です．

参考1 本問は，ボール，箱に区別があるか否か，さらに空の箱を許すか否かによって様々な異なる問題となります．これについては ITEM 42〜ITEM 44 で徹底的に考えます．

注意2 たとえ全てが正しく書き出せていたとしても，個数があまりに多い場合，そして次 ITEM から学ぶ「法則」を使えば明快な解答が可能な問題では，「説明不備」とされる可能性があります．また，全てを書き出す方式は，1つでも「足りないもの」「余計なもの」があれば，バッサリ0点！となることがありますのでご注意を！

参考2 ちなみに本問のように何かを「区別しない」という立場で考えると，個数が少ないので全てを書き出す手法が使える可能性が高いですが，反面次 ITEM から学んでいく「法則」は使いにくくなります．（本問の対極にあるのが p.27 **類題 3** [2]です．）

類題　1

[1] 区別のない8個のボールを，区別のない3つの箱に入れる方法は何通りあるか．ただし，空の箱があってもよいとする．

[2] 大，小2つのサイコロを投げるとき，大の目が小の目の倍数となるような2つの目の出方は何通りあるか．

(解答▶解答編 p.1)

ITEM 2 場合の数 順列

　「順列」，つまり異なるものを順に並べる方法について基本を確認します．なぜ"掛け算"になるのか，そこをしっかり理解してください．

> **ここがツボ！** 均等に枝分かれする樹形図をイメージして．

例題2　5枚のカードがあり，それぞれに　1　2　3　4　5
1, 2, 3, 4, 5の数字が1つずつ書かれている．
(1) 上記のうち3枚を並べて3桁の整数を作る方法は何通りか．
(2) 上記5枚全てを並べて5桁の整数を作る方法は何通りか．

着眼
(1) まずは「全て書き出してやる」くらいの"気持ちで"臨みます．とはいえ実際には，作られる3桁の整数を小さい順に並べてみると

123, 124, 125, 132, 134, 135, 142, …　…①

と骨が折れますね．上記①において，百の位は「1」に固定されており，最初の3個の数では十の位も「2」に固定されています．そこで，これらを何度も書くのを止めて効率よく表したのが右の「**樹形図**」です．
この図を見れば，求める場合の数が"掛け算"で求まることがわかりますね．

(2) (1)の考え方さえつかめれば，やることは同じ．ちょっと並べる個数が増えるだけです．

まだまだまだ続く
同じ数は2度以上使われない
樹形図で視

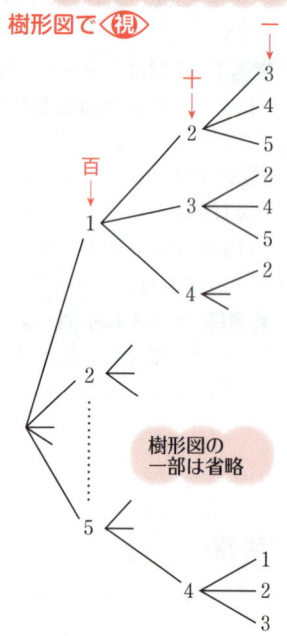

樹形図の一部は省略

解答
(1)　百十一
　□□□
百, 十, 一の位の順に考えて，求める個数は
積の法則　$5 \cdot 4 \cdot 3 = 60$ **(通り)**．

(2)　万千百十一
　□□□□□
万, 千, 百, 十, 一の位の順に考えて，求める個数は
$$5 \cdot 4 \cdot 3 \cdot 2 \cdot 1 = 120 \text{ (通り)}.$$

重要1 (1)では，百の位を表す5本の枝**全て**が，十の位ではすでに百の位で使われた数以外の4通りずつに分かれ，こうして得られた(5・4＝)20通りの枝**全て**が，一の位においてさらに百，十の位で使われた数以外の3通りずつに分かれますね．このように

  　　樹形図の**全ての枝が均等に分かれる**とき

個数は 解答 にあるように掛け算で求まります．これが「**積の法則**」です．（小学生でも知ってますが…(笑)）

　とにかく積の法則を用いる際には，必ず樹形図を描くか，あるいは慣れたら思い浮かべて考えるようにしてください．

補足 ①のような順序に並べたものを「辞書式配列」といいます（⇨ **ITEM32**）．この呼び方は，1, 2, 3, 4, 5をアルファベットa, b, c, d, eに置き換えて並べた

  　　abc, abd, abe, acb, acd, ace, adb, …

を見れば納得できるでしょう．このルールにのっとって並べれば，ITEM 1のように「全てを書き出す」ときに，モレとダブりが避けられます． モレなく ダブりなく

重要2 本問は結果として「積の法則」を用いて解答しましたが，その方法が正しいことは，具体的に樹形図として書き出してみようという態度があって初めて納得できるものです．このように

  　　具体的に書き出そうとする→それを通して適切な法則を発見する

というプロセスは，「場合の数」「確率」の問題攻略における"鉄則"と言えるものです．

参考 本問のように異なる5個のうち3個を並べてできる**順列**の個数を，記号

  　　$_5\mathrm{P}_3$ 　…「P」は順列＝Permutationの頭文字．「5ピー3」などと読む．

で表します．つまり

  　　$_5\mathrm{P}_3 = 5\cdot 4\cdot 3$ 　…5から始まる連続3整数の積

また，(2) 解答 に現れた1から5までの連続整数の積は5!（「5の**階乗**」）と表します．もちろん $5! =\, _5\mathrm{P}_5$ です．

類題 2 　6枚のカードがあり，それぞれにa, b, c, d, e, fの文字が1つずつ書かれている．

[1] 上記のうち2枚を1列に並べる方法は何通りか．

[2] 上記6枚を全て並べる方法は何通りか．

（解答▶解答編 p.1）

ITEM 3 場合の数 重複順列

前問と同じく，異なるものを**順序を区別して**並べる方法の数を考えます．今回は同じことが繰り返し起こり得るケース：重複順列を考えます．

> **ここがツボ！** 順序の区別があることを意識しながら！

例題3 1個のサイコロを繰り返し2回投げる．第1回と第2回を区別して考えるとき，目の出方は何通りあるか．

方針 必ず樹形図を描いて（慣れたら思い浮かべて）考えてください．またその際，順序の区別があることを意識し，たしかに**枝分かれが均等**であることを確認すること． 樹形図で◁視

解答 順序を区別して考えて，求める個数は
積の法則 …… $6^2 = 36$ **(通り)**．

注意1 この樹形図において，第1回の目が2, 3, 4, 5のときは，第2回の図が一部省略されています．

重要 「6^2」とは「$6 \cdot 6$」のことですね．では，ここに書いた2つの「6」がいったい何を意味しているかわかりますか？ 正解は次の通りです．

$\underset{\text{第1回の目}}{6} \cdot \underset{\text{第2回の目}}{6}$ …… 順序を区別している　○○を区別？

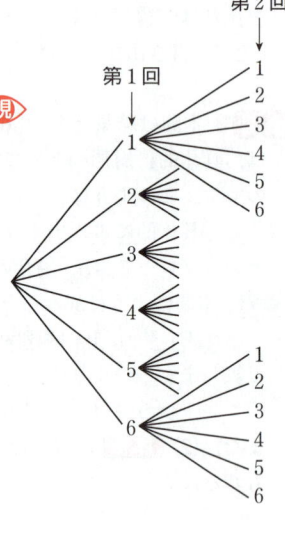

そもそも樹形図を描く際，「第1回」，「第2回」と順序を区別しているからこそ，樹形図における2つの"枝"

1 ——— 6　　6 ——— 1

を異なるものとして数えることになり，「第1回」の目が1~6のどれであるかに関わらず「第2回」の枝が均等に分かれる樹形図が得られているのです．もし順序を区別しないなら，たとえば枝1———6の方のみ考える，つまり右の数が左の数以上となる枝のみを描くことになってしまい，枝別れは均等になってくれませんね．右図のように…
（これはまさに **例題1** と同じ状況です．）

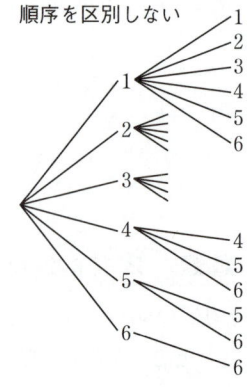
順序を区別しない

注意2 このように，「サイコロを順に2回投げる」(or 異なる2個のサイコロを1回投げる)，「コインを順に3回投げる」(or 異なる3枚のコインを投げる)，「カードを取り出して元に戻すことを繰り返す」などの操作(確率分野では「独立反復試行」という(⇨ **ITEM14**))においては，各回の操作がまったく同じ状態で行われるため，つい「第何回」ということに対する注意が疎かになりがちです．よって，今後このような**重複**のある**順列**(並べ方)を考える際には，必ず

「第1回」，「第2回」と順序を区別している　○○を区別 ?

ことを強く心に留めるようにしてください！

参考 本問では，「サイコロの目」，「順序」をどちらも区別して考えます．「ボール」，「箱」をどちらも区別しなかった ITEM 1 の例題とは正反対であり，個数が多くなるので「全てを書き出す」手法よりも「法則」の方が簡単に適用できます．

場合の数において，一般的に次のような傾向があります．

○○を区別しない	○○を区別する
(例)：**例題1**	(例)：**類題 3** [2]
個数が少ない	個数が多い
全て書き出しやすい	法則を使いやすい

積の法則，和の法則

類題　3

[1] 異なる3個のサイコロを同時に投げるとき，目の出方は何通りか．

[2] 8個の異なるボールを3個の異なる箱に入れる方法は何通りか．ただし，空の箱があってもよいとする．

(解答▶解答編 p.1)

27　→ 3^3

ITEM 4　場合の数　数える順序

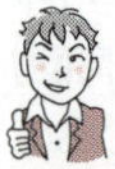

積の法則を使って個数を求めるとき，数える「順序」によって求めやすさが激変することがあります．この「順序」に関する，ある大切な原則を確認しましょう．

> **ここがツボ！** 制限の厳しい所から数えるのが原則．

例題4　5枚のカードがあり，それぞれに 1, 2, 3, 4, 5 の数字が1つずつ書かれている． １ ２ ３ ４ ５
このうち3枚を左から順に並べて3桁の奇数を作る方法は何通りか．

方針

3桁の整数が奇数になるのは，一の位が奇数になるときですね．(⇒p.56 **特講C** [1](1))
例：２ ５ ３
　　　　↑奇数

注意1

例題2 と同じように百，十，一の位の順に考えて樹形図を描くと右のようになります．この図からわかるとおり，

　1—2の後の枝は 3, 5 の 2本
　1—3の後の枝は 5 の 1本
　　　⋮
　2—4の後の枝は 1, 3, 5 の 3本

のように，最後の枝分かれの数がまちまちであり，「積の法則」が使えません．こうなる理由は，最後の一の位において
　奇数であること
　既に使ってしまった百，十の位の数が使えないこと
という2つの条件が重なり，"干渉"し合うことです．そこで，「奇数である」という**制限**を課せられた一の位から先に数えます．

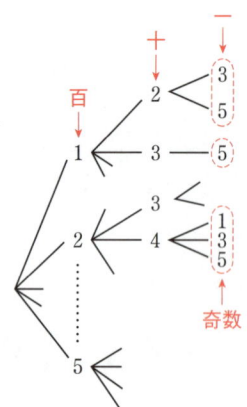

樹形図で〈視〉

解答

一の位が奇数であるものを数えればよい．

　一 十 百
　奇 □ □

一，十，百の位の順に考えて，求める個数は
　　$3 \cdot 4 \cdot 3 = 36$ (通り)．
　　　↑積の法則

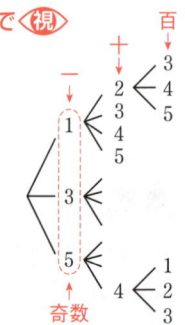

重要1 このように，「制限のある一の位から」数えれば，上記 注意1 で述べた「2つの条件の干渉」が起こらないため樹形図の枝分かれが均等になり，「積の法則」が使えますね．

補足 十の位と百の位には何の制限もありませんから，どちらを先に数えてもかまいません．

注意2 本問では，問題の本質がわかりやすいようカード枚数を5枚にしてあるので答えが(たったの)「36通り」です．よって「全てを書き出す」方法でも解答可能ではありますが，カードの枚数が増えた場合それでは通用しなくなりますから，ちゃんと 解答 の手法をマスターしてください．

注意3 この「制限のある所から」というのはあくまで「原則」であって，例外もあります．(⇨ 例題18 (2))

重要2
　問題文では「左から順に並べて」とありますが，数える順序は，並べるときの時間的順序と同じでなくてもかまいません！これは，次のように考えれば納得がいくはずです．
　3枚のカードを左から並べ，3桁の整数ができる度にそれを3桁の"記録カード"に書き写していきます．全てを作り終えたとき，"記録カード"は(偶数も含めて)全部で$_5P_3 = 5\cdot 4\cdot 3 = 60$枚できています．
　さて，その60枚の記録カードのうち，「奇数」であるものの個数を求めましょう．そのためには当然，方針 で述べた通り，まず最初に「一の位」に注目して並べ直すでしょう．これが上記 解答 で用いていた考え方なのです．

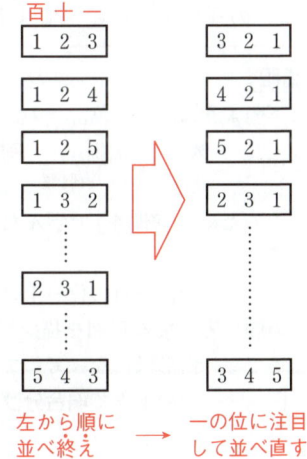

　このような

　　起こり得る全ての場合を記録カードに書き留め終えてから，
　　それを設定された条件に注目して整理し直す

という考え方を，本書では今後「記録カード方式」と呼ぶことにします．今後レベルが上がって行くにつれ，重要度が増していきますよ．(⇨ **ITEM60** 解説2)

類題 4 6枚のカードがあり，それぞれにa, b, c, d, e, fの文字が1つずつ書かれている．このうち3枚を左から順に並べて3文字の文字列を作るとき，右端が母音a, eであるものは何通りか．

(解答▶解答編 p.1)

ITEM 5 場合分け

場合の数

よくわかった度チェック！

前 ITEM まで使用してきた「積の法則」だけでは個数が求められないとき，何等かの観点に注目して**場合分け**し，「和の法則」も併用するとスッキリと解決することがあります．そんなタイプの問題について，その見極め方から話していきます．

> **ここがツボ！** 樹形図が均等に枝分かれしないなら，場合分けも考えてみる．

例題5 5枚のカードがあり，それぞれに 0, 1, 2, 3, 4 の数字が1つずつ書かれている． 0 1 2 3 4
このうち3枚を並べて3桁の偶数を作る方法は何通りか．

着眼
下のように，百の位，一の位の2か所に制限がありますね．

(例)： 2 5 3
　　　↑　　↑
　0以外　偶数

制限を 視

そのため，**例題4** で学んだ通り制限の厳しいところから順に
　　一の位→百の位→十の位
の順に考えて樹形図を描いても，右のように枝分かれが均等でない樹形図になってしまいます．そこで破線「‥‥‥‥」の上下で**場合分け**します．

樹形図で 視

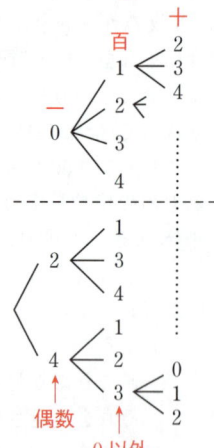

解答
一の位が偶数であり，百の位が0でないものを数えればよい．

一 百 十
偶 ⓪ □　…… 制限の強い，つまり選択肢の少ない所から数える（⇐ **ITEM4**）

そこで，一の位が0であるか否かに応じて場合分けする．
　○一の位が0であるものは
積の法則 ●●● $1 \cdot 4 \cdot 3 = 12$(通り)．
　○一の位が2, 4であるものは
積の法則 ●●● $2 \cdot 3 \cdot 3 = 18$(通り)．
　○以上より，求める個数は
和の法則 ●●● $12 + 18 = \mathbf{30}$(**通り**)．

解説　とにかく，まずは樹形図を書いてみることです．ただし，ITEM 4 の原則どおり制限の厳しい所から考えて描いてください．すると 着眼 で見たとおり，樹形図の枝分かれが均等でないことに気付くので，次なる方法として

　　　　「場合分け」→「和の法則」
　　　　　　　　ダブリなし

を用いることが思い浮かびます．

　一の位の偶数を選ぶ際，次の百の位に置くことができない「0」と，置くことができる「2, 4」の2種類のケースに場合分けすることにより，各ケースの残りの位においては

　　　　「枝分かれが均等な樹形図」→「積の法則」

の流れが使えるようになりましたね．

重要　本問では，一の位に置くものとして，「0」と「2, 4」が
　　　全ての場合を尽くしており，　　モレなく
　　　共通なものを含んでいない　　　ダブリなし

であることは自明であり，そのことをとくに強調して答案に書くまでのことはありません．

　とはいえこの「モレなく，ダブリなく」は，場合の数を考えるとき常々注意していなければならない重要事項であり，とくに場合分けを行う際に留意すべき第一事項です．問題のレベルが上がっても間違えないようにするため，モレなく ダブリなく には充分注意しましょう．

　それを実現するためのポイントは，**場合分けする観点を明確にすること**です．今回は「一の位が0か否か」という単純な観点ですが，後にここが勝敗を決する問題も登場します．（⇨ ITEM80 ）

発展　「ダブリ」をあえて承知の上で考えていくこともあります．

　　　　　　　　　　　　　　　　　　　（⇨ ITEM22 ：包除原理）

　とはいえ，モレ・ダブリのない場合分けが可能なら，極力そのようにするのが安全策です．

参考　次 ITEM の 参考1 で，本問の 別解 を書きます．

類題 5　5枚のカードがあり，それぞれに1, 2, 3, 4, 5の数字が1つずつ書かれている．このうち3枚を並べて3桁の整数を作るとき，200以上の奇数は何個できるか．

（解答▶解答編 p.2）

31 ：素数

ITEM 6 　場合の数　補集合の利用

　前 ITEM で用いた「和の法則」の応用です．場合分け→和の法則によっては直接求めにくいとき，ここで学ぶ手法を試してみてください．

ここがツボ！　「求めたいもの」そのものが求めやすい？？

例題6　異なる3つのサイコロ A, B, C を同時に投げるとき，少なくとも1つのサイコロの目が5以上であるような目の出方は何通りか．

着眼
5以上の目が出るサイコロの個数 N の値としては，次の4つが考えられます．
$$N = \underline{0,}\ \underline{1,\ 2,\ 3}$$
　　　求めやすい　求めたい

よって，$N=0$ となる目の出方を用いる方が簡明ですね．

解答
サイコロ3つを区別して考える．
○ 全ての目の出方の数は
$$n(U) = 6^3.$$
○ そのうち
　　E：「少なくとも1つが5以上の目」　…　$N=1,\ 2,\ 3$
の補集合
　　$\overline{E}$：「5以上の目がまったく出ない」，　…　$N=0$
　　i.e.「3つとも4以下の目」
について
$$n(\overline{E}) = 4^3.$$
○ 以上より，求める出方の数は
$$n(E) = n(U) - n(\overline{E})$$
$$= 6^3 - 4^3 \quad \text{…　引き算！}$$
$$= 216 - 64 = 152.$$

解説　全ての目の出方 U は，E と $\overline{E}$ という共通部分をもたない2つだけに分けられます．したがって
$$n(E) + n(\overline{E}) = n(U) \quad \text{…　和の法則}$$
が成り立ちます．これを利用して，$n(U)$ と $n(\overline{E})$ から $n(E)$ を求めようとするとき，上記のような"引き算"が現れます．

補足 本問の状況は，次の通りです．

$$\begin{cases} E\cdots\text{求めたいけど求めづらい．} \\ \overline{E}\cdots\text{求めたくはないけど求めやすい．} \end{cases}$$

こんなとき有効な手法が"引き算"です．

注意 次のようにするのは典型的な誤りです！（ワルイこと書きますから，あんまりよく見ちゃダメよ．）

	A	B	C	
	⑤			まずAを5以上にし…
	↓			
	⑤	3	5	他は何でもいーやと
	⑤			まずCを5以上にし…
			↓	
	5	3	⑤	他は何でもいーやと

1° A, B, Cのどれか1つを5以上にする．…3·2通り．
2° 他の2つはどの目でもよい…6^2通り．
3° よって求める場合の数は
　　　　　　$3 \cdot 2 \times 6^2 = 216$(通り)．

右上の例を見ればわかるように，1°でAに注目してそれを「5」とし，2°でどーでもいーCも「5」にしたものと，1°でCに注目してそれを「5」とし，2°でどーでもいーAも「5」にしたものとを"ダブルカウント"してますね．

これは，「注目している"主役"の1°」と「テキトーに選ぶ"脇役"の2°」という区別を無意識に付けてしまうことから起こるミスで，筆者は"主役脇役ダブルカウント"と呼んでいます．

参考1 前 ITEM **例題5** の別解として次の方法が考えられます．
○ 3桁の整数の総数は，百の位が0でないことを考慮して
　　　　$4 \cdot 4 \cdot 3 = 48$(通り)．
○ そのうち奇数であるものを考える．

　一 百 十
　奇 ⓪ □

このような数は

積の法則 $2 \cdot 3 \cdot 3 = 18$(通り)．
○ 以上より，求める個数は
引き算！ $48 - 18 = 30$．

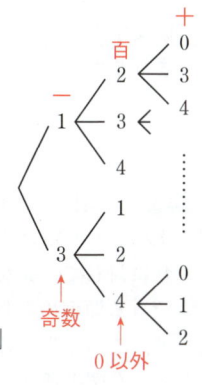

参考2 「場合の数」における「補集合の利用」に対応するのが，「確率」における「余事象の利用」です．ITEM 17で扱います．

類題 6 9枚のカードがあり，それぞれに 1，2，3，…，9 の数字が1つずつ書かれている．このうち3枚を1列に並べるとき，少なくとも1枚は偶数のカードが含まれているような並べ方は何通りか．

(解答▶解答編 p.2)

ITEM 7 　場合の数　組合せ

よくわかった度チェック！

異なるものを順序を付けて並べてできる「順列」に対して，異なるものを順序を付けないで選んでできる**「組合せ」**について考えます．当然のことながら，「順序」を区別するかしないかの違いが重要となります．

> **ここがツボ！** 順列との対応を考え，記号・公式を積極的に活用！

例題7 　5枚のカードがあり，それぞれに 1，2，3，4，5 の数字が1つずつ書かれている．ここから異なる2枚のカードを選ぶ方法は何通りあるか．

| 1 | 2 | 3 | 4 | 5 |

方針　問題文において，取り出す順序に関して言及がないので，順序を区別しない「組合せ」の数が要求されているのだと判断します．

解答

異なる5枚のカードから異なる2枚を選ぶ組合せを考えて，求める場合の数は

$$_5C_2 = \frac{5\cdot 4}{2!} = 10(通り).$$

補足1　このように，異なる5個から異なる2個を選んでできる組合せの個数を，記号「$_5C_2$」のように表します（「5シー2」などと読みます）．「C」は組合せ＝Combination の頭文字であり，この記号を「二項係数」といいます．また，その値は，次のようにして求まります．

$$_5C_2 = \frac{5\cdot 4}{2!}$$

　　5から始まる連続2整数の積
　　2の階乗

解説　二項係数の値が上記のように分数として求まる理由を説明します．

求めるべき組合せの個数 $_5C_2$ は未知なので，x とおきます．これに対して，異なる5枚のカードのうち異なる2枚を並べてできる順列の個数 $_5P_2$ は「積の法則」によって既知です．そこで，この未知なる $_5C_2$ と既知なる $_5P_2$ の対応関係に注目します．右図の通り，1つの組合せから，順序を考えることにより 2! 通りずつの順列が得られますから

　　　　　○○を区別？

組合せ	順列
$\{1, 2\}$	$(1, 2)$ / $(2, 1)$
$\{1, 3\}$	$(1, 3)$ / $(3, 1)$
$\{1, 4\}$	$(1, 4)$ / $(4, 1)$
$\vdots$	$\vdots$
$\{4, 5\}$	$(4, 5)$ / $(5, 4)$

　　　　　積の法則　　　　$_5P_2$
$$x \times 2! = 5\cdot 4.$$
　　求めたい　　　求めやすい

$$\therefore \ (_5C_2 =)x = \frac{5\cdot 4}{2!}. \quad \text{"割り算"}$$

x 通り　　$5\cdot 4$ 通り
対応関係を〈視〉

このように，樹形図において「求めたいもの」(x 通り)から均等な枝分かれ($2!$ 本ずつ)によって「求めやすいもの」($5 \cdot 4$ 通り)が得られるとき，積の法則によって x の方程式ができ，それを解く際に"割り算"が現れます．

このような手法は，次 ITEM でも使われ，Stage 2 でも現れます．(⇨ **ITEM26** など)

注意 この"割り算"という手法が，どのような基本に裏打ちされているかを理解しておいてください．

　　　　均等な枝分かれの樹形図→積の法則が使える→"割り算"

これを理解していないと，後に致命的な過ちを犯すことにつながります．(⇨ **ITEM27** など)

補足2 同様に考えて，一般に次のことが成り立ちます．

> **組合せ**
> 異なる n 個から異なる r 個を選んでできる**組合せ**の個数は
> $$(*) \quad {}_nC_r = \frac{n(n-1)(n-2)\cdots(n-r+1)}{r!} \quad \begin{array}{l} n \text{ から始まる連続 } r \text{ 整数の積} \\ r \text{ の階乗} \end{array}$$

二項係数は，階乗記号を用いて ${}_nC_r = \dfrac{n!}{r!(n-r)!}$ とも表せます．後でこちらの表現を用いる方が有利な問題も登場します(⇨ **類題 67**)．でも当面は前述の$(*)$の方が手軽に使えて便利でしょう．

重要 **解説**の考え方を理解した上で，ふだん組合せの個数を考える際には記号「${}_nC_r$」を積極的に用いて表し，その値は上記公式を用いて"機械的に"求めるようにします．「組合せ」はとても頻出なので，毎回**解説**の考え方に戻っていてはスピード不足となるからです．

補足3 なお，たとえば二項係数 ${}_7C_5$ を計算するときは
$$_7C_5 = {}_7C_2 = \frac{7 \cdot 6}{2} = 21$$
のように計算します．${}_7C_5$，つまり「7個から5個選ぶ」仕方の数は，${}_7C_2$，つまり「7個から選ばない2個を決める」仕方の数と同じですから，${}_7C_5$ を直接計算せず，より簡単な ${}_7C_2$ にすり替えてから計算するのが効率的です．(⇨ p. 162 **特講D** [3](a))

参考 ITEM 2「順列」→ITEM 3「重複順列」→ITEM 7「組合せ」とくれば，次に「重複組合せ」なるものがきてもよい所ですが…．この「重複組合せ」はややレベルが上がるので，Stage 2・ITEM 24 で扱います．

類題 7 1, 2, 3, 4, 5, 6, 7, 8 の8枚のカードから5枚を選ぶ方法は何通りあるか．

ITEM 8 場合の数 同じものを含む順列

よくわかった度チェック！ ① ② ③

 ITEM 2の「順列」は，全て異なるものの並べ方でした．それに対して，ここでは同じものが含まれている場合の並べ方を考えます．

ここがツボ！ 「同じもの」をいったん区別して考え → 公式を覚える

例題8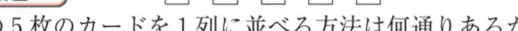
の5枚のカードを1列に並べる方法は何通りあるか．

方針 カード a どうし，カード b どうしは，区別しないで数えます．

解答
カード a 3枚，カード b 2枚はそれぞれ同じものだから，求める個数は

"割り算" $\cdots \dfrac{5!}{3!2!} = \dfrac{5\cdot 4\cdot 3\cdot 2}{3\cdot 2\cdot 2} = 10\,(通り)$．

解説 前 ITEM の「${}_5C_2$」の計算と同様，ここでも"割り算"が現れます．その理由も，実は前 ITEM とまったく同じです．

本問では5枚のカードを

$\boxed{a}\,\boxed{a}\,\boxed{a}\,\boxed{b}\,\boxed{b}$ …①
区別しない　区別しない

という立場で考えなければなりませんが，これは直接には"求めづらい"ので，

$\boxed{a_1}\,\boxed{a_2}\,\boxed{a_3}\,\boxed{b_1}\,\boxed{b_2}$ …②

○○を**区別**？

のように a どうし，b どうしも番号を付して区別するという別の視点に立ってみます．すると右図のように①の各々に対して，a, b の番号の違いを考えることで $3!\cdot 2!$ 通りの②の並べ方が対応します．②のように5枚全てを区別したときの並べ方は $5!$ 通りなので，求める個数を x とすると，

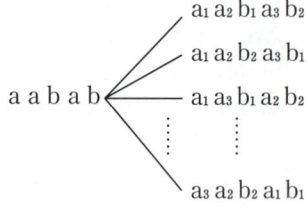

a どうし, b どうしを区別しない　　a どうし, b どうしを区別する

対応関係を〈視〉

$x \times 3!\cdot 2! = 5!$ …**積の法則**
求めたい↑　　↑求めやすい

$\therefore\ x = \dfrac{5!}{3!\cdot 2!}$ …"割り算"

前 ITEM と同じでしたね．

補足1 本問の答えは

$\dfrac{5!}{3!\cdot 2!} = \dfrac{5\cdot 4\cdot 3\cdot 2\cdot 1}{3\cdot 2\cdot 1\times 2!} = \dfrac{5\cdot 4}{2!}$

と変形でき，これは前 ITEM **例題7** の答え：${}_5C_2$ と一致しますね．これは，次のようにして説明がつきます．

[a] [a] [a] [b] [b] の 5 枚のカードを並べるには，当然 5 つの「場所」が要りますね．
　1　2　3　4　5

この 5 か所のうち 2 か所を選んで 2 つの [b] を置く方法は ${}_5C_2$ 通りあり，それを決めれば他の場所は自動的に [a] に決まりますね．このように 2 種類のものがあるときの「同じものを含む順列」は，片方の「並び位置」を考えるだけで解決します．

参考 本問の考え方を一般化したのが，次の公式です．

同じものを含む順列

n 個のものがあり，そのうち p 個，q 個，r 個，…が同じものであるとき，これらを 1 列に並べる方法の数は

$$\frac{n!}{p!q!r!\cdots} \text{ 通り．（ただし，} p+q+r+\cdots =n.\text{）}$$

(例 1)　[a][a][a][b][b][c][c]　… $\dfrac{7!}{3!2!2!}$ (通り)．…③

(例 2)　[a][a][a][b][b][c]　… $\dfrac{6!}{3!2!}$ (通り)．

(例 2) は公式どおりに書くと「$\dfrac{6!}{3!2!1!}$」となりますが，$1!=1$ ですから，「$1!$」は省きましょう．

　組合せと同様，**解説** の考え方を理解した上で，ふだんは上記公式を覚えて積極的に使いましょう．

補足2 上の (例 1) も **補足1** と同様に「場所」を考えて次のように求めることもできます．

　○ 2 つの [c] を置く方法 … ${}_7C_2$ 通り
　○ 残りの 5 か所に 2 つの [b] を置く方法
　　　　　… ${}_5C_2$ 通り

　　　1　2　3　4　5　6　7

　○ よって，求める並べ方は

$${}_7C_2 \cdot {}_5C_2 = \frac{7\cdot 6}{2!}\cdot\frac{5\cdot 4}{2!} \text{(通り)}.$$

これは，$\dfrac{7\cdot 6\cdot 5\cdot 4\times 3!}{2!2!3!} = \dfrac{7!}{2!2!3!}$ となり，たしかに③と一致していますね．ただし，二項係数を 2 つも書くことになるので，あまり得策とは言えません．

類題 8　　[1][2][2][3][3][3][3]

の 7 枚のカードを並べる方法は何通りあるか．

(解答▶解答編 p.2)

ITEM 9 場合の数 円順列

よくわかった度チェック！
① ② ③

ITEM2 の「順列」は，全て異なるものを1列に並べる方法でした．それに対して，ここでは円形に並べる方法について考えます．

ここがツボ！ "1つ"を固定し，残りを一定の向きに並べる．

例題9A 1，2，3，4，5，6の6人が手をつないで輪を作る方法について答えよ．
(1) 輪の作り方は全部で何通りあるか．
(2) 1，6の2人が向い合せになる方法は何通りあるか．

方針 円順列の考えにくさは，下のように一見異なるようで実は同一視すべきものがあることです．

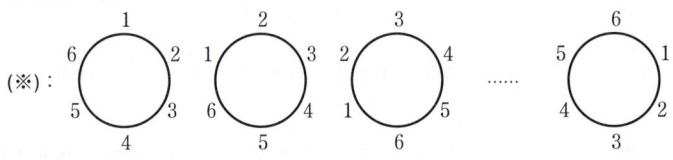

(※):

上の(※)のように区別すべきではないものを繰り返し数えないで済む方法，それが「ツボ」で書いた**「1つを固定する」**です．

解答
(1) 「1」を固定し，残りの5個を時計回りに並べる仕方を考えて，求める個数は

$$5! = 120 \text{(通り)}.$$

(2) (1)のうち，6が1の真向かいにある並べ方は，他の4か所の順列を考えて，$4! = 24$(通り)．

解説1 **解答** の図にあるように，1つの数字「1」の位置を固定し，他の並べ方を考えます．もっと詳しく述べると，固定した「1」を「起点」として，そこから他の5個を時計回りに並べるのです．こうすれば，ITEM2などで学んだ「順列」（一列に並べる仕方）の考え方がそのまま運用できますね．一般化すると次のようになります．

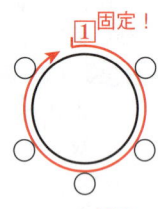

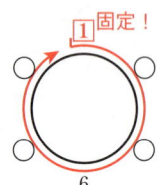

n個の「円順列」 $\xrightarrow{\text{1つを固定}}$ 他の$n-1$個の「順列」

38 → 2・19

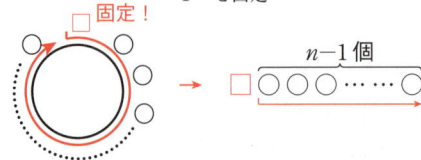

(2)は，そのように順列の問題と捉え直した上で，ITEM 4 で学んだとおり，制限の厳しい所(6の位置)から考えています．

注意1 あくまでも上記の「考え方」が重要です．くれぐれも
「n 個の円順列の個数は $(n-1)!$ 通り」
という公式の結果のみを暗記しないこと！
ちなみにこの「公式」自体は前記 **方針** の図にある(＊)の6通りが全て同一視されることを用いて説明を付けることもできますが，それだと，(2)のように「公式」そのものが適用できなくなると通用しませんから，とても不利です．

例題9B 赤，白，白，黒，黒，黒の6個の玉を円形に並べる方法は何通りあるか．

解答 赤，白，黒をそれぞれ r，w，b で表す．「r」を固定し，残りの5個：w 2個と b 3個を時計回りに並べる仕方を考える．同じものを含む順列の公式より，求める個数は
$$\frac{5!}{2!3!} = 10 \text{(通り)}.$$

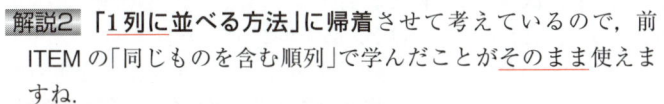

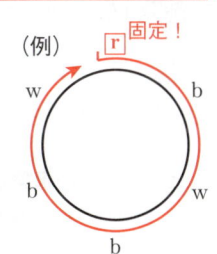

解説2 「1列に並べる方法」に帰着させて考えているので，前 ITEM の「同じものを含む順列」で学んだことがそのまま使えますね．

注意2 次のような解答をしてはいけません！
(例)：6個の円順列の作り方は 5! 通り．
ただし，同じものとして w 2個と b 3個が含まれているから
$$\frac{5!}{2!3!} = 10 \text{(通り)}$$

「1列に並べるときの公式」を「円順列」の中で使っているので，完全な誤りです．結果が当たっていたって駄目ですよ！

類題 9

[1] a，b，c，d，e，f の6人を円周上に並べる方法は何通りあるか．

[2] 1，2，2，3，3，4，4 と番号の付いた7つの石を円周上に並べる方法は何通りあるか．

(解答▶解答編 p.2)

ITEM 10 確率 場合の数の比

Stage 1 は，本 ITEM から 確率編 に入ります．

まず最初に，確率の2つの求め方：「場合の数の比」と「乗法定理」のうち前者について，極めて単純な問題を用いて解説します．また，確率分野でよく用いる基本単語についても確認しておきましょう．ここをしっかり理解しておくことは，今後ステップアップしていくための前提条件となります．完璧な理解を目指しましょう．

ここがツボ！ 等確率な事象の個数を用いて．

例題10 サイコロ1個を投げるとき，5以下の目が出る確率を求めよ．

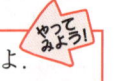

解説 ものすごく簡単な本問を通して，確率の基礎を簡潔に解説します．

サイコロを投げるという**試行**を行うと，その結果としては

「1の目が出る」，「2の目が出る」，…，「6の目が出る」　…①

という6個の**事象**が考えられ，次のことが言えます．

①の6個の事象のうち，どれか1つだけが，必ず起こる．　…②

このことをもとにして，本問の事象について「確率」＝「起こりやすさの割合」を求めてみましょう．①の事象を全て合わせたもの，つまり起こり得る事象全体を「**全事象**」といい，「U」で表します（「全事象」＝「Universal Space」）．全事象は必ず起こる事象であり，その確率は1です．（「割合」では，全体を「1」で表すのでしたね．）

さて，本問で確率を求める上での大前提条件は

①に挙げた6個の事象は，どれも**同じ起こりやすさ**をもっている　…③

ということです．すると，①の6個の事象各々の「起こりやすさの割合」は全て同じ文字「p」で表すことができ，②より

$$p+p+p+p+p+p=1, \text{ i.e. } 6p=1.$$

右図の p 　　右図の

$$\therefore p=\frac{1}{6}.$$

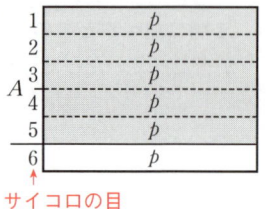

よって，事象 A：「5以下の目が出る」の確率は

$$P(A)=5p=\frac{5}{6}.$$

条件を満たす場合の数
全ての場合の数

ここでもっとも大切なことは③という前提であり，このことを

「①の各々は同様に確からしい」，もしくは

「①の各々は**等確率**」

とも言い表します．本書では今後，後者の表現を用います．

以上が「確率」を求めるときの基本となる考え方です．もちろん，実際の解答ではこ

1	p
2	p
3	p
4	p
5	p
6	p

A

↑サイコロの目

んなに詳しく述べる必要はありませんが…

解答 目の出方6通りの各々は等確率であり，そのうち5以下の目は5通りある．よって求める確率は，$\dfrac{5}{6}$．

重要1 この結果からわかるように，事象 A の確率 $P(A)$ は
$$P(A)=\dfrac{n(A)}{n(U)}=\dfrac{条件を満たす場合の数}{全ての場合の数} \quad \cdots ④$$
U：全事象

と，「場合の数の比」によって求まることがわかりましたね．ただし，あくまでも分母で数えた各々の事象が**等確率**であることが不可欠です！ 本書では今後，そのような注意を促したいところに **等確率？** マークを付します．

実際のサイコロは，ちょっと角が欠けていたり，密度が均一ではなかったりして必ずしも③の等確率性が満たされてはいないかもしれません．でも，そこまで考えだしたら「確率」なんて求められなくなってしまいますから，とくに断らない限りは「③を前提と認めて議論しましょう！」というのが数学の世界での慣習となっているわけです．

発展 その「前提」が崩れている可能性も考慮した話題は，p.236のコラムで．

参考 ④のようにして確率を求める際，もう1つ注意点があります．それは「分子が分母と同じ基準で数えられている」ことです．これに関しては後述します．(⇨ **ITEM13**)

重要2 本問の事象 A は，「1の目が出る」，「2の目が出る」，…，「5の目が出る」と細分化できます．これに対して①の6個の事象のようにこれ以上細分化できないものを**根元事象**といいます．各々が等確率である根元事象の数を用いた本問の解答は，「場合の数の比」を用いて確率を求める際の基本中の基本です．

ただし，等確率な根元事象を同数ずつまとめて等確率な（根元事象ではない）事象を作って解答することも可能です．たとえばサイコロを投げるとき，

　　事象 B：「3以下の目が出る」と，
　　その**余事象** $\overline{B}$：「4以上の目が出る」

を考えると，これらはどちらも根元事象①を3つずつまとめたものですね．①の6つ各々が等確率でしたので，これら2つも等確率です．よって，$P(B)=\dfrac{1}{2}$ で大正解です！

U	
B	1
	2
	3
$\overline{B}$	4
	5
	6

こうした方法論の有効性が実感できる問題は，(⇨ **ITEM28**)．

類題 10 10枚のカードがあり，それぞれに1, 2, 3, …, 10の数字が1つずつ書かれている．ここからカードを1枚取り出すとき，そこに書かれた数が3の倍数である確率を求めよ．

(解答▶解答編 p.3)

ITEM 11	確率
	乗法定理（独立試行）

よくわかった度チェック！ ① ② ③

前 ITEM「場合の数の比」に続いて，もう1つの確率の求め方「乗法定理」についても，単純問題を用いてその考え方を解説します．本 ITEM を通して「確率」が「起こりやすさの**割合**」であることをしっかり理解しておくことにより，今後の学習が円滑に進みます．

> **ここがツボ！**「乗法定理」は割合に割合を掛ける感覚で使う．

例題11 サイコロ1個とコイン1個を投げるとき，サイコロの目が5以下でコインが表である確率を求めよ．

解説1 前 ITEM で用いた「場合の数の比」を用いて解答してみます．

○サイコロ，コインの出方 $6 \cdot 2$ 通りの各々は等確率．
（サイコロ→　　コイン）

○そのうち条件を満たすものは $5 \cdot 1$ 通り．
（サイコロ→　　コイン）

○よって求める確率は，$\dfrac{5 \cdot 1}{6 \cdot 2} = \dfrac{5}{12}$．

もちろん，これでもいいのですが，上記においては注目する対象物が

　　サイコロ→コイン→サイコロ→コイン

と，行ったり来たりしていますね．そこで，次に**「乗法定理」（独立試行）**を用いた方法をお見せします．

解答

○サイコロの目が5以下である確率は，$\dfrac{5}{6}$． ●●● サイコロだけ考える

○コインの表が出る確率は，$\dfrac{1}{2}$． ●●● コインだけ考える

○よって求める確率は，$\dfrac{5}{6} \cdot \dfrac{1}{2} = \dfrac{5}{12}$．
（サイコロ→　　コイン）

解説2 こうすれば，「サイコロだけ」「コインだけ」に集中して考えることができ，少し楽ですね．

この解答をより詳しく記述してみます．

サイコロを投げる試行 T_1 とコインを投げる試行 T_2 を行うとき，サイコロの5以下の目が出る事象を A，コインの表が出る事象を B とします．大切なのは，これらの事象について

　　それぞれの起こりやすさは**無関係**である　…①

ということです．このとき，A，B が両方とも起こる事象 $A \cap B$ の確率は ●●● A，B の「積事象」という

→ $6 \cdot 7$ → $2 \cdot 3 \cdot 7$

$$P(A \cap B) = P(A) \cdot P(B) \quad \cdots ② \quad \text{乗法定理(独立試行)}$$
$$= \frac{5}{6} \cdot \frac{1}{2}$$

として求まります．

　この等式は，次のような感覚で理解しておきましょう．右のように各事象をその起こりやすさに正比例した面積をもつ領域で表すと，

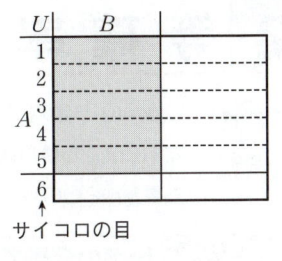

全事象 U：▦ に対する事象 A：▦ の起こりやすさの割合は $P(A) = \dfrac{5}{6}$．…③

事象 A：▦ に対する事象 $A \cap B$：▦ の起こりやすさの割合は $\dfrac{1}{2}$．　…④

なぜなら，①より A が起こるか否かは B の起こりやすさに影響を与えないので，④は事象 U：▦ に対する事象 B：▦ の起こりやすさの割合 $P(B)$ …⑤と等しいから．

　以上より，$P(A \cap B)$，すなわち全事象 U：▦ に対する事象 $A \cap B$：▦ の起こりやすさの割合は，割合③にさらに割合⑤を掛けた②式で得られます．

重要 ①のような状況であることを「T_1 と T_2 は**試行として独立**である」といい，このとき②が成り立ちます．本書ではこれを「乗法定理(独立試行)」と呼びます．　⬆「事象 A と事象 B は独立である」と言うと，違う意味になってしまいますのでご注意を．（⇨ **ITEM66**））

　本問では(じつは多くの入試問題でも)「試行の独立」はほとんど自明ですから，答案中でワザワザ明言しなくてかまいません．ただし，自分の頭の中では「試行の独立」を確認することは忘らないでください．本書では今後，そのような注意を促したいところに **独立試行?** マークを付します．

⬆ **補足** 試行 T_1，T_2 を行うとき，③の確率 $P(A)$ を「場合の数の比」方式で求めると $\dfrac{5 \cdot 2}{6 \cdot 2}$ となりますが，コインの出方の数である「2」は約分されて消えますね．つまり，A の確率はサイコロのことだけを考えて求めればいいのです．アタリマエ過ぎましたね．

参考1 ①が満たされない，つまり試行が独立でないとき，④の割合は⑤の $P(B)$ とは等しいとは限らず，「条件付き確率」$P_A(B)$ となります．（⇨ **ITEM15**）

参考2 確率・場合の数では， **解答** にあるように「○」印などを用いて"**箇条書き**"にまとめることをお勧めします．こうすることで，解答の流れが把握しやすくなり，テストで部分点も得やすくなりますので．

類題　11 2つの箱 A，B があり，箱 A には 1, 2, 3, 4, 5 と書かれた 5 枚のカードが入っており，箱 B には 6, 7, 8, 9, 10 と書かれた 5 枚のカードが入っている．箱 A, B からカードを 1 枚ずつ取り出すとき，取り出された 2 枚がどちらも偶数である確率を求めよ．

(解答 ▶ 解答編 p. 3)

ITEM 12 確率 等確率

確率の2つの求め方:「場合の数の比」と「乗法定理(独立試行)」を理解したところで,本ITEMからは具体的な問題にとりかかります.今回と次回で,前者に関するもっとも重要な2つのルールを確認します.

> **ここがツボ!** 確率の分母では,等確率を最優先

例題12A 箱の中に赤玉6個と白玉3個が入っている.そこから同時に3個を取り出す.このとき赤玉2個と白玉1個を取り出す確率を求めよ.

注意1 取り出される3個の色だけ考えれば,赤玉をR,白玉をWと表して
  {R, R, R}, *{R, R, W}, {R, W, W}, {W, W, W} …① [等確率?]
の4パターンがあり,題意の条件を満たすのは*の1つのみです.しかし,だからといって求める確率が $\frac{1}{4}$ ということにはなりませんよ.だって,たとえば{R, R, R},{W, W, W}の2つを比べると,箱の中には赤玉の方が多く入っているのでどう考えても{R, R, R}の方が起こりやすいですよね.つまり上記①の4つは,等確率ではないので,確率計算には使えないのです.

では,等確率性を実現する方法とは何か? それは,
  $R_1, R_2, R_3, R_4, R_5, R_6, W_1, W_2, W_3$ [○○を区別?]
のように,たとえ同じ色であっても玉を全て区別することです.こうして考えれば,3個を取り出す仕方のそれぞれは等確率となりますね.

解答
○ 全ての玉を区別したとき,取り出す3個の組合せ
$$_9C_3 = \frac{9 \cdot 8 \cdot 7}{3 \cdot 2} = 3 \cdot 4 \cdot 7 \text{(通り)} \quad [等確率?] \quad \cdots ②$$
の各々は等確率.

○ そのうち赤玉2個と白玉1個であるものは
$$\underbrace{_6C_2}_{赤2個} \cdot \underbrace{_3C_1}_{白1個} = \frac{6 \cdot 5}{2} \cdot 3 = 3 \cdot 3 \cdot 5 \text{(通り)}. \quad \cdots ③$$

○ よって求める確率は,$\dfrac{3 \cdot 3 \cdot 5}{3 \cdot 4 \cdot 7} = \dfrac{15}{28}$.

重要1 各々が**等確率**である全ての場合の数②を数えるとき,直前の下線部のように何を区別し,何を区別しないで数えたかを明記することはとても大切です.上記解答では
  「玉」は区別し,取り出す「順序」は区別しない [○○を区別?]
という立場で②を数えました.それをしっかり自覚した上で,③においてもそれと同

44 → 4·11 → 2²·11

じ基準で数えれば正解が得られます．本書では今後，そのような注意を促したいところに 同基準? マークを付します．

参考 ところで， 例題12A を次のようにアレンジした場合，解答はどうなるでしょう．

例題12B 箱の中に赤玉6個と白玉3個が入っている．そこから順に玉を1個ずつ3個取り出す．ただし，取り出した玉は元に戻さずに次の玉を取り出す．このとき赤玉2個と白玉1個を取り出す確率を求めよ．

解答
○ 全ての玉を区別したとき，取り出す3個の順列 $9・8・7$ 通りの各々は等確率．
○ そのうち赤玉2個と白玉1個であるものは

$$\underbrace{{}_6C_2}_{\text{赤2個を選ぶ}} \cdot \underbrace{{}_3C_1}_{\text{白1個を選ぶ}} \times \underbrace{3!}_{\text{並べ方}} = \frac{6・5}{2}・3・3・2 = 2・3^3・5 \text{(通り)}.$$

○ よって求める確率は，$\dfrac{2・3^3・5}{9・8・7} = \dfrac{15}{28}$．

解説 けっきょく 例題12A と同じ答えになりましたが，当然の結果です．例題12B では，「順に玉を取り出す」と書かれているので，上記 解答 のように「順列」を考えるのが自然ですが，その結果として取り出される3個からなる「組合せ」も，その各々は等確率ですね．「順列」を同数 $3!$ 通りずつまとめたものが「組合せ」ですから．
(⇨ ITEM10 重要2) したがって，「順列」で書かれた 例題12B を，「組合せ」で捉え直して 例題12A のように解答しても正解なのです．

重要2 つまり「確率」の問題では，個数を数えるときの基準設定は，解答するあなた自身が，自由に行ってよいのです．ただし，そのようにして数えたものについて…

　　　 ┌ 全ての場合が各々 等確率であること　　 等確率?
　　　 └ 条件を満たすものも 同じ基準で数えること (⇨ ITEM13)　同基準?

の2つを厳守するという責任は付きまといますよ！

重要3 要するに，個数を数える際，何を区別し，何を区別しないかを決定する権限を握っている人物は，次の通りです．　　○○を区別?

　　　 ┌ 「場合の数」の問題…作問者 ●▶ 大学のセンセイ　　 あまり見かけない問題ですが…
　　　 └ 「確率」の問題　　 …解答者 ●▶ 受験生のアナタ

ですから仮に 例題12A で「3個の玉を同時に取り出す仕方は何通りか」と「場合の数」が問われたならば，同じ色の玉は区別しないので，①に書いた「4通り」が正解です！

類題 12 当たりくじが3本，外れくじが7本ある．ここからくじを1本ずつ合計2本取り出す．ただし，取り出したくじは元に戻さずに次を取り出すとする．このとき当たりと外れが1本ずつ取り出される確率を求めよ．

(解答▶解答編 p.3)

→ $5・9$ → $3^2・5$

ITEM 13 確率 同基準

よくわかった度チェック！

確率を「場合の数の比」：$\dfrac{\text{条件を満たす場合の数}}{\text{全ての場合の数}}$ で求めるとき，前 ITEM の主要テーマ：「分母の各々が**等確率**」に次いで重要なのが「分子を，分母と**同基準**で数える」です．致命的なミスの原因になりやすい所なので注意していきましょう．

> **ここがツボ！** 分母を数えるときの「基準」を明確に．そして分子はそれと同じ基準で．

例題13 サイコロを 2 個投げるとき，出た目 2 つが連続する整数である確率を求めよ．

着眼「サイコロを 2 個投げる」と聞いた瞬間
「全ての場合の数は $6^2 = 36$ 通り」
と反射的にやってしまう人が多いのですが，**例題3 重要**でも強調したとおり，この「6^2 通り」は

　　サイコロを a, b と**区別して**数えています． …①

○○を区別？

このことをしっかり意識して個数を数えることが，とても重要です．

解答

○ 2 つのサイコロを区別したときの目の出方：

　　6^2 通り …② ●●● $6 \cdot 6$
　　　　　　　　　　サイコロ a の目 ┘└ サイコロ b の目

の各々は等確率．

○ そのうち条件を満たすものを求める．　　順序は考えていない

● サイコロの目からなる連続する 2 つの整数の組合せは
　　$\{1, 2\}, \{2, 3\}, \{3, 4\}, \{4, 5\}, \{5, 6\}$ …③　**同基準？**
の 5 通り．

● 上記それぞれに対し，サイコロを区別すると 2! 通りずつの目の出方が対応する．　　○○を区別？　　$\{1, 2\} \begin{cases} (1, 2) \\ (2, 1) \end{cases}$

○ よって求める確率は

$$\dfrac{5 \cdot 2!}{6^2} = \dfrac{5}{18}.$$

注意2「全ての場合の数②」を数えるとき，①に書いた「サイコロを区別している」という意識が希薄だと，③の「5 通り」自体が「条件を満たす場合の数」だと錯覚してしまいがちです．

補足 本問の，「乗法定理（独立試行）」を用いた解答を次 ITEM **参考**に書きます．

参考) ②の 6^2 通りがたしかに等確率であることを説明します．

そのために，「サイコロを2個投げる」より単純な「コインを2枚投げる」という試行を使って話します．（コインの表（英語で Head），裏（Tail）を，それぞれ文字「H」，「T」で表します．本書では今後，とくにそのことを断らずに使うこともあります．）

コインを a，b と区別し，次の事象を考えます．

A：「コイン a が表」，
B：「コイン b が表」

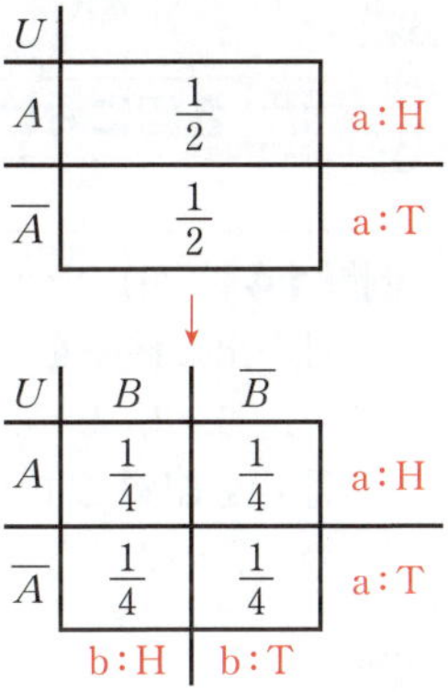

全事象 U の確率 1 は，まず A か $\overline{A}$ か，つまりコイン a が H か T かにより，$\frac{1}{2}$ ずつに分けられます．

U	
A	$\frac{1}{2}$	a：H
$\overline{A}$	$\frac{1}{2}$	a：T

さらに，B か $\overline{B}$ か，つまりコイン b が H か T かにより，A および $\overline{A}$ がそれぞれさらに半分ずつの4つに分けられ，それぞれの「確率」＝「起こりやすさの割合」は全て等しく $\frac{1}{4}$ ずつになっています．

U	B	$\overline{B}$	
A	$\frac{1}{4}$	$\frac{1}{4}$	a：H
$\overline{A}$	$\frac{1}{4}$	$\frac{1}{4}$	a：T
	b：H	b：T	

サイコロ2個を投げる試行においても同様です．全事象 U の確率 1 が，まずサイコロ a の目で $\frac{1}{6}$ ずつに分かれ，これら6つがさらにサイコロ b の目でそれぞれ6等分され，6^2 通りの等確率な事象に分かれます．それぞれの確率は全て $\frac{1}{6^2}$ です．

注意 上記の「コインを2枚投げる」において，「出方は何通りか？」という「場合の数」の問題では，通常コインを区別せず

{H, H}, {H, T}, {T, T}

の 3 通りと答えるのが正解です．しかし右図の対応関係を見ればわかるようにこれら 3 通りの各々は等確率ではありませんから，確率を求める際には使用できません．

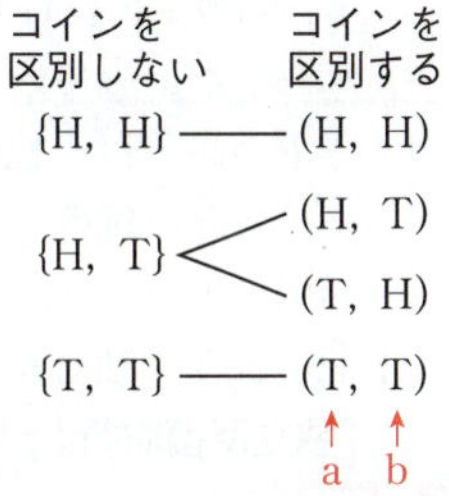

コインを 区別しない	コインを 区別する
{H, H} ——	(H, H)
{H, T} ⟨	(H, T)
	(T, H)
{T, T} ——	(T, T)
	↑ ↑
	a b

このように，サイコロ，コインなど，

同じものが**重複**して出る可能性がある

という状況では

モノや順序を**区別して**等確率性を確保する

　　　　　　　　　　　　　重複組合せ

ことが鉄則であり，順序を無視した組合せを用いて確率を求めることはありません．

類題 13 コインを3枚投げるとき，2枚が表で1枚が裏となる確率を求めよ．

(解答▶解答編 p.3)

ITEM 14 確率 独立反復試行

「サイコロを投げる」などの試行を，毎回同じ条件のもとで繰り返し行うときの確率について考えます．

ここがツボ！ 各回における確率は一定．これを，順序を意識して掛ける．

例題14 (1) 1つのサイコロを5回投げるとき，5回とも3の倍数の目が出る確率を求めよ．
(2) 1, 2, 3, 4, 5, 6の6枚のカードが入った箱からカードを1枚取り出し，番号を記録してから元に戻す．この試行を5回繰り返すとき，5回とも3の倍数のカードが取り出される確率を求めよ．

着眼
(1) もちろん，サイコロを投げる各回の試行は独立です．したがって ITEM 11 の乗法定理(独立試行)を用い，各回における事象の確率を掛けることで求まります．
(2) 本問のポイントは取り出したカードを元に戻してから次のカードを取り出すことです(「復元抽出」といいます)．つまりカードを取り出すとき，箱の中には毎回「1, 2, 3, 4, 5, 6」の6枚のカードが入っていますから，ある回におけるカードの出方は，他の回のカードの出方に一切影響力をもちません．つまり(1)と同様，各回の試行は独立です．

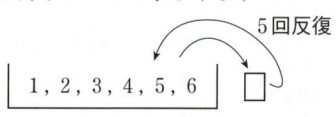

お気付きの通り，(1)と(2)は，本質的にまったく同じ問題です．（笑）
上記のような独立試行の繰り返しを「反復試行」といいます．本書では今後，より詳しく「**独立反復試行**」と呼ぶことにします．

解答
(1) 各回において起きる事象とその確率は

$$\begin{cases} A:\text{「3の倍数(3 or 6)が出る」} \cdots \dfrac{2}{6} = \dfrac{1}{3}, \\ \overline{A}:\text{「それ以外が出る」} \quad \cdots \dfrac{4}{6} = \dfrac{2}{3}. \end{cases}$$

$1 - \dfrac{1}{3}$ としてもよい

求める確率は，A が5回連続する確率であり，

$$\left(\dfrac{1}{3}\right)^5 = \dfrac{1}{243}. \quad \cdots ①$$

(2) 求める確率は，3の倍数(3 or 6)が5回連続して出る確率であり，

$$\left(\dfrac{2}{6}\right)^5 = \left(\dfrac{1}{3}\right)^5 = \dfrac{1}{243}.$$

重要 ①式の意味を確認しておきましょう．

$$\left(\frac{1}{3}\right)^5 = \frac{1}{3} \cdot \frac{1}{3} \cdot \frac{1}{3} \cdot \frac{1}{3} \cdot \frac{1}{3}$$

第1回が A　……　第5回が A

　このように，①で乗法定理(独立試行)を用いた際には「**順序を区別して考えている**」ということをしっかり確認しておいてください．これは，Stage 1「場合の数」ITEM 3 の 重要 で述べたことと同じです．

　なにしろ「独立反復試行」ですから，毎回毎回まったく**同じ条件のもとで試行を行うので，つい「回」に対する意識が希薄になってしまいがちです**．この意識が欠けていると，今後簡単にミスを犯します！(⇨ **ITEM56**)

注意 厳格なことをいうと本来は，「第1回の目が3の倍数」，「第2回の目が3の倍数」，…は異なる事象ですから事象 $A_1, A_2, \ldots$ などと区別して名前をつけるのが正しいですが，ちゃんと順序を区別して考えることが実行されていれば，とくに表現上の不備によって減点されることはないでしょう．

補足 本問(1)を「異なる5個のサイコロを1回投げる…(∗)」に変えても，「1回，2回，3回，4回，5回」という「回」の区別が「サイコロ a, b, c, d, e」という「モノ」の区別にすり替わるだけで，実質的に同じ試行であり，答えも全く同じになります．

　要するに，本問の(1)(2)や(∗)のように，各々の試行が独立に行われる場合には，乗法定理(独立試行)を用いて解答できるのです．　　　「独立試行」という

参考 前 ITEM の 例題13 を，本 ITEM のテーマである「乗法定理(独立試行)」で解いてみると，次のようになります．　　　順序は考えていない

○サイコロの目からなる連続する2つの整数の組合せは
　　{1, 2}, {2, 3}, {3, 4}, {4, 5}, {5, 6} の5通り．
○上記それぞれに対し，サイコロを区別すると 2! 通りずつの目の出方が対応するから，サイコロを区別したとき条件を満たす出方は
　　$5 \cdot 2! = 10$ (通り).
○上記各々の確率は，全て $\left(\frac{1}{6}\right)^2$．　　サイコロを区別して乗法定理を用いている
○よって求める確率は，$10 \cdot \left(\frac{1}{6}\right)^2 = \frac{5}{18}$．

類題 14 白玉2個と赤玉5個が入った箱から玉を1個取り出し，色を記録してから元に戻す．この試行を3回繰り返すとき，3回とも白玉が取り出される確率を求めよ．

(解答▶解答編 p. 4)

ITEM 15 確率 独立でない試行（非復元抽出）

よくわかった度チェック！ ① ② ③

前 ITEM で扱った「独立反復試行」とちがい，本 ITEM では，「くじ引き」に代表される「非復元抽出」，つまり取り出したものを元に戻さないで次を取り出す試行を扱います．

ここがツボ！ 移り変わる状況を視覚化しながら

例題15 当たりくじが 2 本，外れくじが 5 本入った箱がある．ここからくじを 1 本取り出し，それを元に戻さずにもう 1 本取り出す．
(1) 1 本目が当たりで 2 本目も当たりである確率を求めよ．
(2) 2 本目が当たりである確率を求めよ．

着眼 取り出したくじを元に戻さないで次のくじを取り出すことに注意し，1 本目の結果が 2 本目に及ぼす影響を視覚化します．そのためにも，「当たり」と「外れ」，および**等確率性**の確保のために全てのくじを区別して考えることを**記号化**します．

解答 ○○を記

(1) ○ 7 本のくじを，①，②，3，4，5，6，7（①，②が当たり）と表す．
○ くじを全て区別して考えて，1 本目が当たりの確率は $\dfrac{2}{7}$．　…㋐
○ 1 本目が当たりのとき，箱の中は右図のようになっているから
　1 本目が当たりのときに 2 本目が当たる確率は $\dfrac{1}{6}$．　…㋑
○ よって求める確率は，$\dfrac{2}{7} \cdot \dfrac{1}{6} = \dfrac{1}{21}$．　…㋒

箱の状況を視
① ② 3 4 5 6 7
1 本目を引くとき

（例）
② 3 4 5 6 7
2 本目を引くとき

(2) 1 本目が外れのとき，箱の中は右図のようになっているから
　1 本目が外れで 2 本目が当たりの確率は $\dfrac{5}{7} \cdot \dfrac{2}{6}$．　…㋓

（例）
① ② 3 4 5 6
2 本目を引くとき

これと㋒を加えて，求める確率は

1 回目の結果で場合分け … $\dfrac{2}{7} \cdot \dfrac{1}{6} + \dfrac{5}{7} \cdot \dfrac{2}{6} = \dfrac{2 \cdot 6}{7 \cdot 6} = \dfrac{2}{7}$．

解説1 2 つの事象 $\begin{cases} E:\text{「1 本目が当たり」} \\ F:\text{「2 本目が当たり」} \end{cases}$

を考え，本問の考え方を詳しく見ていきましょう．
(1)では，E，F がともに起こる確率「$P(E \cap F)$」を㋒のように「確率どうしの積」を作ることで求めました．これは，ITEM 11 の「乗法定理（独立試行）」と同様，「起こりやすさの割合を掛ける」という感覚で理解できます．
㋒では，右図において

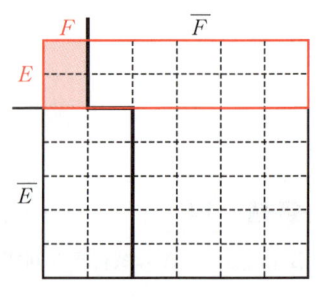

□ に対する □ の割合 $P(E)=\dfrac{2}{7}$ ㋐ と □ に対する □ の割合 $\dfrac{1}{6}$ ㋑

を掛けました．この㋑のことを
　　　　E が起きたとき F が起きる**条件付き確率**といい，$P_E(F)$ と表します．
　　　　　　　　　　　　　　　　前提条件　　　そのとき起こる事象

これは，事象 E を新たに全体とみなしたときの F の起こりやすさの割合です．けっきょく(1)の解答は
　　　　$P(E \cap F) = P(E) \cdot P_E(F)$ ……①は，$P(\overline{E} \cap F) = P(\overline{E}) \cdot P_{\overline{E}}(F)$

と求めたことになります．これを**「乗法定理」**といいます．ITEM 11 で使った，独立試行においてのみ成り立つ「乗法定理」(独立試行)と比べてみてください．

発展 本問における条件付き確率 $P_E(F)$ は直接求まりました．直接求めづらい条件付き確率については Stage 3・ITEM 62〜ITEM 64 で扱います．

〔(2)の別解〕
　○第2回に出るくじは7通りあり，各々は等確率．
　○そのうち条件を満たすものは2通りだから，求める確率は $\dfrac{2}{7}$．……$P(F)$

解説2 (1)の後で(2)を解くと，どうしても「1本目→2本目」と時の流れに沿って考えたくなりますが，(2)では「2本目」についてのみ問われているので，そこだけに注目することで効率的な解答が得られましたね．（⇨ **ITEM28**）

補足 上記の考え方を ITEM 4 重要2 の「"記録カード"方式」で説明します．2本のくじの引き方：$7 \cdot 6 = 42$（通り）の全てを記録カードに書き留めます．それを終えてから，等確率な 42 通りの根元事象が記されたその記録カードを，下記のように2回目に注目して(赤枠で囲んだ事象毎に分類して)整理し直します．

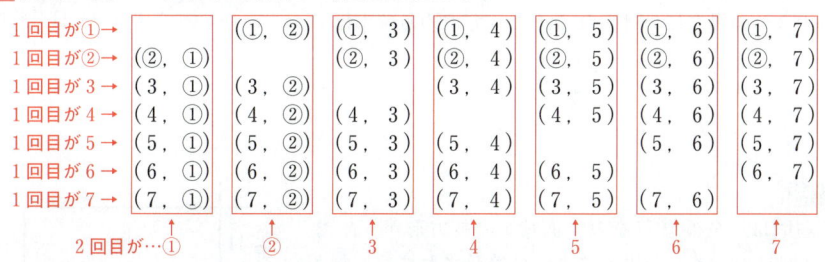

1回目が①→		(①, 2)	(①, 3)	(①, 4)	(①, 5)	(①, 6)	(①, 7)
1回目が②→	(②, 1)		(②, 3)	(②, 4)	(②, 5)	(②, 6)	(②, 7)
1回目が3→	(3, 1)	(3, 2)		(3, 4)	(3, 5)	(3, 6)	(3, 7)
1回目が4→	(4, 1)	(4, 2)	(4, 3)		(4, 5)	(4, 6)	(4, 7)
1回目が5→	(5, 1)	(5, 2)	(5, 3)	(5, 4)		(5, 6)	(5, 7)
1回目が6→	(6, 1)	(6, 2)	(6, 3)	(6, 4)	(6, 5)		(6, 7)
1回目が7→	(7, 1)	(7, 2)	(7, 3)	(7, 4)	(7, 5)	(7, 6)	
2回目が…	①	②	3	4	5	6	7

赤枠で囲まれた7つの事象は，どれも等確率な根元事象を6個ずつまとめたものなので各々等確率です．よって，直接 $P(F)=\dfrac{2}{7}$ が得られます．

類題 **15** 　1, 2, 3, …, 9 の9枚のカードが入った箱からカードを1枚取り出し，そのカードを元に戻さずにもう1枚取り出す．

[1] 1枚目が奇数のカードで2枚目が偶数のカードである確率を求めよ．
[2] 奇数のカードと偶数のカードを1枚ずつ取り出す確率を求めよ．

(解答▶解答編 p.4)

ITEM 16 確率 起こりやすさの割合

よくわかった度チェック！

例題11, 例題15 などは「乗法定理」を用いて解答しましたが, 補足 等で述べたように,「場合の数の比」による解答も可能でした．本 ITEM では「場合の数の比」では解答しにくい問題を扱います．これを通して,「確率」=「起こりやすさの割合」という感覚をつかんでください．

ここがツボ! 「確率」とは「起こりやすさの割合」

例題16 1個のコインを繰り返し投げるとき，第3回までに表が出る確率を求めよ．

着眼 第1回，第2回，…繰り返しコインを投げる中で，表が出た時点でその後の試行は行わないのが自然です．よって，実際に行う試行回数が一定しませんから，「全ての場合の数」を考えようにも困ってしまいますね．でも，「確率」の本来の意味に立ち返れば，簡単に解答できます．

解答
表を「H」，裏を「T」で表す．
3回までに H が出る事象は，右図のように
　　㋐　　　㋑　　　　㋒
　　H, (T, H), (T, T, H)
モレなく ダブりなく
の3つの場合に分けられる．よって求める確率は

$$\frac{1}{2} + \frac{1}{2} \cdot \frac{1}{2} + \frac{1}{2} \cdot \frac{1}{2} \cdot \frac{1}{2} = \frac{7}{8}.$$

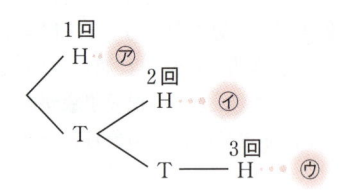

　　㋐　　　㋑　　　　　㋒

解説
右図は，全事象 U を表す面積1の長方形が，1, 2, 3回目のコインの出方によって等分されていく様子を表したものです． 解答 中㋐, ㋑, ㋒の確率（=起こりやすさの割合）が求まる仕組みを理解しておきましょう．

たとえば㋑の確率は

全事象 U に対する「1回目が T」の起こりやすさの割合 $\frac{1}{2}$ に，

その中での「2回目が H」の起こりやすさの割合 $\frac{1}{2}$ を掛ける

ことによって得られています．

52　→ 2·26 → 2²·13

重要 ㋑の「$\frac{1}{2}\cdot\frac{1}{2}$」や㋒の「$\frac{1}{2}\cdot\frac{1}{2}\cdot\frac{1}{2}$」は，いずれも順序を考えて乗法定理（独立試行）を用いたものであることを忘れないでください．（⇐ ITEM14 ）

注意 本問を「場合の数の比」を用いて解答しようとすると，「全ての場合の数」は1, 2, 3回のコインの出方2^3通りとなりますが，㋐:「1回目がH」となる場合の数をそれと同じ基準で，つまり2, 3回目のコインの出方も考えて「$1\cdot 2\cdot 2$通り」と数えるのはいかにも不自然ですね．ふつうに考えて1回目にHが出た時点で試行を終了するでしょうから，2, 3回目の出方も考えるのは，まるで"消化試合"をしているみたいですよね．

というわけで本問の確率は，「乗法定理」を用いて「起こりやすさの割合」を考えた方がはるかにわかりやすいのです．

発展 上記"消化試合"を敢えて行うように考えることで鮮やかな解答ができる事例をITEM 60で扱います．

補足 **解説** の図を見ると，全事象の中で㋐, ㋑, ㋒でないものといえば，㋓しかないことがわかります．つまり，「求めたい事象」よりも「求めやすい事象」があります．（⇐ ITEM6 ）これを利用してみましょう．

別解
　　題意の事象の余事象は
　　　　「3回までにHが出ない」，
　　　i.e.「3回まで全てT」
である．よって求める確率は
$$1-\frac{1}{2}\cdot\frac{1}{2}\cdot\frac{1}{2}=\frac{7}{8}.$$
題意の事象は，要するに「第3回までのどこかでHが出る」というあいまいさを含んだ事象ですから，その余事象は「第3回まで全てT」という明快な事象になるわけです．このような「余事象の利用」が次ITEMのメインテーマとなります．

類題 16 サイコロを繰り返し投げるとき，第3回までに3以上の目がでる確率を求めよ．

（解答▶解答編 p.5）

ITEM 17 確率 余事象の利用

前 ITEM の 別解 でも見たように，問われている事象 A の余事象 $\overline{A}$（全事象 U から A を除いたもの）を考えた方が簡単に解決することがあります．ここではその典型的事例を見ていきます．（場合の数編の ITEM 6：「補集合の利用」と同様な方法論です．）

ここがツボ！ 考えるべき事象が「あいまい」，「場合分けが多い」なら，余事象を利用．

例題17
1, 2, 3, …, 10 と書かれた 10 枚のカードの入った袋から 2 枚のカードを同時に取り出す．そこに書かれた 2 数について，以下の問いに答えよ．
(1) その 2 数の積 X が $X < 60$ を満たす確率を求めよ．
(2) その 2 数のうち，少なくとも一方が偶数である確率を求めよ．

着眼 取り出す 2 数の組合せについて考えます．
(1) 条件を満たすものを書き出してみようとすると，1·2, 1·3, …, 2·10, … と，かなりたくさんありそうです．2 数の積 X のとり得る値は
$$X = 2, 3, 4, 5, \ldots, 72, 80, 90 \quad \cdots ①$$
（1·2, 1·3, 8·10, 9·10）

であり，$60 = 6·10$ ですから，60 は全体の中でかなり大きい方の順位になっていると予想されます．よって，**余事象**「$X \geq 60$」を考えた方が楽そうですね．

(2) 2 数の偶奇の内訳は（偶数を「グ」，奇数を「キ」と表して）
$$\{グ, グ\}, \{グ, キ\}, \{キ, キ\} \quad \cdots ②$$
と 3 パターンあり，条件を満たすものは左の 2 パターン，満たさないものは右の 1 パターンです．よって，余事象を考えた方が場合分けが少なくて楽だとわかりますね．

解答 ○取り出す 2 枚の組合せ：$_{10}C_2 = 45$ 通りの各々は等確率．

(1) ○題意の事象 A：「$X < 60$」の余事象 $\overline{A}$：「$X \geq 60$」を考える．これを満たす組合せを $\{x, y\}$（$x < y$）とすると

$x \leq 5$ のとき，$xy \leq 5·10 = 50$ だから不適．
$x = 6$ のとき，$y = 10$．
$x = 7$ のとき，$y = 9, 10$．
$x = 8$ のとき，$y = 9, 10$．
$x = 9$ のとき，$y = 10$．
∴ $n(\overline{A}) = 1 + 2 + 2 + 1 = 6$．

○よって求める確率は，
$$P(A) = 1 - P(\overline{A}) = 1 - \frac{6}{45} = 1 - \frac{2}{15} = \frac{13}{15}.$$

$\rightarrow 2·27 \rightarrow 2·3^3$

(2) ○題意の事象 B：「少なくとも一方が偶数」の余事象 $\overline{B}$：「両方とも奇数」を考える．
これを満たす組合せは，1，3，5，7，9 から異なる 2 個を選んで $_5C_2=10$（通り）．
○よって求める確率は
$$P(B)=1-P(\overline{B})=1-\frac{10}{45}=1-\frac{2}{9}=\frac{7}{9}.$$

解説 (1)，(2)とも，「余事象の方が楽だ」と気付けなければ話になりません．気付くためのコツは，**着眼** ①，②のような**全体像を見据える視点**を持つことです．つまり，「問題で問われていること」だけでなく，「問われていないこと」にも目を向けられるような広い視野が求められます．これを身に付けるには，普段から心掛けた上で訓練を積むしかありません．

重要 余事象が有効となる 1 つの目安は，問われている事象の"あいまいさ"であり，(2)の問題文中にある「少なくとも」という言葉はその代表です．「少なくとも○○個」＝「○○個以上」ですから，場合分けが多岐にわたってボヤけた事象になってしまうことが多いわけです（例外もありますが）．

もっとも本問(2)では，取り出す数がたったの 2 個なので，余事象を使わなくても充分解答可能です．

注意1 (1)で，うっかり余事象の確率 $P(\overline{A})=\dfrac{2}{15}$ を「答え」としないようにしてください！（もちろん(2)も同様です．）このミスを防ぐ対策としては…

1° 元の事象に A，余事象に $\overline{A}$ と名前を付け，自分が今"何を"求めているかをハッキリさせる．

2° 始めから「$1-\dfrac{\triangle\triangle}{\bigcirc\bigcirc}$」と書いて，1から引き忘れないようにする．

補足 (1)で条件を満たす 2 数の「組合せ」を考える際，「$x<y$」と大小関係を指定した文字設定をしましょう．さもないと，たとえば $\{8, 9\}$，$\{9, 8\}$ のように同じ組み合わせを 2 度考えることになり非効率的ですね．

参考 (2)の条件「2 数の少なくとも一方が偶数」は，「2 数の積が偶数」と同値です．このテーマは ITEM 55 で扱います．

注意2 (1)において，「$X<60$」の余事象は「$X\geq 60$」です．「$X>60$」ではありませんよ！

類題 17 サイコロを n 回投げるとき，少なくとも 1 回は 5 以上の目が出る確率を求めよ．

（実質的に **例題6** と同じ問題です．）

特講 C 数値計算のコツ

　　Stage 2 へ進む前に，これ以降の問題を解答する上で現れるであろう数値計算について軽く練習しておきましょう．「場合の数・確率」は，数学の他分野に比べれば「計算」が占めるウェイトはかなり低めであり，「発想」「方針」に重きが置かれます．しかし，だからこそ「計算」ごときで悩んだり迷ったりしていてはいけません．効率良い計算がテキパキ・スラスラできるようにしておきましょう．

　　とはいえ場合の数・確率の本流からは逸れますので，この「特講」はサッと読み飛ばし，必要性を感じた頃に取り組んでもかまいません．なお，ここで書かれた内容の一部は，すでに Stage 1 の解答中でも少〜し使っています．

[1] 約数の見つけ方

　　たとえば，4 桁の自然数「7128」が 2, 3, 4, 5, 6, 8, 9 を約数にもつか否かは次のようにしてわかります(4 桁以外でも同様).

(1) 「2, 5, 4, 8 について」

- 「2, 5 について」…712$\boxed{8}$　　下 1 桁のみに注目
$$712\boxed{8} = 712 \cdot \underbrace{10}_{2 \cdot 5} + \boxed{8}.$$

　一の位：$\boxed{8}$ が 2 を約数にもつから，7128 も 2 を約数にもつ．

　一の位：$\boxed{8}$ が 5 を約数にもたないから，7128 も 5 を約数にもたない．

- 「4 について」…71$\boxed{28}$　　下 2 桁のみに注目
$$71\boxed{28} = 71 \cdot \underbrace{100}_{2^2 \cdot 5^2} + \boxed{28}.$$

　下 2 桁：$\boxed{28}$ が 4 を約数にもつから，7128 も 4 を約数にもつ．

- 「8 について」…7$\boxed{128}$　　下 3 桁のみに注目
$$7\boxed{128} = 7 \cdot \underbrace{1000}_{2^3 \cdot 5^3} + \boxed{128}.$$

　下 3 桁：$\boxed{128}\,(= 8 \cdot 16)$ が 8 を約数にもつから，7128 も 8 を約数にもつ．

(2) 「3, 9 について」

- 「3 について」…7 + 1 + 2 + 8 = 18　　各位の数の和を考える
$$7128 = 7(999 + 1) + 1(99 + 1) + 2(9 + 1) + 8$$
$$= 3(7 \cdot 333 + 1 \cdot 33 + 2 \cdot 3) + (7 + 1 + 2 + 8).$$

　各位の数の和：18 が 3 を約数にもつから，7128 も 3 を約数にもつ．

- 「9 について」…7 + 1 + 2 + 8 = 18　　各位の数の和を考える
$$7128 = 7(999 + 1) + 1(99 + 1) + 2(9 + 1) + 8$$
$$= 9(7 \cdot 111 + 1 \cdot 11 + 2 \cdot 1) + (7 + 1 + 2 + 8).$$

　各位の数の和：18 が 9 を約数にもつから，7128 も 9 を約数にもつ．

56　→ 8・7 → $2^3 \cdot 7$

(3) 「6について」

6＝2・3だから,「2」,「3」を約数にもつか否かをそれぞれ別個に調べればよい.

　補足　7とか11とかについても倍数の見つけ方がないわけではありませんが,覚えてもあまり実用性はありません.

(4) 約数を見つける上で,平方数や,自然数を累乗した数を記憶しておくと役立つことが多い.

n	11	12	13	14	15	16	17	18	19
n^2	121	144	169	196	225	256	289	324	361

n	1	2	3	4	**5**	6	7	8	9	**10**
2^n	2	4	8	16	**32**	64	128	256	512	**1024**

…特に太字を暗記

n	1	2	3	4	5	6	7
3^n	3	9	27	81	243	729	2187

n	1	2	3	4	5
5^n	5	25	125	625	3125

n	1	2	3	4	5
6^n	6	36	216	1296	7776

「これらをすべて完璧に丸暗記せよ！」という訳ではありませんが,ほとんど紙を使わずに暗算でパッと出るようにしましょう.たとえば筆者は,「2^8」の値を

$$2^{10}=1024（暗記）\to 2\text{ で割って } 2^9=512 \to 2\text{ で割って } 2^8=256.$$

と求めています.

(5) **（例）**：「320832は72を約数にもつか否かを判定せよ.」

72＝8・9だから,「8」,「9」を約数にもつか否かを別個に調べる.

○　下3桁：832は8を約数にもつから,320832も8を約数にもつ.

○　各位の和：3＋2＋0＋8＋3＋2＝18は9を約数にもつ.よって320832も9を約数にもつ.

以上より,320832は**72を約数にもつ**.　　実際,320832＝72・4456となります.

[2]　**素因数分解**

自然数 n をいくつかの素数(2, 3, 5, 7, 11, …)の積として表した形を n の**素因数分解**といいます.このように自然数を**積の形に分解**することで,様々な計算が簡略化されます.

(1) 自然数を積の形に分解する方法には,次の1.～5.などがある.

1.　掛け算九九の答えから逆算する.　　56＝7・8
2.　平方数や累乗数を記憶しておく.　　144＝12^2, 1024＝2^{10}
3.　すべての位に共通な約数を探す.　　93＝3・31
4.　[1]の「約数の見つけ方」を利用する.　　57＝3・19（5＋7＝12 が 3 の倍数）
5.　実際にいろんな数で割ってみる.　　143＝11・13

本書には,ページ数の素因数分解(とその過程)がこんなふうに書かれています.

→ 3・19

(2) (例1):「504」
$$504 = 9 \cdot 56 = 3^2 \cdot 8 \cdot 7 = 2^3 \cdot 3^2 \cdot 7.$$
　　4.　　　1.

注意1 素因数分解された最終結果のみならず，その過程で行われる整数の積への分解そのものが，今後様々な局面で役立ちます．

(例2):「96」
十の位：9，一の位：6 がいずれも 3 の倍数ですから，96 は 3 で割り切れます．
$$96 = 3 \cdot 32 = 3 \cdot 2^5.$$
　　3.　　　2.

補足 「32」は見た瞬間に「2 の累乗だ！」と見抜きたい数です．（前ページの表）

(例3):「722」
一の位：2 が 2 の倍数ですから，722 は 2 で割り切れます．
$$722 = 2 \cdot 361 = 2 \cdot 19^2.$$
　　4.　　　2.

[3] 積の計算

次のような工夫をする習慣をつけましょう．

(1) $15 \cdot 14 \cdot 13 = 15 \cdot 2 \cdot 7 \cdot 13 = 30 \cdot 91 = 2730.$
　　14 を $2 \cdot 7$ と分解し，30 を作る

(2) $13 \cdot 12 = \underline{13 \cdot 4} \cdot 3 = 156.$
　　　　　　　52
　　12 を $4 \cdot 3$ と分解し，2桁×1桁にする．

　$\underline{13} \cdot 12 = 144 + 12 = 156.$　　$12^2 = 144$ を利用
　　12+1
　　「×11」は，1桁ずらして加えるだけ

(3) $13 \cdot 2 \cdot 11 = 26 \cdot \underline{11} = 286.$
　　　　　　　　　　10+1

　　　　26
　　+)260
　　　286

「×9」は，1桁ずらして引くだけ

(4) $9 \cdot 8 \cdot 7 = \underline{9} \cdot 56 = 560 - 56 = 504.$
　　　　　　　10−1

　　　560
　　−) 56
　　　504

参考 上記(1)〜(4)は，それぞれ $_{15}P_3$, $_{13}P_2$, $_{13}C_3$, $_9P_3$ という，順列や組合せの数です．今後頻繁に出会うことになりそうですね．

[4] 階乗

自然数 n の **階乗** とは
$$n! = n(n-1)(n-2)\cdots 3 \cdot 2 \cdot 1.$$
　　ちなみに，「0!=1」と定められている

(1) たとえば「10!」とコンパクトに表された数の実体は
$$10 \cdot 9 \cdot 8 \cdot 7 \cdot 6 \cdot 5 \cdot 4 \cdot 3 \cdot 2 \cdot 1$$
という，たくさんの自然数の積であることを，つねに **イメージ** すること．

(2) $n = 2, 3, 4, \cdots$ のとき
$$n! = n \times (n-1)(n-2)\cdots 3 \cdot 2 \cdot 1$$
$$= n(n-1)!$$

が成り立つ．（$0!=1$ より，これは $n=1$ でも成り立つ．）

(3) 自然数 n の階乗の値は，次の表のとおり：

n	1	2	3	4	5	6	7	8	9	10
$n!$	1	2	6	24	**120**	720	**5040**	40320	362880	3628800

この値を暗記しとこう   めっちゃ大きい

(4) （例1）：$6! = 6\cdot 5! = 6\cdot 120 = 720.$ …… $5!=120$ は暗記しておく

（例2）：$\dfrac{10!}{8!} = \dfrac{10\cdot 9\cdot 8\cdot 7\cdot 6\cdot 5\cdot 4\cdot 3\cdot 2\cdot 1}{8\cdot 7\cdot 6\cdot 5\cdot 4\cdot 3\cdot 2\cdot 1}$ …… 分子，分母とも頭の中で数を並べて

$\qquad\qquad = 10\cdot 9 = 90.$

（例3）：$9! + 8! = 9\cdot 8! + 8! = 10\cdot 8! = 10\cdot 8\cdot 7! = 10\cdot 8\cdot 5040 = 403200.$

8! で表す $7!=5040$ を暗記しておく

[5] 二項係数

「組合せ」の個数，そして「二項定理」（⇨ p.164）における展開式の係数である**二項係数** $_nC_r$ は，たくさんの自然数の積，商で構成されます．

(1) $\quad _7C_3 = \dfrac{7\cdot 6\cdot 5}{3!}$ …ⓐ

$\qquad\quad = \dfrac{7\cdot 6\cdot 5\times 4\cdot 3\cdot 2\cdot 1}{3!\times 4\cdot 3\cdot 2\cdot 1} = \dfrac{7!}{3!\,4!}.$ …ⓑ

ⓑの右辺において 4! を約分して消したのがⓐの右辺ですから，通常の数値計算などでは，ほとんどⓐを使います．ただし，文字を含んだ場合はⓑの方がコンパクトに書き表せて"簡潔"だとも言えます．どちらも使いこなせるようにしておきましょう．

(2) $\quad _{13}C_3 = \dfrac{13\cdot 12\cdot 11}{3\cdot 2}$ $3!=3\cdot 2.$

$\qquad\quad = 13\cdot 2\cdot 11$

$\qquad\quad = 286.$ [3](3)の問題

（なるべく）頭の中で，どんどん約分！

(3) 公式：$_nC_r = {_nC_{n-r}}$ 選ぶ r 個は選ばない $n-r$ 個と1対1に対応

（例）：$_8C_6 = {_8C_2} = \dfrac{8\cdot 7}{2} = 28.$ $2!=2$

参考 二項係数に関するより発展的内容を特講 D（p.162～）で扱います．

[6] 確率

確率計算でよく現れる分数(あるいは分数式)の計算では，約分を効率的に行いましょう．

(1) $4 \cdot 5!$ を $7!$ で割って確率 $\dfrac{4 \cdot 5!}{7!}$ を求める際，分子を掛け算して「480」と求めたりせず，

$$\frac{4 \cdot 5!}{7!} = \frac{4 \cdot 5!}{7 \cdot 6 \cdot 5!} = \frac{4}{7 \cdot 6} = \frac{2}{21}$$

と，約分で消える箇所を消してから残った数の掛け算を行いましょう．

(2) 確率 $\dfrac{3 \cdot {}_6C_3}{{}_9C_4}$ の計算では，分子，分母それぞれの二項係数の計算を

$$\begin{cases} {}_6C_3 = \dfrac{6 \cdot 5 \cdot 4}{3 \cdot 2} = 5 \cdot 4, \\ {}_9C_4 = \dfrac{9 \cdot 8 \cdot 7 \cdot 6}{4 \cdot 3 \cdot 2} = 3 \cdot 7 \cdot 6 \end{cases} \cdots ①$$

と済ませておいてから

$$\frac{3 \cdot {}_6C_3}{{}_9C_4} = \frac{3 \cdot 5 \cdot 4}{3 \cdot 7 \cdot 6} = \frac{10}{21}$$

と計算したいところです．その際，①をある程度暗算で片付けられることが望ましいです．

(3) 上記の例外です．確率 $\dfrac{{}_6C_3}{{}_8C_3}$ の計算では，3がそろっているので

$$\begin{cases} {}_6C_3 = \dfrac{6 \cdot 5 \cdot 4}{3 \cdot 2}, \\ {}_8C_3 = \dfrac{8 \cdot 7 \cdot 6}{3 \cdot 2} \end{cases} \cdots ②$$

において，双方の分母が共通です．よって，その比である求める確率は，②の2数の分母を初めから書かないで

$$\frac{{}_6C_3}{{}_8C_3} = \frac{6 \cdot 5 \cdot 4}{8 \cdot 7 \cdot 6} = \frac{5}{14}$$

のように，②の2数の分子のみで済ませてしまうことも可能です．

60 → $6 \cdot 10$ → $2^2 \cdot 3 \cdot 5$

Stage 2
典型手法編

Stage 1：原理原則編で学んだ基本をベースにして，本 Stage では入試問題を解く上で知っておくべき必須の手法をご紹介します．今後において活用しやすいよう，各 ITEM とも"ワンテーマ"に絞り，できるだけシンプルかつ典型的な形で提示しますから，全て完全に理解し，完璧に記憶してください！ Stage 3 以降の本格的な入試実戦演習において，問題解決のための重要な"ピース"，"パーツ"，"部品"として大活躍してくれることでしょう．

なお，Stage 1 で見たように，「確率」は「場合の数の比」として求まりますから，「場合の数」の知識は「確率」にも活かせます．よって Stage 2 は，より"パーツ"として活用しやすい「場合の数」の方を多く扱うことになります．

ITEM 18 場合の数 — 隣り合う，隣り合わない（その1）

異なるものを1列に並べる「順列」の考え方については，すでに ITEM 2, 3 で扱いましたが，ここではより実戦的な条件・制限が課せられた際の数え方についての有名手法を学びます．

> **ここがツボ！**
> 隣り合うものはカタマリとみる．
> 隣り合わないものは後から"間"に入れる．

例題18 男子5人，女子3人を1列に並べる方法について答えよ．
(1) 3人の女子が全員隣り合う並べ方は何通りあるか．
(2) 3人の女子のうちどの2人も隣り合わない並べ方は何通りあるか．

注意1「人」は，とくに断りがなくても全て異なると考えるのが慣習です．

○○を区別

方針 人の区別，性別の双方を記号化して考えます．

解答
$\begin{cases} 男子：① ② ③ ④ ⑤ \\ 女子：⑥ ⑦ ⑧ \end{cases}$ と表す．個人，性別を記

(1) ○ 女子3人を1つのカタマリとみて
① ② ③ ④ ⑤ ［○○○］
の6つを並べる．…6! 通り．
○ ［　］内の ⑥ ⑦ ⑧ を並べる．…3! 通り．
○ よって求める場合の数は
$6! \cdot 3! = 4320$（通り）．

(2) ○ まず，男子 ① ② ③ ④ ⑤ を並べる．…5! 通り．
○ ∧₁□∧₂□∧₃□∧₄□∧₅□∧₆　　□どうしの"間"：∧に○を入れる

∧₁ 〜 ∧₆ から3か所を選んで ⑥, ⑦, ⑧ を1個ずつ入れる．…$6 \cdot 5 \cdot 4$ 通り．　　$_6P_3$
○ よって求める場合の数は
$5! \times 6 \cdot 5 \cdot 4 = 14400$（通り）．

注意2 ここでは"端"である ∧₁ や ∧₆ のことも"間"と呼んでしまっています．

解説
(1) たとえば次のような並べ方が考えられています：
③ ② ⑤ ⑦ ⑥ ⑧ ④ ①　　○3つが隣り合っている

この「隣り合うものをひとカタマリとみる」という手法は，ごく自然だと言えるでしょう．注意すべきは，［○○○］の中での女子の並べ方も考えることです．

(2) たとえば次のような並べ方が考えられています：

　　5 2 1 3 4　　…○が隣り合っていない
　　 ∧ 7 6 ∧ ∧ 8

(2)で用いた「"間"に入れる」という手法は自然に浮かぶものではないですね．そして，「隣り合わない」という条件は女子に対して課せられいますが，「制限のある所から数える」という原則（⇦ **ITEM4**）に反して，男子の並べ方を先に考えています．とにかく，初見では無理なので，しっかり学んで覚えましょう．

　なお，この「隣り合わない」→「"間"に入れる」という手法は，ITEM 25 で再登場します．

補足 女子3人の位置関係としては，次の3パターンが考えられます．（隣り合う女子どうしを□で囲んで表しています．）

　(1) ○○○
　(*) ○○ ○　　**女子の配置を**〈視〉
　(2) ○ ○ ○

両極端な(1)(2)はスッキリ求まりましたが，中間の(*)は少し面倒ですから，もし求めるなら全ての並べ方の数 8! から(1)および(2)の結果を引くのが得策でしょう．(*)を直接求めると，次のようになります．

○女子3人を○○と○に分ける．○の1人の選び方を考えて…3通り．
○まず 1 2 3 4 5 を並べる．…5! 通り．
○ □ □ □ □ □ □
　↑1 ↑2 ↑3 ↑4 ↑5 ↑6
　　　　　　　　　　　　　　　　　$_6P_2$
　↑1 〜 ↑6 から2か所を選んで○○，○を1個ずつ入れる…6・5通り．
○ □ 内の女子2人を並べる．…2! 通り．
○以上より求める場合の数は
　　$_3C_2 \times 5! \times 6 \cdot 5 \times 2! = 3 \cdot 120 \cdot 60 = $ **21600（通り）**．
　　　　　　　　　　…5!=120

これと(1)(2)の結果を加えてみると　　　　　　　　　　4320
　　4320+14400+21600=40320　　　　　　　　　　14400
となり，異なる8個の並べ方の総数 8!=8・7!=8・5040=40320 と一致　＋) 21600
していますね．　　　　　　　　　　　　　　　　　　　40320

なお，「○○ ○ 1 2 3 4 5 の7つを並べる」と考えると，○○と○が隣り合って○○○ができる場合も数えてしまっているので，誤りです．

類題 18 1, 2, 3, 4, 5, 6, 7 の7枚のカードを並べてできる7桁の整数について答えよ．

[1] 3つの偶数 2, 4, 6 が全て隣り合うものは何通りあるか．

[2] どの2つの偶数も隣り合わないものは何通りあるか．

（解答▶解答編 p.5）

ITEM 19 場合の数 組合せ→順列

よくわかった度チェック！
① ② ③

順序を区別する「順列」を，"全て書き出す"方式（⇐ ITEM1）を用いて数える際，それより確実に個数が少ない「組合せ」を考えた方が効率的なことがあります．もちろんそれは，例題19のように「課せられた条件設定に，順序に関するものが含まれていないとき」に限られますが．

ここがツボ！ 順序に関係ない条件なら，「組合せ」を書き出し→並べて「順列」

例題19 異なる3個のサイコロを投げるときについて答えよ．
(1) 出た目3個のどの2つの差も2以上となるような目の出方は何通りか．
(2) 出た目3個の和が9となるような目の出方は何通りか．

方針 もちろん，3つのサイコロを A, B, C と区別して考えます．目の出方の総数は 6^3 通りあります．

着眼 (1)(2)において目の出方に関して課せられた条件は，「差」「和」という順序に関係ない量に関するものです．そこで，まずは順序を無視し，条件を満たす「組合せ」を考えます．

解答
(1) ○条件を満たす3つの目の組合せは
全て書き出す … $\{1, 3, 5\}, \{1, 3, 6\}, \{1, 4, 6\}, \{2, 4, 6\}$ …4通り．
　○上記各々から作られる3つの目の順列…3! 通り．
　○よって求める場合の数は
$$4 \times 3! = 24 \text{(通り)}.$$

(2) ○条件を満たす3つの目の組合せは
全て書き出す … $\{1, 2, 6\}^{◎}, \{1, 3, 5\}^{◎}, \{1, 4, 4\}^{○},$
　　　　　　　$\{2, 2, 5\}^{○}, \{2, 3, 4\}^{◎}, \{3, 3, 3\}^{△}.$
　○上記各々から作られる3つの目の順列の個数は
$$\begin{cases} ◎ \cdots 3! \text{ 通り}, \\ ○ \cdots 3 \text{ 通り}, \\ △ \cdots 1 \text{ 通り}. \end{cases}$$
　○よって求める場合の数は
$$3 \cdot 3! + 2 \cdot 3 + 1 \cdot 1 = 25 \text{(通り)}.$$

解説 (1)(2)における「組合せ」「順列」の個数は次のようになっています．

	組合せ	順列
(1)	4 通り	24 通り
(2)	6 通り	25 通り

(1)(2)とも，「組合せ」の数は少なく，「全て書き出す」ことが容易ですね．もちろん「順列」を書き出すことも不可能ではありませんが，個数が多くて面倒ですね．

そこで，次のように 2 段階に分けて解答したのです．

1° 「組合せ」を全て書き出す　　　3! 通りなど

2° 「組合せ」から作られる「順列」の数を積の法則で求める．

注意1 着眼 でも述べたように，上記の手法が使えたのは，あくまでも本問における条件設定が「差」「和」という順序に関係のない量に関してなされたものだったからです．

補足 1つの組合せから作られる順列の個数は，3個に含まれる同じ数の構成により，(2)の◎，○，△の3つのタイプに分けられます．このうち○のタイプについて説明しておきます．

たとえば組合せ{1, 4, 4}の場合，1つだけある「1」が A，B，C のどのサイコロの目かを考えれば，3通りの順列が対応することがわかります．もしくは「同じものを含む順列」の公式（⇦ ITEM8 ）により $\dfrac{3!}{2!}$ と求めることもできます．

類題 19 1, 2, 3, …, 8 の 8 種類の数字を重複を許して 3 個使って 3 桁の整数を作る．このとき 9 の倍数は全部で何個できるか．

（解答▶解答編 p.6）

注意2 自然数が 9 の倍数となるための条件は，各位の和が 9 の倍数であることである．たとえば，423 の各位の和は 4＋2＋3＝9 だから，423 は 9 の倍数であるとわかる．
（⇦p.56 特講C [1](2)）

ITEM 20 場合の数　順序が指定されているとき

よくわかった度チェック！ ① ② ③

前ITEMで見たように，順列の方が順序を区別するので組合せより個数が多くなるのがふつうです．しかし，条件として順序が指定されている場合には，事情が変わってきます．

ここがツボ！ 順序が指定されているなら，「順列」の代わりに「組合せ」を考える

例題20A　サイコロを3回投げるとき，出た目を順に a_1, a_2, a_3 とする．$a_1 < a_2 < a_3$ を満たす組 (a_1, a_2, a_3) の個数を求めよ．

着眼1　第何回の目であるかに応じて a_1, a_2, a_3 と名前が付けられていますから，もちろん出た目の順番を区別して考えます．

「組」とは順序を考えたものですから，たとえば　○○を区別？

$(2, 3, 5)$ と $(2, 5, 3)$

を異なるものとして数えるべきなのですが，本問では a_1, a_2, a_3 の大小関係が指定されているため，$(2, 5, 3)$ などはカウントしません．つまり

どの3種類の目が出るか

が決まれば，組 (a_1, a_2, a_3) も自動的に決まってしまうのです．

解答　$a_1 < a_2 < a_3$ のとき

順列 …「組 (a_1, a_2, a_3)」と「組合せ $\{a_1, a_2, a_3\}$」は **1対1対応**．　…①

よって求める場合の数は，サイコロの目：1, 2, 3, 4, 5, 6 から異なる3個の目を選ぶ組合せを考えて

$${}_6C_3 = \frac{6 \cdot 5 \cdot 4}{3 \cdot 2} = 20 \text{(通り)}.$$

解説1　本来「組合せ $\{a_1, a_2, a_3\}$（a_1, a_2, a_3 は全て相異なる）」1つから作られる「組 (a_1, a_2, a_3)」の個数は，$3! = 6$（通り）です．つまり「組合せ」と「組」の対応関係は1：6ですね．しかし本問では大小関係「$a_1 < a_2 < a_3$」により1：1の対応となります．

組合せ　⟷順序指定なら⟶　順列
　　　　　　1対1

参考1　本問の条件が $a_1 \leqq a_2 \leqq a_3$ となった場合，組合せ $\{a_1, a_2, a_3\}$ は同じものを含むことが許されるため，やや難しくなり，重複組合せ（⇨ **ITEM24**，**ITEM39**）を考えることになります．

例題20B　internet の8文字を並べるとき，3つの母音 i e e がこの順に並ぶものは何通りか？

着眼2　前問において「大小関係 $a_1 < a_2 < a_3$」が決まっていたのに似て，本問では「3つの

66　→ 6・11 → 2・3・11

母音の並び順」が決定しています．また，その母音も「iee」と決まっているので，他の文字(子音)との位置関係に注目します．

解答　i e e
　　　　n t r n t

を並べ．ieeの順序はこの順に決まっているから，これらが並ぶ場所を「○」で表し
　　　　○○○n n t t r　…②

の並べ方を考えればよい．同じものを含む順列の公式より，求める場合の数は

$$\frac{8!}{3!2!2!} = \frac{8 \cdot 7 \cdot 6 \cdot 5 \cdot 4 \cdot 3 \cdot 2}{3 \cdot 2 \cdot 2 \cdot 2} = 1680 \text{(通り)}.$$

解説2　ここでも，次の1対1対応が成り立っています．

「題意のinternetの並べ方」$\underset{1対1}{\longleftrightarrow}$「②の並べ方」

(例)「t r n ○ t ○ ○ n」⟷「t r n i t e e n」

補足　前問と違って，順序が指定されている文字が「iee」に決められていますから，3文字の組み合わせが何通りかを考える必要はありません．なのであとはこれらを区別のない3つの○とみなし，残りの子音とともに並べる仕方を考えればよいのです．

↑参考2　ここでは，「1対1対応」について少々堅苦しい話をします．　…　読み飛ばしてもOK

2つの集合

$A = \{a_1, a_2, a_3, \cdots, a_m\} = \{a_i \mid i = 1, 2, 3, \cdots, m\}$,
$B = \{b_1, b_2, b_3, \cdots, b_n\} = \{b_j \mid j = 1, 2, 3, \cdots, n\}$

があり，ある一定のルールに従うとAの要素とBの要素がモレなく1つずつ対応し合うとき，つまり集合A, Bの全ての要素が右のように1個ずつ線で結ばれるとき

集合Aと集合Bは1対1対応である

といい，このとき，集合Aの要素の個数mと集合Bの要素の個数nとは当然一致します．すなわち $n(A) = n(B)$ が成り立ちます．

このように，「1対1対応」とは集合どうしの関係として定められた用語です．ただ，場合の数・確率の解答においていちいち集合を厳格に言い表すと長々しい文章になってしまいますから，今回の**解答**でも，①のように「集合」という言葉を伏せて書きました．

参考3　「1対1対応」を用いる有名な題材を，ITEM 23～ITEM 25 で扱います．

類題 20

[1] サイコロを4回投げるとき，出た目を順に a_1, a_2, a_3, a_4 とする．
　$a_1 < a_2 < a_3 < a_4$ を満たす組 (a_1, a_2, a_3, a_4) の個数を求めよ．

[2] 1, 2, 3, …, 10 の10枚のカードから偶数2枚と奇数3枚を選び，これら5枚を1列に並べる．このとき，2つの偶数が小さい方から順に並んでいるものは何通りあるか．

(解答▶解答編 p.6)

ITEM 21 場合の数 対称性の活用

個数を直接求めるのが面倒な際，求めなくてよいものを求めて全体から引く手法（補集合の利用）を ITEM 6 で学びましたね．ここで扱う手法はそれを少し発展させたもので，「同数であるもの」を発見することで，求めたい場合の数を間接的に求めることができます．キーワードは「対称性」です．

> **ここがツボ!** 「対称性」に気付いたら，何と何が同数かを考えよ．

例題21

(1) 1つのサイコロを2回投げるとき，出た目を順に a_1, a_2 とする．$a_1 = a_2$, $a_1 < a_2$ を満たす組 (a_1, a_2) の個数をそれぞれ求めよ．

(2) 異なる8個のコインを投げるとき，表の枚数が裏の枚数より多い出方は何通りか．

方針 (1) の $a_1 < a_2$ は前 ITEM と同様に「順列」と「組合せ」の1対1対応を使っても解答できますが，せっかくその前に $a_1 = a_2$ が準備されていますから，その結果を利用することを考えます．

そして，そこで用いた手法により，(2) はいとも簡単に解決します．

解答

(1) $a_1 = a_2$ を満たす組 (a_1, a_2) は

$(1, 1), (2, 2), (3, 3), (4, 4), (5, 5), (6, 6)$ の **6通り**．

次に，サイコロ2回の目の出方：6^2 通りは次のように分けられる．

6^2 通り $\begin{cases} a_1 < a_2 & \cdots ① \\ a_1 = a_2 & \cdots 6 通り \\ a_1 > a_2 & \cdots ② \end{cases}$ 全体像を視

a_1 と a_2 の対称性より，①と②は同数である．よって求める①の場合の数は

$$\frac{6^2 - 6}{2} = \mathbf{15(個)}. \quad \cdots ③$$

(2) 8枚のコインのうち表(H)，裏(T)が出たものの枚数をそれぞれ h, t とおくと，コイン8枚の出方：2^8 通りは次のように分けられる．

2^8 通り $\begin{cases} h < t & \cdots ④ \\ h = t (= 4) & \cdots ⑤ \\ h > t & \cdots ⑥ \end{cases}$

コインの H, T の出方の対称性より，④と⑥は同数である．⑤の個数は，8枚のうちどの4枚のコインが H かを考えて

$${}_8C_4 = \frac{8 \cdot 7 \cdot 6 \cdot 5}{4 \cdot 3 \cdot 2} = 70 (通り).$$

よって求める⑥の場合の数は
$$\frac{2^8-70}{2}=\frac{186}{2}=93(通り).$$

重要 (1) (2)とも，求めたいものだけでなく，それ以外のパターンも含めた全体の内訳に目を向けることによって効率的な解答を得ています．これは，補集合の利用（⇐ **ITEM6**）に通ずるものですね．

補足1 (1)における「a_1とa_2の対称性」とは，もう少し正確に言うなら
  ①：$a_1<a_2$, ②：$a_1>a_2$ を満たす (a_1, a_2) が同数ずつある
  i.e. 「$a_1<a_2$」と「$a_1>a_2$」が 1 対 1 対応　　（例）：$(2, 5) \longleftrightarrow (5, 2)$
  $a_1<a_2$ を満たす (a_1, a_2) 全体の集合
ということです．

同様に，(2)の「コインの H, T の出方の対称性」とは
  $h<t$ と $h>t$ を満たす (h, t) が同数ずつある
  i.e. 「$h<t$」と「$h>t$」が 1 対 1 対応　　（例）：$(3, 5) \longleftrightarrow (5, 3)$
であることを言い表したものです．

補足2 (1)の①は，**方針**で述べたように次のように直接求めることもできます．
  「$a_1<a_2$ を満たす組 (a_1, a_2)」と
  「異なる 2 つの目の組合せ $\{a_1, a_2\}$」は 1 対 1 対応
だから，求める場合の数は ${}_6C_2=\dfrac{6\cdot 5}{2}=15(通り)$．

(2)の⑥を直接求めると，$h=5, 6, 7, 8$ となる場合の数を考えて
$${}_8C_5+{}_8C_6+{}_8C_7+{}_8C_8={}_8C_3+{}_8C_2+{}_8C_1+{}_8C_0$$
$$=56+28+8+1=93.$$
こちらは少し面倒ですね．

参考 (2)でコインの枚数が 9 枚だったら，コインの出方：2^9 通りは次のように分けられます．
$$2^9 通り \begin{cases} h<t \\ h>t \end{cases}$$
もちろんこれらは同数ずつありますから，$h>t$ となる出方の数は，全体を単純に 2 で割って $\dfrac{2^9}{2}=2^8(通り)$ と得られます．

類題 21 $-1, 0, 1$ の 3 つの数字を，重複を許して 6 個並べる．和が正となる並べ方は何通りか．

（解答▶解答編 p.6）

ITEM 22 場合の数 包除原理

よくわかった度チェック！

ITEM 5 では，「積の法則」だけでは求められない場合の数を「和の法則」も駆使して求める手法を学習しました．そこでの原則は「ダブりのない場合分け」でしたが，本 ITEM では「ダブりなく」が難しいとき，あえてダブりを承知で数える方法を扱います．

> **ここがツボ！** 2つの集合の関係を，「カルノー図」で視覚化

例題22 1から200までの自然数について，以下の問いに答えよ．
(1) 4の倍数は何個あるか．
(2) 4の倍数または5の倍数であるものは何個あるか．
(3) 4の倍数または5の倍数または6の倍数であるものは何個あるか．

方針 基本的には 4, 5, 6 それぞれの倍数を数えるのですが，そこには「ダブり」＝「公倍数」があるので注意を払いたいです．ミスをせず，自信を持って解答するため，図を使って集合どうしの関係を**視覚化**しましょう．そのために，まず集合に名前をつけることから始めます．

解答 1から200までの自然数からなる，4, 5, 6 の倍数の集合をそれぞれ A, B, C とする．

(1) $A = \{4 \cdot 1,\ 4 \cdot 2,\ 4 \cdot 3,\ \cdots,\ \underset{200}{4 \cdot 50}\}$

だから，求める個数は $n(A) = 50$．

(2) ○ 求めるものは，$n(A \cup B)$ である．
○ $B = \{5 \cdot 1,\ 5 \cdot 2,\ 5 \cdot 3,\ \cdots,\ 5 \cdot 40\}$ より $n(B) = 40$．
$A \cap B$ は，「4の倍数かつ5の倍数」，
 i.e. 「20の倍数」，
 i.e. $\{20 \cdot 1,\ 20 \cdot 2,\ 20 \cdot 3,\ \cdots,\ 20 \cdot 10\}$．
∴ $n(A \cap B) = 10$．

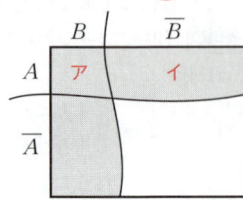

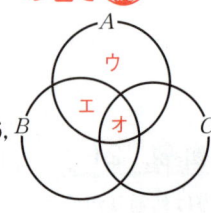

○ 以上より求める場合の数は
$$n(A \cup B) = \overset{アイ}{n(A)} + \overset{ア}{n(B)} - \overset{ア}{n(A \cap B)} \quad \cdots ①$$
$$= 50 + 40 - 10 = 80.$$

カルノー図で〈視〉

(3) ○ 求めるものは，$n(A \cup B \cup C)$ である．
○ $C = \{6 \cdot 1,\ 6 \cdot 2,\ 6 \cdot 3,\ \cdots,\ 6 \cdot 33\}$ より，$n(C) = 33$，
$B \cap C = \{30 \cdot 1,\ 30 \cdot 2,\ \cdots,\ 30 \cdot 6\}$ より，$n(B \cap C) = 6$，
$C \cap A = \{12 \cdot 1,\ 12 \cdot 2,\ \cdots,\ 12 \cdot 16\}$ より，$n(C \cap A) = 16$，
$A \cap B \cap C = \{60 \cdot 1,\ 60 \cdot 2,\ 60 \cdot 3\}$ より，$n(A \cap B \cap C) = 3$．

ベン図で〈視〉

→ $10 \cdot 7$ → $2 \cdot 5 \cdot 7$

○以上より求める場合の数は

$$n(A\cup B\cup C)=\underset{ウエオ}{n(A)}+\underset{エオ}{n(B)}+\underset{オ}{n(C)}-\underset{エオ}{n(A\cap B)}-\underset{オ}{n(B\cap C)}-\underset{オ}{n(C\cap A)}$$
$$+\underset{オ}{n(A\cap B\cap C)}\quad\cdots\text{②}$$
$$=50+40+33-10-6-16+3=94.$$

解説1 (2)において，$n(A)$, $n(B)$, つまり 4, 5 の倍数の個数は数えやすいですね．なので，これらを利用するのはごく自然な発想です．ただし，単純に $n(A)$, $n(B)$ を加えても正解は得られません．A と B には共通部分 $A\cap B$ があるので，この部分をダブルカウントしてしまうことになるからです．ではどうすればよいのか？ それを考えるために有効な「視覚化」を利用しました．

重要 (2)で用いた「カルノー図」は，2つの集合の関係を視覚化するのにとても便利です．横線の上，下で A, $\overline{A}$ を，縦線の左，右で B, $\overline{B}$ を表すので，補集合 $\overline{A}$, $\overline{B}$ も長方形状のきれいな形で表せますね．

　　　　　2 つの集合絡んだら，名前を付けてカルノー図！

ただし，集合が 3 個になるとカルノー図は使いにくくなりますから，(3)のような「ベン図」を使います．ご存知のように，円の内，外で A, $\overline{A}$ などを表します．ただし，円の外側は非常に見づらい形になってしまうので，必ず円の内側が"本質的な"，つまり場合の数を求めやすい集合になるよう工夫しなければなりません．（⇨ **ITEM33**）

解説2 ①，②式は，「包除原理」と呼ばれる公式です．(2)の図中にあるア，イや(3)の図中にあるウ，エ，オが，①，②中で全て過不足なく 1 回ずつ数えられていることを，式中に記したア，イなどを追いかけて確認してください．**モレなく ダブりなく**

なお，解答中では①，②式の右辺を省いて直接数値を書いてもかまわないでしょう．

参考 n を a で割った商が q で余りが r，つまり $n=aq+r$ $(0\leq r<a)$ のとき，1 から n までの a の倍数は

　　　$a\cdot 1,\ a\cdot 2,\ a\cdot 3,\ \cdots,\ a\cdot q$

の q 個，つまり，n を a で割った商と一致します．

類題 22 1, 2, 3, $\cdots$, 10 の 10 枚のカードから同時に 3 枚のカードを取り出す．取り出した 3 枚について答えよ．

[1] 全てが 3 以上である取り出し方は何通りか．

[2] 全てが 3 以上，または全てが 6 以下である取り出し方は何通りか．

(解答▶解答編 p.7)

ITEM 23 場合の数 最短経路

よくわかった度チェック！ ① ② ③

ここからの数 ITEM では，個数を数える上で単純かつ強力な「1 対 1 対応」を扱います．ここで学ぶ手法は，入試では"当然知っているはず"という前提で出題されますから，完璧に理解＆記憶しましょう．

ここがツボ！ 「最短経路」を「矢印の並べ方」にすり替えて

例題23 右図のような街路があるとき，以下の問いに答えよ．
(1) A から B まで行く最短経路の個数を求めよ．
(2) A から C を通って B まで行く最短経路の個数を求めよ．

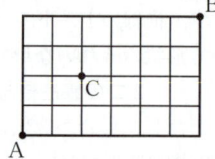

着眼 下の例を見ればわかるように，1 つの「最短経路」に対し，移動した向きを表す矢印「→ or ↑」を移動した順に並べると「→ 6 個と ↑ 4 個の並べ方」が 1 つ定まります．逆に「→ 6 個と ↑ 4 個の並べ方」に対して，矢印の向きの移動を矢印が並んだ順に行うと，「最短経路」が 1 つ定まります．

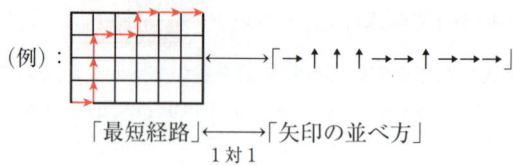

(例)： 「→ ↑ ↑ ↑ → ↑ → → →」

「最短経路」 ⟷ 「矢印の並べ方」
  1 対 1

よって，「最短経路」の代わりに「矢印の並べ方」を考えればよいのです．

解答

(1) 「A から B への最短経路」と「→ 6 個，↑ 4 個の並べ方」は 1 対 1 対応．よって求める場合の数は

$\dfrac{10!}{6!4!}$ でもよい $\cdots$ $_{10}C_4 = \dfrac{10 \cdot 9 \cdot 8 \cdot 7}{4 \cdot 3 \cdot 2}$ $\cdots$ ①

$= 210$(通り)．

(2) (1)と同様に考えて
「A から C への最短経路」と「→ 2 個，↑ 2 個の並べ方」，
「C から B への最短経路」と「→ 4 個，↑ 2 個の並べ方」
はそれぞれ 1 対 1 対応．よって求める場合の数は
$_4C_2 \cdot _6C_2 = 6 \cdot 15 = 90$(通り)．

解説1 問われている「最短経路」を

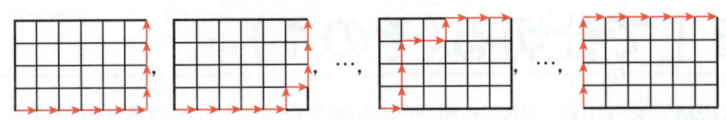

のようにジグザグジグザグした経路を描きながら数えるのは骨が折れますね．ところが「1 対 1 対応」を利用して「↑, →の並べ方」にすり替えて考えれば，すでに学んだ典型的な場合の数の問題となります．このように

求めたくないが
「求めたいもの」⟷「求めやすいもの」
でも求めにくい

という対応を用いて個数を数えやすくする手法は，知っているか知らないかで決定的な得点差を生み出します！　知識としてしっかり備えておきましょう．

解説2 (1)における「→6 個, ↑4 個の並べ方」の個数は

同じものを含む順列の公式（⇦ ITEM8）により $\dfrac{10!}{6!4!}$ …②

としても求まりますが，**解答**では二項係数を用いました．これについて説明します．

→6 個, ↑4 個を並べるには，合計 10 個の「場所」が要ります．この場所に，左から順に 1, 2, 3, …, 10 と番号を付け，

「どの 4 か所を選んで↑を置くか」と考えて $_{10}C_4$ 通り

としました．（もちろん，↑の場所が決まれば，残りの場所には自動的に→が置かれることになります．）

（例）：「→↑↑↑→↑→→→→」⟷ |↑|↑|↑| |↑| | | | | |　場所を〈視〉
　　　　　　　　　　　　　　　　　　1 2 3 4 5 6 7 8 9 10

①式では，②式の「6!」が初めから約分された状態で計算できて楽ですし，標記としても簡潔かつコンパクトなので，(2)のようにこの考え方を複数回用いる類の問題になると，とくに有利になります．

補足 (2)では

「A から C への最短経路」$_4C_2$ 通りの各々に対し，
「C から B への最短経路」が $_6C_2$ 通りずつある

ので，「積の法則」を使いました．

類題 23

右図のような街路があるとき，以下の問いに答えよ．

[1] A から B まで行く最短経路の個数を求めよ．

[2] A から C を通って B まで行く最短経路の個数を求めよ．

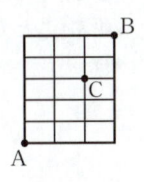

（解答▶解答編 p.7）

ITEM 24 場合の数 ○を│で仕切る(その1)

よくわかった度チェック！

本 ITEM で学ぶ 1 対 1 対応は，前 ITEM の「最短経路」に次いで有名なものであり，今後多種多様な場面で活用されます．そこでまず，その考え方がもっともストレートに現れた"原型"とでもいうべき問題を通してその使い方をマスターし，今後柔軟に応用できるよう準備しましょう．

ここがツボ！ 3-1 3つの領域に仕切るには，2本の│を入れる

例題24 区別のつかない 10 個のボールを異なる 3 個の箱 A，B，C に入れる方法の数を求めよ．ただし，空の箱があってもよいとする．

［着眼］ 試行を◁視▷

ボールに区別がないので，要は A，B，C の箱に入れるボールの個数を決めればよいですね．そこで，こう考えます：

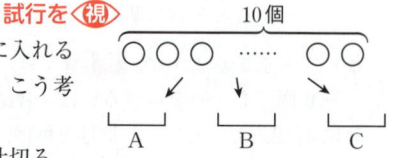

　10 個の○を，順序を付けて 3 つの領域に仕切る．そして各領域の○の個数を，左から順に A，B，C に入る○の個数だと決めます．これで見事な対応が出来上がりましたね．

「順序」が A，B，C の区別を表す

(例1) 　○○○│○○○○○│○○ …①
　　　⟷ A 3 個　B 5 個　C 2 個 …②

2本の仕切り：│で3つの領域に仕切る

(例2) 　○○○││○○○○○○○ … B が空箱でもよい
　　　⟷ A 3 個 ↑ C 7 個
　　　　　　　B 0 個

なお，3 つの領域に仕切るのに用いる│の本数は 2 本です．　"植木算"ですね

［解答］

「題意の入れ方」と「10 個の○を 2 本の│で仕切る方法」とは **1 対 1 対応**．よって求める場合の数は

○○○│○○○○○│○○
A 3 個　B 5 個　C 2 個

$\dfrac{12!}{10!2!}$ でもよい　　$_{12}C_2 = \dfrac{12 \cdot 11}{2} = 66$ **(通り)**．

［解説］ ［着眼］では①から②への対応が 1 つに決まることのみ述べましたが，逆に②に対して，○ 3 個の後に│を置き，さらに○ 5 個の後に│を置く(その後は自ずと○が 2 個並ぶ)ことで①への対応も 1 つに決まります．ちゃんと「1 対 1 対応」になっていますね．

74　→ 2・37

補足　「10個の○を2本の｜で仕切る方法」とは，つまり「10個の○と2本の｜の並べ方」に他ならないので，その個数は，「同じものを含む順列の公式」（⇐ **ITEM8**）により「$\dfrac{12!}{10!2!}$」としても求まります。

しかし，前ITEM同様，○10個，｜2本を並べる計12個の「場所」を作り，「12か所のうちどの2か所を選んで｜を置くか」と考えて「$_{12}C_2$通り」としました．

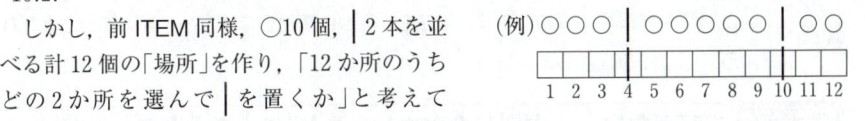

（例）○○○｜○○○○○｜○○

1	2	3	4	5	6	7	8	9	10	11	12

参考1　本問は，次のように読み変えることもできます．

『A，B，Cの3文字を重複を許して10個取る組合せ（**重複組合せ**）は何通りか？』取り出す順序は考えないのでA，B，Cを何回ずつ選ぶかを決めればよく，次のように対応を作ることができます．

（例）：　　A 3回，　　　B 5回，　　C 2回　　・・・題意の現象
⟷ {A, A, A, B, B, B, B, B, C, C}　・・・これが重複組合せ
　　　　Aが重複　　　Bが重複
⟷ ○ ○ ○ ｜ ○ ○ ○ ○ ○ ｜ ○ ○　・・・○を｜で仕切る

けっきょく，本問とまったく同じ答えになりますね．

この例を一般化して「3文字」を「n個」に，「10取る」を「r個取る」にすると，次のようになります．

「異なるn個から重複を許してr個取る組合せ（重複組合せ）」…③は
「r個の○を$n-1$本の｜で仕切る方法」と1対1対応．
よってその個数は，$_{r+n-1}C_{n-1}$．　　$_{r+n-1}C_r$ でもよい

参考2　けっきょく，**例題24**　で問われている「現象」を **解答** では直接「○を｜で仕切る」に対応付けたのに対し，上の **参考1** では「重複組合せ」を経由して間接的に対応付けています．

注意　なお，大学以降では上記③の個数を記号 $_nH_r$ で表し $_nH_r = {}_{r+n-1}C_r$ …④を公式として用いたりしますが，上記の事情により筆者は「○を｜で仕切る」考え方こそが**核心**であると考え，本書ではこの記号を今後一切使わず，④を公式として使用することも避けます．

類題 24

[1] 同じ商品10個を4人の人に分け与える方法は何通りあるか．ただし，1個ももらわない人がいる場合も考えるとする．

[2] 区別のつかない5個のサイコロを投げるとき，目の出方は何通りか．

（解答▶解答編 p.7）

ITEM 25 場合の数 ○を｜で仕切る（その2）

よくわかった度チェック！ ① ② ③

前ITEMに続いて○を｜で仕切る方法を扱いますが，今回は"空"があってはならないという条件設定に変わります．解法も，微妙に変化しますから，混同することがないよう，しっかり理解しましょう．

> **ここがツボ！** "空"がない → ｜が隣り合わない → "∧"に｜を入れる

例題25 区別のつかない10個のボールを異なる3個の箱A，B，Cに入れる方法の数を求めよ．ただし，空の箱があってはならないとする．

今回は「空箱」が許されなくなりますから，前ITEMの 例題24 では数えていた次のようなものを除かなくてはいけません．

○○○||○○○○○○○ …①　｜が隣り合う→Bが空箱
A 3個　↑　C 7個
　　　B 0個

|○○○|○○○○○○○ …②　｜が左端→Aが空箱
↑　B 3個　C 7個
A 0個

といっても，これらの個数を 例題24 の答えから引くのは得策ではありません．①が駄目ということは，つまり

｜が**隣り合わない**

ような○と｜の並べ方を考えればよいのですから，ITEM 18で学んだ手法が使えますね．②のことも考慮すれば，見事な対応ができます．

(例)：○○○○｜○｜○○○○○　両端以外の"間"を考える
　　　1 2 3 4 ↑ 5 6 7 8 9
　　　A 4個　B 1個　C 5個

解答 10個の○を空でない異なる3つのカタマリに分ける．

○○○○○○○○○
　∧ ∧ ∧ ∧ ∧ ∧ ∧ ∧
　1 2 3 4 5 6 7 8 9

「題意の入れ方」と「∧₁〜∧₉から2か所を選んで｜を1本ずつ入れる方法」とは1対1対応．よって求める場合の数は

$$_9C_2 = \frac{9 \cdot 8}{2} = 36 \text{(通り)}.$$

解説 ITEM 18の「隣り合わない並べ方」で学んだ手法が見事に役立ちました．ただし，例題18 (2)と違って，両端には｜を置くことができませんから注意してください．

参考 本問は，次のようにして前ITEMの方法に帰着させることもできます．

A，B，Cに入るボールの個数をそれぞれa，b，cとすると，これらが満たすべき条件は

$a+b+c=10$, $a≧1$, $b≧1$, $c≧1$. …③

ここで $a'=a-1$, $b'=b-1$, $c'=c-1$ とおくと, a', b', c' が満たすべき条件は
$a'+b'+c'=7$, $a'≧0$, $b'≧0$, $c'≧0$. …④

「④を満たす組 (a', b', c')」
は
「7個の○を3個の箱 A′, B′, C′ に入れる仕方(空箱OK)」
つまり
「7個の○を2本の│で仕切る方法」
と1対1対応. よってその個数は ${}_9C_2$ であり,
「③を満たす組 (a, b, c)」
の個数もこれに一致する.

　また, 上記とは逆に前 ITEM の例題を本問に帰着させることもできます. しかし, 前 ITEM と本 ITEM の手法は, どちらも単独に覚えておかねばならない必須の手法ですから, 2通りの「○を│で仕切る考え方」として完全に習熟することを目指してください.

発展 実戦において, ITEM 24, 25 で学んだ「○を│で仕切る」手法が役立つ問題だと見抜く方法は, 次の2つです.

　　「視覚化」作業を通して現象の類似性を発見する
　　いくつかの頻出問題を「記憶」しておく

このうち後者の対策として, 「○を│で仕切る」タイプの問題を ITEM 38〜41 でまとめて扱います. その中で, じつは, ③, ④式そのものも登場します. (⇨ **ITEM38**)

類題　25

[1] 同じ消しゴム12個を4人の子供に分け与える方法は何通りあるか. ただし, 1個ももらわない子供がいてはならないとする.

[2] 区別のつかない10個のサイコロを投げるとき, 1から6までの全ての目が出るような目の出方は何通りか.

(解答▶解答編 p.8)

ITEM 26 場合の数 組分け

よくわかった度チェック！ ① ② ③

区別のないボールを分けた前 ITEM に対し，本 ITEM では区別のある「人」を分けます．また，前 ITEM までの単純明快な「1対1対応」から，少し発展した「1対"多"の対応関係」を利用します．

ここがツボ！ 「区別しない」から「区別する」への対応に注目

例題26 9人の人を3つの組に分ける方法について答えよ．
(1) 2人，3人，4人の3組に分ける方法は何通りか．
(2) 3人，3人，3人の3組に分ける方法は何通りか．
(3) 5人，2人，2人の3組に分ける方法は何通りか．

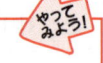

組に分けるから「組分け」

注意 ここでいう「組」とは，単に「グループ」のことです．p.66 にある順序の違いも考えた「組 $(2, 5, 3)$」とは異なる意味で用いています．

方針 (1)は，「2人の組，3人の組，…」と順に決めていけば解決しますが，(2)でそれを真似して，「3人の組，3人の組，…」とすることはできません．「3人の組」とはいったい「どの3人の組なのか」が判然としないからです．さて…

(3)もそれに準じる方法で解けます．ただし，「5人，2人，2人」という問題文の順序に惑わされないように．「制限の厳しい（選択肢の少ない）所から数える」という原則（⇦ ITEM4）に従い，先に2人の組から考えます．

解答 9人の人を 1, 2, 3, …, 9 と表す．

(1) 「2人の組」，「3人の組」の順に誰を入れるかを考えて，求める場合の数は

$$_9C_2 \cdot _7C_3 = \frac{9 \cdot 8}{2} \cdot \frac{7 \cdot 6 \cdot 5}{3 \cdot 2} = 1260 \text{ (通り)}.$$

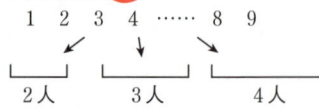

↑ 4人組には自ずと残りの人が入る

入れ方を〈視〉
1 2 3 4 …… 8 9
↓ ↓ ↓
2人 3人 4人

(2) ○ 3人組 A，3人組 B，3人組 C と区別し，この順に入れ方を考えると，

○○を区別？

$$_9C_3 \cdot _6C_3 = \frac{9 \cdot 8 \cdot 7}{3 \cdot 2} \cdot \frac{6 \cdot 5 \cdot 4}{3 \cdot 2} = 3 \cdot 4 \cdot 7 \cdot 5 \cdot 4 \text{ (通り)}. \quad \cdots ①$$

3人組 A　3人組 B

1 2 3 4 …… 8 9
↙ ↓ ↘
3人　3人　3人

○「組を区別しない題意の分け方」を x 通りとすると，その各々に対して，「組を A, B, C と区別したときの分け方」が $3!$ 通りずつ対応するから

$$x \cdot 3! = 3 \cdot 4 \cdot 7 \cdot 5 \cdot 4. \quad \cdots ②$$

積の法則

対応関係を〈視〉

　　　　　　　　A　　　B　　　C
　　　　　　1 2 3/4 5 6/7 8 9
　　　　　　1 2 3/7 8 9/4 5 6
1 2 3/4 5 6/7 8 9
　　　　　　⋮
組を区別しない　7 8 9/4 5 6/1 2 3
組を区別する

78　→ 2·39 → 2·3·13

よって求める場合の数は，$x=\dfrac{3\cdot 4\cdot 7\cdot 5\cdot 4}{3!}=2\cdot 7\cdot 5\cdot 4=280$（通り）． ･･･"割り算"

(3) ○ 2人組 A，2人組 B，5人組と区別し，この順に入れ方を考えると，
$$\underset{\text{2人組A}}{_9C_2}\cdot \underset{\text{2人組B}}{_7C_2}=\dfrac{9\cdot 8}{2}\cdot\dfrac{7\cdot 6}{2}=9\cdot 2\cdot 7\cdot 6\text{（通り）}.$$

```
1  2  3  4 …… 8  9
   ↓     ↓        ↓
  ⎿2人⏌⎿2人⏌⎿ 5人 ⏌
```

○「2人組を区別しない題意の分け方」を y 通りとすると，その各々に対して，「2人組 A，2人組 B と区別したときの分け方」が $2!$ 通りずつ対応するから
$$y\cdot 2!=9\cdot 2\cdot 7\cdot 6. \quad\cdots\text{③}$$ ･･･積の法則

```
              2人A 2人B
            ⎧ 1 2 / 3 4 / 5～9
1 2/3 4/5～9 ⎨
  2人組を区別しない  ⎩ 3 4 / 1 2 / 5～9
              2人組を区別する
```

よって求める場合の数は，$y=\dfrac{9\cdot 2\cdot 7\cdot 6}{2!}=378$（通り）． ･･･"割り算"

解説 最大のポイントは(2)①式の「$_9C_3$」「$_6C_3$」がそれぞれ"何を"表しているかに対する自覚です．ただ漠然と「3人組を決め，また3人組を決め…」とやってしまうと，①がそのまま答えになりそうな気がしてしまいがちですが，①では
「1 2 3 / 4 5 6 / 7 8 9」と「1 2 3 / 7 8 9 / 4 5 6」 ○○を区別？
を異なる分け方として数えてしまっています．ITEM 3 で，サイコロを 2 回投げたときの（第 1 回と第 2 回を区別した）目の出方が何通りあるかを考えたとき，
$$6^2=6\cdot 6 \quad\cdots\text{順序を区別している}$$
第1回の目↑ ↑第2回の目

のように 2 つの「6」が何を表すかを問うたのを覚えていますか？ このような"自覚"があるか否かでミスをする頻度は大きく変わるのです．

重要 (2)，(3) で用いた"割り算"は，ITEM 7「組合せ」，ITEM 8「同じものを含む順列」の数を求める際に用いた考え方とまったく同じです．
「求めたいもの」から「求めやすいもの」への枝分かれ
が何通りずつかを考え，それを「積の法則」を用いて方程式②，③で表し，それを解く際に"割り算"が現れるのです．これをしっかり理解していないと(3)でも短絡的に「3! で割る」とやってしまいがちです．(3)の対応を表した図を見ればわかるように，ここでの「求めたいもの」と「求めやすいもの」との対応は，1 : 2! です．

補足 (1) **解答** で，「$_9C_2\cdot{}_7C_3$」の後，4人組の決め方：$_4C_4$ 通りを掛けても構いませんが，なにしろ「1通り」ですからふつう省きます．(2)，(3) も同様です．

類題 26 6枚のカード a, b, c, d, e, f を複数の組に分ける方法について答えよ．

[1] 3枚，2枚，1枚の 3 組に分ける方法は何通りか．

[2] 3枚，3枚の 2 組に分ける方法は何通りか．

[3] [2]のうち，母音 a, e が異なる組に入る分け方は何通りか．

(解答▶解答編 p.8)

ITEM 27 場合の数 — 円順列と数珠順列

よくわかった度チェック！
① ② ③

ITEM 9 の「円順列」とよく似た「数珠順列」を扱います．両者の対応関係は，前々 ITEM までの「1 対 1」，前 ITEM の「1 対多」からさらに発展したものとなります．

ここがツボ！ 「数珠順列」から「円順列」への枝分かれを考える．

例題27 赤，緑，青の石がそれぞれ 8 個，4 個，1 個ある．色が同じ石どうしは区別しないとして，以下の問いに答えよ．
(1) これらの石全部を円周上に並べてできる円順列は何通りあるか．
(2) これらの石全部をひもでつないでできるネックレスは何通りできるか．

補足1 この「ネックレスの作り方」のことを，俗称（日本流に）「数珠順列」と呼びます．

方針 (1) は，ITEM 9 で学んだ「円順列」に関する原則どおり，「1 つを固定」して数えます．

もちろん青

問題は (2) で，「(1) には，裏返せば同じネックレスになるものが 2 個ずつ含まれるから…」などといい加減なことをやると，$\frac{495}{2} = 247.5$ (通り)…① と，整数でない答えが出てきてしまいます．前 ITEM でも述べたように，「対応」を考えるときは必ず**枝分かれしていく向きに**考えてください．

解答 赤，緑，青の石をそれぞれ R，G，B と表す． **石の色を記**
(1) B を固定し，G 4 個と R 8 個を時計回りに並べる仕方を考える．G を並べる場所の選び方を考えて，求める場合の数は

$\frac{12!}{4!8!}$ でもよい　　${}_{12}C_4 = \frac{12 \cdot 11 \cdot 10 \cdot 9}{4 \cdot 3 \cdot 2} = 495$ (通り)． …②

(2) ネックレスは下図のような 2 タイプに分けられ，それぞれの 1 つから作られる円順列は，次のように 2 個または 1 個である．

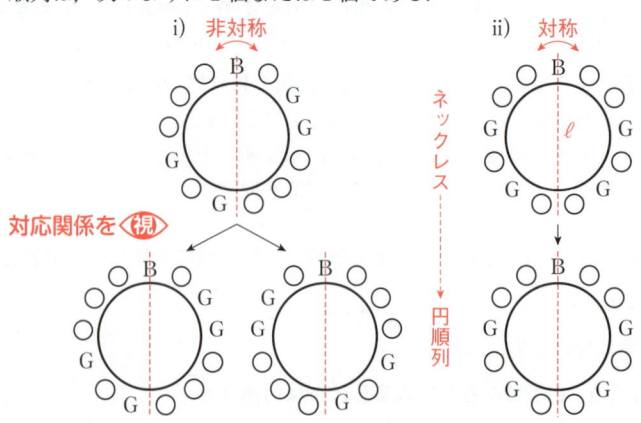

i) 非対称　　　　　　　　　ii) 対称

対応関係を⟨視⟩

ネックレス → 円順列

80 → 8·10 → 2⁴·5

前図ⅱ)タイプのネックレスは，図の破線 ℓ に関して対称だから，ℓ の右側に G 2 個と R 4 個を並べる仕方を考えて

$\dfrac{6!}{2!4!}$ でもよい　　$_6C_2 = 15$(通り)．　…③

求めるネックレスの個数を x とおくと，ⅰ)タイプのネックレスは $x-15$ 個ある．これと(1)より

$$(x-15)\cdot 2 + 15\cdot 1 = 495.$$

$$\therefore\ x = \dfrac{495-15}{2} + 15 = 255(通り)．$$

解説 本問(2)も，すでに求まっている(1)を利用すべく，
「求めたいもの」から「求めやすいもの」への枝分かれ

　　　ネックレス　　　　(1)の円順列

を考えます．前 ITEM の例題(2), (3)と同様ですね．

注意1 このように "枝分かれ" を「積の法則」で表すことなく，方針で述べたようにイキナリ 2 で割ってはなりません．万が一そんな失敗をしてしまい，①のように答えとしてあり得ない数値(場合の数が小数？？？)に出会ってしまった場合，次のように敗因を分析し，基本に立ち返って軌道修正できるようにしたいです．

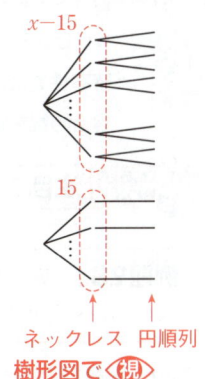

　　答えが "小数" っていったい…！？？　　　枝分かれが均等な樹形図
　　→ "割り算" が機能してない　　　　　　　→ 積の法則
　　→ 積の法則が使えない　　　　　　　　　→ "割り算" が機能する
　　→ 樹形図の枝分かれが均等でない

上記において左に記した敗因分析は，右に記した基本の流れが理解されているからこそ可能なことですね．

　このように考える力があれば，単純に「2 で割る」という方法が通用しないとき，「枝分かれが均等でないものがあるはずだ」という視点に立ってチェックすることにより，左右対称なⅱ)タイプのネックレスがあることに気付ける可能性が高まるでしょう．

補足2 ②，③は，「同じものを含む順列の公式」を用いて，それぞれ

$$\dfrac{12!}{4!8!},\ \dfrac{6!}{2!4!}$$

と求めることもできます．(⇐ **ITEM8**)

注意2 問題文はワザと意地悪く(？)R 8 個，G 4 個，B 1 個と個数が多い順に並べてありますが，まず 1 個しかない B を固定し，次に 4 個しかない G の位置を考えると効率的に数えられます．

類題 27　赤い玉が 1 個，黄色い玉が 3 個，緑の玉が 6 個ある．これらの全てをひもでつないでできる数珠は何通りあるか．

(解答▶解答編 p.9)

ITEM 28 確率 注目すべきことのみに集中

ITEM 12 では，問題文では区別するよう指示されていないものを敢えて区別し，**等確率性**を確保しました．ここでは逆に，等確率性が保たれる範囲で区別を取り除いて場合の数を減らし，確率計算の簡便化を図る手法を見ていきます．

> **ここがツボ！** 注目すべきことのみ考える．ただし，等確率性に注意しながら．

例題28 赤いカード2枚と，白いカード3枚の計5枚のカードを1列に並べるとき，赤いカード2枚が隣り合う確率を求めよ．

方針 例題12 では，「等確率性」を確保するために同じ色の玉でも敢えて区別を付けて考えました．それに倣えば，ITEM 18（場合の数）で学んだ「隣り合う並べ方の個数」の手法が使えますね．

解答1　カードの区別を〈視〉

○ 5枚のカードを R_1, R_2, W_1, W_2, W_3 と区別したときの並べ方：$5!$ 通りの各々は等確率．…①
○ 上記のうち条件を満たすものを数える．
  ● $\boxed{R_1, R_2}$, W_1, W_2, W_3 の4個の並べ方…$4!$ 通り．
  ● R_1, R_2 の並べ方…$2!$ 通り．
○ 以上より求める確率は
  $$\frac{4! \cdot 2!}{5!} = \frac{2}{5}. \quad \cdots ②$$

解説 もちろんこれで正解なのですが…，②の計算において $\dfrac{4! \cdot 2!}{5!} = \dfrac{4! \cdot 2}{5 \cdot 4!} = \dfrac{2}{5}$ と，「$4!$」が丸ごと約分されて消えています！　確率の問題では，こんなときには往々にしてもっと効率的な別解があるものです．

ITEM 8 で見たように「同じ色のカードを区別しない」ときと「同じ色のカードを区別する」ときの枚数の対応は $1 : 2! \cdot 3!$ と一定です．これと①より，

「同じ色のカードを区別しない」ときの並べ方：$\dfrac{5!}{2! \cdot 3!} = 10$ 通りの各々も**等確率**

ですね．そこで，これと同じ基準で赤が隣り合う場合の数を求めると，**同基準？**

$\boxed{R, R}$, W, W, W の並べ方を考えて，$\dfrac{4!}{3!} = 4$（通り）．

　　　　　　W3枚は同じもの

よって題意の確率は，$\dfrac{4}{10} = \dfrac{2}{5}$ と求まります．

重要1　　　　5!＝120 通り　　　　2!・3!＝12 通り　　　　10 通り

　このように，等確率な事象を，同数ずつまとめることにより，やはり等確率な事象を得ることができ，解答1 より手早い解答が得られたわけです．（⇨ **ITEM10** 重要2）
　もともと本問では，「赤2枚が隣り合う」という「赤どうしの位置関係」に関する条件だけが設定されているのですから，ワザワザRどうし，Wどうしを区別してその並び順を考える必要などなかったのです．もっというと…「同じものを含む順列の公式」は，2種類の同じものがある状況では ITEM 8 で述べた通り片方の「並び位置」だけを考えればよいので…．
　というわけで，もっとも簡便な解答を以下に記します．

解答2
○ 右図において，カードを並べるときの赤2枚の位置の選び方：${}_5C_2=10$ 通りの各々は等確率．
○ 上記のうち条件を満たすものは
　　$\{1, 2\}, \{2, 3\}, \{3, 4\}, \{4, 5\}$ の4通り．
○ 以上より求める確率は，$\dfrac{4}{10}=\dfrac{2}{5}$．

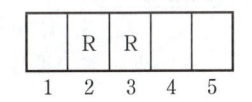

1	2	3	4	5
	R	R		

重要2 このように，問題で条件設定されていることだけに注目することによって確率計算の簡便化を図る手法は，時として絶大なる効果を発揮します．（⇨ **ITEM60**）
　ただし，等確率性が保たれていることを確認しながら行わないとまるで見当違いな解答になってしまう危険性も孕んでいます．自信がなければ，解答1 のようにモノを全て区別するなどの"安全策"で臨んでください．　等確率？

類題 28　トランプのスペードのカード13枚を一列に並べるとき，3枚の絵札ジャック，クイーン，キングの3枚が全て隣り合う確率を求めよ．

（解答▶解答編 p. 9）

ITEM 29 確率 一方を固定して

よくわかった度チェック！ ① ② ③

前ITEMに続いて，「条件設定に関係ないことは考えない」ことによって確率計算を簡便化する方法について学びます．ここで扱うのは，2つのことがらの相対的な関係が問われているタイプの問題で有効な手段です．

ここがツボ！ 一方を固定 → 他方との相対関係だけを考える．

例題29A 1, 2, 3, 4, 5 と番号の付いた赤いカード 5 枚を 1 列に並べ，1, 2, 3, 4, 5 と番号の付いた白いカード 5 枚を 1 列に並べる．このとき，赤いカードの番号の並びと白いカードの番号の並びとが一致する確率を求めよ．

方針1 赤(R)，白(W)合わせて10枚のカードを全て区別し，まずは問題文に書かれていることをそのまんま考えてみましょう．

解答1
○ 赤，白のカードの並べ方：$5! \cdot 5!$ 通りの各々は等確率．
○ そのうち条件を満たすものは，赤の任意の並べ方それぞれに対して白の並べ方が1つずつ対応するから，$5! \cdot 1$ 通り．
○ よって求める確率は，$\dfrac{5!}{5! \cdot 5!} = \dfrac{1}{5!} = \dfrac{1}{120}$．

事象を〈視〉：
$\begin{cases} R: 2, 5, 1, 3, 4 \\ W: 2, 5, 1, 3, 4 \end{cases}$
$\begin{cases} R: 2, 5, 1, 4, 3 \\ W: 2, 5, 1, 4, 3 \end{cases}$
⋮

解説1 前ITEMの解答1と同じように，「$5!$」がごっそり約分で消えましたね．やはりもっと手早い解法がありそうです．

本問では，赤の並びと白の並びが一致するという，相対的関係だけが問われています．つまり**赤の並びそのものはどうでもよい**ので，それを考えないことで解答の効率化が図れます．

解答2
○ 赤のカードの並べ方を固定する．　　　　　一例が右図
○ 白のカードの並べ方：$5!$ 通りの各々は等確率．
○ そのうち条件を満たすものは，赤の任意の並べ方それぞれに対し1通り．
○ よって求める確率は，$\dfrac{1}{5!} = \dfrac{1}{120}$．

(例) 例を〈視〉
R	1 2 3 4 5	←固定
W	1 2 3 4 5	○
	1 2 3 5 4	×
	⋮	
	5 4 3 2 1	×

注意 このような解答が可能なのは，赤の並びをどのように固定しようとも，それと一致する白の並べ方はつねに1通りだからです．別な言い方をすれば，赤の並びがどうであろうと，白の並びがそれと一致する確率が一定だからです．問題によってはこの前提が満たされないこともありますから，気を付けてください．

R	2 5 3 1 4	←固定
W	1 2 3 4 5	×
	⋮	
	2 5 3 1 4	○
	⋮	
	5 4 3 2 1	×

やはり，解答1 をちゃんと理解し，その解答を(頭の中で)思い浮かべることができる下地を作った上で，それを簡略化して 解答2 を得るというプロセスを踏んで欲しいと考えます．

例題29B 黒，赤，黄，緑の4膳の箸がある．これら計8本の箸から2本を選ぶとき，この2本が同じ色の箸である確率を求めよ．

方針2 箸を全て区別して考えます． $B_1, B_2, R_1, R_2, Y_1, Y_2, G_1, G_2$

例題29A の 解答1 と同様地道にいくなら，取り出す2本の組合せを考えて，

$$\frac{4}{{}_8C_2} = \frac{4}{4 \cdot 7} = \frac{1}{7}.$$

4膳の箸を 記

$\{B_1, B_2\}, \{R_1, R_2\}, \{Y_1, Y_2\}, \{G_1, G_2\}$
の4通り

もちろんこれでOKですが，ここでは 解答2 と同様な，相対的関係だけに注目した要領良い解法を使ってみます．

解答
○選ぶ2本の箸のうち片方を固定する．
○他方の箸の選び方は7通りあり，その各々は等確率．
○上記のうち条件を満たすものは，片方のどの箸に対しても1通り．
○よって求める確率は，$\frac{1}{7}$．

(例)
○片方がB_1．
○$B_2, R_1, R_2, Y_1, Y_2, G_1, G_2$
から他方を選ぶ

解説2
一方を固定し，それに対する他方の相対的関係のみ考えるという手法を用いたおかげで，完全なる"暗算"で答えが言えましたね．ぜひマスターして欲しい考え方です．

補足 問題文は「2本を選ぶ」とあるので，方針2 で述べた解法ではごく自然に「組合せ」を用いました．しかしここでは重複がない(同じ箸を取り出すことがない)ので，例題12B 解説 で述べたように「順列」を使うこともできますから，順序を「1本目」，「2本目」と区別して考えてみましょう．そうすれば，上記 解答 の「片方」を「1本目」にすり替え，

○まず1本目を引く．
○2本目が1本目と同じ色である確率は $\frac{1}{7}$．

のように，時の流れに沿って考えているうちに自然と「1本目を固定する」という考えに辿り着けるかもしれません．

類題 29 A，Bの2人が4回ずつサイコロを振るとき，Aの出した4回の目と，Bの出した4回の目が順序も含めて完全に一致する確率を求めよ．

(解答▶解答編 p.9)

ITEM 30 確率 独立反復試行（回数指定）

よくわかった度チェック！ ① ② ③

ITEM 14「独立反復試行」の続きです．「サイコロを投げる」などの試行を，毎回同じ条件のもとで繰り返し行うときの確率について，事象の起きる順序が複数考えられるタイプを扱います．

ここがツボ！ 起こり方の順序の数 × 各々の起こり方の確率

例題30 サイコロを繰り返し5回投げるとき，3の倍数の目がちょうど3回出る確率を求めよ．

方針 知らない人はいないくらいの有名問題で，"公式に当てはめる"だけで答えは出ますが…．

解答 各回におけるサイコロの目の出方とその確率は次のとおり．

$\begin{cases} A : \text{「3の倍数(3 or 6)の目が出る」} \cdots \text{確率} \dfrac{2}{6} = \dfrac{1}{3}, \\ \overline{A} : \text{「それ以外の目が出る」} \quad \cdots \text{確率} \dfrac{4}{6} = \dfrac{2}{3}. \end{cases}$

事象を記　もう二度と「3の倍数の目」などと書かない

○ 5回 $\begin{cases} A \cdots 3\text{回} \\ \overline{A} \cdots 2\text{回} \end{cases}$ となる出方の順序は ${}_5C_2$ 通り．　…①

○ 上記各々の確率は，$\left(\dfrac{1}{3}\right)^3 \left(\dfrac{2}{3}\right)^2$.　…②

○ よって求める確率は

$${}_5C_2 \cdot \left(\dfrac{1}{3}\right)^3 \left(\dfrac{2}{3}\right)^2 = \dfrac{10 \cdot 4}{3^5} = \dfrac{40}{243}.\quad \cdots ③$$

（これが公式）

解説 この公式の重要性は，結果よりもむしろその背後にある考え方にこそあります．そこを詳しく見ていきましょう．

順序も考えている

たとえば①の1つの場合である「$AAA\overline{A}\overline{A}$」の確率は

$\dfrac{1}{3} \cdot \dfrac{1}{3} \cdot \dfrac{1}{3} \cdot \dfrac{2}{3} \cdot \dfrac{2}{3}$.　順序を区別？

第1回が A　第2回が A　第5回が $\overline{A}$

と，順序を考えて得られます．ITEM 14でも説明したとおりですね．もちろん A，$\overline{A}$ の出方の順序は上記以外にもいろいろあります．右図（*）の通りです．

この図の2行目：「$AA\overline{A}A\overline{A}$」の確率は

$\dfrac{1}{3} \cdot \dfrac{1}{3} \cdot \dfrac{2}{3} \cdot \dfrac{1}{3} \cdot \dfrac{2}{3}$.

第1回が A　…　第5回が $\overline{A}$
　　　第3回が $\overline{A}$

事象を視

回：	1	2	3	4	5
	A	A	A	$\overline{A}$	$\overline{A}$
	A	A	$\overline{A}$	A	$\overline{A}$
(*)	A	A	$\overline{A}$	$\overline{A}$	A
			$\vdots$		
	$\overline{A}$	$\overline{A}$	A	A	A

86 → 2·43

（＊）の前記以外の出方の確率も，「$\frac{1}{3}$」と「$\frac{2}{3}$」の並びが変わるだけで，値は全て$\left(\frac{1}{3}\right)^3\left(\frac{2}{3}\right)^2$…②と一定ですね．よって，この値に（＊）の場合の数を掛ければ求める確率が得られることになります．

　（＊）の場合の数は A 3個，$\overline{A}$ 2個の並べ方とみて ITEM 8 の「同じものを含む順列」の公式を用いても求まりますが，同 ITEM の 補足1 で述べたように，"場所"に注目し，1, 2, 3, 4, 5回のうち，どの2回において $\overline{A}$ が起きるかを考えれば（他の3回は自ずと A が起きることに決まるので），${}_5\mathrm{C}_2$ 通りと手早く求まります．

　以上の考えによって，求める確率 ${}_5\mathrm{C}_2 \cdot \left(\frac{1}{3}\right)^3 \left(\frac{2}{3}\right)^2$ …③ が得られました．
　　　　　　　　　　　　　　　　　$A, \overline{A}$ の出方　　各々の確率

補足　（＊）の場合の数①は，A の出る回を考えて ${}_5\mathrm{C}_3$ と求めることもできますが，数少ない $\overline{A}$ を考えた方が少し楽ですね．

重要　要するに③の"公式"とは，次の考え方に基づいて得られています．
　　　（起こり方の順序の数）×（順序を考えた1つの起こり方の確率）
とにかく，順序を考えているという意識を強くもってください．

注意1　たとえば，次のような単純な問題を考えてみてください．
　問：コイン1個を6回繰り返し投げるとき，表がちょうど2回出る確率を求めよ．
答えはズバリ，${}_6\mathrm{C}_2 \cdot \left(\frac{1}{2}\right)^6$ です．コインを投げるとき，表，裏の確率はどちらも $\frac{1}{2}$ です
　　　コインの出方　各々の確率
から，ワザワザ表，裏の回数を別々に考えて $\left(\frac{1}{2}\right)^2\left(\frac{1}{2}\right)^4$ とするのは無意味ですね．

　この例からもわかるように，大切なのは③の式の形を公式として暗記することではなく，そこで使われた考え方を理解して応用できるようにしておくことです．

↑注意2　ITEM 14 にも書きましたが，厳格には「第1回が3の倍数」，「第2回が3の倍数」，…は異なる事象ですから事象 $A_1, A_2,$ …などと区別して名前をつけるのが正しいですが，順序を区別して考えることが実行されていれば問題ありません．

参考　本問を「場合の数の比」方式で求めてみましょう．
　○5回のサイコロの目の出方：6^5 通りの各々は等確率．
　○そのうち条件を満たすものは ${}_5\mathrm{C}_2 \cdot 2^3 \cdot 4^2$（通り）．
　○よって求める確率は，$\dfrac{{}_5\mathrm{C}_2 \cdot 2^3 \cdot 4^2}{6^5} = \cdots$（以下略）　○○を区別？

分母の 6^5 通りにおいても，$6 \cdot 6 \cdot 6 \cdot 6 \cdot 6$ のように順序を考えていますね．（⇨ **ITEM3**）
　　　　　　　　　第1回の目　　　　第5回の目

類題 30

[1] 白玉2個と赤玉6個が入った箱から玉を1個取り出し，色を記録してから元に戻す．この試行を5回繰り返すとき，白玉が2回，赤玉が3回取り出される確率を求めよ．

[2] サイコロを4個投げるとき，偶数の目と奇数の目が2個ずつ出る確率を求めよ．

（解答▶解答編 p.10）

確率をめぐる誤解

　数学の様々な分野の中で，おそらく確率こそいちばん日常生活と密接に関わるものでしょう．なので普段数学と接する機会の少ない人々も「確率」と日々お付き合いしているわけで…当然そこには様々な誤解が見受けられます．
　という訳で，世間でよくある確率関連（「統計」も含む）の「ボケ」に対して，筆者なりの「ツッコミ」を入れてみます．

ボケ	ツッコミ
あれ〜降水確率たったの20％だったのにずーっと降りっぱなしじゃん．しかもドシャ降り！	「降水確率＝20％」の意味は次のとおりです．『今と(ほぼ)同じ気象状況では，過去において100回中20回の割合で<u>対象時間内に1 mm以上の雨(または雪)</u>が降った．だから，この後対象時間内にそれと同じ現象が起きる確率は0.2である．』つまり「降水確率」は，「降り続く時間」や「雨量」の大小にまでは言及していないのです．
(野球の日本シリーズで)A選手はここまで10打数5安打のシリーズ打率5割！　次の打席も確率5割でヒットだ！	ここで言うところの「打率」は過去における結果．「確率」は未来への見込みであり，元来別物．A選手は気をよくしてますます乗ってくるかもしれないし，逆に相手投手が警戒を強めて厳しい球を投げてくるかも．上記「天気」に比べて不確定要素が多く，とても「確率」なぞ論じられません．
東大合格者の家庭の平均年収は，世間一般のそれよりかなり高い．「やっぱ金ないと学力伸ばせないんだ不公平な世の中だなー」(これは「統計」)	"疑似相関"と呼ばれる有名な誤解．別に金があることが学力が伸びたことの直接原因とは限らない．もともと親が"知的"な人で，それが「原因」として働き，「年収が高い」と「子の学力が伸びる」という2つの「結果」を生み出しているとも考えられます．たとえば本書「合格る確率」は1300円＋税．お金かけずに学力伸ばす道はいろいろありますよ！
同じレベルの大学3つ受験して，90％はどっかに受かるようにしたい．「じゃー合格可能性30％の大学3つ受けましょうか．」	残念ながらその受験パターンでは，「どっかに受かる」，つまり「少なくとも1つに受かる」確率は，余事象を利用して，$1-\left(1-\frac{3}{10}\right)^3=1-\frac{343}{1000}=\frac{657}{1000}$ (たったの約66％)です． (⇦ 類題 17)) 必要な合格確率 p は，$1-(1-p)^3=\frac{9}{10}$ より $p=1-\sqrt[3]{\frac{1}{10}}$ (約54％)と算出されます．けっこうキビシイですね…
模試で「A判定キターッ！　これなら猛勉強しなくても余裕で合格だなー．」(A判定：合格可能性80％)	過去の同一模試において同程度の成績(同じ偏差値あるいは同じ順位)だった受験者の80％が，(おそらく)<u>その後も努力を続けていった結果</u>合格しているってこと．たとえA判定でも模試時点での学力で合格できるほど甘くはないですよー．
1つのコインを繰り返し投げてみたところ，3回連続して表が出た．そのとき…「さすがに4連続で表ってことはないわな〜」	この件に関してはp.236のコラムで，詳しく…

Stage 3
入試実戦編

それではいよいよ実際に入試で出題されるレベルに取り組みます．行われる操作の様子をしっかりと視覚化して題意を的確に把握し，Stage 1 で学んだ基本原理，Stage 2 で学んだ定型手法の中から適切なものを選んで活用して行きます．なにしろ"実戦レベル"ですから，それらが複合的に使われる問題も，一部にはありますよ．

なお Stage 3 以降では，「場合の数」→「確率」という順序が一部乱れているケースも出て来ます．よく似たテーマごとにまとめて配列するためです．

ITEM 31 場合の数
書き出しか？法則か？

よくわかった度チェック！ ① ② ③

Stage 1「場合の数」では，2種類の個数の求め方：「全て書き出す」，「法則の利用」を切り離して学びましたが，実戦的な問題の中では併用されることもよくあります．これらを適切に使い分けられるよう練習しましょう．

> **ここがツボ！** 書き出してみようとする中で，法則の利用を考える．

例題31 5人の人がそれぞれ1個ずつプレゼントを用意し，各人が1個ずつプレゼントをもらう（プレゼント交換）．どの人も自分が用意したもの以外をもらうような方法は何通りあるか．

方針 まずは人や物を記号化し，全て書き出す気持ちで下書きしてみましょう．（**解答** 1行目のように記号化します．）

どうもホントに全部書き切るのは大変そうですね．そこで，何か法則は使えないかと考えてみます．Aがもらうプレゼントはb, c, d, eと4通りの選び方がありますが，これらは「Aの用意したプレゼントa以外である」という点で，本質的には同じですね．よってAがbをもらうときだけをしっかり考えれば，あとは「同様に」と片づけられます．

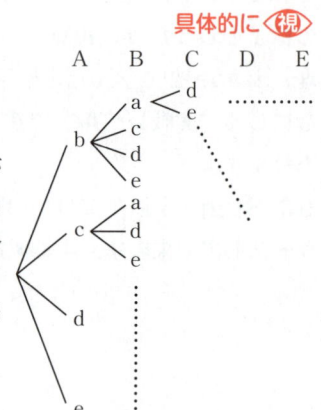

解答 5人をA, B, C, D, Eと表し，それぞれが用意したプレゼントをa, b, c, d, eとする．また，たとえばAがbをもらうことを「A-b」のように表す．

- Aがもらうプレゼントはb, c, d, eの4通り．
- たとえばA-bのとき，B, C, D, Eにa, c, d, eを与える仕方の数を考える（A-c, A-d, A-eのときも同様…①）．

   B-aのとき，右図の2通り．
   B-cのとき，右図の3通り
   （B-d, B-eも同様…②）．

- 以上より，求める場合の数は

  $4\cdot(2+3\cdot 3)=44$（通り）．

  積の法則① ／ 積の法則② ／ 和の法則

解説 まず，①の同等性により，**解答**中の「積の法則①」が使えます．

次に，A-bのときに残りの部分を考える際，「B-a」のときは

　　C, D, E に c, d, e を与える仕方　…③

つまり，まるで3人でプレゼント交換をする状況で考えることになります．これは全て書き出すと2通りです．「B-c」のときは

　　C, D, E に a, d, e を与える仕方　…④

になりますから，③とは状況が異なり，全て書き出してみると3通りあります．一方，「B-d」，「B-e」のときは，それぞれ

　　C, D, E に c, a, e を与える仕方：C, D, E に c, d, a を与える仕方

となり，これらは④と本質的に同じなので②のことが言え，**解答**中の「積の法則②」が使えます．

補足 念のため，A-b以外の場合にも続きを少し考えてみましょう．①の「同様」を実感するためには，並べる順序に気を配らねばなりません．

「A-b」のときはBから並べたのですから，たとえば「A-c」のとき

　　B, C, D, E に a, b, d, e を与える仕方

を考える際には，Cから考えます．すると，右のように**解答**とまったく同じ形の樹形図ができましたね．

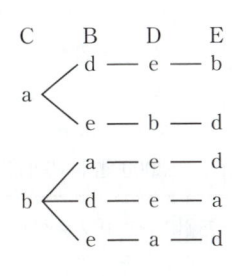

```
C   B   D   E
    ┌ d ─ e ─ b
  a ┤
    └ e ─ b ─ d
    ┌ a ─ e ─ d
  b ┤ d ─ e ─ a
    └ e ─ a ─ d
```

参考1「法則」と「全て書き出す」のうちどちらをどのタイミングで使うか，それはけっしてマニュアル化できるような代物ではありません．記号化→実験・下書き→視覚化を通してその場で判断するしかありません．

参考2 題意の条件を満たさないものに注目して，「A-a」「B-b」…「E-e」となる集合に対して包除原理を使うという手も思い浮かぶかもしれませんが…なにしろ5個の集合ですから，高校範囲では手に負えませんね．（じつは，大学で学ぶ包除原理の一般形を用いればできるのですが…⇨ **ITEM97**））

↑ 発展「A-b」のときを，さらに「B-a」とそれ以外に分けて考えた発想は，本問を一般化したStage 5　**例題98** で"決め手"となります．

類題 31 a, a, b, b, c, c の6文字を同じアルファベットが隣り合わないように並べる方法は何通りあるか．

（解答▶解答編 p. 10）

ITEM 32 場合の数 — 辞書式配列

前 ITEM に続いてもう 1 問，「全て書き出す」（ような心構え）の大切さが身に染みるものを扱っておきます．「辞書」のように，ある厳格なルールにのっとって並べる方法を考えます．ある意味単純な作業なのですが，だからこそ，楽して「法則」だけで済まそうとすると，痛い目に会いますよ．

ここがツボ！ ルールにのっとった並びを視覚化して！

例題 32

(1) jisho の 5 文字を並べてできる単語を辞書式に並べるとき，joshi は初めから何番目か．（ただし，たとえば「hiosj」のような意味をなさない文字列も「単語」と呼ぶことにする．(2) も同様である．）

(2) replace の 7 文字を並べてできる単語を辞書式に並べるとき，初めから 2000 番目の単語は何か．

方針 「アルファベット順」というのは，知ってはいるけれども瞬時に判断しにくいものです．そこで，アルファベットの文字に対し，それらをアルファベット順に並べたときの順番を表す数字を対応付けましょう．

あとは「辞書式」に並べるときのルールに従い左の方の文字から順に，つまり数字に書き直して考える際には上の方の桁から順に固定し，「法則」を用いて個数を求めながら丹念に「数えて」いきます．

解答

(1) j, i, s, h, o の 5 文字をアルファベット順に並べ，右のように数字と対応付ける．このとき joshi が対応する 5 桁の自然数 34512 が小さい方から何番目かを求めればよい．

数字で記：
```
h i j o s
1 2 3 4 5
```

○ |1| | | | | …4! = 24 (個)．
　(2, 3, 4, 5 の順列を考えた．以下同様．)
　|2| | | | | …4! = 24 (個)．
○ |3|1| | | |，|3|2| | | | …各々 3! = 6 (個)．
○ |3|4|1| | |，|3|4|2| | | …各々 2! = 2 (個)．
○ その次が |3|4|5|1|2|．
○ 以上より，34512 は初めから
　　$24 \cdot 2 + 6 \cdot 2 + 2 \cdot 2 + 1 = 65$ (番目)．
すなわち，joshi は初めから **65** (番目)．

数の並びを視：

万千百十一	個数
1	4! = 24
2	4! = 24
3 1	3! = 6
3 2	3! = 6
3 4 1	2! = 2
3 4 2	2! = 2
3 4 5 1 2	1

注意 解答 のような視覚化を怠ると，|3|2| | | | の後，うっかり |3|3| | | | も数えてしまうというミスを犯しがちです．

(2) replace をアルファベット順に並べ，次のように数字と対応付ける．このとき小さい方から2000番目の自然数を求めればよい．

	a	c	e	e	l	p	r
	1	2	3	3	4	5	6

○ $\boxed{1}\square\square\square\square\square\square$ … $\dfrac{6!}{2!}=360$（個）．
（2, 3, 3, 4, 5, 6 の順列を考えた．）
　　　同じもの

$\boxed{2}\square\square\square\square\square\square$, $\boxed{4}\square\square\square\square\square\square$ も同様．
$\boxed{3}\square\square\square\square\square\square$ … $6!=720$（個）．
（1, 2, 3, 4, 5, 6 の順列を考えた．）

○ 以下同様にして，自然数の個数は右表のようになる．

○ よって，$\boxed{5}\boxed{3}\boxed{4}\boxed{2}\square\square\square$ の2番目が求める自然数である．順に並べると，
$\boxed{5}\boxed{3}\boxed{4}\boxed{2}\boxed{1}\boxed{3}\boxed{6}$, $\boxed{5}\boxed{3}\boxed{4}\boxed{2}\boxed{1}\boxed{6}\boxed{3}$．…④

○ 以上より，小さい方から2000番目の自然数は 5342163．すなわち，求める2000番目の単語は，**pelcare**．

	個数	累計
1	$\dfrac{6!}{2!}=360$	360
2	$\dfrac{6!}{2!}=360$	720
3	$6!=720$	1440
4	$\dfrac{6!}{2!}=360$	1800 ①
5 1	$\dfrac{5!}{2!}=60$	1860
5 2	$\dfrac{5!}{2!}=60$	1920 ②
5 3 1	$4!=24$	1944
5 3 2	$4!=24$	1968
5 3 3	$4!=24$	1992 ③
5 3 4 1	$3!=6$	1998
5 3 4 2		

注意 上の方の位で固定した数字に3が含まれるか否かによって，$\square$ の部分の個数の求め方が「順列」，「同じものを含む順列」のどちらになるかが決まります．

補足 ①の「1800個」のあと，$\boxed{5}\square\square\square\square\square\square$ … $\dfrac{6!}{2!}=360$（個）を加算すると，1800＋360＝2160 となり 2000 を超えてしまいます．このことを見越して，次は上の2桁を固定した $\boxed{5}\boxed{1}\square\square\square\square\square$ を考えます．②，③の後も同様な考えに基づいて固定する数字の個数を増やしています．

別解 作られる自然数の総数は $\dfrac{7!}{2!}=2520$ ですから，「2000番目」はかなり大きい方ですね．したがって，「大きい方から521番目は？」と考える手もあり，右表のようになります．たしかにこちら方が効率的ですね．ただし，「大きい方から520番目」と勘違いする可能性もありますし，自然数はやはり小さい方から数えることに慣れているので，**解答** の方が確実性が高いかもしれません．

	個数	累計
6	$\dfrac{6!}{2!}=360$	360
5 6	$\dfrac{5!}{2!}=60$	420
5 4	$\dfrac{5!}{2!}=60$	480
5 3 6	$4!=24$	504
5 3 4 6	$3!=6$	510
5 3 4 3	$3!=6$	516
5 3 4 2	$3!=6$	522

（あとは④と同様）

類題 32 jisho の5文字を並べてできる単語を辞書式に並べるとき，初めから60番目の単語は何か．

（解答▶解答編 p.11）

ITEM 33 場合の数 〜〜を含む列

よくわかった度チェック！
① ② ③

本 ITEM からは，「法則」の活用がメインとなります．まずは，「含む」とか「ある」とか，一見明確な表現について考えます．

ここがツボ！「含む」=「少なくとも1つある」→補集合を利用

例題33 1，2，3，4，5 の 5 種類の数字を並べて n 桁の自然数を作るとき，次の問いに答えよ．ただし，同じ数字を繰り返し用いてもよいとする．
(1) 数字 1 を含む自然数は何個あるか．
(2) 数字 1，2 をどちらも含む自然数は何個あるか．
(3) 数字 1，2，3 を全て含む自然数は何個あるか．

着眼
(1) 含まれる数字 1 の個数は，次のうちどれかです．

$$0,\ \underset{求めやすい}{1},\ \underset{求めたい}{2},\ 3,\ \cdots,\ n \qquad 全体像を〈視〉$$

これを見れば，問われている「1 を含む」には多くの場合があって面倒であり，「1 を含まない」の方が考えやすいことが一目瞭然！ここは「補集合」を活用しましょう．
(2) (1)で得た着眼をもとに，「包除原理」を適用しましょう．2 つの集合 A，B が関与する問題ですから，「カルノー図」を用いて視覚化します．
(3) こちらは 3 つの集合 A，B，C ですから「包除原理」+「ベン図」で．ただし…

解答 作られる自然数の総数は 5^n．…($*$)（右図参照） 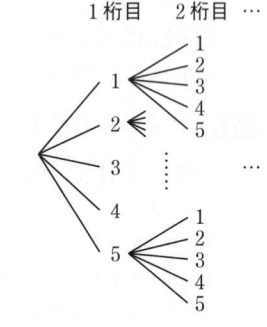
また，それらから作られる 3 つの集合
　　A：「1 を含む」，B：「2 を含む」，C：「3 を含む」
を考える．
(1) ○ A の補集合は
　　$\overline{A}$：「1 を含まない」，i.e.「n 桁が全て 2，3，4，5」．
　　　∴ $n(\overline{A}) = 4^n$．
○ これと ($*$) より，求める個数は
　　$n(A) = 5^n - n(\overline{A}) = 5^n - 4^n$．
(2) ○ 求める個数は $n(A \cap B)$ である．
○ $\overline{B}$：「2 を含まない」，i.e.「n 桁が全て 1，3，4，5」，
　　$\overline{A} \cap \overline{B}$：「1，2 を含まない」，i.e.「$n$ 桁が全て 3，4，5」．
　　　∴ $n(\overline{A} \cap \overline{B}) = 3^n$．
○ これらと ($*$) より，求める個数は
　　$n(A \cap B) = 5^n - (4^n + 4^n - 3^n)$　…①
　　　　　　　 $= 5^n - 2 \cdot 4^n + 3^n$．

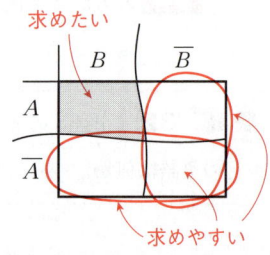

(3) ○求める個数は $n(A\cap B\cap C)$ である.
  ○(2)までと同様にして
  $n(\overline{A})=n(\overline{B})=n(\overline{C})=4^n.$
  $n(\overline{A}\cap\overline{B})=n(\overline{B}\cap\overline{C})=n(\overline{C}\cap\overline{A})=3^n.$
  $\overline{A}\cap\overline{B}\cap\overline{C}$：「1, 2, 3 を含まない」，
  i.e.「n 桁が全て 4, 5」
  $\therefore\ n(\overline{A}\cap\overline{B}\cap\overline{C})=2^n.$

  ○これらと①より，求める個数は
  $n(A\cap B\cap C)=5^n-(4^n+4^n+4^n-3^n-3^n-3^n+2^n)$ …②
  $\qquad\qquad\quad =5^n-3\cdot 4^n+3\cdot 3^n-2^n.$

ベン図で〈視〉

解説 ①，②で用いた公式を集合記号を用いて書くと，次のようになります．（作られる自然数全体の集合を U で表します．）

①：$n(A\cap B) = n(U)-n(\overline{A\cap B})$ ← ド・モルガンの法則
    $= n(U)-n(\overline{A}\cup\overline{B})$ ← 包除原理
    $= n(U)-\{n(\overline{A})+n(\overline{B})-n(\overline{A}\cap\overline{B})\}.$

②：$n(A\cap B\cap C)=n(U)-n(\overline{A\cap B\cap C})$ ← ド・モルガンの法則
    $=n(U)-n(\overline{A}\cup\overline{B}\cup\overline{C})$ ← 包除原理
    $=n(U)-\{n(\overline{A})+n(\overline{B})+n(\overline{C})$
    $\qquad -n(\overline{A}\cap\overline{B})-n(\overline{B}\cap\overline{C})-n(\overline{C}\cap\overline{A})+n(\overline{A}\cap\overline{B}\cap\overline{C})\}.$

①ならまだしも，②をマジメに書くとそれだけで疲れちゃいますから， 解答 のようにイキナリ数値を書きましょう．そもそも，上記等式を"公式"として覚えて使っているというより，(2)のカルノー図や(3)のベン図を見ながら個数を過不足なく数えているという感覚でいて欲しいものです．

注意1 ITEM 22 重要 でも書いたように，ベン図を用いる際には，"本質的な集合"，つまり個数を求めやすい集合が輪の内側になるように描かなければなりません．本問で求めやすいのは $\overline{A}$，$\overline{B}$，$\overline{C}$ の方ですね．なので 解答 のような描き方になったわけです．

重要 再確認しておきましょう．

確率では事象　　　　　　　集合の名称

　2つの集合絡んだら，名前を付けてカルノー図
　3つの事象ではベン図．ただし輪の内側が求めやすいように．

注意2 本問では ITEM 6 注意 でお見せした"主役脇役ダブルカウント"という有名な誤答をする人が多いので注意すること．

類題 33

100 から 999 の 3 桁の整数の中で，3つの位の中に 2 の倍数と 3 の倍数の両方を含むものの数を求めよ．（$0=2\cdot 0$ より，0 は 2 の倍数．同様に，0 は 3 の倍数．）

(解答▶解答編 p.11)

ITEM 34 場合の数 隣り合う，隣り合わない(その2)

ITEM 18 では異なるものの並べ方の中で，何かが隣り合う，あるいは隣り合わないようなものを数える方法を学びました．本 ITEM ではそれを土台に，他のテーマも取り込んで"本物の"理解を目指します．

ここがツボ 「隣り合う」と「隣り合わない」をうまく使い分けて．

例題34 accurate の 8 文字を 1 列に並べるとき，文字 a が隣り合い，文字 c が隣り合わないような並べ方は何通りあるか．

着眼 まず，「同じ文字」が一目でわかるように文字を整理します．
  a, a, c, c, u, r, t, e．
「a が隣り合う」，「c が隣り合わない」と 2 つの事柄が関与していますから，さっそくカルノー図を描いて作戦を立てましょう．

カルノー図で〈視〉

解答1

○ 考えられる文字列からなる 2 つの集合
  A：「a が隣り合う」，
  C：「c が隣り合う」
を考えると，求める場合の数は $n(A \cap \overline{C})$ である．

○ $n(A)$ を求める．
  [a, a], c, c, u, r, t, e の 7 個並べ方を考えて，$n(A) = \dfrac{7!}{2!} = 2520$．

  （a は隣り合う）（同じものを含む順列）

○ $n(A \cap C)$ を求める．
  [a, a], [c, c], u, r, t, e の 6 個並べ方を考えて，$n(A \cap C) = 6! = 720$．

○ 以上より，求める場合の数は
  $n(A \cap \overline{C}) = n(A) - n(A \cap C)$ …①
  $= 2520 - 720 = \mathbf{1800}$．

解説1 まずは肯定表現である「隣り合う」を用いて解答してみました．カルノー図で事象どうしの関係が目に見えていれば①の作戦も思い浮かべやすいですね．（前 ITEM でも使った「包除原理」を"公式"として暗記しているだけでは無理です．）

でも，「隣り合わない」という否定表現の方にも有効な手段がありましたね．じつは本問は，直接・ストレートに解答することもできるんです．次の **解答2** をご覧ください．

解答2 …（集合 A, C は 解答1 と同様）…
$n(A \cap \overline{C})$ を求める．

○ まず，$\boxed{a, a}$, u, r, t, e の5個を並べる．…5! 通り．…②

　（例）$\underset{1}{\wedge} r \underset{2}{\wedge} e \underset{3}{\wedge} \boxed{a, a} \underset{4}{\wedge} u \underset{5}{\wedge} t \underset{6}{\wedge}$

　　　　　　　・a は隣り合う

○ $\underset{1}{\wedge} \sim \underset{6}{\wedge}$ から2か所を選んで c を1個ずつ入れる．… $_6C_2$ 通り．…③

　　　　　　　　　　　　　　　　　・2個の c は区別しない

○ 以上より，求める場合の数は
　　　$n(A \cap \overline{C}) = 5! \cdot {}_6C_2 = 120 \cdot 15 = \mathbf{1800}.$

解説2 ②では「隣り合う」，③では「隣り合わない」の定型手法を用いて，直接解答を得ることができましたね．「隣り合う」と「隣り合わない」は，どちらも ITEM 18 で扱った定型手法ですから，A, C 双方について，そのまま攻めるかそれとも補集合を考えるか，両面から柔軟に方針を練るようにしましょう．

参考1 解答1 において，$A \cap C$，つまり「a 2個，c 2個がどちらも隣り合う」は簡潔に求まりました．一方 $\overline{A} \cap \overline{C}$，つまり「a 2個，c 2個がどちらも隣り合わない」は…結論を言うとあまりスッキリとは行かず，次の誤答例がよく見られます．（ワルイこと書くのであまりよく見ないでね．）

　定型手法を用いて「a が隣り合わない」並べ方を数えておき，$\underset{1}{\wedge} \sim \underset{7}{\wedge}$ から2か所を選んで c を1個ずつ入れる…これでは，右下の場合がモレています！　隣り合っていた a が c によって分断されるパターンを見落としていたわけです．なにしろ「accurate」ですから，「正確」に求めなくてはいけませんね．（笑）

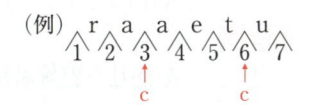

（例）$\underset{1}{\wedge} r \underset{2}{\wedge} e \underset{3}{\wedge} a \underset{4}{\wedge} u \underset{5}{\wedge} t \underset{6}{\wedge} a \underset{7}{\wedge}$ ✗
　　　　　　　　a 2個は隣り合わない

（例）$\underset{1}{\wedge} r \underset{2}{\wedge} a \underset{3}{\wedge} a \underset{4}{\wedge} e \underset{5}{\wedge} t \underset{6}{\wedge} u \underset{7}{\wedge}$
　　　　　　　c　　　　　　c

モレなく
ダブりなく

類題 34 apparatus の9文字を1列に並べる仕方について答えよ．

[1] どの2つの a も隣り合わず，p が隣り合う並べ方は何通りか．

[2] 同じ文字がまったく隣り合わない並べ方は何通りか．

参考2 apparatus＝装置

（解答▶解答編 p.12）

ITEM 35	場合の数
	最短経路（通れない点）

よくわかった度チェック！ ① ② ③

ITEM 23 で学んだ「最短経路」の応用です．「通れない点」の処理法として，まるで対極にある 2 つの方法論を使い分けます．

> **ここがツボ！** 「法則利用」か？「書き込み方式」か？

例題35 右図のような街路を通る A から B までの最短経路のうち，以下のようなものの個数を求めよ．
(1) D, F をいずれも通らないもの．
(2) C, D, E, F を全て通らないもの．

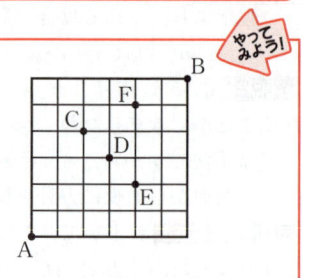

方針
(1) 「～を通らない経路」よりは「～を通る経路」の方が求めやすいので，これを利用しましょう．
(2) 「通らない点」が多いということは…，(1) と同じ手法では（たとえ不可能ではないとしても）面倒ですが，個数は少なくなるはずですね．そこで…

解答

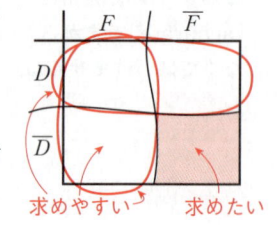

(1) ○ A から B への最短経路全体の集合 U の部分集合として
D：「点 D を通る」，F：「点 F を通る」
を考えると，求める個数は $n(\overline{D} \cap \overline{F})$ である．

○「題意の最短経路」と「→ 6 個，↑ 6 個の並べ方」は 1 対 1 対応．よって
$$n(U) = {}_{12}C_6 = \frac{12 \cdot 11 \cdot 10 \cdot 9 \cdot 8 \cdot 7}{6 \cdot 5 \cdot 4 \cdot 3 \cdot 2} = 924 \text{（通り）}.$$

○ 同様にして
$$n(D) = {}_6C_3 \cdot {}_6C_3 = 20 \cdot 20 = 400, \quad n(F) = {}_9C_4 \cdot {}_3C_1 = 378,$$
$$n(D \cap F) = {}_6C_3 \cdot {}_3C_1 \cdot {}_3C_1 = 180.$$

○ 以上より，求める個数は
$$n(\overline{D} \cap \overline{F}) = \underbrace{924}_{n(U)} - (\underbrace{400}_{n(D)} + \underbrace{378}_{n(F)} - \underbrace{180}_{n(D \cap F)}) \quad \cdots ①$$
$$= 326.$$

カルノー図で **視**

モレなく ダブりなく

(2) 各交差点に到る最短経路数は，直前の交差点までの経路数を加えることによって得られる．C, D, E, F を通れないことも考慮して，右図のようになる．よって求める個数は，**56**．

解説

(1) ①式の括弧内において，個数を問われている $\overline{D} \cap \overline{F}$ の補集合 $D \cup F$ に対して包除原理(⇨ **ITEM22**)を使っています．①が正しいことを，カルノー図を見ながら確認しておいてください．

(2) ここで用いた"書き込み方式"について，A から右図の点 $P_1, P_2, \cdots, P_{11}$ に到る経路数をそれぞれ $n_1, n_2, \cdots, n_{11}$ として説明します．まず，線分 AP_3 上の各点に到る経路数 n_1, n_2, n_3 など，および線分 AP_5 上の各点に到る経路数 n_4, n_5 などは全て 1 です．

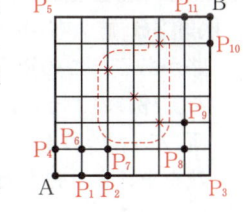

次に P_6 に到る経路数は，スタートの A に近いので簡単に「2通り」と数えられますが，次のようにも考えられます．P_6 に到る経路は，「下隣の P_1 から↑」と「左隣の P_4 から→」の2タイプなので
$$n_6 = n_1 + n_4 = 1 + 1 = 2,$$
同様に，$n_7 = n_2 + n_6 = 1 + 2 = 3$．

以下同様にして，各点に到る経路数は，<u>基本的には</u>その"直前"の位置，つまり下隣，左隣に到る経路数の和として求められます．ただし，図の破線で囲んだ部分は通ることができませんから，たとえば P_9 へ到る経路は，「下隣の P_8 から↑」のみです．よって，$n_9 = n_8$ となります．

この作業を繰り返すことにより，**解答** の図にあるように経路数を"書き込む"ことができ，最終的には $n_{10} + n_{11}$ によって求める B に到る経路数が得られます．

参考 (2)では「通れない点」が多いので「法則」を適用するのは難しくなりますが，一方で個数は少なくなりますから，「書き出す」ことがしやすくなるわけです．
(⇦ **ITEM3** **参考**)

なお，ここで用いた「直前の状態に注目して場合分けし，加える」という手法は，後に Stage 4・ITEM 73〜の「確率漸化式」で重要な役割を演じます．

類題 35 右図のような格子状の街路を通る経路について，以下の問いに答えよ．

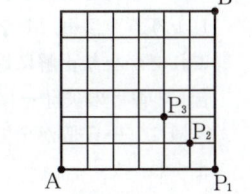

[1] A から B まで行く最短経路のうち，点 P_1, P_2, P_3 をいずれも通らないものの個数を求めよ．

[2] A から B まで行く最短経路のうち，直線 AB より下側の点をまったく通らないものの個数を求めよ．

(解答▶解答編 p.13)

ITEM 36 場合の数 — 最短経路"的な"

よくわかった度チェック！
① ② ③

見かけ上，「最短経路」ととてもよく似た問題です．でも，少しだけ違います．この"少し"の違いによって，「解法暗記」は通用しなくなり「現象観察力」が要求されることになります．

今回は難問です．自信がない人はこの ITEM はパスしてかまいませんよ．

> **ここがツボ！** まずは経路そのものを観察することから

例題36 右図のような東西4区画，南北5区画の街路がある．この道を通ってAからBまで行く経路のうち，(例)のように，東(右)および北(上)への移動以外に西(左)への移動が1区画分だけ含まれているものの個数を求めよ．ただし，同じ点を2度以上通ってはならないとする．

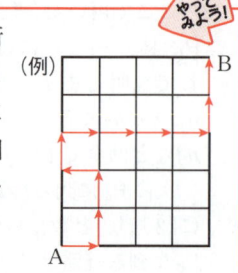

着眼 問題文中の(例)の経路は，→5個，←1個，↑5個をつなぎ合わせてできています．でも，だからといって ITEM 23 や前 ITEM の方法を"真似"して，これら矢印の並べ方の総数を求めても不正解です．だってたとえば「→←」という並びがあると，"往復運動"をして同じ点を2度通ってしまいますね！ こうして"型"から外れた問題となると，「過去に学んだ問題の解き方を当てはめる」方式では通用しません．今一度，「根本基本原理まで立ち返る」勇気をもって挑みます．

自分自身で，あと1つくらいは経路の例を作ってみましょう．何かに気付きましたか？ 前述した"往復運動"を避けるためには，→と←は隣り合ってはならないので，<u>←の前後は必ず↑</u>であ

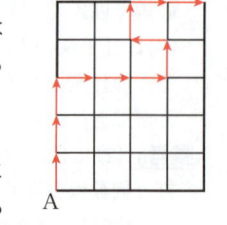

る，つまり ↑←↑ のように移動しなくてはなりませんね．(最初，もしくは最後に←がくることも不可能です．街路からはみ出してしまいますから．)

この発見をもとに，「最短経路」の手法：「矢印の並べ方との対応」に持ち込んでみましょう．↑，←，↑をカタマリとみて，$\boxed{↑←↑}$ ，→5個，↑3個の並べ方を考えます．これでかなり正解に近づいた気がしますが…，たとえば「$\boxed{↑←↑}$→…」の順に並べた場合，2番目の矢印←により，街路の左外へ飛び出してしまうことになり不可能です！ 同様に，→5個が全て $\boxed{↑←↑}$ より前にあると，今度は街路の右外にはみ出してしまいますね．

こうしていろいろな街路を思い浮かべては調べることで，やっと **解答** に漕ぎ付けました．

100 → 10^2 → $2^2 \cdot 5^2$

解答

○ 題意の経路は，→5個，←1個，↑5個を並べたもので表される．ただし，同じ点を通らないことから，←の前後は必ず↑である．よって

　　↑←↑ ，→5個，↑3個の並べ方を考える． …①

○ ↑←↑ と→5個の順序は， ↑←↑ が両端には置けないので4通り（例：右下図②）．

○ 上記各々に対し， ↑←↑ と→5個，および↑3個の並べ方は，下線部の**順序が決まっている**ので，

　　○6個と↑3個の並べ方 …③

を考えればよく，↑の位置を考えて

　　$_9C_3$ 通り．

○ 以上より，求める個数は

$$4 \cdot {}_9C_3 = 4 \cdot \frac{9 \cdot 8 \cdot 7}{3 \cdot 2} = 336.$$

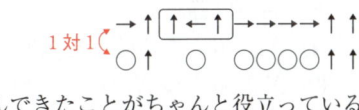

→ ↑ ↑ ← ↑ → → → ↑ ↑
　　必ず現れる

② ： → ↑←↑ → → →

1対1 → ↑←↑ → → →
　　○　○　○○○○ ↑ ↑

解説 本問はたしかに難しいですが，これまで学んできたことがちゃんと役立っていることに気付いて欲しいです．

　　　矢印の並べ方と対応付ける　→　ITEM 23「最短経路」
　　①：隣り合うものはカタマリにする　→　例題18 (1)
　　③：順序決定した部分は○で表す　→　例題20B

類題 36 右図のような街路がある．この道を通ってAからBまで行く経路のうち，東（右），西（左），および北（上）への移動だけからなるものの個数を求めよ．ただし，同じ点を2度以上通ってはならないとする．

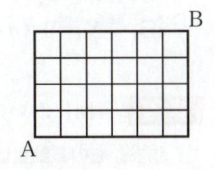

（解答▶解答編 p.14）

ITEM 37 確率 座標の変化

よくわかった度チェック！ ① ② ③

試行によって座標が変化して行く点について考えます．位置の変化を**視覚化**する有力な手法を使えば方針も立てやすく，作業も単純です．

ここがツボ！ 「推移グラフ」を用いて変化の過程を視覚化

例題37 数直線上の動点 P を，次の規則で動かす．
　　サイコロを投げて偶数の目が出れば P を正の向きに 1 だけ移動する．
　　サイコロを投げて奇数の目が出れば P を負の向きに 1 だけ移動する．
原点 O から出発して，サイコロを n 回投げた後の P の座標を X_n として，以下の問いに答えよ．
(1) $X_{10} > 0$ となる確率を求めよ．
(2) $X_{10} = 0$ かつ $X_n \neq 0$ ($n = 1, 2, 3, \cdots, 9$) となる確率を求めよ．

方針

(1) たとえば「$X_{10} = 2$」とかとは違い，題意の事象「$X_{10} > 0$」はいろいろな場合を含んでいて漠然としていますね．こんなときは，「全体像」を考えてみるんでしたね．
（⇦ **ITEM21** 重要）

点 P の動きの移動量，確率には対称性がありますから，右図を見れば効率的な解答方法が思い浮かびますね．

全体像を〈視〉
$\cdots -3\ -2\ -1\ \boxed{O}\ 1\ 2\ 3 \cdots x$

(2) (1)で問われているのは「10 回後」の位置だけでしたが，(2)ではそこに到る途中経過の 1～9 回後のことも関与するので困ってしまいますね．そんなとき有効な「推移グラフ」をご紹介します．横軸に「移動回数 n」，縦軸に「点 P の座標 X_n」をとります．こうすることで，「座標」という量の，「回数」つまり「時」に対する変化が**目に見える**ようにします（右向きだった座標軸が上向きに変えられていることに注意！）．このとき，「正の向きに 1 だけ移動する」は「↗」で，「負の向きに 1 だけ移動する」は「↘」で表され，「$X_{10} = 0$」となる移動の仕方は，上図のような「経路」で表されます．（まるで最短経路問題の「街路」ですね．）これを目で見ながら，「$X_n \neq 0$ ($n = 1, 2, 3, \cdots, 9$)」も成り立つ確率の求め方を探りましょう．

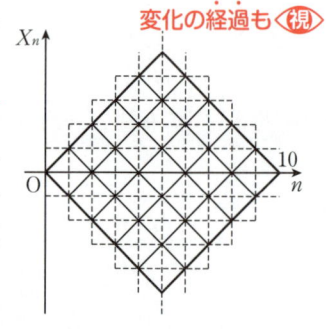

変化の経過も〈視〉

解答
各回において，P は ① $\begin{cases} +1 \cdots 確率\ \dfrac{3}{6} = \dfrac{1}{2}, \\ -1 \cdots 確率\ \dfrac{3}{6} = \dfrac{1}{2}. \end{cases}$ のように移動する．

左，右の移動量は等しい　　　　　　　　　　　　左，右への移動確率も等しい

(1) ○10回後のPの位置について② $\begin{cases} A:X_{10}>0, \\ B:X_{10}=0, \\ C:X_{10}<0 \end{cases}$ の3つの事象が考えられる．

○①と「Oから出発する」ことにより，Pの動き方は原点に関して対称だから
$P(A)=P(C)$． 対称性の利用（⇦ ITEM21 ）

○Bが起きるのは，10回 $\begin{cases} +1 \cdots 5回 \\ -1 \cdots 5回 \end{cases}$ のときだから

$$P(B)={}_{10}C_5\left(\frac{1}{2}\right)^{10}=\frac{10\cdot 9\cdot 8\cdot 7\cdot 6}{5\cdot 4\cdot 3\cdot 2}\cdot\frac{1}{2^{10}}=\frac{3\cdot 2\cdot 7\cdot 6}{2^{10}}=\frac{63}{256}.$$

○以上より，求める確率は
$$P(A)=\frac{1}{2}\{1-P(B)\}=\frac{1}{2}\left(1-\frac{63}{256}\right)=\frac{193}{512}.$$

(2) ○題意の事象は $\begin{cases} X_{10}=0,\ X_n>0\ (n=1,\ 2,\ 3,\ \cdots,\ 9)\cdots③ \\ X_{10}=0,\ X_n<0\ (n=1,\ 2,\ 3,\ \cdots,\ 9)\cdots④ \end{cases}$ の2つに分けられ，これらは排反である．

○このうち③を満たす移動の仕方は右図の経路で表される．各点に記した数は，そこへ到る経路の数であり，③を満たすものは14通りある．

○Pの動き方の対称性より，④を満たすものも14通りある． 独立反復試行

○以上より，求める確率は，$2\cdot 14\times\left(\frac{1}{2}\right)^{10}=\frac{7}{256}.$

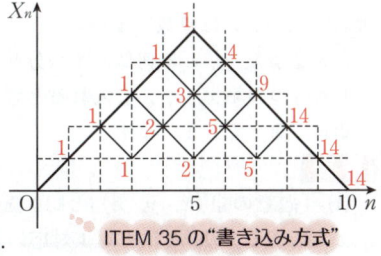

ITEM 35 の"書き込み方式"

解説 本問(2)で用いた「**推移グラフ**」は，「回数」「時」に対する「座標」「点の位置」「ゲームの得点」「所持金」などの量の変化を**視覚的**にとらえる方法として，今後においても大活躍する手法です．（物理でも，横軸に時刻 t，縦軸に速度 v をとった「tv 平面」とかをよく利用しますね．）

発展 ただし「10回後まで」が「100回後まで」とかになると，もはや"書き込み方式"は使えなくなり，超高度な問題となります．（⇨ ITEM95 ：カタラン数）

補足 (2)が③と④の2つに分けられることは，X_n が符号を変えるためには必ずいったんは0にならなければないことから言えますね．

注意1 ①が，点Pの移動に関する情報の"全て"です．ですから答案中でいちいち「サイコロの目が…」などと書いてはなりませんよ！

注意2 「$+1$」，「-1」という移動の確率はどちらも $\frac{1}{2}$ ですから，解答 中の $\left(\frac{1}{2}\right)^{10}$ を $\left(\frac{1}{2}\right)^5\cdot\left(\frac{1}{2}\right)^5$ と書くのは無駄でしたね．（⇦ ITEM30 注意1）

類題 37 例題37 において，$X_n>0$ $(n=1,\ 2,\ 3,\ \cdots,\ 10)$ となる確率を求めよ．

(解答▶解答編 p.14)

ITEM 38 場合の数
○を│で仕切る→整数解の個数

よくわかった度チェック！ ① ② ③

ここからの数 ITEM では，ITEM 24, 25 で学んだ「○を│で仕切る」手法を実戦問題の中で活用します．まずは，比較的この手法と結び付けやすいものから．

ここがツボ！ 整数「1」を，区別のつかない「○」とみなして

例題38 次の各条件を満たす整数の組 (x, y, z) の個数をそれぞれ求めよ．
(1) $x+y+z=10$ $(x, y, z \geq 0)$
(2) $x+y+z=10$ $(x, y, z > 0)$
(3) $x+y+z=10$ $(1 \leq x \leq 8,\ 1 \leq y \leq 8,\ 1 \leq z \leq 8)$
(4) $x+y+z \leq 10$ $(x, y, z \geq 0)$

着眼 x, y, z は整数ですから，その値は「1 が何個分か？」と考えられます．よって「1」を 3 文字 x, y, z に何個ずつ分配するような感覚で，「1」を○で表し，それを区別のある 3 つの箱 x, y, z に入れると考えれば，(1)(2) は完全に **例題24**，**例題25** と同じ問題になってしまいます．

解答

(1) 「題意の組 (x, y, z)」と「10 個の○を 2 本の│で仕切る方法」とは 1 対 1 対応．よって求める個数は

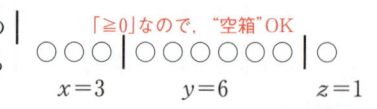

「≧0」なので，"空箱" OK
○○○│○○○○○○│○
$x=3$　　$y=6$　　$z=1$

$$_{12}C_2 = \frac{12 \cdot 11}{2} = 66.$$

(2) 「題意の組 (x, y, z)」と「↑〜↑ から 2 か所を選んで│を 1 本ずつ入れる方法」とは 1 対 1 対応．よって求める個数は

「>0」なので，"空箱" ダメ
○│○○○│○○○○○○
1 2 3 4 5 6 7 8 9
$x=2$　　$y=5$　　$z=3$

$$_9C_2 = \frac{9 \cdot 8}{2} = 36.$$

(3) **方針** 一見「≦8」が曲者ですが，ちょっと考えてみれば…[方針終わり]

$x+y+z=10$ $(1 \leq x,\ 1 \leq y,\ 1 \leq z)$ …① $x = 10-(y+z) \leq 10-2 = 8$

であれば，$x \leq 8,\ y \leq 8,\ z \leq 8$ も自ずと成り立つ．よって題意の条件は①と同値であり，これは (2) の条件そのものである．よって求める個数は，**36**.

(4) **方針** 1 つのアイデアとしては，$x+y+z=0, 1, 2, \cdots, 10$ の 11 個の等式について，これらを満たす (x, y, z) を全て数えるというのもあります．でも，計算がやや面倒ですね．

そこでこう考えます．たとえば条件を満たす組の 1 つ：$(x, y, z) = (1, 4, 3)$ は，与式

○│○○○○│○○○│○○
$x=1$　　$y=4$　　$z=3$　"不足分"

の右辺「10」に対して「2」だけ足りません．そこでこの"不足分"を文字 w で表せば，与式の「≦」が「＝」に変わりますね！［方針終わり］

$w = 10 - (x+y+z)$ とおくと，与式より $w \geq 0$ であり，x, y, z, w が満たすべき条件は

$$x + y + z + w = 10 \quad (x, y, z, w \geq 0). \quad \cdots ②$$

「題意の組 (x, y, z)」と「②を満たす組 (x, y, z, w)」とは1対1対応 $\cdots ③$ であり，これはさらに(1)と同様にして「10個の○を3本の $|$ で仕切る方法」と1対1対応．よって求める個数は，${}_{13}C_3 = \dfrac{13 \cdot 12 \cdot 11}{3 \cdot 2} = 286$．

4つに分割するので

解説
(1) 10個の「1」を異なる3つの箱 x, y, z に分配する問題です．「$x, y, z \geq 0$」なので，"空箱"を許すタイプ．
(2) 上記とほぼ同様で，「$x, y, z > 0$」なので，"空箱"を許さないタイプ．
(3) $x+y+z = 10$ ($1 \leq x$, $1 \leq y$, $1 \leq z$) のとき，たしかに
$$x = 10 - (y+z) \leq 10 - 2 = 8$$
が成り立ちますね (y, z も同様)．
(4) ③がたしかに「1対1対応」であることを，下の例を参考にしながら確認してみてください．

(4)：$x+y+z \leq 10$ $(x, y, z \geq 0)$ $\cdots (x, y, z) = (1, 4, 3)$
$w = 10 - (x+y+z) \updownarrow$
②：$x+y+z+w = 10$ $(x, y, z, w \geq 0)$ $\cdots (x, y, z, w) = (1, 4, 3, 2)$

重要 (4)で用いたような「1対1対応」は初見で発想可能なものではありません．そもそも(1)(2)の「○を $|$ で仕切る」だって知らなければ無理ですね．**ある程度の「暗記」は必要**だということを自覚してください．

参考 (4)を **方針** の冒頭に書いた方式で解く際には，文字 k ($k = 0, 1, 2, \cdots, 10$) を用いて数列の和に帰着させましょう．$x+y+z = k$ を満たす (x, y, z) の個数は，「k 個の○を2本の $|$ で仕切る方法」を考えて，${}_{k+2}C_2 = \dfrac{(k+2)(k+1)}{2}$ 通りあります．

これを $k = 0, 1, 2, \cdots, 10$ について加えた $\displaystyle\sum_{k=0}^{10} \dfrac{(k+2)(k+1)}{2}$ を計算すれば，正解が得られます．

類題 38 次の問いに答えよ．

[1] $|x| + |y| + |z| = 8$ $(x, y, z \neq 0)$ を満たす整数の組 (x, y, z) の個数を求めよ．

[2] $x_1 + x_2 + x_3 + \cdots + x_{10} = 3$ $(x_1, x_2, \cdots, x_{10} \geq 0)$ を満たす整数の組 $(x_1, x_2, \cdots, x_{10})$ の個数を求めよ．

[3] $x+y+z+w = 8$ $(x, y, z, w \geq -1)$ を満たす整数の組 (x, y, z, w) の個数を求めよ．

(解答 ▶ 解答編 p. 15)

ITEM 39 場合の数　○を｜で仕切る→増加列

よくわかった度チェック！ ① ② ③

前 ITEM に比べると，「○を｜で仕切る」ことに結びつけるのが難しいかもしれません．とにかくまずは視覚化，実験です．

> **ここがツボ！** 単調な数列→"値の変わり目"を仕切る！

例題39　以下において a_1, a_2, a_3, ⋯ は整数とする．
(1) $1 \leqq a_1 \leqq a_2 \leqq a_3 \leqq \cdots \leqq a_8 \leqq 4$ を満たす組 $(a_1, a_2, \cdots, a_8)$ の個数を求めよ．
(2) $1 \leqq a_1 \leqq a_2 \leqq a_3 \leqq 10$ を満たす組 (a_1, a_2, a_3) の個数を求めよ．

着眼

(1) 条件を満たす a_1, a_2, a_3, ⋯, a_8 をいくつか書き出してみましょう．

　　1, 1, 2, 2, 3, 4, 4, 4 …①
　　1, 1, 1, 3, 3, 4, 4, 4 …②　具体例を〈視〉
　　1, 1, 1, 1, 2, 3, 3, 3 …③

これを見ていると，「値の変わり目」の位置を決めれば，この数列は増加列ですから 1 つに決まることが見えてきませんか？　下図では，その変わり目を｜で表しました．

　　1, 1,｜2, 2,｜3,｜4, 4, 4 …①′
　　1, 1, 1,｜｜3, 3,｜4, 4, 4 …②′
　　1, 1, 1, 1,｜2,｜3, 3, 3｜ …③′

各例において，3 本の｜は左から順に「1→2」，「2→3」，「3→4」という値の変わり目を表しています．なお，②′では値「2」が現れないので，「1」と「3」の間に｜を 2 本入れます．また，③′では値「4」が現れないので，右端に｜を入れます．

これを見れば，次の **解答** にある 1 対 1 対応にも気が付くはずです．

(2) (1)と同じ考え方を適用するまでです．

解答

(1) 「題意の組 $(a_1, a_2, \cdots, a_8)$」は，右図のように値の変わり目に｜を入れることにより「8 個の○を 3 本の｜で仕切る方法」と 1 対 1 対応．よって求める個数は，

1 対 1
　1, 1,｜2, 2,｜3,｜4, 4, 4 …①′
　○○｜○○｜○｜○○○ …①″

$${}_{11}C_3 = \frac{11 \cdot 10 \cdot 9}{3 \cdot 2} = 165.$$

(2) (1)と同様に，「題意の組 (a_1, a_2, a_3)」は，値の変わり目に｜を入れることにより，「3 個の○を 9 本の｜で仕切る方法」と 1 対 1 対応．よって求める個数は

値は 1〜10 の 10 種類

$${}_{12}C_3 = \frac{12 \cdot 11 \cdot 10}{3 \cdot 2} = 220.$$

解説 本問では，a_1, a_2, a_3, …の大小関係が決まっているので，ITEM 20 で学んだとおり，「組合せ」と「順列」は 1 対 1 対応です．よって，たとえば **着眼** にある例②について，次の対応が得られます．

　　　　組 (1, 1, 1, 3, 3, 4, 4, 4) ⟷ 重複組合せ {1, 1, 1, 3, 3, 4, 4, 4}

よって本問は，「1, 2, 3, 4 の 4 種類の数から，重複を許して 8 個取る重複組合せ」を考えたのだという見方もできます．

もっとも本書では，その「重複組合せ」を「○を│で仕切る」に帰着させて考えようという立場をとるので，とくに解答中で「重複組合せ」という文言は持ち出しませんが．

補足 本問が「重複組合せ」に帰着したのは，条件中の不等号が「≦」であり，同じ値が繰り返し現れることが許されているからです．不等号が「＜」であったらどうなるか…．実はすでに **例題20A** で扱っていました．実質的に次のような問題です．

　　「$1 \leq a_1 < a_2 < a_3 \leq 6$ を満たす整数の組 (a_1, a_2, a_3) の個数を求めよ．」

これなら，「組 (a_1, a_2, a_3)」は「組合せ $\{a_1, a_2, a_3\}$」と 1 対 1 対応なので，${}_6C_3$ 通りと求まりますね．　重複のない　　　　　　　1〜6 から選ぶ

参考 (1) で $a_1' = a_1$, $a_2' = a_2 + 1$, $a_3' = a_3 + 2$, …, $a_8' = a_8 + 7$ と置き換えると $1 \leq a_1 < a_2' < a_3' < \cdots < a_8' \leq 11$ となり，上記と同様（重複のない）組合せ ${}_{11}C_8 (= {}_{11}C_3)$ に帰着します．

注意
(2) のように「値の種類」(1〜10 の 10 種類) が多く，数列の項数 (3 個) が少ないと，「○を│で仕切る」という感覚がわかりづらくなります（右図参照）．一方，「重複組合せ」ととらえるならば，(1) の「4 種類から重複を許して 8 個取る」が，(2) では「10 種類から重複を許して 3 個取る」と数値が変わるだけですから，こちらの方が楽だと感じるかもしれませんね．さてどっちの方針で行くか？　この問いに対する私なりの回答は ITEM 41 **参考2** で．

1 対 1　　││ 3, 3, ││││ 8 ││
　　　　　││ ○ ○ ││││ ○ ││

類題 39 $a_1, a_2, a_3, \ldots, a_6$ は 1 以上 5 以下の整数とする．次の条件を満たす組 $(a_1, a_2, \ldots, a_6)$ の個数を求めよ．

[1] $a_1 \leq a_2 \leq a_3 \leq a_4 \leq a_5 \leq a_6$

[2] $a_1 \leq a_2 \leq a_3 \leq a_4 \leq a_5 > a_6$

(解答▶解答編 p.15)

ITEM 40 場合の数 ○を｜で仕切る→「連」

よくわかった度チェック！ ① ② ③

同じもの，たとえば１つの文字 a が連なってできた「aaaaa」のような並びを「連(れん)」と言い表すことがあります．このような「連」の個数が直接あるいは間接的に問われることがあり，そんなときにも「○を｜で仕切る」手法が活用できます．

ここがツボ！ 「連」の切れ目を｜で仕切る．

例題40A a 6個と b 5個を１列に並べて作る文字列のうち，左端が a で，隣どうしで文字が異なる所が４か所あるものは何個あるか．

着眼1 いつも通り，まずは例を書くことから始めましょう．右の(例)では，たしかに「隣どうしで文字が異なる所」(∧)が４箇所あり，そこを境として「aの連」「bの連」「aの連」「bの連」「aの連」と並んでいますね．(aが１個だけ並んだ「a」も「連」と呼びます．)これを見れば，次の**解答**のような｜の使い方も発想可能でしょう．

aabb∧a∧bbb∧aa

解答 ○同じ文字の連なりを「連」と呼ぶことにする．「題意の文字列」と「6個の a を順序を考えた３つの連に分け，5個の b を順序を考えた２つの連に分ける仕方」とは１対１対応．なぜなら，分けられた計５つの連は a の連から順に並べることに決まるから．

(例)：aaa｜bb｜a｜bbb｜aa …①

1対1 { aaa｜a｜aa …②
      bb｜bbb …③

○「6個の a を３つの連に分ける仕方」は，右図において「∧₁〜∧₅のうち２か所を選んで｜を１本ずつ入れる仕方」と１対１対応であり，その個数は $_5C_2$．

a∧₁a∧₂a∧₃a∧₄a∧₅a

○5個の b を２つの連に分ける仕方も，同様に考えて $_4C_1$ 個．

b∧₁b∧₂b∧₃b∧₄b

○以上より，求める個数は $_5C_2 \cdot _4C_1 = 10 \cdot 4 = \mathbf{40}$．

解説1 **解答** 中の(例)について，もう少し詳しく解説します．
題意の文字列①に対し，３つに分かれた a の連「aaa」「a」「aa」をこの順のまま並べると②ができ，２つに分かれた b の連「bb」「bbb」をこの順のまま並べると③ができます．逆に a を３つの連「aaa」「a」「aa」に分けた②と b を２つの連「bb」「bbb」に分けた③に対し，a の連から始めてそのままの順序で「aaa」「bb」「a」「bbb」「aa」と並べれば①を得ます．よって，**解答** にある「１対１対応」が成り立つことがわかります．

補足1 「a を３つの連に分ける」とき，もちろん１個以上の連でないと意味がありませんから，「○を｜で仕切る」手法のうち，∧に｜を入れる方を用います．(⇒ **ITEM25**)

補足2 a を３つの連に分けるときの１対１対応を考えるとき，文字 a はワザワザ○に変えなくてもかまいません．「○」は，「区別のつかないもの」を表す一種の記号ですから，「△」でも「a」でもいいんです．

a a a｜a｜a a
a∧₁a∧₂a∧₃a∧₄a∧₅a

108 → 4·27 → $2^2 \cdot 3^3$

例題40B 右図のような街路において，Aから右向きに出発してBへ到る最短経路のうち，ちょうど4回曲がるものの個数を求めよ．

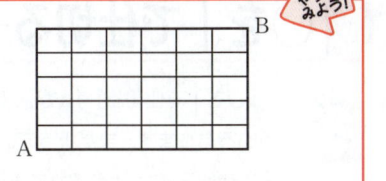

着眼2
「4回曲がる最短経路」の一例である右図の経路に対して，最短経路の個数(ITEM 23)で用いた対応する矢印は右図下のようになります(∧が「曲がる所」を表します.)…．気付きました？ 実はコレ，**例題40A** の文字 a, b をそれぞれ矢印→, ↑に置き換えただけの，本質的にまったく同じ列なんです．

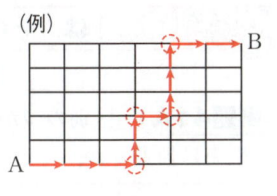

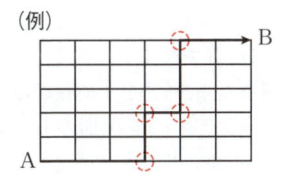

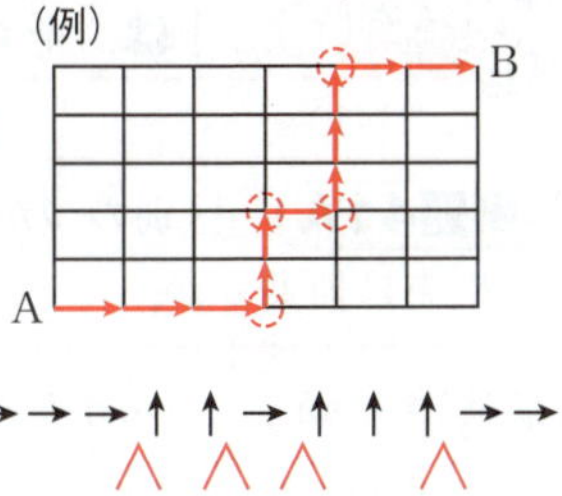

解答
「題意の経路」は，「右の中段のように→の連，↑の連，→の連，↑の連，→の連と分ける仕方と1対1対応」であり，さらにこれは「6個の→を順序をつけて3つの連に分け，5個の↑を順序をつけて2つの連に分ける仕方」と1対1対応．
（以下，**例題40A** とまったく同様にして答の40個を得る．）

解説2 **例題40A** の「隣りどうしで文字が異なる」が本問の「経路が曲がる」に対応していたわけですね．

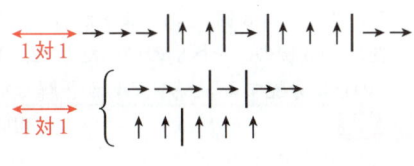

補足3 **解答** を文章だけで仕上げようとすると，どうしても冗長になりがちですから，上記のように「例」を用いて簡潔に説明することも練習しておきましょう．

参考 もし本問が，「右向きに出発」でなく単に「ちょうど4回曲がるものの個数」であれば，もちろん「上向きに出発」の場合の経路数も求めることになります．そのためには，aを2つの連，bを3つの連にそれぞれ分ける仕方の数を考えます．

類題 40 連続する7個の枠を白と黒に塗り分けてバーコードを作る．ただし，黒で塗った一続き（バー）と白く塗った一続き（スペース）が2つずつになるように塗る方法は何通りあるか．

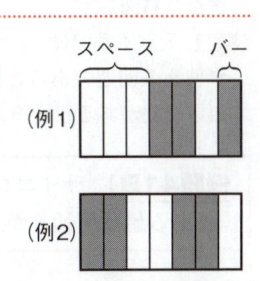

（解答▶解答編 p.16）

ITEM 41 場合の数
○を｜で仕切る→アラカルト

「○を｜で仕切る」考えが活用される問題は，前ITEMまで見てきたもの以外にもいろいろあります．まだ扱っていなかったもののいくつかをここでご紹介します．「○を｜で仕切る」にも大分慣れてきたと思いますので，サクサク，ドンドン行きますよ．

ここがツボ! ○，｜は，それぞれ何を意味しているか？

例題41A 区別のつかないサイコロ3個を同時に投げるとき，目の出方は何通りか．

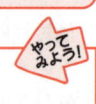

着眼1 6^3通りじゃありませんよ．「区別のつかないサイコロ」ですから！ ○○を区別?
本問は，かなり露骨に「1～6から重複を許して3個取る組合せ」だとわかりますね．ただ，本書はそこから先を公式利用に逃げない立場をとるので，ちゃんと「○を｜で仕切る」に帰着させます．さて，「○」は6個？ それとも3個？ …
もし迷ったら，「○を｜で仕切る」の"原型"：「区別のないボール（○で表す）を区別のある箱A，B，Cのどれかに入れる」を思い出してください．本問では，「区別のつかないサイコロ3個」とありますから，それを○で表し，「3個の○を区別のついた1，2，3，4，5，6の目に分配する」と考えるのが正解です．

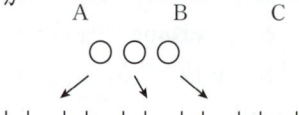

解答 「題意の目の出方」は「3つの○を5本の｜で仕切る方法」と1対1対応．よって求める場合の数は
$${}_8C_3 = \frac{8 \cdot 7 \cdot 6}{3 \cdot 2} = 56 \text{（通り）}.$$

参考1 サイコロがもっとたくさんある方が，「○を｜で仕切る」というイメージを抱きやすいですね．（たとえばサイコロ10個なら右図）

注意1 入試本番では，「どっちが○か？」を考える以前に，「○を｜で仕切る」という手法が使える問題であると見抜くことが要求されることを忘れないでください．やはり，類題経験がある程度モノを言います．

例題41B サイコロを10回投げるとき，出た目すべての積で奇数である値は何通りか．

注意2 「目の出方」ではなく，「出た目の積の値」が問われていることを見落とさないように！

着眼2 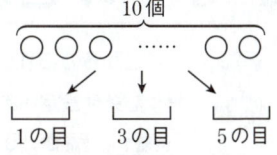
1つでも偶数の目が出れば積は偶数になってしまいます．よって全ての目が奇数ですから，あとは1, 3, 5の目が出る回数に注目します．

解答 奇数の目：1, 3, 5 のみが出るときを考えればよく，それぞれが出る回数を x, y, z とする．これらがみたすべき条件は

$x+y+z=10$ $(x, y, z \geq 0)$． …①

また，このときできる全ての目の積は $1^x \cdot 3^y \cdot 5^z$ であり，3, 5 が素数であることより，
「積 $1^x \cdot 3^y \cdot 5^z$ の値」と「①をみたす整数の組 (x, y, z)」は 1 対 1 対応．…②
さらにこれは「10 個の○を 2 本の │ で仕切る方法」と 1 対 1 対応．以上より，求める場合の数は ${}_{12}C_2 = 66$ **(通り)**．

補足 ②の 1 対 1 対応は，自然数の素因数分解が一意的であることから導かれます．

例題41C 文字式 $(a+b+c+d)^6$ を展開して同類項をまとめたとき，何種類の項が現れるか．

着眼3
展開式における項の次数は全て 6 次です．そのうちの 1 つの項 abc^3d について考えると，右のような対応ができますね．

$abc^3d = a\ b\ c\ c\ c\ d$
⟷ ○│○│○ ○ ○│○

解答 「題意の展開式における項」と「6 個の○を 3 本の │ で仕切る方法」とは 1 対 1 対応．よって求める場合の数は ${}_9C_3 = \dfrac{9 \cdot 8 \cdot 7}{3 \cdot 2} = 84$ **(種類)**．

解説 「次数 6 を a, b, c, d へ分配する」という感覚ですね．

参考2 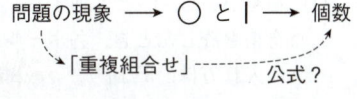
「○を │ で仕切る」に関するまとめです．あくまでも右図 1 行目のメインの流れ：「現象」→「○を │ で仕切る」→「個数」を基本線とし，時には右図 2 行目：「重複組合せ」という見方を補助的に利用するというのが適正なバランスだと筆者は考えます．「重複組合せ」から公式（？）に頼って「個数」へ行こうとすると，要である「○を │ で仕切る」をスキップすることになるので，"楽"ですが，多くの生徒さんが"コロッと"間違えます．（笑）

問題の現象 → ○と │ → 個数
                「重複組合せ」   公式？

類題41 5人の立候補者がいる選挙で，20 人の投票者がそれぞれ 1 人だけに 1 票を入れる．得票結果は全部で何通り考えられるか．ただし，投票は無記名で行われるものとする．

(解答▶解答編 p.16)

ITEM 42 場合の数 ボールと箱（相互関係１）

よくわかった度チェック！ ① ② ③

ここからの 3ITEM では，「ボールを箱に入れる」仕方を考えます．このテーマには様々な条件設定があり，計８タイプの問題を見て行きます．じつはすでにその一部を 例題1 ，類題 3 [2]， 例題24 ， 例題25 で扱っているのですが，これらも含めて問題どうしの相互関係に注目して学びましょう．

> **ここがツボ！**「箱を区別しない」から「箱を区別する」への対応を考える．

例題42 n は３以上の整数とする．異なる n 個のボールを３つの箱に入れる方法について考える．ただし，空の箱があってはならないとする．
(1) 箱を区別するとき，入れ方は何通りか．
(2) 箱を区別しないとき，入れ方は何通りか．

方針 まずは(1)，(2)とも，題意の条件を視覚化しましょう．

(1) 1 2 3 …… n → A B C （空箱ダメ）

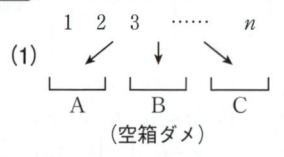

(2) 1 2 3 …… n → （空箱ダメ）

(1) 各ボールごとに，それを入れる箱の選び方は「３通り」のどれかに決まります．逆に各箱ごとにだと…訳わかんないですね．という訳で前者の考え方を使います．ただし，空箱ができてしまう場合を除外することを忘れずに．

(2) 箱に区別がないので上記のような数え方はできないため，直接求めるのは難しいですね．箱を区別した(1)との対応関係を考えます．

解答 ボールに 1, 2, 3, …, n と番号を付ける．
(1) 箱を A, B, C と区別する．
　○ 空箱も許したとき，各ボールの入れ方は A, B, C の３通りだから， n 個のボールの入れ方は，3^n 通り．　●●●樹形図をイメージして
　○ 空でない（つまりボールが入る）箱の個数 X は， $X = 1, 2, 3$ のいずれかであり，求めるものは $X = 3$ となる入れ方の数である．
　○ $X = 1$ となる入れ方は，全てのボールを A, B, C のどれに入れるか考えて，３通り．
　○ $X = 2$ となる入れ方は
　　$\begin{cases} \text{どの２箱に入れるか…}{}_3C_2 = 3 \text{（通り）}, \\ \text{その２箱へのボールの入れ方…} 2^n - 2 \text{（通り）} \cdots ① \end{cases}$
　　より， $3 \cdot (2^n - 2)$ （通り）．　　モレなくダブりなく　注意！
　　（例：AとBだけに入るとき）この２つはダメ！
　○ 以上より，求める場合の数は
　　$3^n - 3 - 3 \cdot (2^n - 2) = 3^n - 3 \cdot 2^n + 3$.

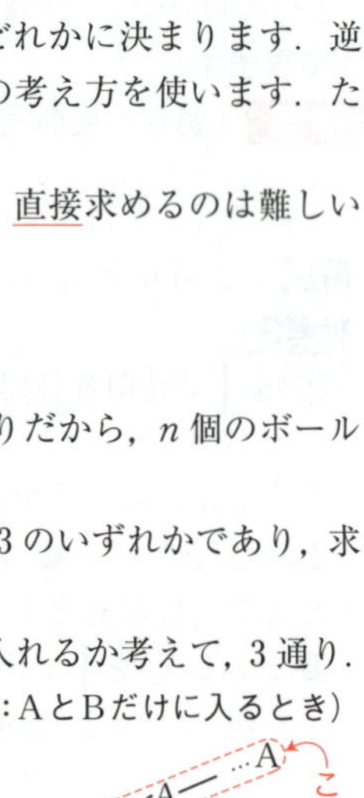

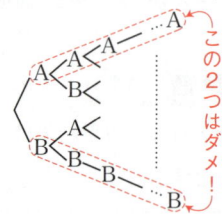

112　→ 4・28 → $2^4 \cdot 7$

(2)「題意の入れ方」x 通りの各々に対して，箱を区別したら $3!$ 通りずつの (1) の入れ方が対応する．よって

　　　　$x \cdot 3! = 3^n - 3 \cdot 2^n + 3$．　　…積の法則

よって求める場合の数は　　　"割り算"

$$x = \frac{3^n - 3 \cdot 2^n + 3}{3!} = \frac{3^{n-1} - 2^n + 1}{2}. \quad \cdots ②$$

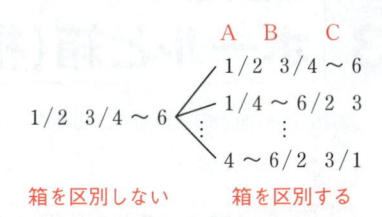

　　　　　　　　A　B　C
　　　　　　　1/2　3/4〜6
1/2　3/4〜6　 1/4　6/2 3
　　　　　　　　　⋮
　　　　　　　4〜6/2　3/1
　　箱を区別しない　　箱を区別する

解説

(1) ① における「-2」に注意しましょう．直前の「2^n」を書いたとき，① 右の樹形図がイメージされていれば，「全て A」と「全て B」というすでに「$X = 1$」で数えたものが含まれていることに気付けるでしょう． 　モレなく　ダブりなく

(2) 必ず「箱を区別しない入れ方」から「箱を区別する入れ方」への枝分かれを考えること！ そしてその結果を積の法則を用いて方程式として表しましょう．

ITEM 26 の「組分け」と同様ですね．（じつは 例題26 は，本問タイプのボールと箱の問題において，箱に入る個数が指定されたタイプとみなせます．）

補足 答えが文字 n を含んでいるので，そこに簡単な具体数を代入してみることで "検算" することができます．

② において，n の値としていちばん小さい 3 を代入すると，$\frac{3^2 - 2^3 + 1}{2} = 1$ となります．一方，$n = 3$，つまりボールが 3 個のとき，箱（区別しない）も 3 個ですから，空箱がない入れ方は当然 1 通りです．よってこの結果は "正しそうだ" と推察できますね．（もちろん断定はできませんけど．）

注意 (2) の答え ② を見てください．何か感じたことはありませんか？

「場合の数」の答えですから当然整数値であるべきなのに，② は分数式ですね．でも，さらによく見ると，分子において 3^{n-1} と 1 は奇数ですから，その和は偶数．そして 2^n も偶数ですから分子全体は偶数です．よって ② の値はちゃんと整数になっています．

参考「ボールと箱」の問題の条件設定の仕方は，「ボールを区別するか否か」，「箱を区別するか否か」，「空箱を許すか否か」の 3 つの規準においてそれぞれどちらを選ぶかにより，$2^3 = 8$ 通りが考えられます．（ ITEM44 参考 に一覧があります．）

類題 42 n は 3 以上の整数とする．異なる n 個のボールを 4 つの箱に入れる方法について考える．ただし，空の箱は 1 つ以下であるとする．

[1] 箱を区別するとき，入れ方は何通りか．

[2] 箱を区別しないとき，入れ方は何通りか．

(解答▶解答編 p. 17)

ITEM 43 場合の数 ボールと箱（相互関係2）

前回の続きです．相異点は「空箱を許す」ことだけですが，このことが，決定的な違いを招きます．

ここがツボ! 「積の法則」の前提は成り立っているか？

例題43 n は正の整数とする．異なる n 個のボールを3つの箱に入れる方法について考える．ただし，空の箱があってもよいとする．
(1) 箱を区別するとき，入れ方は何通りか．
(2) 箱を区別しないとき，入れ方は何通りか．

方針 まずは題意の条件の視覚化から．

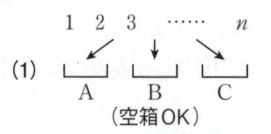

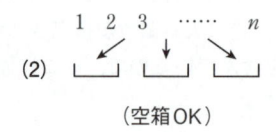

(1) 1 2 3 …… n → A B C （空箱OK）

(2) 1 2 3 …… n → □ □ □ （空箱OK）

(1) ここは **例題42** より断然簡単ですね．答え：3^n 通りは一瞬で求まります．

(2) **例題42** と同様(1)との対応関係を利用しますが，短絡的に"解き方"を真似して"割り算"を用いると $\dfrac{3^n}{3!} = \dfrac{3^{n-1}}{2}$ となります．分子は奇数ですからこれは整数ではないのでオカシイですね．前回成功した手法が，今回は"そのままでは"通用しません．さて，「空箱」が許されることによって，どのような影響が現れたのでしょうか？

解答 ボールに 1, 2, 3, …, n と番号を付ける．○○を区別？

(1) 箱を A, B, C と区別する．空箱も許したとき，各ボールの入れ方は A, B, C の3通りだから，求める n 個のボールの入れ方は **3^n 通り**．

(2)
　　　　　　　A B C
　　　　　　1 2 3/4〜n/空
1 2 3/4〜n/空 ─┬─ 1 2 3/空/4〜n
　　　　　　　⋮
　　　　　　　空/4〜n/1 2 3
箱を区別しない　　箱を区別する

　　　　　　　A B C
　　　　　　1〜n/空/空
1〜n/空/空 ─┬─ 空/1〜n/空
　　　　　　　空/空/1〜n
箱を区別しない　　箱を区別する

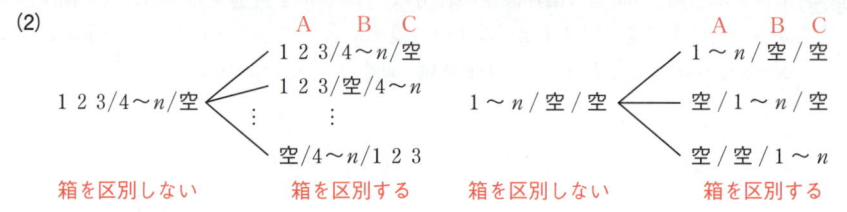

箱を区別しない
「題意の入れ方」x 通りの各々に対して，箱を区別したときに対応する(1)の入れ方の数は，次のとおり．

　　　箱を区別しない　　　　　箱を区別する
x 通り $\begin{cases} \text{全ボール/空/空} \ (1\text{通り}) \to 3\text{通り}, \\ \text{それ以外} \ (x-1\text{通り}) \to 3!\text{通り}. \end{cases}$ …①

これと(1)より
$$1\cdot 3+(x-1)\cdot 3!=3^n. \quad \cdots ②$$
$$\therefore\ x=\frac{3^n-3}{3!}+1=\frac{3^{n-1}+1}{2}.$$

補足 この結果は，分子が偶数であることより，ちゃんと整数値になっていますね．

注意 **解答** のように"枝分かれ"を「積の法則」で表すことなく，**方針** で述べたようにイキナリ"割り算"を使ってはならないことは，すでに ITEM 27「数珠順列」で述べましたね．そこに記した注意を再び載せておきます．右に記した基本の流れをよく理解し，左に記した敗因分析が実行できるようにしましょう．

　　　　答えが小数って！？？　　　　　　枝分かれが均等な樹形図
　　　→"割り算"が機能してない　　　　　→積の法則
　　　→積の法則が使えない　　　　　　　→"割り算"が機能する
　　　→樹形図の枝分かれが均等でない

さて，それでは空箱が許されている本問において，
　「箱を区別しない入れ方」から「箱を区別する入れ方」への枝分かれ
を考えてみましょう．まず，空箱がなければ **例題42** (2)と同じですから $3!(=6)$ 通りに枝分かれします．空箱が1つだけのときも3つの組は全て相異なるので **解答** 左側の図のように $3!(=6)$ 通りに枝分かれします．しかし，空箱が2つとなると，さすがに空箱どうしは区別がつけられないので，枝分かれは「全ボールが入る箱」を選んで3通りとなります．枝分かれが均等ではなくなってしまいましたね！

よって，「積の法則」だけでは処理できないので，①のように場合分けして考え，②のように「和の法則」も使うことによって方程式を作ることに成功したのです．

何から何まで，ITEM 27「数珠順列」と同様ですね．

類題 43 n は2以上の整数とする．異なる n 個のボールを4つの箱に入れる方法について考える．ただし，空の箱は2つ以下であるとする．

[1] 箱を区別するとき，入れ方は何通りか．

[2] 箱を区別しないとき，入れ方は何通りか．

(解答▶解答編 p.18)

ITEM 44 場合の数　ボールと箱（相互関係3）

よくわかった度チェック！

「ボールと箱」の最終回です．前回までと違い，区別のないボールを箱に入れますから，ITEM 24，25 の「○を│で仕切る」考え方がベースになります．

ここがツボ！ 同じボールで同じ個数なら，同じもの

例題44 m は正の整数とする．区別のつかない $6m$ 個のボールを3つの箱に入れる方法について考える．ただし，空の箱があってもよいとする．
(1) 箱を区別するとき，入れ方は何通りか．
(2) 箱を区別しないとき，入れ方は何通りか．

方針 例によって条件の視覚化から．

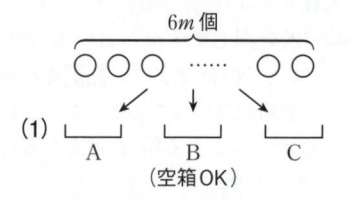

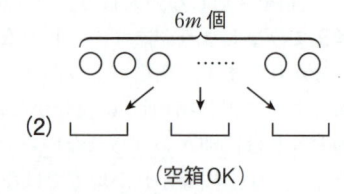

(1) 6m個 → A, B(空箱OK), C
(2) 6m個 → (空箱OK)

ボールを区別しないので，各箱に入るボールの個数だけを考えます．
(1) **例題24** の「○を│で仕切る」そのものですね．
(2) ここでも (2) から (1) への対応を考えますが，枝分かれが均等でなかった **例題43**
　(2) から，さらにボールの区別が取り払われたのですから，より一層注意が必要です．

解答
(1)「題意の入れ方」と「$6m$ 個の○を2本の│で仕切る方法」とは1対1対応．よって求める場合の数は

$$_{6m+2}C_2 = \frac{(6m+2)(6m+1)}{2}$$
$$= (3m+1)(6m+1).$$

（例）○○○│○ … ○│○○
A 3個　B $6m-5$個　C 2個

対応関係を 視

(2) i)　　　A B C
　　$\{2m, 2m, 2m\}$ ─ $(2m, 2m, 2m)$
　　箱を区別しない　箱を区別する

ii)　　　　　A B C
　　　　　　(1, 1, $6m-2$)
$\{1, 1, 6m-2\}$─(1, $6m-2$, 1)
　　　　　　($6m-2$, 1, 1)
　　箱を区別しない　箱を区別する

iii)　　　　　A B C
　　　　　　(0, 2, $6m-2$)
　　　　　　(0, $6m-2$, 2)
$\{0, 2, 6m-2\}$ ⋮
　　　　　　($6m-2$, 2, 0)
　　箱を区別しない　箱を区別する

○ 各箱に入るボールの個数の組合せは，上のように分類され，それぞれに対応する(1)の入れ方の数は次のとおり．

→ 4・29 → $2^2 \cdot 29$

i) $\{a, a, a\} \to 1$ 通り， ○○を区別❓

ii) $\{a, a, b\} \to 3$ 通り，$(a, b, c$ は相異なる$)$

iii) $\{a, b, c\} \to 3!$ 通り．

$\{0, 0, 6m\}$
$\{1, 1, 6m-2\}$
$\{2, 2, 6m-4\}$
$\vdots$
① : $\{2m-1, 2m-1, 2m+2\}$
$\{2m+1, 2m+1, 2m-2\}$
$\vdots$
$\{3m, 3m, 0\}$

○「題意の入れ方」x 通りのうち，i) のタイプは $\{2m, 2m, 2m\}$ の 1 通り．

また，ii) のタイプは，右の $3m$ 通り．

○これと (1) より

$1\cdot 1 + 3m\cdot 3 + (x-1-3m)\cdot 3! = (3m+1)(6m+1).$

∴ $x = 3m^2 + 3m + 1.$

解説 前回の 例題43 (2) では，空箱 2 つの区別がつかないことから枝分かれが均等でなくなることを体験しました．ボールに区別がない本問では，個数が等しければ区別がつかなくなりますから，前記の状況がもっと頻繁に起こることになります．

注意 ii) のタイプを数えるとき，①の後 $\{2m, 2m, 2m\}$ も数えてしまうと，i) タイプをダブって数えたことになりますよ！

モレなく
ダブりなく

参考 本書で扱った「ボールと箱」の問題 8 タイプの一覧です．

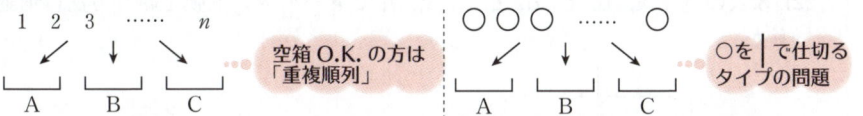

```
1  2  3  ……  n
↓  ↓  ↓      ↓
⎕  ⎕  ⎕  …   ⎕
A  B  C
```
空箱 O.K. の方は「重複順列」

空箱 OK：例題43 (1)，類題 3 [2]

空箱 NG：例題42 (1)

```
○○○  ……  ○
↓  ↓  ↓      ↓
⎕  ⎕  ⎕  …   ⎕
A  B  C
```
○を｜で仕切るタイプの問題

空箱 OK：例題44 (1)，例題24

空箱 NG：類題 44 [1]，例題25

```
1  2  3  ……  n
↓  ↓  ↓
⎕  ⎕  ⎕
```
空箱 OK：例題43 (2)

空箱 NG：例題42 (2)（個数指定：例題26）

```
○○○  ……  ○
↓  ↓  ↓
⎕  ⎕  ⎕
```
空箱 OK：例題44 (2)，類題 1 [1]

空箱 NG：類題 44 [2]，例題1

類題 44 m は正の整数とする．区別のつかない $6m$ 個のボールを 3 つの箱に入れる方法について考える．ただし，空の箱があってはならないとする．

[1] 箱を区別するとき，入れ方は何通りか．

⬆[2] 箱を区別しないとき，入れ方は何通りか．

（解答 ▶ 解答編 p.18）

117　→ 9·13 → 3^2·13

ITEM 45 場合の数 トーナメント

よくわかった度チェック！

スポーツなどでよく見かける「トーナメント」方式について考えてみましょう．これまで学んだことが，ちゃんと活用できますよ．

ここがツボ！ 区別すべきことだけ区別する

例題45 トーナメント戦の組み方の数について，以下の問いに答えよ．

(1) 4人の選手 a, b, c, d でトーナメント戦を組む方法は何通りか．ただし，下の2つはどの選手から見ても対戦相手が同じなので，同一な組み方とみなす．

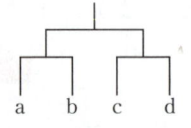

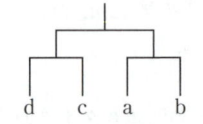

(2) 8人の選手 a, b, c, d, e, f, g, h でトーナメント戦を組む方法は何通りか．

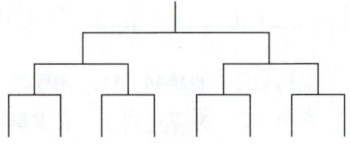

(3) (2)において，a, b, c, d のどの2人も1回戦で対戦しない方法は何通りか．

方針

(1) たった4人ですから，全てを書き出すことでも解決しますが，できればスッキリ解答したいです．

(2) まずはごく自然に，1回戦の4試合の組み方を考えてみましょう．さて，その後は？

(3) やはり，1回戦で対戦する4つの組を考える際，a, b, c, d は全て別の組に入ります．これによって，(2)とは一変した問題になります．

解答

(1) 1回戦の組み方を考える．a の対戦相手を決めれば，他の2人が対戦することに決まり，トーナメント全体の組み方も決まる．よって求める場合の数は，**3通り**．

(2) ○ 8人を，1回戦で対戦する2人の組4つに分ける仕方を x 通りとする．
○ 8人を，ア，イ，ウ，エと名前の付いた4つの組に分ける仕方は
$${}_8C_2 \cdot {}_6C_2 \cdot {}_4C_2 \text{ 通り．}$$

○ $x \cdot 4! = {}_8C_2 \cdot {}_6C_2 \cdot {}_4C_2$ より $x = \dfrac{{}_8C_2 \cdot {}_6C_2 \cdot {}_4C_2}{4!} = \dfrac{4 \cdot 7 \cdot 3 \cdot 5 \cdot 2 \cdot 3}{4 \cdot 3 \cdot 2} = 105$. …①

○ この 4 つの組を，右図の破線部に配置する
方法は，(1) と同様に 3 通り． …②

○ 以上より，求める場合の数は
$105 \cdot 3 = $ **315**(通り)．

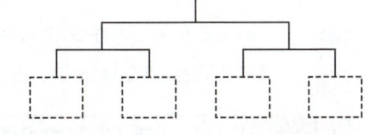

(3) ○ 8 人を，1 回戦で対戦する 2 人の組 4 つに分ける．

○ まず a, b, c, d を全て相異なる組に入れ，<u>区別のついた</u> 4 つの組に e, f, g, h を 1 人ずつ入れる． …4! 通り．

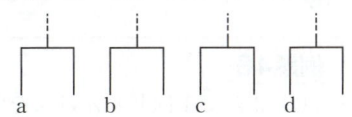

○ この 4 組を②と同様に配置する． …3 通り．

○ よって求める場合の数は，$4! \cdot 3 = $ **72**(通り)．

解説 (2)の①：1 回戦の組み方は，ITEM 26 の「組分け」そのものです．こうしてできた <u>4 組</u>を，(1)における <u>4 選手</u>のように見てトーナメントを組めばよいのです．その(1)では，a を固定し，その対戦相手を選ぶという手法を用いました．これは ITEM 29「一方を固定」と似た考え方ですね．

補足1 (1) も，(2)の①と同様に「組分け」の方法を用いて解答できます．結果は，$\dfrac{{}_4C_2}{2!} = 3$ (通り)となります．

注意 上記および①において，組分けではお馴染みの"割り算"が現れましたが，(3)はそうはなりません．a, b, c, d が 1 人ずつ入ることにより，<u>区別のある組</u>になっているからです．組分けの考え方をちゃんと理解していないと間違えますよ．(⇐ 類題 26 [3])　○○を区別？

発展 本問と同様に，8 人のトーナメントを用いて 16 人を，16 人のトーナメントを用いて 32 人を，一般に 2^{n-1} 人のトーナメントを用いて 2^n 人 (n は 2 以上の整数) のトーナメントを作ることができます．

参考 2^n 人のトーナメントにおける 1 回戦から決勝戦までの全試合数は

$\underset{\text{1 回戦}}{2^{n-1}} + \underset{\text{2 回戦}}{2^{n-2}} + \cdots + \underset{\text{準決勝}}{2} + \underset{\text{決勝}}{1} = 1 + 2 + 2^2 + \cdots + 2^{n-2} + 2^{n-1}$

等比数列の和
(⇒ p.168 特講E [4](4))

$= 1 \cdot \dfrac{2^n - 1}{2 - 1} = 2^n - 1$．

あるいは，各試合ごとに 1 人ずつ負けて行くので，総試合数は参加者全員の数から唯一負けない優勝者の数 1 を引いて，$2^n - 1$ と求まります．

補足2 (3)では，a, b, c, d の 4 人をいわゆる"シード選手"として扱っていますね．

類題 45 8 人の選手 a, b, c, d, e, f, g, h でトーナメント戦を組む方法のうち，a と b が 1 回戦で対戦しないものは何通りか．

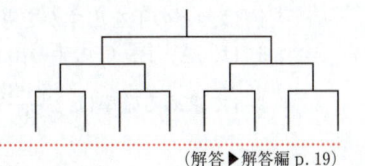

(解答 ▶ 解答編 p.19)

ITEM 46 確率 じゃんけん

みなさんよく御存じの「じゃんけん」を扱います．とても日常的な素材ですが，じつはある落とし穴が潜んでいるんです．

ここがツボ！「人」，「手」をどちらも区別していることを自覚して

例題46
(1) 3人で1回じゃんけんをするとき，1人だけが勝つ確率を求めよ．
(2) 3人で1回じゃんけんをするとき，アイコになる確率を求めよ．
(3) n 人 ($n \geq 2$) で1回じゃんけんをするとき，アイコになる確率を求めよ．

着眼
(1) 手の出し方の総数は…そう，3^3 通りです．ただしこの個数が，異なる3人A，B，Cが，各人ごとに「グー（○）」，「チョキ（∨）」，「パー（□）」の3通りの手のどれかを選ぶことから得られることを理解していることが大切です．「なんとなく 3^3 通り」ではダメですよ． "手"を記

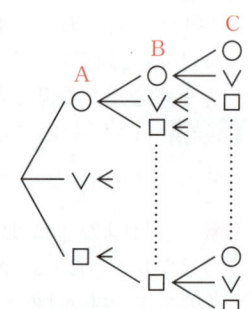

(2) 「アイコ」とはどんな事象なのかを，上記の理解をベースに捉えていきます．

(3) (2)と同じ視点に，ちょっとした機転を加えて鮮やかに解決させます．

解答 3人を A，B，C と区別し，じゃんけんの手を「グー：○」，「チョキ：∨」，「パー：□」と表す． ○○を区別？　　人，手を記

(1) ○ 人，手を区別したときの結果：3^3（通り）の各々は等確率．
○ そのうち条件を満たすものは，
$\begin{cases} 勝つ人 \cdots A,\ B,\ C の 3 通り \\ 勝つ手 \cdots ○,\ \vee,\ \square の 3 通り \end{cases}$
より $3 \cdot 3$ 通り． 同基準？
同基準
○ よって求める確率は，$\dfrac{3 \cdot 3}{3^3} = \dfrac{1}{3}$．
等確率

(2) 全ての手の出し方は (1) と同じ．
○ アイコになるのは次の2つの場合である．
　ⅰ）：3人とも同じ手を出す．
　ⅱ）：3人の手が全て異なる． ..."三すくみ"状態
○ ⅰ）は，どの手を出すかを考えて 3 通り．
○ ⅱ）は，A，B，C の手の出し方を考えて 3! 通り． ○，∨，□の順列
○ よって求める確率は，$\dfrac{3 + 3!}{3^3} = \dfrac{1}{3}$．

(3) ○人，手を区別したときの結果：3^n（通り）の各々は等確率．
○n 人が出す手の種類 X は $X=1, 2, 3$ のいずれかであり，アイコとは $X=1, 3$ となることである．
○アイコの余事象：$X=2$ が起きる出し方の数は，
$\begin{cases} 2\text{種類の手の選び方}\cdots {}_3C_2 \text{通り}, \\ n\text{人がどちらの手を出すか}\cdots 2^n-2 \text{通り} \end{cases}$ モレなく／ダブりなく
（全員が同じ手）
○よって求める確率は，$1-\dfrac{{}_3C_2\cdot(2^n-2)}{3^n}=1-\dfrac{2^n-2}{3^{n-1}}$ …①

解説 とにかく，(1)において下線，二重下線で強調した人，手に対する意識が重要ポイントです！

(1) 勝つ「人」を決めれば負ける人も決まり，勝つ「手」を決めれば負ける手も決まります．だから，負ける側のことは考えなくていいのです．

(2) 実際にじゃんけんを行う場面をイメージすれば，アイコが 2 つの場合 i), ii) に分けられることが "なんとなく" 思い浮かぶでしょう．でもそれを
   3 人とも同じ手を出す→「手」が 1 種類 ……(3)の $X=1$
   3 人の手が全て異なる→「手」が 3 種類 ……(3)の $X=3$
と捉えれば，より明快ですね！

(3) (2)ではアイコの確率を直接求めましたが，n 人となると「$X=3$」の方が大変ですね．そこで，余事象を利用しました．

補足1 **解答** では，(3)を(2)の **解答** と同じ視点：「手の数に注目」によって解答しました．では(1)と同じ視点：「勝つ人の数に注目」によって解いてみます．勝つ人の数 Y は
$$Y=0, \underbrace{1, 2, 3, \cdots, n-1}_{(*)}$$
アイコ↲ 　　　全体像を〈視〉

のいずれかです．そこで，アイコの余事象（*）の確率を求めましょう．k を 1 以上 $n-1$ 以下の整数として，$Y=k$ となる確率は，
$\begin{cases} \text{勝つ人}\cdots {}_nC_k \text{通り}, \\ \text{勝つ手}\cdots 3 \text{通り} \end{cases}$ より，$\dfrac{{}_nC_k\cdot 3}{3^n}$.

よって（*）の確率は，$\sum_{k=1}^{n-1}\dfrac{{}_nC_k\cdot 3}{3^n}$ です．この和を二項定理を用いて計算して 1 から引くと，①と同じ結果を得ます（⇨p.164 **特講D** [4](2)）．とはいえすごく遠回りですね．「人」に注目すると解きにくいと感じたら，「手」の方に視点を切り替えてください．

補足2 ①は検算できますね．$n=3$ としてみると，$1-\dfrac{2^3-2}{3^2}=\dfrac{1}{3}$ となり，(2)の結果と一致していますから，大丈夫そうです．

参考 じゃんけんを素材としたやや複雑な問題を，Stage 4・**類題 72** で扱います．

類題 46 8 人で 1 回じゃんけんをするとき，2 人以上が勝つ確率を求めよ．

（解答▶解答編 p. 19）

ITEM 47	確率
	番号と色（その1）

よくわかった度チェック！ ① ② ③

カードの取り出し方をめぐる確率です．前 ITEM のじゃんけんでは，「人」「手」という2つの観点が重要でした．今回のカードにも「色」「番号」という2つの属性があります．今自分がどちらに注目して考えているのか，しっかり自覚して行きましょう．

> **ここがツボ！** 注目するものを，ハッキリと！

例題47 1，2，3と番号のついた赤いカード，1，2，3と番号のついた白いカード，1，2，3と番号のついた黄色いカード，1，2，3と番号のついた青いカードの計12枚のカードから同時に6枚を取り出す．この6枚のカードについて答えよ．
(1) ある同じ番号のカードが4枚とも含まれる確率を求めよ．
(2) ある同じ色のカードが3枚とも含まれる確率を求めよ．
(3) ある同じ番号のカード4枚，またはある同じ色のカード3枚が含まれる確率を求めよ．

着眼 等確率性を確保するためにカードを区別した上で，「6枚の組合せ」を考えます．

方針
(1) どの番号が4枚とも含まれるかを考えます．
(2) 同様に，どの色が3枚とも含まれるかを考えますが…ダブりに注意ですね．
(3) (1)，(2)の少なくとも一方が起こる事象の確率ですから，前の結果を利用します．ここでも，ダブりに注意ですよ．

モレなくダブりなく

解答 赤，白，黄色，青のカードをそれぞれ右のように表して区別する．取り出す6枚のカードの組合せ

カードを 視

R_1, R_2, R_3
W_1, W_2, W_3
Y_1, Y_2, Y_3
B_1, B_2, B_3

$$_{12}C_6 = \frac{12 \cdot 11 \cdot 10 \cdot 9 \cdot 8 \cdot 7}{6 \cdot 5 \cdot 4 \cdot 3 \cdot 2} = 11 \cdot 3 \cdot 4 \cdot 7 \text{(通り)}$$

の各々は等確率．以下，そのうち各条件を満たすものの数を求める．

(1) ○4枚とも含まれる番号…3通り．…①
　　○他の2枚の選び方…$_8C_2$ 通り．

$\{R_1, W_1, Y_1, B_1, *, *\}$
例を 視

　　○①の3通りは互いに排反だから，求める確率は，$\dfrac{3 \cdot {}_8C_2}{{}_{12}C_6} = \dfrac{3 \cdot 4 \cdot 7}{11 \cdot 3 \cdot 4 \cdot 7} = \dfrac{1}{11}$．

(2) ○6枚の中に R が3枚とも含まれる事象を R とする．同様に事象 W，Y，B も定めると，

$n(R), n(W), n(Y), n(B)$ …②

$\{R_1, R_2, R_3, *, *, *\}$
例を 視

　　は，他の3枚の選び方を考えて，各々 $_9C_3$ 通り．

　　○3枚とも含まれる色が2つある場合は全部で $_4C_2 = 6$ つあり，

例を 視

$n(R \cap W) = n(R \cap Y) = \cdots = n(Y \cap B) = 1.$ …③

$\{R_1, R_2, R_3, W_1, W_2, W_3\}$

○②の4つを加えたとき，③の計6通りが全て2回ずつ数えられている．よって

$$\text{求める確率は，} \frac{4 \cdot {}_9C_3 - 6}{{}_{12}C_6} = \frac{4 \cdot 3 \cdot 4 \cdot 7 - 6}{11 \cdot 3 \cdot 4 \cdot 7} = \frac{2 \cdot 4 \cdot 7 - 1}{11 \cdot 2 \cdot 7} = \frac{5}{14} \quad \cdots ④$$

(3) ○まず，(1)と(2)がともに成り立つ，つまり，ある同じ番号のカード4枚とある同じ色のカード3枚がともに含まれる組合せを考える．このような番号，色の選び方は $3 \cdot 4 = 12$ 通りある．

○そのうち，たとえば番号1のカード4枚とRのカード3枚がともに含まれる組合せは $\{R_1, W_1, Y_1, B_1, R_2, R_3\}$ ただ1つ．他の11通りに関しても同様であり，上記12通りは互いに排反である．

○ゆえに，(1)と(2)がともに成り立つ確率は，$\dfrac{12 \cdot 1}{11 \cdot 3 \cdot 4 \cdot 7} = \dfrac{1}{77} \quad \cdots ⑤$

○よって，求める「(1)または(2)」が成り立つ確率は　**モレなくダブりなく**

包除原理 $\dfrac{1}{11} + \dfrac{5}{14} - \dfrac{1}{77} = \dfrac{14 + 55 - 2}{2 \cdot 7 \cdot 11} = \boldsymbol{\dfrac{67}{154}}$

解説 ③のうち，たとえば $n(R \cap W)$ は，②を加えたとき $n(R), n(W)$ の中で1度ずつ，計2度数えられていますね．このダブりに注意して計算したのが④式です．

なお，ここでは事象 R, W, Y, B の3つ以上は同時に起こりえないことに救われていますね．

注意1 ②の4つの和において起きているダブりは，ITEM 6 **注意** で"主役脇役ダブルカウント"と称したものですね．たとえば，"R"を"主役"にした $\{R_1, R_2, R_3, *, *, *\}$ において，"脇役"：「*」の部分に W 3つが入った $\{R_1, R_2, R_3, W_1, W_2, W_3\}$ を数えていますが，これは「W」を"主役"にした $\{*, *, *, W_1, W_2, W_3\}$ においても数えています．

注意2 本問では，たとえば①の3通りが**排反**（同時には起こらない）かどうかが自明とは言い切れません（実際，②の方は排反ではありません）．なので **解答** 中でも敢えて「排反」に言及しました．

注意3 ⑤において，(1)と(2)は無関係であるとは断言できませんから，(1)，(2)の結果を掛けても駄目ですよ． **独立試行？**

参考 本問のように，モレなくダブりなく丁寧に，丹念に調べて行くタイプが，実はいちばん完答しにくかったりします．間違えてしまった人も悲観しなくていいですよ．（笑）（⇨p. 180 コラム）

類題 47 トランプの1（エース）から6までの24枚がある．ここから同時に4枚を取り出すとき，この4枚のカードについて答えよ．

[1] 4枚とも同じマークである確率を求めよ．

[2] 4枚のカードの数字が連続する整数である確率を求めよ．

[3] 4枚とも同じマークであるか，または4枚のカードの数字が連続する整数である確率を求めよ．

(解答▶解答編 p. 20)

ITEM 48 確率 番号と色（その2）

前ITEMと同じく「色」「番号」という2つの属性をもったカードを，今回は順序をつけて並べます．前回同様，何に注目するのかをハッキリさせて考えましょう．

ここがツボ！ 注目するもの毎に，分母を変えてもよい．

例題48 1, 2, 3 と番号のついた赤いカード，1, 2, 3 と番号のついた白いカード，1, 2, 3 と番号のついた黄色いカード，1, 2, 3 と番号のついた青いカードの計12枚を1列に並べる．
(1) 赤いカード3枚が全て連続している確率を求めよ．
(2) 番号1のカードが連続している箇所がある確率を求めよ．
(3) 4つの色全てについて，番号が左から1, 2, 3の順に並んでいる確率を求めよ．

着眼 用意されたカードは 例題47 とまったく同じです！
「場合の数の比」を用いて確率を求めるときの分母を，問題文をそのまま受け入れて「並べ方の総数12! 通り」にしてももちろんかまいませんが，ITEM 28「注目すべきことのみに集中」でも見たように，問われている条件に関与することだけに集中することによって効率的な解答が得られます．

解答 赤，白，黄色，青のカードを，それぞれ R, W, Y, B で表す．

カードを 記
R_1, R_2, R_3
W_1, W_2, W_3
Y_1, Y_2, Y_3
B_1, B_2, B_3

(1) ○12枚のカードを並べる場所のうち，R を置く 3 か所の選び方：
$$_{12}C_3 = \frac{12\cdot 11\cdot 10}{3\cdot 2} = 2\cdot 11\cdot 10 \text{（通り）}$$
の各々は等確率．

○そのうち R 3 枚が連続する場所は
$\{1, 2, 3\}, \{2, 3, 4\}, \cdots, \{10, 11, 12\}$ の 10 通り．

例を 視

○よって求める確率は，$\dfrac{10}{2\cdot 11\cdot 10} = \dfrac{1}{22}$．

(2) ○12枚のカードを並べる場所のうち，番号1を置く4か所の選び方：
$$_{12}C_4 = \frac{12\cdot 11\cdot 10\cdot 9}{4\cdot 3\cdot 2} = 11\cdot 5\cdot 9 \text{（通り）}$$
の各々は等確率．

○そのうち題意の事象の余事象：「番号1が隣り合うことがない」を満たすものを数える．
まず他の番号の8枚を並べておき，右上図の ↑〜↑ から 4 か所選んで番号1を1個ずつ入れる仕方を考えて，$_9C_4 = \dfrac{9\cdot 8\cdot 7\cdot 6}{4\cdot 3\cdot 2} = 9\cdot 2\cdot 7$ （通り）．

○以上より，求める確率は，$1 - \dfrac{_9C_4}{_{12}C_4} = 1 - \dfrac{9\cdot 2\cdot 7}{11\cdot 5\cdot 9} = \dfrac{41}{55}$．

124 → 4·31 → 2^2·31

(3) ○R 3枚の並び方：$3!=6$ 通りの各々は等確率．

| | | | R_1 | | R_2 | | R_3 | | |

よってRが1，2，3の順に並ぶ確率は，$\dfrac{1}{6}$．

○W，Y，Bについても同様であり，ある色の並び方は他の色の並び方に影響を与えない．

○以上より求める確率は，$\left(\dfrac{1}{6}\right)^4 = \dfrac{1}{1296}$．

解説 **例題47** と同様「色」「番号」という2つの観点を使い分けました．ただ，**例題47** では，(1)から(3)までどの設問でも「場合の数の比」として確率を求める際の分母は共通だったのに対し，本問では設問ごとの考察対象の変化に応じて大切なことのみ考えました．

(1) 赤の位置のみ　　(2) 番号1の位置のみ　　(3) 各色ごとの並び方のみ

注意 また，**例題47** では設問間に関連がありましたが，本問は全て無関係でしたね．入試問題でも，たまにこういうこともありますよ．

補足1 (2)において，$\dfrac{{}_9C_4}{{}_{12}C_4} = \dfrac{\frac{9\cdot 8\cdot 7\cdot 6}{4\cdot 3\cdot 2}}{\frac{12\cdot 11\cdot 10\cdot 9}{4\cdot 3\cdot 2}} = \dfrac{9\cdot 8\cdot 7\cdot 6}{12\cdot 11\cdot 10\cdot 9} = \dfrac{14}{55}$．と計算することもできます．（⇦p.60 **特講C** [6](3)）

補足2 (2)では，番号1以外のカード（○で表した）を区別しても意味はありません．また，番号1のカード4枚も区別しません．とにかく番号1(以下△で表す)の場所のみを考えると，△4枚がどのように隣り合うかによって次のように分類できます．

△△△△，△△△|△，△△|△△，△△|△|△，△|△|△|△

　　　　　求めたい　　　　　　　　　　求めやすい

問題文の「連続している箇所がある」は，場合分けが多く直接求めにくいですね．そこで，余事象を利用しました．

その余事象では，ITEM 18 の「隣り合わない」並べ方の手法が適用できます．ただし，○どうし，△どうしを区別していないことを忘れずに．

補足3 (3)の「影響を与えない」がピンとこない人は，こう考えてみてください．12枚のカードを並べるとき

　ⓐ まず，各色を置く「位置」を決める．
　ⓑ その後で，「Rを並べる」，「Wを並べる」，「Yを並べる」，「Bを並べる」の4つを行う．

ⓑの4つは，間違いなく独立な試行ですね．**独立試行** ？

類題 48 1, 2, 3, 4, 5, 6と番号のついた赤いカードと1, 2, 3, 4, 5, 6と番号のついた白いカードの計12枚を1列に並べる．

[1] 同じ色のカード6枚が連続している箇所がある確率を求めよ．

[2] 同じ番号のカードどうしが全て隣り合っている確率を求めよ．

(解答▶解答編 p.21)

ITEM 49 確率 円順列と確率

ITEM 9 で扱った「円順列」は，どちらかというと「場合の数」として出題されることが多いですが，今回は敢えて「確率」について考えてみます．ポイントは何かというと…，要するに「円順列」，「確率」双方の根本原理そのものです．

ここがツボ! 1つを固定して等確率性を確保

例題49 赤い玉 2 個，白い玉 3 個，黒い玉 4 個の合計 9 個の玉を円形に並べる．
(1) 黒い玉 4 個が全て隣り合う確率を求めよ．
(2) 赤い玉どうし，白い玉どうしが隣り合わない確率を求めよ．

方針 「円順列」の原則通り 1 つを固定して考えたい…ところですが，これまでの円順列の問題 (ITEM 9, ITEM 27) と異なり，どの色の玉も 2 個以上あるので "1 つ" に特定できるものがありません．しかし，「確率」の問題では，何かを区別するかしないかを決めるのは「アナタ」でしたね (⇐ ITEM12 重要 3)．
という訳で，2 つの赤い玉を区別し，そのうち "1 つ" を固定します．

解答 赤玉 2 つを R_1, R_2 と区別し，白玉，黒玉をそれぞれ W, B と表す．そして，R_1 を固定し，他の 8 個の玉を時計回りに並べる仕方：(*) を考える．

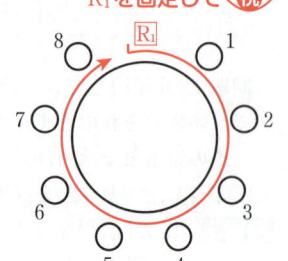

(1) ○ (*) において，黒 4 個を並べる場所の選び方：

$$_8C_4 = \frac{8 \cdot 7 \cdot 6 \cdot 5}{4 \cdot 3 \cdot 2} = 70 \text{(通り)}$$

の各々は等確率．

○ そのうち条件を満たす場所は，右図において $\{1, 2, 3, 4\}, \{2, 3, 4, 5\}, \cdots, \{5, 6, 7, 8\}$ の 5 通り．

○ よって求める確率は，$\dfrac{5}{70} = \dfrac{1}{14}$．

(2) ○ (*) の並べ方：$\dfrac{8!}{3! \cdot 4!} = \dfrac{8 \cdot 7 \cdot 6 \cdot 5}{3 \cdot 2} = 8 \cdot 7 \cdot 5 \text{(通り)} \cdots$ ① の各々は等確率．

○ まず，R_2 と B 4 個を並べる．
　ⅰ)：R_2 が端ではない…3 通り
　ⅱ)：R_2 が端である…2 通り
○ ⅰ) のとき，R は隣り合わない．W 3 個を，互いに隣り合わないよう ①〜⑥ へ入れる仕方は $_6C_3 = 20$ (通り)．
○ ⅱ) のとき，R が隣り合わなくするため R どうしの間に W を 1 つ入れる．他の W

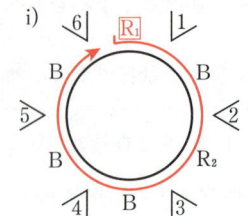

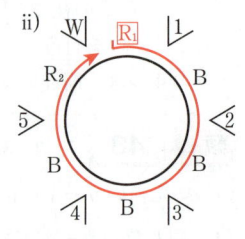

2個を $\triangle_1 \sim \triangle_5$ へ入れる仕方は ${}_5C_2 = 10$ (通り)．

○以上より，求める確率は，$\dfrac{3 \cdot 20 + 2 \cdot 10}{8 \cdot 7 \cdot 5} = \dfrac{2}{7}$．

解説 R 2個を区別し，R_1 という特定できる1つを固定することで，円順列が1列に並ぶ順列に帰着されました．こうすれば，これまで学んできた様々な手法が使えます．

(1) B の位置だけが問題ですので，それだけを考えます．

(2) R, W の位置だけが問われていますが，「隣り合わない」並べ方は，他のものを先に並べておくのでBのことも考えることになり，けっきょく8個全ての並べ方を「同じものを含む順列」の公式で求めました．ITEM 28 **解説** で述べた通り，これらの各々もちゃんと等確率ですね．

注意 ただし，完全に1列に並べて図示すると，右のような「固定した R_1」と「もう1つの R_2」が隣り合っている場合を余分に数えてしまうというミスをしがちです．なので，一方向に並べるという意識を持ちながらも，図は円形に描いた方が無難でしょう．

逆に，まず R_2 と B を並べる時点では R が隣り合っているii)を漏らさないよう気を付けましょう！

別解 (2) （"引き算"の利用）

○ (*) において
R：「Rが隣り合わない」，
W：「Wが隣り合わない」
とすると，求める確率は
$P(R \cap W)$ である．

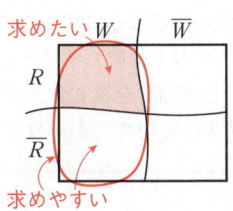

○ W について考える．まず，R_2 と B 4個を並べる．…5通り．

○ W 3個を，互いに隣り合わないよう $\triangle_1 \sim \triangle_5$ へ入れる
…${}_6C_3 = 20$ (通り)．

○ 次に $\overline{R} \cap W$ について考える．まず，R_2 と B 4個を並べる．R は隣り合うので R_2 は端にくるから…2通り．

○ R が隣り合い，W 3個を，互いに隣り合わないよう $\triangle_1 \sim \triangle_5$ へ入れる…${}_5C_2 = 10$ (通り)．

○以上より，求める確率は
$$P(R \cap W) = P(W) - P(\overline{R} \cap W) = \dfrac{5 \cdot 20 - 2 \cdot 10}{8 \cdot 7 \cdot 5} = \dfrac{2}{7}.$$

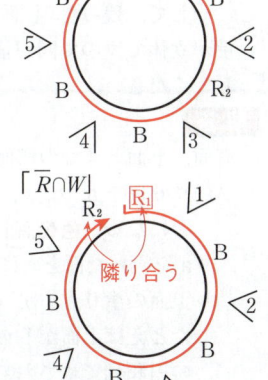

類題 49 赤い玉2個，白い玉2個，黒い玉4個の合計8個の玉を円形に並べる．

[1] 白い玉どうしが向い合わせになる確率を求めよ．

[2] 赤い玉どうし，白い玉どうしがどちらも隣り合う確率を求めよ．

(解答 ▶ 解答編 p.21)

ITEM 50 場合の数 立方体の塗り方

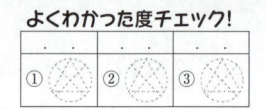

よくわかった度チェック！

ここで扱う内容は、いわば"円順列の立体バージョン"です．なので、ポイントになることもまったく同じ．<u>1つを固定</u>です．

> **ここがツボ！** 1つの面を固定すれば，円順列，数珠順列

例題50 サイコロの形．正6面体

立方体の各面にそれぞれ1色を塗る方法について答えよ．ただし、隣り合う面は必ず異なる色で塗るとする．また、回転したりひっくり返したりして同じになるものは同一な塗り方とみなす．
(1) 6色を用いて塗る方法は何通りあるか．
(2) 5色を用いて塗る方法は何通りあるか．
(3) 4色を用いて塗る方法は何通りあるか．

方針 問題文にある「回転したりひっくり返したりして同じになるものは同一な塗り方とみなす」によって幻惑されないようにするため、ある1色で塗った面を"底"に固定します．(サイコロをテーブルの上に置くイメージで"底"と表現しています．)

そして、残った"上面"と"側面"を視覚化して考えて行きます．その際、なにしろ相手が<u>立体</u>ですので図が描きにくいですが…ワリと便利な方法があるのでよければ真似してください．

解答

底面、上面と4つの側面を右のように表す．　　平面的に〈視〉　底　上

(1) ○6色を a, b, c, d, e, f と表す．どの色も1面に塗ることになる．　**色を 記**
 ○ a を塗った面を底に**固定**する．　　　　例を〈視〉　　固定
 ○上面の塗り方…b, c, d, e, f の5通り．
 ○たとえば上面が b のとき、側面の塗り方は c, d, e, f の円順列で表され、c を固定して考えると 3!=6通り．
  (上面が b 以外でも同様．)　　　　　　　　　　　d, e, f を並べる
 ○以上より、求める場合の数は、5·6=**30(通り)**．

(2) ○5色を a, b, c, d, e と表す．1色のみ2面に塗ることになる．
 ○2面に塗る色…5通り．
 　以下、たとえば6面を <u>a</u>, <u>a</u>, b, c, d, e で塗るときを考える．…①
 ○ b を塗った面を底に固定する．
 ○上面が a だと、側面の a と隣り合ってしまうので、上面は c, d, e の3通り．

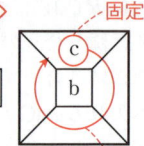

128 → 4·32 → 2^7

- たとえば上面がcのとき，側面の塗り方はa, a, d, eの円順列で表され，dを固定して考えると，aどうしが隣り合わないことより1通り．（上面がc以外でも同様．） 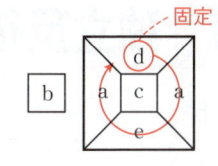
- 以上より，求める場合の数は，5·3·1=**15(通り)**．

(3) ○ 4色をa, b, c, dと表す．同じ色を3面に塗ると必ず同じ色が隣り合ってしまう．よって，2色を2面に，他の2色を1面に塗ることになる．
○ 2面に塗る色…$_4C_2=6$ 通り．
以下，たとえば6面を a, a, b, b, c, d で塗るときを考える．（他も同様．）
○ cを塗った面を底に固定する．
○ 上面がaだと，側面のaと隣り合ってしまう(bも同様)．よって上面はdの1通り．
○ 側面の塗り方はa, a, b, bの円順列で表され，aどうし，bどうしが隣り合わないことより1通り． 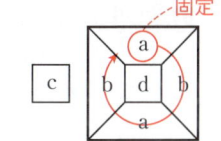
○ 以上より，求める場合の数は，6·1·1=**6(通り)**．

解説 (2)①「aが隣り合わない」という条件があるので，ITEM 4で述べた原則：「制限のキビシイ所から数える」に従うなら，まず「aを底面に固定して」となるところです．しかし **解答** では，円順列の鉄則：「1つを固定」を優先しました．aは2つあって区別がつかないので，1つと特定することができないからです．

参考
(2)の①以降を上記の「aを底面に固定」という方針で解いてみます．まず上面がaと決まり，側面を残りの4色b, c, d, eで塗る方法は，円順列の考えにより3!通りです．ただし，たとえば右図の2つは，ある1つの立方体の塗り方が，"どちらのaを底面に置いたか"によって一見異なるかのように見えているだけです．「数珠順列」と「円順列」関係ですね．ただし **例題27** (2)とは違い左右対称の側面の塗り方はありませんから，(2)の①の塗り方は $\frac{3!}{2}=3$(通り)となります．これで **解答** と同じ結果が得られましたが，ワザワザ数珠順列というわかりづらい考えを用いるので損な解法です．((3)も同様です．)

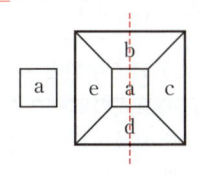

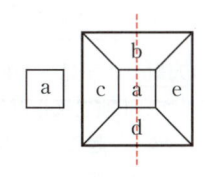

類題 50 立方体の各面にそれぞれ1色を塗る方法について答えよ．ただし，隣り合う面が同じ色でもかまわないとする．また，回転したりひっくり返したりして同じになるものは同一な塗り方とみなす．

[1] 5色を用いて塗る方法は何通りあるか．
[2] 4色を用いて塗る方法は何通りあるか．

(解答▶解答編 p.22)

ITEM 51 確率 独立反復試行：各回3事象

ここからしばらくは，「独立反復試行」の応用です．ITEM 14, 30 で学んだ考え方を，少し捻られた状況の中で使いこなせるようにして，完全に身に付けましょう．

「独立反復試行」の基本型は，各回において2種類の事象が起こりうるタイプですが，本ITEMは3種類となります．

ここがツボ！ 状況次第で，事象を"束ねる"

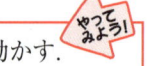

例題51 座標平面上の動点 P を，サイコロを投げて次のように動かす．
　1の目が出れば P を x 軸の正の向きに1だけ移動する．
　2, 3 の目が出れば P を y 軸の正の向きに1だけ移動する．
　4, 5, 6 の目が出れば P を動かさない．
原点 O から出発して，サイコロを6回投げた後の P の座標を (X, Y) として，以下の問いに答えよ．
(1) $(X, Y) = (1, 2)$ となる確率を求めよ．
(2) $X + Y = 4$ となる確率を求めよ．
(3) $Y > 0$ となる確率を求めよ．

方針 まずは，各回における事象とその確率を整理して視覚的に表し，それをもとにして，「独立反復試行」の公式のベースである

　　起こり方の順序の数 × 1つの起こり方の確率　　…（∗）

という考え方を，設問内容に応じて適切に使っていきます．　**事象全体を〈視〉**

解答 各回における P の移動とその確率は次のとおり：

A：「右へ1移動」…$\frac{1}{6}$, B：「上へ1移動」…$\frac{1}{3}$, C：「移動しない」…$\frac{1}{2}$．

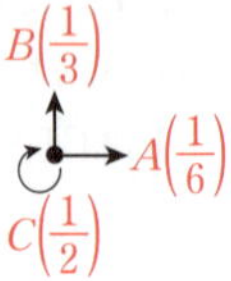

(1) ○ $(X, Y) = (1, 2)$ となるのは，
　「A：1回，B：2回，C：3回」となるときである．

　　○ A, B, C の並べ方は，右図のように
　　　$\frac{6!}{2! \cdot 3!} = \frac{6 \cdot 5 \cdot 4}{2} = 60$（通り）

　　あり，各々の確率は…$\frac{1}{6} \cdot \left(\frac{1}{3}\right)^2 \cdot \left(\frac{1}{2}\right)^3$．

　　○ よって求める確率は，$60 \times \frac{1}{6} \cdot \left(\frac{1}{3}\right)^2 \cdot \left(\frac{1}{2}\right)^3 = \frac{5}{3^2 \cdot 2^2} = \frac{5}{36}$．

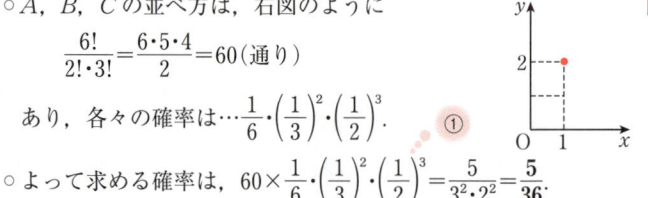

回：1 2 3 4 5 6
$ABBCCC$
$ABCBCC$
$ABCCBC$
⋮
$CCCBBA$

(2) ○ 動点 P について，各回における x, y 座標の和の変化とその確率は次のとおり：

$\begin{cases} A \text{ or } B \text{ のとき「} +1 \text{」} \cdots \frac{1}{6} + \frac{1}{3} = \frac{1}{2}, \\ C \text{ のとき「変化しない」} \cdots \frac{1}{2}. \end{cases}$

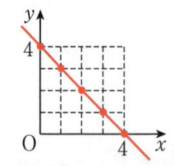

130　→ 13·10 → 2·5·13

- 「$X+Y=4$」となるのは、「$+1$ が 4 回、C が 2 回起きるとき」である。（以下、「$+1$」を「$+$」と表す。）

  ```
  回：1 2 3 4 5 6
      + + + + C C
      + + + C + C
      + + + C C +
              ⋮
      C C + + + +
  ```

- $+$ と C の順序は右のように $_6C_2$ 通りあり、各々の確率が $\left(\dfrac{1}{2}\right)^6$。

- よって求める確率は、$_6C_2 \cdot \left(\dfrac{1}{2}\right)^6 = \dfrac{15}{64}$。 …②

(3) ○ 動点 P について、各回における y 座標の変化とその確率は次のとおり：

$$\begin{cases} A \text{ or } C \text{ のとき「変化しない」} \cdots \dfrac{1}{6} + \dfrac{1}{2} = \dfrac{2}{3}, \\ B \text{ のとき「}+1\text{」} \cdots \dfrac{1}{3}. \end{cases}$$

- 「$Y>0$」とは「少なくとも 1 回 B が起きること」であり、その余事象は「6 回とも A or C が起きること」。

- 以上より、求める確率は

  1 から引くのを忘れずに $1 - \left(\dfrac{2}{3}\right)^6 = 1 - \dfrac{64}{729} = \dfrac{665}{729}$。

解説 (1) では各回 3 種類の事象 A, B, C が起こり得るため、①式はいわゆる反復試行の "公式" の形にはなっていません。しかし、使った考え方は **方針** の (∗) そのものであり、3 種類の文字 A, B, C の並べ方を「同じものを含む順列」の公式で求め、それを各々の確率に掛けています。

重要 (2) では $x+y$ という和の値のみに注目しているため、2 つの事象 A, B を **"束ねて"** 1 つの事象のようにみることにより、事実上各回における事象が 2 種類だけある典型的状況に帰着させています。このように、一見異なる事象を、問題解決に関与する本質的な条件だけに注目して "束ねる" という考え方は、時として絶大なる威力を発揮します。（じっさい、A, B の回数を別個に考えて場合分けすると面倒ですね。）

(3) では y 座標だけに注目するので、2 つの事象 A, C を "束ねて" います。

注意 ②において、「$_6C_2 \cdot \left(\dfrac{1}{2}\right)^4 \left(\dfrac{1}{2}\right)^2$」のように "公式" の形で書いてしまう人が多いですが、ぜひ **解答** のように書きましょう。じつはこれも、「$+, C$ という異なる事象ではあるが、両者の「確率」は等しいので、各々の回数の内訳を気にしない」という、重要な考えを含んでいます。（⇐ **ITEM30** **注意1**、⇒ **類題 72**）

類題 51 A, B 2 人が繰り返し 7 回試合を行う。各試合において、A が勝つ確率は p、B が勝つ確率は q、引き分けの確率が r ($p+q+r=1, p>0, q>0, r>0$) である。

[1] A の 3 勝 2 敗 2 引き分けとなる確率を求めよ。

[2] A がちょうど 4 勝する確率を求めよ。

(解答 ▶ 解答編 p.23)

ITEM 52	確率
	独立反復試行：〜勝したら終了

「独立反復試行」の応用の続きです．今回から3ITEMに渡って，2人，あるいは2チームで試合，ゲームを繰り返し行い，あるルールに基づいて優勝者を決定するタイプを扱います．今回扱うのは，「先に何勝かしたら優勝決定」という，身の回りによくある設定です．

ここがツボ！ 最終回の勝者は決まっている．

例題52 A, B2人が繰り返し試合を行う．各試合において，A, Bが勝つ確率はそれぞれ p, q $(p+q=1, p>0, q>0)$ である．
(1) 7回試合を行うとき，Aの4勝3敗となる確率を求めよ．
(2) 先に4勝した方が優勝とする．ちょうど6試合目にAが優勝を決める確率を求めよ．
(3) 先に4勝した方が優勝とする．ちょうど6試合目に優勝者が決まる確率を求めよ．

方針 もちろん，各回における試合は互いに独立な試行だと考えますから，本問は「独立反復試行」の問題…とわかった瞬間一目散に"公式当てはめ"を目指す人が多いのですが，それは非常に危険です．

(1)はたしかに結果として公式を適用すれば正解となりますが，だとしてもやはり公式のバックボーンである

　　　起こり方の順序の数×1つの起こり方の確率　　…(＊)

という考え方を確認しながら解くようにしてください．

そういう習慣がないとよく間違えてしまう典型問題が(2)なんです．

解答 A：「Aが勝つ」，B：「Bが勝つ」と表す．

(1) ○ A, B の並べ方…右図のように $_7C_3$ 通り．……Bとなる3回を選ぶ
　　○ 上記各々の確率… $p^4 q^3$．
　　○ 以上より，求める確率は，$_7C_3 \cdot p^4 q^3 = 35 p^4 q^3$．

事象の順序を **視**

回	1	2	3	4	5	6	7
	A	A	A	A	B	B	B
	A	A	A	B	A	B	B
	A	A	A	B	B	A	B
	⋮						
	B	B	B	A	A	A	A

(2) ○ 　　　第1〜5戦　　第6戦
　　$\begin{cases} A：3回 \\ B：2回 \end{cases} \rightarrow A$
　　となるから，事象の起きる順序は右のようになる．
　　○ A, B の並べ方… $_5C_2$ 通り．
　　○ 上記各々の確率… $p^4 q^2$．
　　○ 以上より，求める確率は，$_5C_2 \cdot p^4 q^2 = \mathbf{10 p^4 q^2}$．…①

回	1	2	3	4	5	6
	A	A	A	B	B	A
	A	A	B	A	B	A
	A	A	B	B	A	A
	⋮					
	B	B	A	A	A	A

必ず A ！

(3) ちょうど6試合目にBが優勝を決める確率は，(2)においてp, qを入れ替えて，$10p^2q^4$．求める確率は，これと(2)を加えて
$$10p^4q^2+10p^2q^4=\mathbf{10}p^2q^2(p^2+q^2).$$

重要 (1)も(2)も，独立反復試行における基本原理である(*)に基づいて考えることに変わりはありません！　たまたま，(1)の方は世間で"公式"といわれる形になっただけのことです．

注意1

(2)では，一定割合の人が

　　Aの4勝2敗だから $_6C_2 p^4 q^2$　✗

という典型的な誤りを犯してしまいますが，ちゃんと事象の順序を考えて**視覚化**してみれば，右の②や③などのように第6回より前にAが4回起きてしまうものが含まれていることに気付きますね．

回	1	2	3	4	5	6
②	A	A	A	A	B	B
③	A	A	A	B	A	B
	A	A	A	B	B	A
	⋮					
	B	B	A	A	A	A

注意2 (2)の①式は，$\underset{1\sim5回}{_5C_2 \cdot p^3 q^2} \times \underset{6回}{p}$ と書くこともできます．1〜5回の部分に"公式"の形を適用し，それに第6回における起こりやすさの割合を掛けたわけです．ただ，(*)という**基本となる考え方**に立ち返り，さらっと①式が書けるようにしておきましょう．次ITEM以降の問題では，"公式"の結果がそのまま使えないことも多いですから．

補足1 (1)の「$p^4 q^3$」や(2)の「$p^4 q^2$」において
　　　順序を区別して乗法定理を使っている　○○を**区別**❓
という意識は持てていますか？　けっして忘れないでくださいね．（⇐ **ITEM3** **重要**）

補足2 (3)における「ちょうど6試合目にBが優勝を決める確率」は，A, Bの立場を(2)と逆にすればよいですね．

注意3 本問ではp, qの間に$p+q=1$という関係がありますから，答えの式は **解答** と違った形（たとえばpのみの式とか）で表すこともできます． **解答** では，いちばん自然に得られる式をそのままにしました．（次ITEM以降でも同様です．）

　実際の入試では，そもそも問題文において文字pの方しか与えられていないことが多いですが，計算の簡便化を図るため，ぜひBの勝つ確率$1-p$をいったん「q」とおくようにしましょう．

　例題53，**例題54** でも，計算の負担を軽くして本質がわかりやすくするため，本問と同様な設定にしてあります．

ステージ3　入試実戦編　確率

類題 52 サイコロを繰り返し投げるとき，第7回に5度目の4以上の目が出る確率を求めよ．

（解答▶解答編 p.24）

ITEM 53 確率 独立反復試行：〜勝リードで終了

前 ITEM とは優勝決定のルールが変わります．「一方の勝ち数」ではなく，「両者の勝ち数の差」に注目します．

ここがツボ！ 勝ち数の差を「推移グラフ」で視覚化

例題53 A，B 2人が繰り返し試合を行う．各試合において，A，Bが勝つ確率はそれぞれ p, q ($p+q=1$, $p>0$, $q>0$) である．先に3勝リードした方が優勝とするとき，以下の問いに答えよ．
(1) ちょうど5試合目に A が優勝を決める確率を求めよ．
(2) ちょうど9試合目に A が優勝を決める確率を求めよ．
(3) ちょうど8試合目に優勝者が決まる確率を求めよ．

方針 単に「A の何勝何敗」という訳にはいきません．「ちょうど○試合目に」とありますから，途中で優勝が決定してはいないかと，つねに目を光らせていなければならないのです．

(1)の「ちょうど5試合目」くらいなら，せっせと樹形図を書いてもどうにかなりますが，(2)や(3)となると厳しいですね．ここは，<u>途中経過も含めて視覚的に</u>とらえることができる「推移グラフ」（⇐ ITEM37 ）の出番です．

解答 A：「A が勝つ」，B：「B が勝つ」と表す．

(1) ○ちょうど5試合目に A が優勝を決めるとき，A の4勝1敗であり，途中で優勝者が決まらないことも考慮すると右の3通りがある．

樹形図で視
$$A \begin{cases} A-B-A-A \\ B-A-A-A \\ B-A-A-A-A \end{cases}$$

○各々の確率は $p^4 q$．
○よって求める確率は，$\mathbf{3p^4 q}$．

(2) ○A のリード数，すなわち
$(A \text{の回数})-(B \text{の回数})$ を X とすると，
$X=3$ となれば A の優勝，$X=-3$ となれば B の優勝となる．この X の推移を右図に表す．

○8回目まで $-2 \leqq X \leqq 2$ であり9回目で $X=3$ となる推移は，右図のように各点に到る推移の数を書き込むことにより 27 通り．

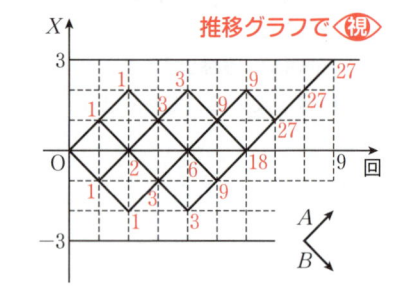

推移グラフで視

○上記の全てが A の6勝3敗であり，各々の確率は $p^6 q^3$．
○よって求める確率は，$\mathbf{27 p^6 q^3}$．

(3) 8回 $\begin{cases} A: k回 \\ B: 8-k回 \end{cases}$ のとき，Aのリード数は

$k-(8-k)=2k-8.$

+3：Aが優勝
−3：Bが優勝

これは偶数だから，±3になることはない．よって，求める確率は，**0**．

重要 決め手となったのは，やはり(2)のグラフです．Aのリード数 X の変化を「推移グラフ」で視覚化することにより，途中で優勝が決まってしまう状況を回避しながら「9試合目にAが優勝を決める」という事象を把握することができましたね．

注意 つい「途中でAが優勝 ($X=3$)」だけに気を取られがちですが，「途中でBが優勝 ($X=-3$)」も避けなければいけないことも忘れずに．　モレなく　ダブりなく

参考 (1)程度なら樹形図で充分ですが，もちろんここでも推移グラフを用いることができます．右図のグラフを見ると，**解答** より自信を持って「3通り」と断言できますね．

補足 (3)では8回後において X が偶数でしかあり得ないことから $X \neq \pm 3$ を示しましたが，これも(2)のグラフを見て「無理」だと見抜けているからこそ，「不可能であることをいかにして示すか？」と考えて得られたものです．

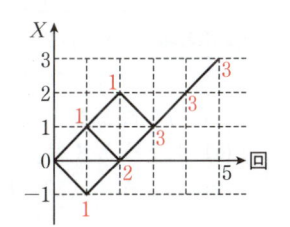

とにかく，本問の **解答** を支配しているもの，それは「推移グラフ」です．

類題 53 箱の中に「2」と書かれたカード1枚と「−1」と書かれたカード2枚の計3枚のカードが入っている．そこから1枚取り出してそこに書かれた数を記録してもとに戻す試行を繰り返す．取り出されたカードに書かれた数の合計を X とし，$|X| \geq 4$ となった時点で試行を終了する．

[1] ちょうど8回目の試行で終了となる確率を求めよ．
[2] ちょうど9回目の試行で終了となる確率を求めよ．

(解答▶解答編 p.24)

ITEM 54 確率 独立反復試行：デュース

よくテニスのゲームなどにおいて「デュース」と呼んでいるルールです．ゲームポイントとを握ったかと思えば追いつかれ，逆に相手にゲームポイントを握られた後また挽回して…そんなこんなが何度も繰り返されたりしますね．

前 ITEM の「3勝リード」が「2勝リード」に変わったものに過ぎないのですが，それだけで起こり得る事象がずいぶん単純化され，回数が多くなっても処理可能となります．

ここがツボ！ 取って取られて…その繰り返しを推移グラフで視覚化

例題54
A，B 2人が繰り返し試合を行う．各試合において，A，B が勝つ確率はそれぞれ p, q $(p+q=1, p>0, q>0)$ である．先に2勝リードした方が優勝とするとき，以下の問いに答えよ．
(1) ちょうど8試合目にAが優勝を決める確率を求めよ．
(2) ちょうど n 試合目にAが優勝を決める確率を求めよ．

解答 A：「Aが勝つ」，B：「Bが勝つ」と表す．

(1) ○Aのリード数，すなわち
$(A の回数)-(B の回数)$ を X とすると，$X=2$ となればAの優勝，$X=-2$ となればBの優勝 となる．この X の推移を右図に表す．

○7回目まで $-1 \leq X \leq 1$ であり8回目で $X=2$ となる推移は，右図のように
　　AB or BA を3回繰り返した後 AA．

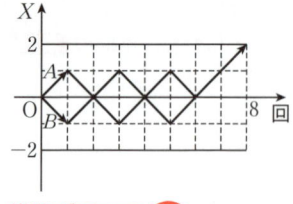

○よって求める確率は
$$(pq+qp)^3 \cdot pp = 8p^5q^3.$$

推移グラフで 視

(2) ○優勝者が決まっていない段階では，n 回後において
$$\begin{cases} n \text{ が偶数のとき}\cdots X=0, \\ n \text{ が奇数のとき}\cdots X=-1 \text{ or } 1. \end{cases} \cdots ①$$

○よって n が奇数のとき，求める確率は，**0**．

○n が偶数のとき，$n=2m$ (m は自然数) とおく．$2m-1$ 回目まで $-1 \leq X \leq 1$ であり $2m$ 回目で $X=2$ となる推移は，(1)と同様に
　　AB or BA を $m-1$ 回繰り返した後 AA．
よって求める確率は
$$(pq+qp)^{m-1} \cdot pp = p^2(2pq)^{m-1} \cdots ②$$
$$= p^2(2pq)^{\frac{n}{2}-1}. \cdots ②'$$

解説 今回も，(1)で描いた推移グラフが全てを物語っています．ほとんど何も言うことがないほどです．(笑)

「2勝リード」(デュース方式)の本問では，「3勝リード」の **例題53** とは打って変わって推移グラフがシンプルになり，"書き込み方式"は不要となりましたね．

別解 (1)
- 条件を満たす A, B の並べ方は，第1, 2回，第3, 4回，第5, 6回においてそれぞれ AB, BA のどちらになるかで $2^3 = 8$ (通り)．(第7, 8回は AA．)
- 上記各々の確率… $p^5 q^3$．
- 以上より，求める確率は $8p^5 q^3$．

こちらの方が，独立反復試行っぽく見えやすいかもしれません．

補足1 ①をきちんと説明するなら，「数列」(数学B)で学ぶ「帰納的」な論法によります (⇨ p.166 **特講E** [2](2))．つまり $X=0$ から始め，

$\begin{cases} 直前において X=0 \text{ なら，直後は } X = \pm 1 \\ 直前において X=\pm 1 \text{ なら，直後は } X=0 (\because X \neq \pm 2) \end{cases}$

というルールによって順次 X の値を定めていくことによってわかります．

補足2 (2)の後半で n が偶数のときを考える際，$n=2m$ (m は自然数)と表すとその後の作業がしやすいです．ただし，最終結果は②′のように問題文で与えられた文字「n」で表すべきですので，最後に「m」を「$\frac{n}{2}$」に書き換えています．

注意 その最終結果が n を用いた文字式ですので，そこに簡単な数値を入れて検算しましょう．たとえば本問では②′の n に 8 を代入し，すでに(1)で求めてある確率と一致することを確かめましょう．

発展 ITEM 52 から見てきた「独立反復試行による優勝決定」タイプの問題として，あと1つ：「2連勝で優勝」を Stage 4・ITEM 70 で，「数列」(数学B)と絡めて取り上げます．また，それをさらに複雑にした「巴戦」という方式を Stage 5・ITEM 92 で扱います．

等比数列の和

参考 本問において，②を $m=1, 2, 3, \cdots, M$ について加えることにより，「第 $2M$ 回までに A が優勝を決める確率」が得られます．前記 ITEM 70 では，このテーマも扱います．

類題 54 2枚のコインを同時に投げ，2枚とも表なら1点を得て，そうでなければ1点を失うゲームを行う．このゲームにおける合計得点を X とし，$|X|=2$ となった時点でゲームを終了する．ちょうど $2m$ 回後 (m は自然数) に終了する確率を求めよ．

(解答 ▶ 解答編 p.25)

ITEM 55 確率 積が2，6の倍数

よくわかった度チェック！

今回と次回で，いくつかの数の積が何かの倍数になる確率を考えます．上手に解くか否かで著しく差がつく問題です．ポイントは，事象の<u>全体像</u>を見極めることです．

ここがツボ！ 素因数が「ある」か，「ない」かを，カルノー図で視覚化．

例題55 サイコロを n 回投げ，出た目すべての積を X とする．
(1) X が偶数である確率を求めよ．
(2) X が6の倍数である確率を求めよ．

着眼
(1) まずは，$n=4$ くらいで例を作ってみましょう．出た目を順に並べた組を $(○, ○, ○, ○)$ と表します．

$(5, 1, 2, 5) \to X = 5\cdot\underline{2}\cdot 5$ →偶数
$(3, 4, 1, 6) \to X = 3\cdot\underline{4}\cdot\underline{6}$ →偶数
$(2, 5, 6, 2) \to X = \underline{2}\cdot 5\cdot\underline{6}\cdot\underline{2}$ →偶数

けっこう簡単に偶数（2の倍数）ができますね．逆に奇数（2の倍数でない）を作ろうとすると…

$(5, 1, 3, 5) \to X = 5\cdot 3\cdot 5$ →奇数
$(3, 3, 5, 3) \to X = 3\cdot 3\cdot 5\cdot 3$ →奇数

これらを観察することにより，次のような「事象の全体像」が見えてきます．

偶数の目が出る回数： $\underbrace{0}_{\text{求めやすい}}, \underbrace{1, 2, \cdots, n}_{\text{求めたい}}$　事象全体を〈視〉

求めたい事象には数多くの場合があるので，<u>余事象</u>の方が<u>求めやすい</u>ですね．

(2) これはじつは，確率以外の分野の重要事項を含んでいます．それは

　6は $2\cdot 3$ と**素因数分解**されるから，

　「2の倍数であること」と「3の倍数であること」に分解して考える

という「整数」（数学A）における"常識"です．ここを抑えていないと完全に的外れな解答にしかなりませんので悪しからず…

解答
(1) ○ A：「積 X が偶数」 i.e.「少なくとも1回は偶数」．
　の余事象は
　　　$\overline{A}$：「n 回とも奇数」．
○よって求める確率は
$$P(A) = 1 - P(\overline{A}) \quad \text{順序を区別している}$$
$$= 1 - \left(\frac{3}{6}\right)^n = 1 - \left(\frac{1}{2}\right)^n.$$

138　→ $2\cdot 69$ → $2\cdot 3\cdot 23$

(2) ○6は$2\cdot 3$と素因数分解されるから，
B：「積Xが3の倍数」
とすると，
「Xが6の倍数」$\iff$「$A\cap B$」．
よって求める確率は$P(A\cap B)$．

○B：「少なくとも1回が3 or 6」だから，その余事象は
$\overline{B}$：「n回とも1, 2, 4, 5」．
また，$\overline{A}\cap\overline{B}$：「$n$回とも1, 5」．

○よって求める確率は
$$P(A\cap B)=1-\{P(\overline{A})+P(\overline{B})-P(\overline{A}\cap\overline{B})\}$$
$$=1-\left\{\left(\frac{3}{6}\right)^n+\left(\frac{4}{6}\right)^n-\left(\frac{2}{6}\right)^n\right\}$$
$$=1-\left(\frac{1}{2}\right)^n-\left(\frac{2}{3}\right)^n+\left(\frac{1}{3}\right)^n.$$

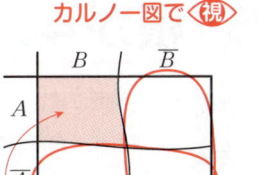

カルノー図で〈視〉

求めたい　求めやすい

2の倍数→○　　○　　○
目：1　2　3　4　5　6
3の倍数→　　△　　　　△

重要 **着眼**で述べた通り，(2)は6を**素因数分解**して2つの事象A, Bが絡んだ問題として捉え直したので，原則通り「カルノー図」を用います．とくに本問ではA, Bそのものより，余事象$\overline{A}$, $\overline{B}$の方に注目しますので，ベン図ではなくカルノー図が断然有利です．（⇨ ITEM22 **重要**）

注意 上記の素因数分解の有効性を知っている人なら，(2)で「6の目が出るかどうか」に注目するのは完全な的外れだとわかりますね．

参考 (1)と同様にして$P(B)$を求めると
$$P(B)=1-\left(\frac{4}{6}\right)^n=1-\left(\frac{2}{3}\right)^n.$$

試しにこれと$P(A)$を掛けてみると
$$P(A)P(B)=\left\{1-\left(\frac{1}{2}\right)^n\right\}\left\{1-\left(\frac{2}{3}\right)^n\right\}=1-\left(\frac{1}{2}\right)^n-\left(\frac{2}{3}\right)^n+\left(\frac{1}{3}\right)^n$$

となり，(2)の答えと一致しています．ですが2つの事象A, Bは，どちらも「サイコロをn回投げる」という同一な試行における事象ですので，互いに影響を及ぼす可能性があり，少なくとも絶対に無関係と断定できるわけではありません．よって，$P(A\cap B)=P(A)P(B)$ …① によって(2)を解答するのは誤りです．**独立試行？**

発展 「統計的推測」（数学B）においては，①が成り立つことが「A, Bが**事象として独立**である」ための必要十分条件であることが有名です．（⇨ ITEM66 ⓒ）

類題 55 1, 2, 3, …, 10の10枚のカードが入った箱から，カードを1枚取り出して書かれた数字を記録してもとに戻す操作をn回繰り返す．記録されたn個の数の積をXとして次の問いに答えよ．

[1] Xが5の倍数である確率を求めよ．

[2] Xが10の倍数である確率を求めよ．

(解答▶解答編 p.25)

ITEM 56 確率 積が4, 12の倍数

前問に続いて，サイコロの目の積が何かの倍数になる確率を扱います．今回の方が注目すべき素因数が多くなるので複雑です．

ここがツボ！ 含まれる素因数の次数に注目．

例題56 サイコロを n 回投げ，出た目すべての積を X とする．
(1) X が 4 の倍数である確率を求めよ．
(2) X が 12 の倍数である確率を求めよ．

方針
(1) 例題55 (2)と同じです．大事な数は「4」ではありません．$4=2^2$ ですので，「素因数 2」に注目するのが正しい方針です．
(2) こちらも $12=2^2\cdot 3$ ですから，素因数 2 と 3 に注目です．

解答
(1) ○ $4=2^2$ だから，X が含む素因数 2 の次数を a とすると
A：「X が 4 の倍数」$\iff$「$a\geq 2$」．

○これの余事象は $\overline{A}$：「$a=0, 1$」，つまり
$\begin{cases} a=0\cdots\text{「}n\text{ 回とも奇数 1, 3, 5」，or} \\ a=1\cdots\text{「2 or 6 が 1 回で，他の }n-1\text{ 回は 1, 3, 5．」} \end{cases}$

素因数 2 を 1 つだけ含む

○ $a=1$ の確率は，2 or 6 の目が何回目に出るかを考えて
$n\times\dfrac{2}{6}\left(\dfrac{3}{6}\right)^{n-1}$． …①
←注意！

○以上より求める確率は
$P(A)=1-P(\overline{A})$ 1から引くことを忘れずに
$=1-\left\{\left(\dfrac{3}{6}\right)^n+n\cdot\dfrac{2}{6}\left(\dfrac{3}{6}\right)^{n-1}\right\}$
$=1-\left\{\left(\dfrac{1}{2}\right)^n+\dfrac{n}{3}\left(\dfrac{1}{2}\right)^{n-1}\right\}$
$=1-\left(1+\dfrac{2}{3}n\right)\left(\dfrac{1}{2}\right)^n$． $\left(\dfrac{1}{2}\right)^{n-1}=\left(\dfrac{1}{2}\right)^n\cdot\left(\dfrac{1}{2}\right)^{-1}=2\left(\dfrac{1}{2}\right)^n$

(2) ○ $12(=2^2\cdot 3)$ だから，
B：「X が 3 の倍数」
とすると，
「X が 12 の倍数」$\iff$「$A\cap B$」．
よって求める確率は $P(A\cap B)$．

140 → 14・10 → $2^2\cdot 5\cdot 7$

○ B：「少なくとも1回が3 or 6」だから，その余事象は
　　$\overline{B}$：「n回とも1，2，4，5」．

　また，$\overline{A} \cap \overline{B}$：$\begin{cases} \text{「n回とも1，5」，or} & \cdots ② \\ \text{「2が1回で，他の$n-1$回は1，5」．} & \cdots ③ \end{cases}$

○ ③の確率は2の目が第何回に出るかを考えて
　　$n \times \dfrac{1}{6} \cdot \left(\dfrac{2}{6}\right)^{n-1}$．　…③′

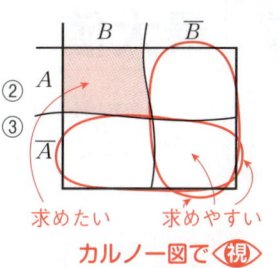

○ よって求める確率は
$$P(A \cap B) = 1 - \{P(\overline{A}) + P(\overline{B}) - P(\overline{A} \cap \overline{B})\}$$
$$= 1 - \left[\left\{\left(\dfrac{3}{6}\right)^n + n \cdot \dfrac{2}{6}\left(\dfrac{3}{6}\right)^{n-1}\right\} + \left(\dfrac{4}{6}\right)^n - \left\{\left(\dfrac{2}{6}\right)^n + n \cdot \dfrac{1}{6}\left(\dfrac{2}{6}\right)^{n-1}\right\}\right]$$

指数の底が等しいものごとに整理　$= 1 - \left(1 + \dfrac{2}{3}n\right)\left(\dfrac{1}{2}\right)^n - \left(\dfrac{2}{3}\right)^n + \left(1 + \dfrac{n}{2}\right)\left(\dfrac{1}{3}\right)^n$．

解説 前ITEMの「2の倍数」における「素因数2が1個以上か0個か」が，本問の「4の倍数」では「素因数2が2個以上か0，1個か」に変わりました．$4 = 2^2$ですから当然といえますね．

　また，$\overline{A} \cap \overline{B}$ を把握する際，$\overline{A}$ に「$a=0$」，「$a=1$」という2つのケースがあるので，「$a=0$かつ$\overline{B}$」…②，「$a=1$かつ$\overline{B}$」…③の2つの事象に分けて考えました．

重要 ①において，乗法定理(独立試行)を用いた「$\dfrac{2}{6}\left(\dfrac{3}{6}\right)^{n-1}$」の部分では**順序を区別して**考えています．したがって，2 or 6の目が第何回に出るかを考えて「$n \times$」を付けなければなりません．（⇐ **ITEM14**）

　ちなみにこの①や③′は，ITEM 30の「独立反復試行」における確率そのものです．じっさい，①は $_nC_1 \cdot \dfrac{2}{6}\left(\dfrac{3}{6}\right)^{n-1}$ と書くこともできますね．

注意 (1)「$a=1$」において，4の目が1度でも出てしまうと，それだけで積Xは2個以上の素因数2を含んでしまいます．よって，偶数の目のうち可能なのは2 or 6($= 2 \cdot 3$)だけです．

参考 前回と違い，今回は $P(A \cap B) = P(A)P(B)$ が成り立ちません．これが"普通"であり， **例題55** が例外的だったのです．

類題 56 1，2，3，…，10と書かれたカードが1枚ずつ，計10枚入っている箱がある．この箱からカードを1枚取り出し，そこに書かれた数字を記録して箱に戻すことをn回繰り返す．このとき記録されたn個の数字の積をXとするとき，Xが9の倍数となる確率を求めよ．

(解答▶解答編 p.26)

ITEM 57 確率 最大値

「最大値」という，数学では頻出のテーマを扱います．今回の例題自体はあまり難しくないので，「なんとなく雰囲気で」解けてしまう人もいるかもしれませんが，今後のステップアップにつながるよう，事象を"論理的に"捉えましょう．

ここがツボ! 「最大値」の定義に立脚して

例題57 サイコロを n 回投げるとき，出た目の最大値が 5 である確率を求めよ．

着眼 たとえば実数 x の関数 $f(x)$ の「**最大値が 5 である**」ことを，数学の世界では次のように**定義**します．（$f(x)$ の最大値を「$\max f(x)$」と表します．）

$$\lceil \max f(x)=5 \rfloor \underset{\text{def}}{\Longleftrightarrow} \begin{cases} \lceil \text{つねに } f(x) \leqq 5 \text{（定数）}\rfloor \text{かつ} \\ \lceil \text{上記等号を満たす } x \text{ が存在する}\rfloor. \end{cases}$$

大学以降の…

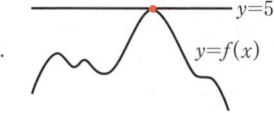

定義 : definition

少し難しく感じる人もいるかもしれませんが，右のグラフを見ながら納得しておいてください．

これを見るとわかるように，「最大値」という概念は，実は2つの条件から構成されており，それぞれの下線部は

　　「つねに」→明快
　　「存在する」→あいまい　　「少なくとも1つ存在する」の意

です．こんな状況で使うものといえば，もうおわかりですね．

解答

○「最大の目が 5」$\Longleftrightarrow \begin{cases} A: \lceil \text{全ての目が } 5 \text{ 以下}\rfloor \text{かつ} \\ B: \lceil \text{少なくとも } 1 \text{ つの目が } 5 \rfloor. \end{cases}$

よって求める確率は，$P(A \cap B)$．

○ $\overline{B}$:「全ての目が 5 以外」だから
　　$A \cap \overline{B}$:「全ての目が 4 以下」．

よって求める確率は

$$P(A \cap B) = P(A) - P(A \cap \overline{B})$$
$$= \left(\frac{5}{6}\right)^n - \left(\frac{4}{6}\right)^n$$
$$= \left(\frac{5}{6}\right)^n - \left(\frac{2}{3}\right)^n.$$

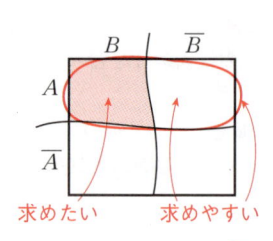

求めたい　　求めやすい

カルノー図で視

解説 着眼で述べた通り，「最大の目が 5」という題意の事象を構成する 2 つのうち，A は明快，一方の B はあいまいです．そこで，確率 $P(A \cap B)$ を求めるにあたって，明快な A はそのまま活かすとして，あいまいな B は余事象を利用したい…ですが…こ

のときカルノー図を見れば，単純に「$\overline{B}$」を使うより，解答 にあるとおり $A\cap\overline{B}$ の方がよりストレートに解決につながることがわかりますね．

そして，A, $\overline{B}$ がどちらも明快な事象なので，$A\cap\overline{B}$ も 解答 にあるとおり非常に明快になります．

参考 本問には，誘導としてよく「目の最大値が5以下の確率」が付けられます．

「最大の目が5以下」$\Longleftrightarrow A$：「全ての目が5以下」ですから，この確率は簡単です．そして"賢い"人は右のベン図のようなイメージが浮かんで

$$P(\text{全て5以下}) - P(\text{全て4以下}) = \left(\frac{5}{6}\right)^n - \left(\frac{4}{6}\right)^n$$

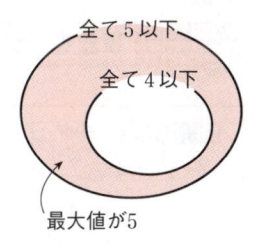

という「答え」が見えてしまうかもしれません．もちろんそれが見抜けることはそれなりに"偉い"のですが…ここをこんなふうに"感性"ですり抜けてしまうと，次ITEMで早くも行き詰ってしまいます．

着眼 本問は，下のような典型的誤答を作ってしまいがちな問題です．ITEM 6 の 注意 で取り上げた"主役脇役ダブルカウント"という典型的誤答例です．以下，ワルイこと書きますから，例によって「よく見ちゃダメよ．」

〔誤答〕
- n 回のうち，少なくとも1回は5の目が出る．
- 上記で注目した5の目が出る回は，$1\sim n$ の n 通り．　"主役" "脇役"
- 残りの $n-1$ 回は5以下なら何でもよい．
- 以上より，求める確率は
$$n\cdot\left(\frac{5}{6}\right)^{n-1}.$$

〔$n=3$ のときの誤答例〕

1回	2回	3回	
⑤			まず第1回を5にし…
		↓	
⑤	2	5	他は5以下なら何でもいーやと
		⑤	まず第3回を5にし…
		↓	
5	2	⑤	他は5以下なら何でもいーやと

モレなく ダブりなく

なお，重複がない（同じものが複数回現れない）状況では，困ったことに(？)，上記と同じことをしても正解が得られてしまいます．

類題 57 0, 0, 1, 1, 2, 2, 3, 3, …, 9, 9 と書かれた20枚のカードから3枚を取り出すとき，そこに書かれた数の最大値が4である確率を求めよ．

ITEM 58 確率 最大値，最小値

前回に続いて「最大値」を扱います．そこで強調した，最大という現象を2つの事象によって構成するという手法を，より発展的な状況の中で応用していきます．

> **ここがツボ！** 事象を，分析的にとらえる．

例題58 サイコロを n 回投げるとき，出た目の最大値を X，最小値を Y とする．
(1) $X=5$, $Y=2$ となる確率を求めよ．
(2) $X-Y=3$ となる確率を求めよ．

着眼 前 ITEM で見たように，$X=5$ だけでも2つの事象から構築されており，けっこう複雑な事象です．今回はそこに $Y=2$ というまったく同様の事象まで加わりましたので，綿密に方針を立てて臨みましょう．もちろん，事象の全体像を視覚的に捉えながら．

解答

(1) ○「最大の目 $X=5$」$\iff$ $\begin{cases} \text{「全ての目が 5 以下」}\cdots \text{①　かつ} \\ \text{「少なくとも 1 つの目が 5」} \end{cases}$

「最小の目 $Y=2$」$\iff$ $\begin{cases} \text{「全ての目が 2 以上」}\cdots \text{②　かつ} \\ \text{「少なくとも 1 つの目が 2」} \end{cases}$

○ 上記をまとめて

$X=5, Y=2 \iff \begin{cases} A: \text{「全ての目が 2 以上 5 以下」} \\ \text{かつ} \\ B: \text{「少なくとも 1 つの目が 5」} \\ \text{かつ} \\ C: \text{「少なくとも 1 つの目が 2」} \end{cases}$

よって求める確率は，$P(A \cap B \cap C)$．

○ $\overline{B}$：「全ての目が 5 以外」だから
$A \cap \overline{B}$：「全ての目が 2, 3, 4」．

同様にして
$A \cap \overline{C}$：「全ての目が 3, 4, 5」，
$A \cap \overline{B} \cap \overline{C}$：「全ての目が 3, 4」．

○ よって求める確率は

$P(A \cap B \cap C) = P(A) - \{P(A \cap \overline{B}) + P(A \cap \overline{C}) - P(A \cap \overline{B} \cap \overline{C})\}$

$= \left(\dfrac{4}{6}\right)^n - \left(\dfrac{3}{6}\right)^n - \left(\dfrac{3}{6}\right)^n + \left(\dfrac{2}{6}\right)^n$

$= \left(\dfrac{2}{3}\right)^n - 2 \cdot \left(\dfrac{1}{2}\right)^n + \left(\dfrac{1}{3}\right)^n$．

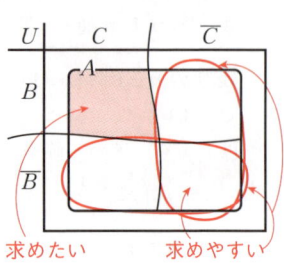

「キャロル表」で（視）

求めたい　　求めやすい

(2) ○ $X-Y=3$ となる (X, Y) は
$$(X, Y)=(k+3, k) \quad (k=1, 2, 3) \quad \cdots k=2 \text{ が (1) です}$$
の 3 通り.

○ この事象は，(1)において
$$A \text{ を「全ての目が } k \text{ 以上 } k+3 \text{ 以下」},$$
$$A \cap \overline{B} \text{ を「全ての目が } k, k+1, k+2\text{」},$$
$$A \cap \overline{C} \text{ を「全ての目が } k+1, k+2, k+3\text{」},$$
$$A \cap \overline{B} \cap \overline{C} \text{ を「全ての目が } k+1, k+2\text{」}$$
にしたものであり，その確率は(1)と同じである.

○ よって求める確率は
$$3\left\{\left(\frac{2}{3}\right)^n - 2\cdot\left(\frac{1}{2}\right)^n + \left(\frac{1}{3}\right)^n\right\}.$$

解説 「$X=5$」と「$Y=2$」を合わせると計 4 つの事象で構成されますから大変ですね．しかし，まず明快な①と②をまとめて事象 A を作れば 3 つになりますからなんとかなりそうです．

重要 それでもまだ関門が残っています．3 つの事象が関与するときは，ITEM 22 で述べたように「ベン図」を用いて集合の包含関係を図示するのが普通ですが，今回のように

$$A : \underline{\text{明快}} \to \text{輪の内側に注目}$$
$$B, C : \underline{\text{あいまい}} \to \text{輪の外側（余事象）に注目}$$

となっていると扱いづらいですね．そこで，「ベン図」と「カルノー図」を合わせて作られる「キャロル表」を使いました．これなら，明快な事象 A だけはベン図的に輪の内外で表しますが，あいまいな B, C に関してはカルノー図的に線の上下，左右で表しますのでそれらの余事象を考えるときにも苦になりませんね．（ちなみに，この表を発明したのは，かのルイス・キャロルだとのことです．）

参考 もちろん，「最小値 $Y=2$」単独なら，**例題57** とまったく同様に解けます.

注意 ただし，「最大値 $X=5$」と「最小値 $Y=2$」は無関係とは断言できませんから，これらの確率どうしを掛けたって本問の答えは得られませんよ． **独立試行？**

類題 58 0, 0, 1, 1, 2, 2, 3, 3, …, 9, 9 と書かれた 20 枚のカードから 3 枚を取り出すとき，そこに書かれた数の最大値が 6，最小値が 3 である確率を求めよ.

(解答 ▶ 解答編 p. 27)

ITEM 59 確率 第○回に△度目の（反復試行）

ある試行を繰り返し，指定された回に，指定されたことが起きる事象を考えます．本ITEMは単純な独立反復試行（復元抽出）であり，すでに ITEM 52「〜勝したら終了」においてもかなり近い内容を扱っています．

ここがツボ！ 指定された回以前はどうなっていたのか？

例題59 サイコロを繰り返し投げるとき，以下の問いに答えよ．
ただし，n は 3 以上の整数とする．
(1) 第 n 回に 3 度目の 1 の目が出る確率を求めよ．
(2) 1 の目が 2 回出るか，もしくは 2 の目が 2 回出たら終了とする．第 n 回に終了する確率を求めよ．

着眼 どの「回」に，どんな「事象」が起きるのか．それが一目でわかるように記号化→視覚化を行いましょう．

解答 (1) 1 以外の目を「○」で表す．**事象を記**

$\circ$ 1回〜$n-1$回　　　n回
$\begin{cases} 1：2回 \\ ○：n-3回 \end{cases} \to 1$

例を視
回: 1　2　3　$\cdots$　$n-2$　$n-1$ | n
　　○　1　○　　　　1　　　○ | 1

となる確率を求めればよい．

$\circ$ 1回〜$n-1$回において考えると，「1」と「○」の出る順序は ${}_{n-1}C_2$ 通りあり，各々の確率は $\left(\dfrac{1}{6}\right)^2\left(\dfrac{5}{6}\right)^{n-3}$．　**順序を区別？**

$\circ$ 第 n 回が「1」であることも考えて，求める確率は

$$\underbrace{{}_{n-1}C_2\left(\frac{1}{6}\right)^2\left(\frac{5}{6}\right)^{n-3}}_{①}\cdot\frac{1}{6}=\frac{(n-1)(n-2)}{2}\cdot\left(\frac{1}{6}\right)^3\left(\frac{5}{6}\right)^{n-3}$$
$$=\frac{(n-1)(n-2)}{250}\cdot\left(\frac{5}{6}\right)^n.$$

(2) 1, 2 以外の目を「△」で表す．**事象を記**

$\circ$ 1 の目が 2 回出て終了する場合を考える（2 の目の方も同様である）．
次の 2 つの場合がある．　　　　　　　**例を視**

ⅰ) 1回〜$n-1$回　　　n回　　　回: 1　2　3　$\cdots$　$n-2$　$n-1$ | n
　$\begin{cases} 1：1回 \\ △：n-2回 \end{cases} \to 1$　　　　　△　1　△　　　　△　　　△ | 1

ⅱ) 1回〜$n-1$回　　　n回　　　回: 1　2　3　$\cdots$　$n-2$　$n-1$ | n
　$\begin{cases} 1：1回 \\ 2：1回 \\ △：n-3回 \end{cases} \to 1$　　　△　2　△　　　　1　　　△ | 1

○ i)について．1回〜$n-1$回において考えると，「1」と「△」の出る順序は，$_{n-1}C_1=n-1$(通り)あり，各々の確率は$\left(\dfrac{1}{6}\right)\left(\dfrac{4}{6}\right)^{n-2}$．

○ ii)について．1回〜$n-1$回において考えると，「1」と「2」と「△」の出る順序は，$(n-1)(n-2)$通りあり，各々の確率は$\left(\dfrac{1}{6}\right)^2\left(\dfrac{4}{6}\right)^{n-3}$．

②

○ 第n回が「1」であること，および2の目が2回出て終了する場合も考えて，求める確率は

$$2\times\left\{(n-1)\cdot\left(\dfrac{1}{6}\right)\left(\dfrac{4}{6}\right)^{n-2}\cdot\dfrac{1}{6}+(n-1)(n-2)\left(\dfrac{1}{6}\right)^2\left(\dfrac{4}{6}\right)^{n-3}\cdot\dfrac{1}{6}\right\}$$
$$=2(n-1)\left(\dfrac{4}{6}\right)^n\left(\dfrac{1}{4^2}+\dfrac{n-2}{4^3}\right)=\dfrac{(n-1)(n+2)}{32}\cdot\left(\dfrac{2}{3}\right)^n.$$

重要 (1)では「1の目か否か」だけが重要ですから，2以上の目は区別せず「○」と記号化しました．こうすると**視覚化**が容易になり，思考も楽ですね．(2)でも同様に，3以上の目を「△」と記号化しました．

解説 いつもの話で恐縮ですが…

①では，「1」と「○」の出る順序を考えました．ちなみに①は，独立反復試行における公式そのものですね．

②では，「1」と「2」を<u>区別して</u>並べ方を考えているので，二項係数ではなく$(n-1)(n-2)(=_{n-1}P_2)$となります．　○○を区別 ？

注意 (1)の①を含んだ式：

$$_{n-1}C_2\left(\dfrac{1}{6}\right)^2\left(\dfrac{5}{6}\right)^{n-3}\cdot\dfrac{1}{6}$$

は，1〜$n-1$回の部分に"公式"の形を適用し，それに第n回に1の目が出る起こりやすさの割合を掛けたものです．もちろん，1〜n回全体での確率を考えて

$$_{n-1}C_2\left(\dfrac{1}{6}\right)^3\left(\dfrac{5}{6}\right)^{n-3}$$

と書くこともできます．(← **ITEM52** 注意2)

補足 各設問の最終結果は，それぞれ次のように表すこともできます．(他の形も考えられます．)

(1)：$\dfrac{(n-1)(n-2)\cdot 5^{n-3}}{2\cdot 6^n}$　　(2)：$\dfrac{(n-1)(n+2)\cdot 2^{n-5}}{3^n}$．

類題 59 ジョーカーを除いた52枚のトランプから1枚取り出して元に戻すことを繰り返す．このとき，第n回に4度目のスペードカードが取り出される確率を求めよ．ただし，nは4以上の自然数とする．

(解答▶解答編 p.28)

$\to 3\cdot 49 \to 3\cdot 7^2$

ITEM 60 確率 第○回に△度目の（非復元）

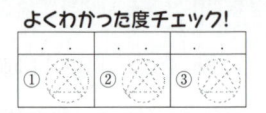

前ITEMとよく似た事象を扱いますが，今回は「非復元抽出」ですから毎回異なる状況で試行を行うことになり，かなり難しそうに思えるでしょうが…じつは，そうでもないんです．

> **ここがツボ！** 注目していることのみ考える．

例題60 赤玉4個，白玉10個が入った箱から，1個ずつ順に玉を取り出す（取り出した玉はもとに戻さない）．第 n 回に3個目の赤玉が取り出される確率を求めよ．ただし，$3 \leq n \leq 13$ とする．

方針 まずはごく自然に．「第 n 回に3個目の赤」が出た時点で題意の事象は確定ですから，第 n 回までのことだけ考えます．

「第 n 回は赤」と決まっています．一方，$n-1$ 回までの順序は関係ないので，無視して「組合せ」を考えます．例題12Bで見たように，重複がなければ組合せも等確率になりますので．もちろん，等確率性の確保のため，玉は全て区別して．

解答1

赤玉を R，白玉 W と表す．また，全ての玉を区別する．

R_1, R_2, R_3, R_4
$W_1, W_2, W_3, \cdots, W_{10}$

1回〜$n-1$回　　n回
$\begin{cases} R : 2回 \\ W : n-3回 \end{cases} \to R$
　　　①　　　　　②

玉を 記

1回〜$n-1$回 ｜ n回
……R…R…… ｜ R
…はW

事象を 視

となる確率を求めればよい．

○①について．

1回〜$n-1$回に取り出される玉の組合せ：${}_{14}C_{n-1}$ 通りの各々は等確率であり，そのうち①を満たすものは ${}_4C_2 \cdot {}_{10}C_{n-3}$ 通り．

○②について．　赤　　白

①が起きたとき，箱の中は右図のようになっている．よって，①のもとで②の確率は，$\dfrac{2}{15-n}$．

箱の状況を 視

R : 2個, W : $13-n$ 個　計 $15-n$ 個
$14-(n-1)$

○よって求める確率は　　①のとき②が起きる「条件付き確率」

$\dfrac{{}_4C_2 \cdot {}_{10}C_{n-3}}{{}_{14}C_{n-1}} \cdot \dfrac{2}{15-n} = \dfrac{6 \cdot 10!(n-1)!(15-n)!}{14!(n-3)!(13-n)!} \cdot \dfrac{2}{15-n}$　…③

$= \dfrac{6 \cdot 2}{14 \cdot 13 \cdot 12 \cdot 11} \cdot \dfrac{(n-1)(n-2)(15-n)(14-n)}{15-n}$

$= \dfrac{(n-1)(n-2)(14-n)}{2002}$．

解説1 いちおうソツなく解答したつもりなのですが…③の後が"約分の嵐"でしたね．

$\to 4 \cdot 37 \to 2^2 \cdot 37$

こんな時は ITEM 28 解説 で述べたように，もっと効率的な解法があるものです．
　考えてみれば，①や②において，赤の何番，白の何番が出るかはどうでもいいことです．改めて見直してみれば，問題で問われていることは「赤が出る回」のみですから，そのことだけに注目してみます．

解答2
○14個の玉を全て取り出すとき第何回に赤玉が出るかに注目する．…④
○赤玉が出る4つの「回」の選び方：$_{14}C_4$ 通りの各々は**等確率**．…⑤
○そのうち題意を満たすものを考える．

$\begin{cases} 1回～n-1回で R が出る回\cdots {}_{n-1}C_2 通り, \\ n+1回～14回で R が出る回\cdots 14-n 通り. \end{cases}$

　　　　　　　　1回～n−1回　｜n 回｜n+1回～14回
　　　　　　　　……R…R……　｜ R ｜………R……

事象を⟨視⟩

○以上より求める確率は

$$\frac{{}_{n-1}C_2 \cdot (14-n)}{{}_{14}C_4} = \frac{4\cdot 3\cdot 2\cdot (n-1)(n-2)(14-n)}{14\cdot 13\cdot 12\cdot 11\cdot 2} = \frac{(n-1)(n-2)(14-n)}{2002}.$$

解説2 玉の番号すら考えず求めたので，計算量が格段に減りましたね．ぜひこちらの解法をマスターして欲しいです．"時の流れ"に沿って考えている人は，n 回目に3個目の赤玉が取り出された後の $n+1$ 回以降も含めて④のようにするのを不自然に感じるでしょう．しかし④は，ITEM 4 重要2 で述べた「全ての場合を"記録カード"に書いた後で，関心のある点に注目して整理し直す」という考え方をベースにした正統的な解法です．（とはいえ，"初見で" 解答2 を思いつける人は少ないでしょうが…）

↑補足1 ⑤の等確率性を示しておきます．そのために「ⓐ：赤玉が出る回の選び方（つまり R 4 個 W 10 個の並べ方）」と「ⓑ：玉を全て区別して考えた順列（14!通り）」との対応関係を考えます．ITEM 8 補足1 等で述べたように，「赤玉が出る回の選び方」とは「ⓐ：R 4 個 W 10 個という同じものを含んだ順列」そのものです．そしてこれと「ⓑ：玉を全て区別して考えた順列」の対応関係は，同 ITEM 解説 にあるとおり 1 : 4!・10! です．ⓑ(14!通り)の各々はもちろん等確率ですから，それを**同数** 4!・10! 個ずつまとめて得られるⓐの各々も等確率ですね．　等確率？

以上が⑤に対する説明ですが，正直，この等確率性が理屈抜きにピンとくるようになりたいです．

補足2 ③において，二項係数 $_{14}C_{n-1}$ などを階乗記号で表す方法については，(⇨p.162 特講D [2]②)

注意 たとえば③の左辺にある $_{14}C_{n-1}$ を階乗記号で表すとき，$\dfrac{\cdots\cdots\cdots}{\dfrac{14!}{(n-1)!(15-n)!}}$ などと繁分数を作らず，解答1 にあるように $(n-1)!(15-n)!$ を初めから分子側に書くようにしましょう．

類題 60 当たり3本と外れ7本のくじが入った箱から，1本ずつ順にくじを取り出す（取り出したくじはもとに戻さない）．第 n 回に全ての当たりくじが取り出される確率を求めよ．ただし，$3 \leq n \leq 10$ とする．

(解答▶解答編 p.29)

ITEM 61 確率 条件付き確率(単なる割合)

Stage 3 の最後に, 本 ITEM からは 例題15 :「くじ引き」でも登場した条件付き確率について詳しく学んでいきます.

> **ここがツボ!** 「確率」とは, 起こりやすさの割合

例題61 大小 2 つのサイコロを同時に投げるとき, 次の問いに答えよ.
(1) 大のサイコロの目が 6 であるとき, 2 つの目の和を 5 で割った余りが 2 である確率を求めよ.
(2) 6 の目が出たとわかっているとき, 大のサイコロの目が 6 である確率を求めよ.

着眼 確率の問題文に「○○のとき, △△である確率を求めよ.」とあるときには,「**条件付き確率を求めよ.**」と言われているのだと解釈するのが慣習になっています.

区別のついた 2 つのサイコロの目の出方: $6^2 = 36$ 通りの根元事象を考え, ただひたすら

○○を**全体**とみて, その中での△△の起こりやすさの**割合**

を考えます. それが,「条件付き確率」の全てです!

解答 大, 小のサイコロの目をそれぞれ x, y で表す. 目の出方 (x, y) の総数は $6^2 = 36$(通り)であり, 各々等確率である.

(1) ○ A:「$x=6$」, B:「$x+y$ を 5 で割った余りが 2」
とすると, 求めるものは条件付き確率

$$\therefore P_A(B) = \frac{n(A \cap B)}{n(A)}. \quad \cdots ①$$

○ 右の表より, $n(A) = 6$, $n(A \cap B) = 2$.

○ $\therefore P_A(B) = \frac{2}{6} = \frac{1}{3}$.

(2) ○ C:「6 の目が出る」,
i.e.「少なくとも一方が 6 の目」とし,
D:「$x=6$」
とすると, 求めるものは条件付き確率

$$\therefore P_C(D) = \frac{n(C \cap D)}{n(C)}. \quad \cdots ②$$

○ 右の表より, $n(C) = 11$, $n(C \cap D) = 6$.

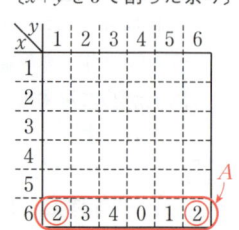

○ $\therefore P_C(D) = \frac{6}{11}$.

[$x+y$ を 5 で割った余り]

x\y	1	2	3	4	5	6
1						
2						
3						
4						
5						
6	2	3	4	0	1	2

[○ が $C \cap D$]

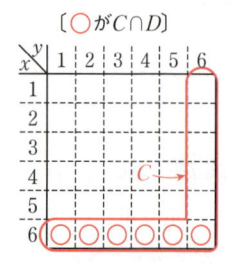

x\y	1	2	3	4	5	6
1						
2						
3						
4						
5						
6	○	○	○	○	○	○

重要 着眼 で述べた通り，

「A が起きたとき B が起きる**条件付き確率** $P_A(B)$」とは，

「A が起きたことを前提として B も起きる確率」，

i.e.「A を新たに全体とみて，それに対する $A \cap B$ の起こりやすさの割合」です．

そこで(1)の $P_A(B)$ では，等確率な根元事象の個数を用いて，$n(A)$ に対する $n(A \cap B)$ の割合を求めました．(2)についてもまったく同様です．

解説 ①の右辺の分子と分母を，目の出方の総数 $n(U)(=36)$ で割ると

$$P_A(B) = \frac{\frac{n(A \cap B)}{n(U)}}{\frac{n(A)}{n(U)}} = \frac{P(A \cap B)}{P(A)} \quad \cdots ③$$

となります．もちろんこれを用いて解答することもできます．$A \cap B$ の A に対する起こりやすさの割合を考えるのですから，分子と分母を 36 で割ろうが割るまいがどちらでもいいのです．もちろん本問では，①の方が楽ですね．ただし今後問題によっては③の方が有利な場面も出てきますから，状況次第で使い分けていきましょう．

参考 ③の分母を払うと

$$P(A \cap B) = P(A) \cdot P_A(B). \quad \cdots ④$$

これは，ITEM 15 で触れた確率の「乗法定理」です．

「条件付き確率」の扱いには，大別して 2 通りがあります：

直接求まる $P_A(B)$ を利用し，④を用いて $P(A \cap B)$ を求める．

直接求まらない $P_A(B)$ を，③(or ①)を用いて求める．

例題15 は前者．本問は後者のタイプです．

補足 (2)の **解答** では，問題文にある「6の目が出た」をしっかり解釈し，「少なくとも一方が 6 の目」と捉え直して解答しています．ホントは，問題文で「少なくとも一方」としっかり書くべきなのですが，上記のような"読解力"を問うためにワザとサラッと書かれていることもあります．

注意1 (2)をテキトーなカンに頼り，「大，小のどっちかが 6 の目だから 2 分の 1 だ！」なんてやらかさないように．あくまでも「条件付き確率とは何か？」に立脚し，②式を立てて解答するべきです！

注意2 サイコロのように重複が起こり得る状況では，仮に本問のような「大，小」の区別の言及がなくても，自ら区別をつけて等確率性を確保するのでしたね．

類題 61 ジョーカーを除いた 52 枚のトランプから同時に 2 枚を取り出す．そこに絵札(ジャック，クイーン，キング)が含まれるとき，絵札以外が含まれる確率を求めよ．

(解答 ▶ 解答編 p.30)

151：素数

ITEM 62 確率 条件付き確率（時の流れ）

よくわかった度チェック！

前 ITEM で学んだ条件付き確率の基本を，"直観的には"わかりづらい状況の中で活用します．といっても，ちゃんと基本をベースにすれば簡単です．

ここがツボ！ 条件付き確率とは，何かを前提にした起こりやすさの割合

例題62 当たり 2 本と外れ 4 本のくじが入った箱から，1 本ずつ順にくじを取り出す（取り出したくじはもとに戻さない）．2 本目が当たりであるとき，1 本目が当たりである確率を求めよ．

着眼 前 ITEM と同じ条件付き確率の問題であることはわかりますね．何が違うかというと…今回は「1 本目」，「2 本目」という**順序，時の流れ**がある点です．そして本問では，「2 本目」という**未来**を前提として「1 本目」という**過去**における確率が問われています．私たちは普段から「過去→未来」という時の流れに沿って考える習慣が身に付いてしまっているので，初めてこうした問題に向き合うと面喰ってしまうのが普通です．

ですが，ITEM 15 や前 ITEM で話した条件付き確率に関する約束事の中に，「時」などという単語は一切登場していません！　だから本問も，「時」など気にせず，ただひたすら

　　　　○○を**全体**とみて，その中での△△の起こりやすさの**割合**

を考えます．

解答 6 本のくじを ①, ②, 3, 4, 5, 6 と表す（①, ② が当たりくじ）．　くじを**記**

A：「1 本目が当たり」，B：「2 本目が当たり」

とすると，求めるものは条件付き確率

まずこれを書いておく　$P_B(A) = \dfrac{P(A \cap B)}{P(B)}$ …ⓐ　赤色部分／赤枠囲み

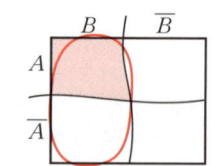

① ② 3 4 5 6　｜　(例) ② 3 4 5 6　　箱の状態を**視**

$P(A) = \dfrac{2}{6}$．　→　$P_A(B) = \dfrac{1}{5}$．…ⓑ

∴ $P(A \cap B) = P(A) \cdot P_A(B) = \dfrac{2}{6} \cdot \dfrac{1}{5} = \dfrac{1}{15}$．

　　　　　　　　　　(例)
① ② 3 4 5 6　｜　① ② 3 4　6

$P(\overline{A}) = \dfrac{4}{6}$．　→　$P_{\overline{A}}(B) = \dfrac{2}{5}$．

∴ $P(\overline{A} \cap B) = P(\overline{A}) \cdot P_{\overline{A}}(B) = \dfrac{4}{6} \cdot \dfrac{2}{5} = \dfrac{4}{15}$．

○　$P(B) = P(A \cap B) + P(\overline{A} \cap B)$．

○以上より，求めるものは

$$P_B(A) = \frac{\frac{1}{15}}{\frac{1}{15} + \frac{4}{15}} = \frac{1}{1+4} = \frac{1}{5}.$$

……これは，ⓑの $P_A(B)$ と一致している

重要1 ここで現れた2つの条件付き確率：$P_A(B)$，$P_B(A)$ を比較してみましょう．

（考える向き）

$P_A(B)$：A（過去）→ B（未来）…ⓑのように<u>直接求まる</u>．

$P_B(A)$：B（未来）→ A（過去）…ⓐを用いて<u>間接的に求める</u>．

このうち，本問で問われた $P_B(A)$ のように"時の流れに逆行する"タイプの条件付き確率では，時間的順序関係に惑わされず，とにかく起こりやすさの割合だけを考えることを強く心掛けることがポイントです．

補足1 ⓐの分子は「$B \cap A$」と書く方が自然に感じられるかもしれませんが，これはもちろん「$A \cap B$」と同じ事象です．

補足2 じつは，本問で行われる試行は **例題15** とほぼ同様です．そこで述べたように，$P(B)$ は，次のように求めれば簡単でしたね．

○ 2本目に6本のうちどれが出るかは**等確率**． 等確率？

○ そのうち当たりは2本．

○ よって，$P(B) = \frac{2}{6} = \frac{1}{3}$．…ⓒ

重要2 上記 **補足2** のように時が流れる向きにとらわれずに考えたいときには，ITEM 4 **重要2** でご紹介した"記録カード方式"が有効であり，ITEM 15 **補足** でもそれを使って説明しました．ここでも，6·5＝30通りの取り出し方を，右のように<u>全て</u>書き出してみます．（ITEM 15 より少し簡略化して表にしました．）これを見ていただければ，ⓒ式にも納得行きますね．

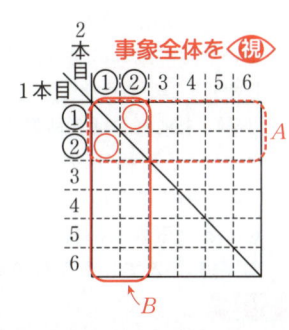

別解 求める確率は $P_B(A)$ は，上記の表を作ってしまえば時の流れとはまったく無関係に，つまり前 ITEM と同様単なる起こりやすさの割合として

$$P_B(A) = \frac{n(A \cap B)}{n(B)} = \frac{2}{10} = \frac{1}{5}$$

と簡単に求まってしまいます．そして，これが $P_A(B)$ と一致することも"当然"と感じられてきますね．

類題 62 赤玉3個，白玉7個が入った箱から，1個ずつ順に玉を取り出す（取り出した玉はもとに戻さない）．2個目が赤玉であるとき，1個目が白玉である確率を求めよ．

（解答▶解答編 p.30）

ITEM 63 確率 条件付き確率（原因の確率）

よくわかった度チェック！ ① ② ③

前 ITEM に続いて「時の流れ」が設定された問題で，今回の方がさらに色濃く刻み込まれています．でも，時の流れによる呪縛から解放されていさえすれば，大丈夫です．

ここがツボ！ 事象に名前を付け，目標を定式化してから考える．

例題63 あるメーカーには2つの工場 A，B があり，それぞれ製品全体の8割，2割を作っている．また，不良品の割合は工場 A で1%，工場 B で3%である．今，製品を1つ選んでチェックしたところそれは不良品であった．このときその製品が工場 A で作られた確率を求めよ．

着眼 問題文に書かれている

　　工場 A，B で作られる　　→　　製品が不良品である
　　（過去，原因）　　　　　　　　（未来，結果）

という，時の流れに沿う向きの情報：「1%」，「3%」はスッと頭に入ってきますね．一方，要求されている

　　チェックした製品が不良品　　→　　工場 A で作られた
　　（未来，結果）　　　　　　　　　（過去，原因）

という時の流れに逆行する条件付き確率は，なんだかもやもやしますね（前回もそうでした）．このような

　　未来における結果を前提とし，過去において原因が起きていた確率を問う

タイプを，俗称"原因の確率"といい，古来受験生を悩ませてきました．ですが，もやもやの原因である時の流れに惑わされないよう，状況を整理して**視覚的**に表し，考察の対象となる事象に名前を付けて何をすべきかを明確にすれば，じつはかなり"機械的に"解答できてしまうんです．

解答

起こりやすさを〈視〉

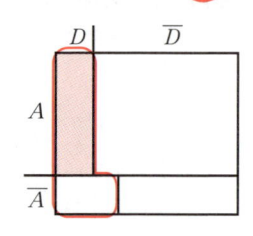

○ 製品を1つ選ぶ試行において

　　A：「工場 A の製品を選ぶ」，
　　D：「不良品を選ぶ」　　不良品=defective

とすると，求めるものは条件付き確率

$$P_D(A) = \frac{P(A \cap D)}{P(D)} \quad \cdots ①$$

赤色部分 / 赤枠囲み

である．

○ 問題文の情報を整理すると

$$P(A) = \frac{8}{10} = \frac{4}{5}, \quad P_A(D) = \frac{1}{100},$$

$$P(\overline{A}) = \frac{2}{10} = \frac{1}{5}, \quad P_{\overline{A}}(D) = \frac{3}{100}. \quad \overline{A}：「工場 B の製品を選ぶ」$$

○
$$P(A \cap D) = P(A) \cdot P_A(D) = \frac{4}{5} \cdot \frac{1}{100},$$
$$P(\overline{A} \cap D) = P(\overline{A}) \cdot P_{\overline{A}}(D) = \frac{1}{5} \cdot \frac{3}{100},$$
$$P(D) = P(A \cap D) + P(\overline{A} \cap D).$$

○以上より，求めるものは

$$P_D(A) = \frac{\boxed{\dfrac{4}{5} \cdot \dfrac{1}{100}}}{\boxed{\dfrac{4}{5} \cdot \dfrac{1}{100}} + \boxed{\dfrac{1}{5} \cdot \dfrac{3}{100}}} \quad \cdots ②$$

$$= \frac{\boxed{4}}{\boxed{4} + \boxed{3}} = \frac{4}{7}.$$

重要 とにかく事象に名前を与えて①式を明示し，

　　　　どの事象の，どの事象に対する起こりやすさの割合を求めるか？

を把握します．その際，カルノー図で事象を見ながら

　　　　どの部分の，どの部分に対する割合を求めるか？

と，まるで**面積の比**のように考えると，時の流れが気にならなくなりますよ．

補足 "原因の確率"の解答では，しばしば②のような $\dfrac{\square}{\square + \bigcirc}$ 型の分数式が現れます（**例題62**もそうでしたね）．②の分母：$P(D)$，つまり不良品が選ばれる確率のうち，工場 A が"原因"となってもたらされる部分が $\square$，同様に工場 B が"原因"になっているのが $\bigcirc$ です．けっきょく②式は，不良品発生という事象において，A 起源と B 起源の比が $4:3$ だといっているわけです．

参考 「不良品発見！」と聞くと，「どうせ不良品率の高い B 工場製だろう」と思ってしまうかもしれませんが，答えの「$\dfrac{4}{7}$」は $\dfrac{1}{2}$ より大きいですから，この不良品は A 工場製である可能性の方が高いということになります．A 工場の方が，製品の絶対数が断然多いですから，たとえ率が低くても不良品をたくさん作っているわけです．

発展 次のような見方もできます．製品を 1 つ選ぶ試行における A：「A 工場製が選ばれる」の確率は，何も情報がない，つまり<u>事象 D：「不良品を選ぶ」が起きる前</u>の段階では $P(A) = \dfrac{4}{5}$（80 %）でしたが，<u>事象 D が起きた</u>（選んだ製品が不良品であるという情報を得た）<u>後</u>では $P_D(A) = \dfrac{4}{7}$（約 57 %）に減りました．A 工場の方が不良品率が低いので当然ですね．このように，事象 D という情報を得る<u>前</u>，<u>後</u>における A の確率 $P(A)$，$P_D(A)$ を，それぞれ A の「**事前確率**」，「**事後確率**」と呼びます．（大学以降の「ベイズ統計学」で学びます．）

類題 63 ある選挙区で，60 歳以上の人の投票率は 80 %，60 歳未満の人の投票率は 40 %であった．また，60 歳以上の人は人口の 4 割を占める．この選挙区から 1 人を選んだところこの人は投票に行ったという．その人が 60 歳以上である確率を求めよ．

(解答▶解答編 p.31)

ITEM 64 確率 条件付き確率（応用）

前 ITEM と似た雰囲気の問題ですが，さらに状況が捉えづらくなっています．でも，大切なことは前回までとまったく同じです．

ここがツボ！ 事象に名前を付け，目標を定式化してから考える

例題64

(1) 2つの箱 A，B があり，A には赤玉4個と白玉1個，B には赤玉2個と白玉3個が入っている．サイコロを投げ，1の目が出れば A，他の目が出れば B を選び，選んだ箱から玉を1個取り出す．取り出した玉が赤であるとき，箱 A が選ばれていた確率を求めよ．

(2) (1)の試行において赤玉が取り出されたとする．その後，取り出した玉を元に戻さずにサイコロを投げて同様な試行を行うとき，赤玉が取り出される確率を求めよ．

着眼

(1) これは 例題63 と同様，時の流れに逆行する"原因の確率"ですね．もちろん対処の仕方も同じです．状況を整理して視覚的に表し，考察の対象となる事象に名前を付け，求めるものは何なのかを明示してしまいましょう．

(2) こちらは時の流れに沿っており，"原因の確率"とは言いませんが，

　　ある事象が起きたという情報を得た後で考える

という点では原因の確率，つまり事後確率と似ていますね．（⇐ 前 ITEM 発展 ）

　過去から未来に向かっているとはいえ，1回目の試行後の状態が確定しないので，直接サッと求めるわけには行きそうにありません．けっきょく，やるべきことは(1)とまったく同じです．

解答 赤玉を R，白玉を W で表す．

(1) ○ 題意の試行における事象：

A：「箱 A を選ぶ」，
R：「赤玉を選ぶ」

を考えると，求めるものは条件付き確率

$$P_R(A) = \frac{P(A \cap R)}{P(R)} \cdots ①$$

赤色部分 / 赤枠囲み

○ $P(A \cap R) = \dfrac{1}{6} \cdot \dfrac{4}{5}$,　　$\dfrac{4}{5}$ は $P_A(R)$

$P(\overline{A} \cap R) = \dfrac{5}{6} \cdot \dfrac{2}{5}$,　　$\overline{A}$：「箱 B を選ぶ」

$P(R) = P(A \cap R) + P(\overline{A} \cap R).$

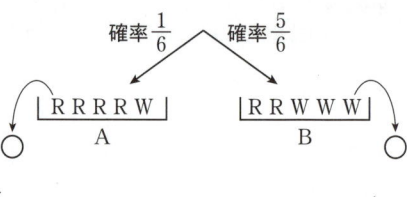

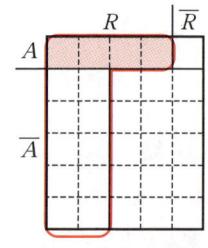

確率 $\dfrac{1}{6}$ → RRRRW (A)　　確率 $\dfrac{5}{6}$ → RRWWW (B)

起こりやすさを 視

156 → 12·13 → $2^2 \cdot 3 \cdot 13$

$\dfrac{□}{□+○}$ 型（⇐ ITEM63 補足）

○以上より，求めるものは，$P_R(A) = \dfrac{\boxed{\dfrac{1}{6} \cdot \dfrac{4}{5}}}{\boxed{\dfrac{1}{6} \cdot \dfrac{4}{5}} + \boxed{\dfrac{5}{6} \cdot \dfrac{2}{5}}} = \dfrac{4}{4+10} = \dfrac{2}{7}$.

(2) ○題意の 2 回分の試行における事象：
R :「1 度目の試行で赤玉を選ぶ」((1)の事象 R と同一),
R':「2 度目の試行で赤玉を選ぶ」
を考えると，求めるものは条件付き確率

$$P_R(R') = \dfrac{P(R \cap R')}{P(R)}. \quad \cdots ②$$

○2 回目の試行を図示すると，次のとおり．

$A \cap R$ の後　　　　1 回後の状態を〈視〉　　$\overline{A} \cap R$ の後

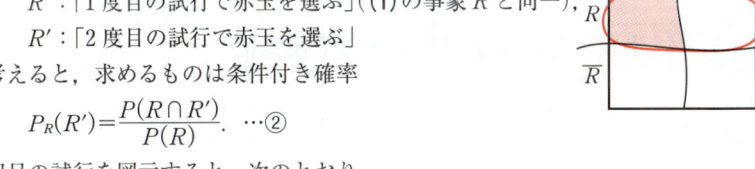

確率 $\dfrac{1}{6}$　　確率 $\dfrac{5}{6}$　　　　　　確率 $\dfrac{1}{6}$　　確率 $\dfrac{5}{6}$

| R R R W | | R R W W W | | R R R R W | | R W W W |
| A | | B | | A | | B |

○
$$P(A \cap R \cap R') = \dfrac{1}{6} \cdot \dfrac{4}{5} \cdot \left(\dfrac{1}{6} \cdot \dfrac{3}{4} + \dfrac{5}{6} \cdot \dfrac{2}{5} \right) = \dfrac{220}{6 \cdot 5 \cdot 6 \cdot 4 \cdot 5},$$

$$P(\overline{A} \cap R \cap R') = \dfrac{5}{6} \cdot \dfrac{2}{5} \cdot \left(\dfrac{1}{6} \cdot \dfrac{4}{5} + \dfrac{5}{6} \cdot \dfrac{1}{4} \right) = \dfrac{410}{6 \cdot 5 \cdot 6 \cdot 4 \cdot 5},$$

$$P(R \cap R') = P(A \cap R \cap R') + P(\overline{A} \cap R \cap R') = \dfrac{630}{6 \cdot 5 \cdot 6 \cdot 4 \cdot 5},$$

$$P(R) = \dfrac{1}{6} \cdot \dfrac{4}{5} + \dfrac{5}{6} \cdot \dfrac{2}{5} = \dfrac{14}{6 \cdot 5}.$$

○以上より，求めるものは $P_R(R') = \dfrac{\dfrac{630}{6 \cdot 4 \cdot 5}}{14} = \dfrac{3}{8}$.

重要 前 ITEM と同じです．とにかく事象に名前を与えて①，②式を明示し，カルノー図を見ながら
　　どの事象の，どの事象に対する起こりやすさの割合を求めるか？
を把握します．

参考 $P(R) = \dfrac{7}{15} = \dfrac{56}{120}$, $P_R(R') = \dfrac{3}{8} = \dfrac{45}{120}$ より $P_R(R') < P(R)$ となっています．$P_R(R')$ は，R:「1 度目が赤」が起きてどちらかの箱の赤玉が減った状態で試行を行ったとき赤玉を取り出す確率ですから，当然 $P(R)$ より小さい値になるわけです．

類題 64 2 つの箱 A，B があり，A には赤玉 4 個と白玉 1 個，B には赤玉 2 個と白玉 3 個が入っている．それぞれの箱から玉を 1 つずつ，計 2 個の玉を取り出す．この中に赤玉があるとき，箱 B から白を取り出した確率を求めよ．

(解答 ▶ 解答編 p. 31)

157：素数

ITEM 65 確率 条件付き確率（抽象的）

前 ITEM まで，条件付き確率について具体的な題材を通して様々なことを学んできました．ここでは，扱う題材に関係なく成り立つ普遍的性質だけを抽出した，抽象的で一見捉えどころのない問題を解いてみましょう．

ここがツボ！ 事象の全体像をカルノー図で視覚化

例題65 ある試行における2つの事象 A, B がある．
$$P(B)=\frac{13}{30}, \quad P(\overline{A}\cap\overline{B})=\frac{1}{30}, \quad P_A(B)=\frac{1}{3}$$
であるとき，$P_B(A)$ を求めよ．

着眼 ……正直，何したらいいのかサッパリわかりませんね．（笑）
でも，2つの事象が絡んだ問題ですから…．こんな時こそ，カルノー図の出番です．
何がわかっていて，何を求めればよいか
を視覚的に把握でき，アッサリ解決します．

解答
右図のように，$x=P(A\cap B)$, $y=P(A\cap\overline{B})$, $z=P(\overline{A}\cap B)$ とおくと，求めるものは
$$P_B(A)=\frac{P(A\cap B)}{P(B)}=\frac{x}{x+z}.$$
題意の条件は
$$P(B)=x+z=\frac{13}{30}, \quad \cdots ①$$
$$P(\overline{A}\cap\overline{B})=1-x-y-z=\frac{1}{30}, \quad \cdots ②$$
$$P_A(B)=\frac{P(A\cap B)}{P(A)}=\frac{x}{x+y}=\frac{1}{3}. \quad \cdots ③$$
②，③より
$$x+y+z=\frac{29}{30}, \quad \cdots ②'$$
$$y=2x. \quad \cdots ③'$$
②$'$－①より $y=\frac{16}{30}$．これと③$'$より $x=\frac{8}{30}$．さらに①より $z=\frac{5}{30}$．

以上より，求める条件付き確率は

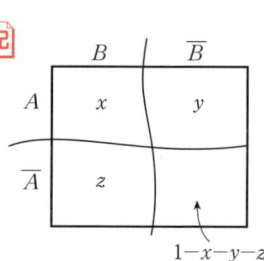

$$P_B(A) = \frac{x}{x+z}$$

$$= \frac{\frac{8}{30}}{\frac{8}{30}+\frac{5}{30}} \quad \cdots \frac{\Box}{\Box+\bigcirc}型（⇐ \text{ITEM63 \small 補足}）$$

$$= \frac{8}{8+5} = \frac{8}{13}.$$

解説 事象全体が2つの事象 A, B によって $(2^2=)4$ つの事象に分けられます．この4つそれぞれの確率がわかれば，<u>何が問われても大丈夫です</u>．たとえば，

$$P(A) = x+y = \frac{24}{30} = \frac{4}{5},$$

$$P_A(\overline{B}) = \frac{y}{x+y} = \frac{\frac{16}{30}}{\frac{24}{30}} = \frac{2}{3}$$

のように，なんでも求められます．

重要 そこで，上記4つのの確率を未知数で表し，問題文の情報をもとに方程式を立てて行く方針をとります．ただし，事象全体の確率は1ですから，未知数は3つで足りますね．

参考 こうして具体的な事象から切り離された抽象的な問題を解いてみると

　　　　確率って，要するに「割合」なんだ

ということが実感できるでしょう．この感覚が身に付いてくると，前 ITEM まで悩まされてきた<u>時の流れに逆行すること</u>に対する違和感が，徐々に解消されてくるはずです．

類題 65 ある試行における2つの事象 A, B がある．

$$P(A \cup B) = \frac{4}{5}, \quad P_A(B) = \frac{3}{5}, \quad P_{\overline{A}}(B) = \frac{1}{5}$$

であるとき，$P(B)$ を求めよ．

(解答▶解答編 p.32)

ITEM 66 確率 事象の独立（数学B）

「試行の独立」（ITEM 11）と混同されやすい **「事象の独立」**（数学Bの範囲）を学びます．入試頻出ではないので，問題を解くことより，基本事項の整理に重きを置きます．

> **ここがツボ!** 事象の独立…直観に頼らず，その条件式に立脚して．

【事象の独立】 2つの事象 A, B について
$$P_A(B)=P(B) \cdots ⓐ, \quad P_B(A)=P(A) \cdots ⓑ$$
がともに成り立つとき，**事象 A, B は独立**であるという．

独立でないことを「従属」という．

〔A, B が独立〕　　　〔A, B が従属〕

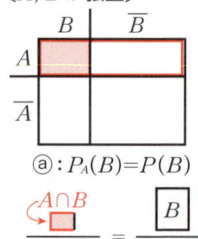

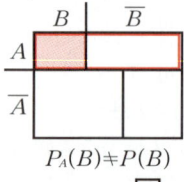

ⓐ: $P_A(B)=P(B)$　　　$P_A(B) \neq P(B)$

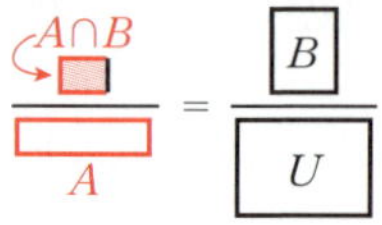

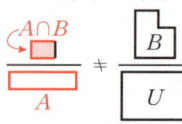

A, B が独立であるための必要十分条件は
$$P(A \cap B) = P(A)P(B). \quad \cdots ⓒ$$

解説1 ⓐの意味は，事象 A が起きることは，事象 B の起こりやすさに関係がないということです．（ⓑも同様．）

補足 次のことが成り立ちます．（**類題 66-2** でその証明を扱います．）
[1] ⓐ $\iff$ ⓑ $\iff$ ⓒ　　　　A, B の余事象
[2] 「A と B が独立」 $\iff$ 「$\overline{A}$ と $\overline{B}$ が独立」
（[1]より，ⓐ，ⓑ，ⓒのいずれか1つが成り立てば A, B は独立だといえる．）

例題66 サイコロを n 回繰り返し投げる試行を行う．
(1) 第 k 回（$k=1, 2, \cdots, n$）の試行において，2つの事象 A_k:「2の倍数の目が出る」，B_k:「3の倍数の目が出る」は独立であることを示せ．
(2) (1)を用いて事象 A:「少なくとも1回は2の倍数の目が出る」，B:「少なくとも1回は3の倍数の目が出る」は独立であることを示せ．

方針 上記ⓒおよび **補足** [2]を使って解答します．

解答 (1) $P(A_k) \cdot P(B_k) = \dfrac{3}{6} \cdot \dfrac{2}{6} = \dfrac{1}{6}$, $P(A_k \cap B_k) = \dfrac{1}{6}$.

∴ $P(A_k) \cdot P(B_k) = P(A_k \cap B_k)$.
よって事象 A_k, B_k は独立である． □ … ⓒを用いた

目:	1	2	3	4	5	6
$A_k \to$		○		○		○
$B_k \to$			△			△

$A_k \cap B_k$

160　→ $16 \cdot 10$ → $2^5 \cdot 5$

(2) ○サイコロを投げる各回の**試行は独立**． …①
(1)より余事象 $\overline{A}_k$, $\overline{B}_k$ $(k=1, 2, \cdots, n)$ も独立． …② 　**補足**[2]

○A, B の余事象は，それぞれ
$\overline{A}$：「n 回とも 2 の倍数以外」, i.e. $\overline{A}_1 \cap \overline{A}_2 \cap \cdots \cap \overline{A}_n$,
$\overline{B}$：「n 回とも 3 の倍数以外」, i.e. $\overline{B}_1 \cap \overline{B}_2 \cap \cdots \cap \overline{B}_n$.

○①より
$$\begin{cases} P(\overline{A}) = P(\overline{A}_1 \cap \overline{A}_2 \cap \cdots \cap \overline{A}_n) = P(\overline{A}_1) \cdot P(\overline{A}_2) \cdot \cdots \cdot P(\overline{A}_n), \\ P(\overline{B}) = P(\overline{B}_1 \cap \overline{B}_2 \cap \cdots \cap \overline{B}_n) = P(\overline{B}_1) \cdot P(\overline{B}_2) \cdot \cdots \cdot P(\overline{B}_n). \end{cases}$$ …③

○$P(\overline{A} \cap \overline{B}) = P((\overline{A}_1 \cap \overline{A}_2 \cap \cdots \cap \overline{A}_n) \cap (\overline{B}_1 \cap \overline{B}_2 \cap \cdots \cap \overline{B}_n))$
$= P((\overline{A}_1 \cap \overline{B}_1) \cap (\overline{A}_2 \cap \overline{B}_2) \cap \cdots \cap (\overline{A}_n \cap \overline{B}_n))$
$= P(\overline{A}_1 \cap \overline{B}_1) \cdot P(\overline{A}_2 \cap \overline{B}_2) \cdot \cdots \cdot P(\overline{A}_n \cap \overline{B}_n)$ (∵ ①) …④
$= P(\overline{A}_1) \cdot P(\overline{B}_1) \cdot P(\overline{A}_2) \cdot P(\overline{B}_2) \cdot \cdots \cdot P(\overline{A}_n) \cdot P(\overline{B}_n)$. (∵ ②) …⑤

○③, ⑤より，$P(\overline{A} \cap \overline{B}) = P(\overline{A})P(\overline{B})$. よって事象 $\overline{A}$, $\overline{B}$ は独立だから，事象 A, B も独立である． □　　**補足**[2]

参考 お気付きの通り，本問の事象 A, B は，**例題55** でのそれとまったく同じものです．つまり上記 **解答** と⑥によって，**例題55**(2) において問われている確率「$P(A \cap B)$」は，「$P(A)P(B)$」と一致することが保証されたわけです．ただしもちろん，この論証をしないまま **例題55**(2) を「$P(A)P(B)$」と答えてはなりませんよ！

　見方を変えると，**例題55**(2) **解答** の結果は，$P(A \cap B) = P(A)P(B)$, つまり「事象 A, B が独立であること」を，本問とは別ルートで証明していることになります．

解説2 **例題11** のようにサイコロを投げる試行 T_1 とコインを投げる試行 T_2 を行い，サイコロの 5 以下の目が出る事象を A, コインの表が出る事象を B とするとき，T_1 と T_2 は**試行として独立**ですから，試行 T_1 だけで確定する事象 A と試行 T_2 だけで確定する事象 B とは，ⓐ式などに照らし合わせて調べるまでもなく独立だといえます．

　上記 **解答** でも，①の「試行の独立」から③, ④を導いています．

類題 66-1 n は $2 \leq n \leq 9$ を満たす整数とする．コインを n 回繰り返し投げる試行において，2 つの事象 A：「表，裏が両方出る」, B：「表が出る回数は 1 回以下である」が独立であるような n を求めよ．

類題 66-2 ある試行における 2 つの事象 A, B について，次のことを証明せよ．

[1] $P_A(B) = P(B) \iff P(A \cap B) = P(A)P(B)$

[2] $P_A(B) = P(B) \iff P_B(A) = P(A)$

[3] 「A と B が独立」$\iff$「$\overline{A}$ と $\overline{B}$ が独立」($\overline{A}$, $\overline{B}$ はそれぞれ A, B の余事象)

(解答▶解答編 p. 32)

特講 D 二項係数・二項定理・二項分布

[1] 二項係数 $_nC_r$ の意味は, 「異なる n 個のものから r 個を選んでできる組合せの総数.」

[2] $_nC_r = \dfrac{n(n-1)(n-2)\cdots\cdots(n-r+1)}{r!}$ …① 〔r 個の積〕

$= \dfrac{n(n-1)(n-2)\cdots\cdots(n-r+1)\times(n-r)(n-r-1)\cdots\cdots 2\cdot 1}{r!\times(n-r)(n-r-1)\cdots\cdots 2\cdot 1}$ 〔分子, 分母に $(n-r)!$ を掛ける〕

$= \dfrac{n!}{r!(n-r)!}$ …② 〔ちなみに $_nC_0 = \dfrac{n!}{0!\cdot n!} = 1$ ($_nC_n$ も同じ)〕

①の方が具体的. でも②の方が表現としては簡潔.

[3] 公式

(a) $_nC_r = {_nC_{n-r}}$.

(b) $_nC_r = {_{n-1}C_{r-1}} + {_{n-1}C_r}$.

(c) $_nC_r \cdot r = n \cdot {_{n-1}C_{r-1}}$.

「証明」は, **[2]** に基づいて行う.

[具体例と説明]

$n = 20$, $r = 11$ のとき, すなわち, 20 人のサッカーチームから 11 人の選手(先発メンバー)を選ぶ方法をイメージしながら, 上記公式の「記憶法」, あるいは「思い出し方」を説明する.

(a) $_{20}C_{11} = {_{20}C_9}$.

11 人の選手の選び方 9 人の補欠の決め方

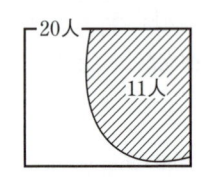

1 対 1 対応

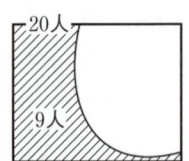

(b) $_{20}C_{11} = \underset{③}{_{19}C_{10}} + \underset{④}{_{19}C_{11}}$.

特定の 1 選手(エース)を使う(③)   エースを使わない(④)

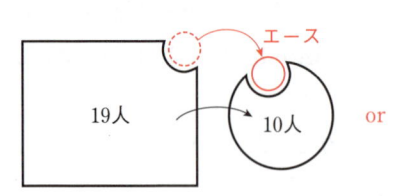

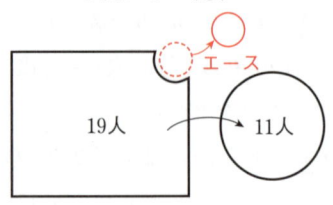

19人 10人   or   19人 11人

162 → 2·81 → 2·3⁴

(c) $_{20}C_{11} \cdot 11 = 20 \cdot _{19}C_{10}$.

11人の選手を選び，そのうち1人をキャプテン(CP)に任命する．
○方法1(左辺)：選手を決めた後でCPを決める

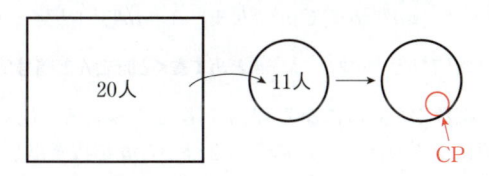

○方法2(右辺)：先にCPを決め，残りの10選手を選ぶ

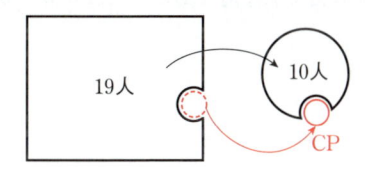

[(b)の証明]　②を用いる．

$$_{n-1}C_{r-1} + {_{n-1}C_r} = \frac{(n-1)!}{(r-1)!\{(n-1)-(r-1)\}!} + \frac{(n-1)!}{r!\{(n-1)-r\}!}$$

$$= \frac{(n-1)!}{(r-1)!(n-r)!} + \frac{(n-1)!}{r!(n-r-1)!} (=A \text{ とおく}).$$

ここで，2つの分数式の分母を見比べると，次の関係があることに気付く．

　$(r-1)!$ と $r!$ には，関係式 $r(r-1)! = r!$．

　$(n-r)!$ と $(n-r-1)!$ には，関係式 $(n-r)! = (n-r)(n-r-1)!$．

そこで，A の分母を $r!(n-r)!$ に通分する．

$$A = \frac{r(n-1)!}{r(r-1)!(n-r)!} + \frac{(n-1)!(n-r)}{r!(n-r-1)!(n-r)}$$

$$= \frac{r(n-1)!}{r!(n-r)!} + \frac{(n-1)!(n-r)}{r!(n-r)!}$$

$$= \frac{(n-1)!}{r!(n-r)!} \{r + (n-r)\}$$

$$= \frac{n(n-1)!}{r!(n-r)!}$$

$$= \frac{n!}{r!(n-r)!}$$

$$= {_nC_r}.$$

よって(b)が示せた．(他も同様に証明できる．)

[4] 二項定理

2つの項 a, b の和 $a+b$ の累乗を展開する公式.

$$\underset{\boxed{1}}{(a+b)}\underset{\boxed{2}}{(a+b)}\cdots\underset{\boxed{n}}{(a+b)}=a^n+na^{n-1}b+{}_nC_2a^{n-2}b^2+\cdots+nab^{n-1}+b^n \quad \cdots ①$$

💬 この"実体"で理解しよう

すなわち, $(a+b)^n=\sum_{k=0}^{n}{}_nC_ka^{n-k}b^k.$ $\cdots ②$ 💬 まとめて書くとほとんど暗号？

解説 たとえば「$a^{n-2}b^2$」の係数が「${}_nC_2$」になる理由を考えてみよう. ①の左辺を展開するとき, $a^{n-2}b^2$ の項になるのは $\boxed{1}$～$\boxed{n}$ のうち 2 つから b を抜き出し, 残りの $n-2$ 個からは a を抜き出す場合である. このような抜き出し方は, $\boxed{1}$～$\boxed{n}$ のうち, どの 2 つの因数から b を抜き出すかを考えて ${}_nC_2$ 通りある. これが $a^{n-2}b^2$ の係数となる.

以下, いくつかの利用例をあげる.

(1) $(1+x)^n={}_nC_0+{}_nC_1x+{}_nC_2x^2+\cdots+{}_nC_{n-1}x^{n-1}+{}_nC_nx^n.$ $\cdots ③$

(2) ③で $x=1$ とすると
$$(1+1)^n={}_nC_0+{}_nC_1+{}_nC_2+\cdots+{}_nC_{n-1}+{}_nC_n. \quad \cdots ④$$
i.e. $\sum_{k=0}^{n}{}_nC_k=2^n.$ $\cdots ④'$

③を経ず, 直接④を導いてもよい.

(3) ③の両辺を x で微分すると
$$n(1+x)^{n-1}={}_nC_1+2{}_nC_2x+\cdots+(n-1){}_nC_{n-1}x^{n-2}+n{}_nC_nx^{n-1}.$$
$x=1$ とすると
$$n(1+1)^{n-1}={}_nC_1+2{}_nC_2+\cdots+(n-1){}_nC_{n-1}+n{}_nC_n.$$
i.e. $\sum_{k=1}^{n}k{}_nC_k=n2^{n-1}.$

これは, [3]の公式(C)によっても示せる.

$$\sum_{k=1}^{n}{}_nC_k\cdot \underline{k}=\sum_{k=1}^{n}n\cdot{}_{n-1}C_{\underline{k-1}}$$

💬 変数 k は, 左辺の 2 か所から右辺の 1 か所に集まった.

$$=n\sum_{l=0}^{n-1}{}_{n-1}C_l \quad (l=k-1 \text{ とおいた})$$
$$=n\cdot 2^{n-1}. \quad (④' で n を n-1 に置き換えた)$$

(4) ③の両辺を $0\leq x \leq 1$ で積分すると
$$\int_0^1(1+x)^ndx=\int_0^1({}_nC_0+{}_nC_1x+{}_nC_2x^2+\cdots+{}_nC_{n-1}x^{n-1}+{}_nC_nx^n)dx.$$
$$\left[\frac{(1+x)^{n+1}}{n+1}\right]_0^1=\left[{}_nC_0x+\frac{{}_nC_1}{2}x^2+\frac{{}_nC_2}{3}x^3+\cdots+\frac{{}_nC_{n-1}}{n}x^n+\frac{{}_nC_n}{n+1}x^{n+1}\right]_0^1.$$
i.e. $\sum_{k=0}^{n}\frac{{}_nC_k}{k+1}=\frac{2^{n+1}-1}{n+1}.$

[5] 二項分布（数学B「統計的推測」）（⇨ ITEM90 発展1）

注意 この[5]は，入学試験範囲外である大学が大多数であり，必須の内容ではありません．

次のような試行を行う．

○ 1回の試行 T において，
$$\begin{cases} 事象 A が起きる確率は p, \\ 事象 \overline{A} が起きる確率は q(=1-p). \end{cases}$$

○ T を独立に（無関係に）n 回反復する．

このとき，「事象 A が起きる回数」を確率変数 X とすると

X は**二項分布** $B(n, p)$ に従う
　　　　　　　　　反復回数　　　各回における A の確率

といい，次の性質をもつ．

(1) $P(X=k) = {}_n C_k p^k q^{n-k}$ $(k=0, 1, \cdots, n)$. ・・・独立反復試行における公式

(2) $E(X) = np$. ・・・X の「期待値」（⇨ ITEM89, 90）
　　　　反復回数　　各回での確率

参考 (1)の確率の総和を考えると，

$$\sum_{k=0}^{n} {}_n C_k p^k q^{n-k} = (p+q)^n \quad （二項定理より）$$
$$= 1.$$

左辺は，全事象の確率であるから当然ではあるが美しい．

[(2)の証明]（[4](3)後半と同様）

$$E(X) = \sum_{k=0}^{n} k \cdot {}_n C_k p^k q^{n-k} \quad \cdots k=0 \text{ は除いてよい}$$

$$= \sum_{k=1}^{n} n \cdot {}_{n-1}C_{k-1} p^k q^{n-k} \quad \cdots 公式 \text{(c) より}$$

$$= np \sum_{l=0}^{n-1} {}_{n-1}C_l p^l q^{n-1-l} \quad (l=k-1 \text{ と置き換えた})$$

$$= np(p+q)^{n-1}$$

$$= np. \quad (\because p+q=1.)$$

(例) サイコロを 600 回投げるとき，2 の目が出る回数を X とする．このとき

X は二項分布 $B\left(600, \dfrac{1}{6}\right)$ に従う …(*)　　・・・必ず書くこと！
　　　　　　反復回数　　各回での確率

から，その期待値（平均）は，

$$E(X) = 600 \cdot \dfrac{1}{6} = 100.$$

注意 「600 回中，6 分の 1 の回数くらい A が起きるんじゃないか」という直感が，たまたま当たりますが，(*)をちゃんと書かないとバツにされる可能性が高いです．

特講 E 数列

　　Stage 4 以降では，入試における 1 つの花形である「確率・場合の数と数列との融合問題」が登場します．そこでは，Stage 3 までで学んできたことのみならず，数列（数学 B）の基礎力が備わっていることも前提となります．ところが困ったことに…その「数列の基礎」がちゃんと備わっている受験生は非常に稀であるというのが現実です．という訳で，ここに書かれた内容に目を通し，どこかに欠落があればそれを補ってから Stage 4 へ進みましょう．といっても「数列を完全に完璧にしてから」というのは堅苦しすぎます．一通り確認したら，あとは Stage 4 を学習しながら必要に応じてまたここに戻ってみて必要事項を補う，そんな使い方がおすすめです．

　　なお，一部の問題で使われる「極限」「積分法」（数学Ⅲ）の内容もまとめておきました．もちろんこれは理系生限定ですので，理系 印を付して明記しておきます．

[1] 数列とは？

　　順序を付けて，つまり**番号を付けて**数を並べたものが**数列**である．
　　すなわち，自然数 1, 2, 3, … に対しそれぞれ数 $a_1, a_2, a_3, …$ が 1 つずつ対応して定まるとき，これらを $a_1, a_2, a_3, …$ の順に並べたものを**数列** (a_n) という．
　　　　──0 からとか，3 からのときもある

　　少し大雑把な言い方をすれば，「自然数に対して 1 つに定まるもの」が「数列」である．

　補足 教科書では数列を $\{a_n\}$ と書きますが，本書でも見てきたように中括弧を用いた $\{○, △, □, …\}$ は順序を無視した記法ですので，本来オカシナ表現ですね．本書では，「数列」とは順序を考えたものだという立場を尊重し，順列 $(○, △, □, …)$ を表す記法 (a_n) を用います．えーと，もちろん趣味の問題です．

[2] 数列の 2 つの定め方

(1) **一般項**

　　n 番目の項を n で表し，**一気に** n 番を決める．
　　（例）$a_n = 2n - 1$ $(n = 1, 2, 3, …)$

(2) **帰納的定義**

　　a_1 から a_2，a_2 から a_3，a_3 から a_4，…と，直前から直後へと情報を伝え，**ドミノ式**に項を定める．

　　（例）$\begin{cases} a_1 = 1, & \text{……初項} \\ a_{n+1} = a_n + 2 & (n = 1, 2, 3, …) \end{cases}$ ……漸化式

　重要 つまり，「数列」の問題を攻略する道は

$\begin{cases} \text{一般項} & \cdots\text{直接求める} \\ \text{ドミノ式} & \cdots\text{直前と直後の関係に注目} \end{cases}$

の 2 通りである．

補足 その数列の特性を手っ取り早く観察したいときは、項を羅列してみるのが一番．

(例)

n	1	2	3	4	5	6	7	…
a_n	1	3	5	7	9	11	13	…

+2 +2 +2 +2 +2 +2

注意 ただし、項をいくつか並べてみただけでは数列を定めたことにはならないので要注意．

[3] 等差数列

前記**(例)**のような数列．

(1) **帰納的定義**

$$\begin{cases} a_1 = a, \\ a_{n+1} - a_n = d \end{cases} (n=1, 2, 3, \cdots)$$

← この定数 d を**公差**という

…つまり d ずつ増えるってこと

(2) **一般項**

n 番は 1 番より $n-1$ 番後ろにあるから，
$$a_{\boxed{n}} = a_{\boxed{1}} + (\underbrace{\boxed{n} - \boxed{1}}_{\text{番号の差}})d.$$

順序を考えた記法

(3) (a, b, c) が等差数列をなす条件は
$$\underbrace{b - a = c - b}_{\text{どちらも公差}}, \quad \text{i.e.} \quad a + c = 2b.$$

(4) **和**

(例)
$$\begin{array}{r} S = 1 + 3 + 5 + 7 + 9 \\ +) \ S = 9 + 7 + 5 + 3 + 1 \\ \hline 2S = 10 + 10 + 10 + 10 + 10. \end{array}$$

…逆順に並べて辺々加える

$\therefore S = \dfrac{\overset{\text{初め}}{1} + \overset{\text{終わり}}{9}}{2} \cdot \underset{\text{個数}}{5}.$ …公式は、赤字で書いた「意味」で覚えること！

注意 「$\dfrac{n}{2}(a_1 + a_n)$」などと"字面"だけ覚えるのは最悪．入試実戦の場では、まったく通用しません．

例題 $a_n = 2n - 1$ のとき，$S = a_5 + a_6 + a_7 + \cdots + a_{n+1}$ を求めると

$\therefore S = \dfrac{\overset{\text{初め}}{a_5} + \overset{\text{終わり}}{a_{n+1}}}{2} \cdot \underset{\text{個数}}{(n-3)} = \dfrac{9 + (2n+1)}{2} \cdot (n-3) = (n+5)(n-3).$

補足 5 から $n+1$ までの整数の個数は、次のように考えて求めています．

$$\underbrace{1, 2, 3, 4,}_{\text{4個}} \overbrace{\underbrace{5, 6, 7, \cdots, n+1}_{\text{?個}}}^{n+1 \text{個}}$$

1 から □ までの整数の個数は □ 個ですから、上を見ればわかるように
$$(n+1) - 4 = n - 3 \text{ 個}$$
となりますね． 「初め」：5 の 1 つ前

167：素数

[4] 等比数列

右のような数列です．

$$a_n : 3, \underset{\times 2}{\frown} 6, \underset{\times 2}{\frown} 12, \underset{\times 2}{\frown} 24, \underset{\times 2}{\frown} 48, \cdots$$

(1) **帰納的定義**

$$\begin{cases} a_1 = a, \\ a_{n+1} = a_n \cdot r \quad (n=1, 2, 3, \cdots) \end{cases}$$

└ この定数 r を**公比**という．

つまり次々 r 倍になるってこと

(2) **一般項**

n 番は 1 番より $n-1$ 番後ろにあるから，

$$a_{\boxed{n}} = a_{\boxed{1}} \cdot r^{\boxed{n}-\boxed{1}}$$

(3) (a, b, c) がこの順に等比数列をなす条件は

$$\frac{b}{a} = \frac{c}{b}, \text{ i.e. } ac = b^2.$$

└ どちらも公比

(4) **和**

(例) 始め：3，公比：2，個数：5

$$S = 3 + 3\cdot 2 + 3\cdot 2^2 + 3\cdot 2^3 + 3\cdot 2^4$$
$$-) \quad 2S = 3\cdot 2 + 3\cdot 2^2 + 3\cdot 2^3 + 3\cdot 2^4 + 3\cdot 2^5$$

公比倍して辺々差をとる

$$(1-2)S = 3 - 3\cdot 2^5$$

$$\therefore S = 3 \cdot \frac{1 - 2^5}{1 - 2}.$$

初め ┘ └ 個数
└ 公比

補足 このように「公比 > 1」のときは，$3 \cdot \dfrac{2^5 - 1}{2 - 1}$ として分母を正にする方がよい．

注意 この公式は，公比が 1 のときは使えない．
└ つまり定数数列

例題 $S = \displaystyle\sum_{k=0}^{n} 5 \cdot 3^{k+1}$ のとき

0 番から n 番までの和

$$\therefore S = 5 \cdot 3 \cdot \frac{3^{\boxed{n+1}} - 1}{3 - 1}.$$

初め ┘ └ 個数
└ 公比

[5] 階差と和の関係

(1) **階差 → 和**

$$a_{n+1} - a_n = b_n \qquad b_n \text{ は } a_n \text{ の階差}$$

のとき，n に $1, 2, 3, \cdots, n-1$ を代入して辺々加えると，

$$\begin{aligned} a_2 - a_1 &= b_1 \\ a_3 - a_2 &= b_2 \\ a_4 - a_3 &= b_3 \\ &\vdots \\ +) \quad a_n - a_{n-1} &= b_{n-1} \\ \hline a_n - a_1 &= b_1 + b_2 + b_3 + \cdots + b_{n-1}. \end{aligned}$$

"パタパタ"消える！

よって，$n \geq 2$ のとき，
$$a_n = a_1 + \sum_{k=1}^{n-1} b_k.$$
　　　　　　　　　　　　※ a_n は b_n の(ほぼ)和

(2) 和→階差
　　　　　　　　　　　※ S_n は a_n の和
$$S_n = a_1 + a_2 + \cdots + a_{n-1} + a_n$$
のとき，$n \geq 2$ なら，
$$a_n = S_n - S_{n-1}.$$
　　　　　　　　　　※ a_n は S_n の(ほぼ)階差

$$\begin{array}{r} S_n = a_1 + a_2 + \cdots + a_{n-1} + a_n \\ -)\ S_{n-1} = a_1 + a_2 + \cdots + a_{n-1} \\ \hline S_n - S_{n-1} = a_n. \end{array}$$

重要 このように，「和」と「階差」は表裏一体である．

参考 数列 (a_n) の増減，つまり a_n と a_{n+1} の大小関係は，
「階差数列 $a_{n+1} - a_n$ の符号」
によって調べるのが基本である．

なお，つねに $a_n > 0$ であれば，$a_{n+1} - a_n = \underset{\text{正}}{a_n}\left(\dfrac{a_{n+1}}{a_n} - 1\right)$ だから

「比：$\dfrac{a_{n+1}}{a_n}$ と 1 の 大小」を考える手もある．(a_n が確率であれば値は正なので，こちらも使える．)(⇨ **ITEM67**)

[6]　Σ記号

(1) $\displaystyle\sum_{k=1}^{n} a_k = a_1 + a_2 + a_3 + \cdots + a_n$.　　※ k は 1 ずつ増加する

(2) $\displaystyle\sum_{k=1}^{n}(a_k \pm b_k) = \sum_{k=1}^{n} a_k \pm \sum_{k=1}^{n} b_k$　(複号同順)．　　※ 足し算，引き算は分解 OK

　　$\displaystyle\sum_{k=1}^{n} c \cdot a_k = c \sum_{k=1}^{n} a_k$．　($c$ は定数)　　※ 定数倍は Σ の中でも外でも OK

[7]　和の求まる数列

以下の5タイプがある．ただし，特講D[4]二項定理利用のタイプは除いている．

(1) 等差数列→[3](4)

(2) 等比数列→[4](4)

(3) 等差数列×等比数列
　　　　　　　　　　　　　　　　　※ $\displaystyle\sum_{k=1}^{n} k \cdot 2^{k-1}$
(例)　　$S = 1 \cdot 1 + 2 \cdot 2 + 3 \cdot 2^2 + \cdots + n \cdot 2^{n-1}$
$$\begin{array}{r} -)\ 2S = 1 \cdot 2 + 2 \cdot 2^2 + \cdots + (n-1)2^{n-1} + n \cdot 2^n \\ \hline -S = \underline{1 + 2 + 2^2 + \cdots + 2^{n-1}} - n \cdot 2^n \end{array}$$
　　　　　　　　　　　※ 公比倍して辺々差をとる
　　　　　　　　等比数列の和→上記(2)へ帰着

(4) 以下の公式を利用．
$$\sum_{k=1}^{n} k = \frac{1}{2}n(n+1),$$
　　　　　　　　　　　※ これは等差数列の和の公式とみることもできる
$$\sum_{k=1}^{n} k^2 = \frac{1}{6}n(n+1)(2n+1),$$
$$\sum_{k=1}^{n} k^3 = \frac{1}{4}n^2(n+1)^2.$$
　　　　　　　　　　　※ 次頁に 注意 あり

169 → 13^2

注意 これらは，等差数列や等差数列の和の公式と異なり，$k=1$ からでないと（直接には）使えない．

(例1) $\sum_{k=1}^{n}(k^3+3k^2)=\sum_{k=1}^{n}k^3+3\sum_{k=1}^{n}k^2$ … 足し算は分解，定数倍は前
この変形は頭の中で済ませる

$$=\frac{1}{4}n^2(n+1)^2+3\cdot\frac{1}{6}n(n+1)(2n+1)$$

$$=\frac{1}{4}n(n+1)\{n(n+1)+2(2n+1)\}=\cdots$$

(例2) $\sum_{k=2}^{n}k^2=\sum_{k=1}^{n}k^2-1^2$ … ムリヤリ $k=1$ からにする

$$=\frac{1}{6}n(n+1)(2n+1)-1^2=\cdots$$

(例3) $\sum_{k=2}^{n}(2k+3)=\dfrac{7+(2n+3)}{2}\cdot(n-1)=(n+5)(n-1)$.
　　　1次式は　　　初め　　終わり　　　　　　個数
　　　等差数列

(5) 階差の形に分解する． … [5](1)の利用

(例) $\sum_{k=1}^{n}\underbrace{\dfrac{1}{k(k+1)}}_{a_k}=\sum_{k=1}^{n}\left(\underbrace{\dfrac{1}{k}}_{b_k}-\underbrace{\dfrac{1}{k+1}}_{b_{k+1}}\right)$ … a_k は b_k の（ほぼ）階差

$$\begin{aligned}
&=\ \ \frac{1}{1}-\frac{1}{2}\\
&\ \ +\frac{1}{2}-\frac{1}{3}\\
&\ \ +\frac{1}{3}-\frac{1}{4}\\
&\ \ \ \ \ \ \vdots\\
&\ \ +\frac{1}{n-1}-\frac{1}{n}\\
&\ \ +\frac{1}{n}-\frac{1}{n+1}
\end{aligned}$$

$$=\underbrace{\frac{1}{1}}_{b_1}-\underbrace{\frac{1}{n+1}}_{b_{n+1}}$$ … b_n は a_n の（ほぼ）和

$$=\frac{n}{n+1}.$$

参考 じつは(4)の2番目の公式も，

$$\underbrace{(k+1)^3-k^3}_{\text{階差の形}}=3k^2+3k+1$$

の両辺を $k=1,\ 2,\ 3,\ \cdots,\ n$ について加えることによって示される．（3番目の公式も同様．）

もしくは階差の"ような"形への

<階差型への分解例>

全て，左辺を右辺へ変形する向きで使う．右辺を計算してみれば左辺と一致していることが確かめられる．

① : $\dfrac{1}{k(k+1)} = \dfrac{1}{k} - \dfrac{1}{k+1}$

② : $\dfrac{1}{k(k+1)(k+2)} = \dfrac{1}{2}\left\{\dfrac{1}{k(k+1)} - \dfrac{1}{(k+1)(k+2)}\right\}$

③ : $\dfrac{1}{k(k+2)} = \dfrac{1}{2}\left(\dfrac{1}{k} - \dfrac{1}{k+2}\right)$

④ : $k(k+1) = \dfrac{1}{3}\{k(k+1)(k+2) - (k-1)k(k+1)\}$

⑤ : $k(k+1)(k+2) = \dfrac{1}{4}\{k(k+1)(k+2)(k+3) - (k-1)k(k+1)(k+2)\}$

⑥ : ${}_{k-1}C_{r-1} = {}_kC_r - {}_{k-1}C_r$　　p. 162 [3](b)より

⑦ : $k \cdot k! = (k+1)! - k!$

⑧ : $\dfrac{k}{(k+1)!} = \dfrac{1}{k!} - \dfrac{1}{(k+1)!}$

⑨ : $\dfrac{1}{\sqrt{k} + \sqrt{k+1}} = \sqrt{k+1} - \sqrt{k}$

⑩ : $\log_2 \dfrac{k+1}{k} = \log_2(k+1) - \log_2 k$

⬆⑪ : $\cos k\theta \sin\dfrac{\theta}{2} = \dfrac{1}{2}\left\{\sin\left(k+\dfrac{1}{2}\right)\theta - \sin\left(k-\dfrac{1}{2}\right)\theta\right\}$

[8] 漸化式→一般項　　ドミノ式

[2]で述べた「数列の2つの定め方」のうち，「帰納的定義」から「一般項」を求める方法についてまとめておきます．

(1) 解法の整理

1° 基本型

　　隣どうしの差に注目 $\begin{cases} a_{n+1} - a_n = d \cdots 等差数列 \\ a_{n+1} - a_n = n\text{ の式} \cdots 階差型 \to [5](1) \end{cases}$

　　隣どうしの比に注目 $\begin{cases} a_{n+1} = ra_n \cdots 等比数列 \\ a_{n+1} = (n\text{ の式}) \cdot a_n \end{cases}$

2° 適切な置換により，1°に帰着させる．様々なパターンがある．(2)で有名なものを後で列記する．

3° a_1, a_2, a_3, a_4 あたりまで求めてみることにより，一般項を予測する．そして，数学的帰納法によって証明する．

(2) 2°の有名パターン

　重要 Stage 4 以降で大量に扱う「確率」と「数列」の融合問題では，ここにある手法が頻繁に使われる．完全にマスターしよう．

　注意 以下において，漸化式が全ての自然数 n について成立することは，自明なこと

とみなして明記しない．

(a) **2項間漸化式**

(例1) $\begin{cases} a_1 = 4, & \cdots ① \\ a_{n+1} = 3a_n - 2 & \cdots ② \end{cases}$

②の下線部：等比型　ジャマな定数

方針 ②を
$$\underbrace{a_{n+1} - \alpha}_{b_{n+1}} = 3(\underbrace{a_n - \alpha}_{b_n}), \quad \cdots (*)$$
（定数 α）

i.e. $a_{n+1} = 3a_n \underbrace{-2\alpha}_{\text{ジャマな定数}}$

と変形するには，"ジャマな定数"部分を比較して
$$-2 = -2\alpha, \quad \text{i.e.} \quad \alpha = 1$$
であればよい．このときの($*$)は…（ここまで下書き）…

解答 ②を変形すると　　　解答ではイキナリこう書く
$$\underbrace{a_{n+1} - 1}_{b_{n+1}} = 3(\underbrace{a_n - 1}_{b_n}). \quad \cdots ③ \quad b_n \text{ は公比 3 の等比数列}$$

∴ $\underbrace{a_{\boxed{n}} - 1}_{b_n} = (\underbrace{a_{\boxed{1}} - 1}_{b_1}) 3^{\boxed{n}-\boxed{1}}.$　　n 番は 1 番より $n-1$ 番後ろ

これと①より
$$a_n = 3 \cdot 3^{n-1} + 1 = 3^n + 1.$$

補足 ③は，次のようにすると手早く得られる．

②で，a_{n+1}, a_n の所をどちらも α で置き換えた方程式
$$\alpha = 3\alpha - 2$$
を解くと，$\alpha = 1$．つまり
$$1 = 3 \cdot 1 - 2. \quad \cdots ④$$
②－④より…

差をとることにより，ジャマな定数「-2」が消え，等比型漸化式③が得られる．
上記 **解答** でこうしなかった理由は，(例2)，(例3) との類似性が見えやすくするためである．

(例2) $\begin{cases} a_1 = 3, & \cdots ① \\ a_{n+1} = 3a_n + 4n & \cdots ② \end{cases}$

②の下線部：等比型　ジャマな1次式

方針 ②を
$$\underbrace{a_{n+1} - \{\alpha(n+1) + \beta\}}_{b_{n+1}} = 3\{\underbrace{a_n - (\alpha n + \beta)}_{b_n}\}, \quad \cdots (*)$$
（1次式 $\alpha n + \beta$）

i.e. $a_{n+1} = 3a_n \underbrace{-2\alpha n + (\alpha - 2\beta)}_{\text{ジャマな1次式}}$

と変形するには，"ジャマな1次式"部分を比較して
$$4n = -2\alpha n + (\alpha - 2\beta), \quad n \text{ についての恒等式}$$

i.e. $\begin{cases} -2\alpha = 4, \\ \alpha - 2\beta = 0 \end{cases}$ より $\begin{cases} \alpha = -2, \\ \beta = -1 \end{cases}$

であればよい．このときの(∗)は…(ここまで下書き)…

解答 ②を変形すると　　解答ではイキナリこう書く

$$\underbrace{a_{n+1} + 2(n+1) + 1}_{b_{n+1}} = 3(\underbrace{a_n + 2n + 1}_{b_n}). \quad \cdots ③ \qquad b_n \text{ は公比 3 の等比数列}$$

ここも「1」にする

$\therefore\ \underbrace{a_{\boxed{n}} + 2n + 1}_{b_n} = (\underbrace{a_{\textcircled{1}} + 2\cdot 1 + 1}_{b_1})3^{\boxed{n}-\textcircled{1}}.$　　n 番は 1 番より $n-1$ 番後ろ

これと①より

$6 = 2\cdot 3$

$a_n = 6\cdot 3^{n-1} - 2n - 1 = 2\cdot 3^n - 2n - 1.$

(例3) $\begin{cases} a_1 = 1, & \cdots ① \\ a_{n+1} = 3a_n + 2^n & \cdots ② \end{cases}$

　　　　　等比型　ジャマな指数関数

方針 ②を

指数関数 $\alpha \cdot 2^n$

$\underbrace{a_{n+1} - \alpha\cdot 2^{n+1}}_{b_{n+1}} = 3(\underbrace{a_n - \alpha\cdot 2^n}_{b_n}), \quad \cdots (*)$

i.e. $a_{n+1} = 3a_n \underbrace{- \alpha\cdot 2^n}_{\text{ジャマな指数関数}}$

と変形するには，"ジャマな指数関数"部分を比較して

$2^n = -\alpha\cdot 2^n$, i.e. $\alpha = -1$

であればよい．このときの(∗)は…(ここまで下書き)…

解答 ②を変形すると　　解答ではイキナリこう書く

$$\underbrace{a_{n+1} + 2^{n+1}}_{b_{n+1}} = 3(\underbrace{a_n + 2^n}_{b_n}). \quad \cdots ③ \qquad b_n \text{ は公比 3 の等比数列}$$

$\therefore\ \underbrace{a_{\boxed{n}} + 2^n}_{b_n} = (\underbrace{a_{\textcircled{1}} + 2^1}_{b_1})3^{\boxed{n}-\textcircled{1}}.$　　n 番は 1 番より $n-1$ 番後ろ

これと①より

$a_n = 3\cdot 3^{n-1} - 2^n = 3^n - 2^n.$

重要 (例1)〜(例3)の解法は，次のように総括できる．

$\underbrace{a_{n+1}}_{} = r\underbrace{a_n}_{等比型} + \underbrace{f(n)}_{ジャマな式}$

類似の式

$\xrightarrow{変形}\ \underbrace{a_{n+1} - g(n+1)}_{b_{n+1}} = r\{\underbrace{a_n - g(n)}_{b_n}\}.$　　b_n は公比 r の等比数列

173：素数

[(例3)]の別解

　(例3)は，まったく別の視点から解答することもできます．じつは(例3)には"例外"というべきタイプの問題：(例4)があり，そこではこの**別解**の方しか機能しないのです．

(例3) $\begin{cases} a_1 = 1, & \cdots ① \\ a_{n+1} = 3a_n + 2^n & \cdots ② \end{cases}$

　　　　　　　└─ 3がなければ階差型

解答 ②÷3^{n+1} より　・・・このテクニックは覚えよう．

$$\frac{a_{n+1}}{3^{n+1}} = \frac{3a_n}{3^{n+1}} + \frac{2^n}{3^{n+1}}. \quad \cdots 3^{n+1}=3\cdot 3^n$$

$$\underbrace{\frac{a_{n+1}}{3^{n+1}}}_{c_{n+1}} - \underbrace{\frac{a_n}{3^n}}_{c_n} = \frac{1}{3}\left(\frac{2}{3}\right)^n. \quad \cdots [8](1)1°\text{の「階差型」}$$

これと①より，$n \geqq 2$ のとき

$$\therefore \underbrace{\frac{a_n}{3^n}}_{c_n} = \underbrace{\frac{a_1}{3^1}}_{c_1} + \sum_{k=1}^{n-1} \frac{1}{3}\left(\frac{2}{3}\right)^k \quad \cdots \text{等比数列の和}$$

　　　　　　　　　　　　　　　　　　　　個数

$$= \frac{1}{3} + \underbrace{\frac{1}{3}\cdot\frac{2}{3}}_{初め} \cdot \frac{1-\left(\frac{2}{3}\right)^{n-1}}{1-\underbrace{\frac{2}{3}}_{公比}} = 1 - \left(\frac{2}{3}\right)^n.$$

$$\therefore a_n = 3^n - 2^n. \quad (\text{これは } n=1 \text{ でも成立する．})$$

注意 ②の両辺を 2^{n+1} で割るのは，いちばん遠回りな方法です．

(例4)　これが，(例3)の例外タイプです．

$\begin{cases} a_1 = 1, \text{ 一致!!} & \cdots ① \\ a_{n+1} = 3a_n + 3^n & \cdots ② \end{cases}$

　　　　　　　└─ 3がなければ階差型

解答 ②÷3^{n+1} より

$$\frac{a_{n+1}}{3^{n+1}} = \frac{3a_n}{3^{n+1}} + \frac{3^n}{3^{n+1}}. \quad \cdots 3^{n+1}=3\cdot 3^n$$

$$\underbrace{\frac{a_{n+1}}{3^{n+1}}}_{c_{n+1}} - \underbrace{\frac{a_n}{3^n}}_{c_n} = \frac{1}{3}. \quad \cdots \text{なんと等差数列}$$

これと①より

$$\therefore \underbrace{\frac{a_n}{3^n}}_{c_n} = \underbrace{\frac{a_1}{3^1}}_{c_1} + \frac{1}{3}(n-1)$$

$$= \frac{1}{3} + \frac{1}{3}(n-1) = \frac{n}{3}.$$

$$\therefore a_n = n \cdot 3^{n-1}.$$

(b) 3項間漸化式

(例1) $\begin{cases} a_1=1,\ a_2=5, & \cdots① \\ a_{n+2}=5a_{n+1}-6a_n & \cdots② \end{cases}$

方針 ②を
$$\underbrace{a_{n+2}-\alpha a_{n+1}}_{b_{n+1}}=\beta(\underbrace{a_{n+1}-\alpha a_n}_{b_n}),\ \cdots(*)$$

i.e. $a_{n+2}=(\alpha+\beta)a_{n+1}-\alpha\beta a_n$

と変形するには，a_{n+1}, a_n の係数を比較して

$\begin{cases} \alpha+\beta=5, \\ \alpha\beta=6 \end{cases}$ より $\{\alpha,\ \beta\}=\{2,\ 3\}$ ← **組合せの記号** 順序も考えると2通りある

であればよい．このときの(*)は…(ここまで下書き)…

解答 ②は次のように変形できる．← 解答ではイキナリこう書く

$\underbrace{a_{n+2}-2a_{n+1}}_{b_{n+1}}=3(\underbrace{a_{n+1}-2a_n}_{b_n})$， ← b_n は公比3の等比数列

$\underbrace{a_{n+2}-3a_{n+1}}_{c_{n+1}}=2(\underbrace{a_{n+1}-3a_n}_{c_n})$． ← c_n は公比2の等比数列

これと①より

$\begin{cases} \underbrace{a_{n+1}-2a_n}_{b_n}=\underbrace{(a_2-2a_1)}_{b_1}3^{n-1}=3^n, & \cdots③ \\ \underbrace{a_{n+1}-3a_n}_{c_n}=\underbrace{(a_2-3a_1)}_{c_1}2^{n-1}=2^n. & \cdots④ \end{cases}$

③-④より
$$a_n=3^n-2^n.$$

補足 じつは，(a)(例3)と同じ数列です．

解説 ②が2通りに変形できることがポイントになっています．それが不可能になるのが次の"例外タイプ"：(例2)です．

(例2) $\begin{cases} a_1=1,\ a_2=6, & \cdots① \\ a_{n+2}=6a_{n+1}-9a_n & \cdots② \end{cases}$

方針 (例1)と同様です．②を
$$\underbrace{a_{n+2}-\alpha a_{n+1}}_{b_{n+1}}=\beta(\underbrace{a_{n+1}-\alpha a_n}_{b_n}),\ \cdots(*)$$

i.e. $a_{n+2}=(\alpha+\beta)a_{n+1}-\alpha\beta a_n$

と変形するには，a_{n+1}, a_n の係数を比較して

$\begin{cases} \alpha+\beta=6, \\ \alpha\beta=9 \end{cases}$ より $\{\alpha,\ \beta\}=\{3,\ 3\}$ ← 等しい！ 順序を考えても1通りしかない

であればよい．このときの(*)は…(ここまで下書き)…

解答 ②は次のように変形できる．
$$\underbrace{a_{n+2}-3a_{n+1}}_{b_{n+1}}=3(\underbrace{a_{n+1}-3a_n}_{b_n}),$$

・・・ b_n は公比 3 の等比数列

これと①より
$$\underbrace{a_{n+1}-3a_{\boxed{n}}}_{b_n}=\underbrace{(a_2-3a_{\boxed{1}})}_{b_1}3^{\boxed{n}-\boxed{1}}=3^n.$$

i.e. $a_{n+1}=3a_n+3^n.$ …③

…(以下略)…

解説 ③と $a_1=1$ で定まる数列 (a_n) は，(a)**(例4)** の (a_n) と同じですね．だから「以下略」です．このような "$\alpha=\beta$" となってしまう「3 項間漸化式の例外タイプ」は，「2 項間漸化式の例外タイプ」に帰着されるのだと覚えましょう．

(c) 連立漸化式

2つの数列 (a_n), (b_n) が関係し合いながら定まるタイプです．

(例1) $\begin{cases} a_1=1,\ b_1=-4, & \cdots① \\ a_{n+1}=a_n-b_n, & \cdots② \\ b_{n+1}=2a_n+4b_n & \cdots③ \end{cases}$

解答 ②より
$$b_n=a_n-a_{n+1}.$$
これと③より
$$a_{n+1}-a_{n+2}=2a_n+4(a_n-a_{n+1}).$$
$$a_{n+2}=5a_{n+1}-6a_n.\ \cdots④$$
…(以下略)…

解説 ①, ②より $a_2=1-(-4)=5$. ④と $a_1=1$, $a_2=5$ で定まる数列 (a_n) は，(b)**(例1)** の (a_n) と同じですね．だから「以下略」です．

(例2) $\begin{cases} a_1=5,\ b_1=2, & \cdots① \\ a_{n+1}=\boxed{5}a_n+\boxed{②}b_n, & \cdots② \\ b_{n+1}=\boxed{②}a_n+\boxed{5}b_n & \cdots③ \end{cases}$

・・・ 係数が入れかわっただけ

方針 $\begin{cases} a_{n+1}=\square a_n+\bigcirc b_n, \\ b_{n+1}=\bigcirc a_n+\square b_n \end{cases}$ 型の連立漸化式は「**足して，引く**」と覚えます．

解答 ②±③より
$$\begin{cases} a_{n+1}+b_{n+1}=7(a_n+b_n), \\ a_{n+1}-b_{n+1}=3(a_n-b_n). \end{cases}$$

・・・ 等比型

これと①より
$$\begin{cases} a_n+b_n=(a_1+b_1)7^{n-1}=7^n, \\ a_n-b_n=(a_1-b_1)3^{n-1}=3^n. \end{cases}$$

これを解いて
$$a_n=\frac{1}{2}(7^n+3^n),\ b_n=\frac{1}{2}(7^n-3^n).$$

[9] **数学的帰納法** n を含んだ命題，たとえば

$$P(n):\left\lceil \sum_{k=1}^{n} k^2 = \frac{1}{6}n(n+1)(2n+1) \right\rfloor \quad (n=1,\ 2,\ 3,\ \cdots)$$

命題＝Proposition

とは，実際には

$$P(1): 1^2 = \frac{1}{6}\cdot 1\cdot 2\cdot 3,$$

$$P(2): 1^2 + 2^2 = \frac{1}{6}\cdot 2\cdot 3\cdot 5,$$

$$P(3): 1^2 + 2^2 + 3^2 = \frac{1}{6}\cdot 3\cdot 4\cdot 7,$$

$$\vdots$$

という<u>無限個</u>の命題である．これらすべてを証明するためには，
　1°　$P(1)$ を示す．
　2°　$P(n)$ を仮定すれば $P(n+1)$ も成り立つ
　　　ことを，$n=1,\ 2,\ 3,\ \cdots$ について示す．

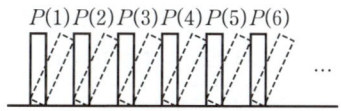

の2つの作業を行えばよい．このように，**無限個**
の命題 $P(1),\ P(2),\ P(3),\ \cdots$ を，**ドミノ式**に証明する手法を**数学的帰納法**という．

ドミノ式の定め方

重要　帰納的に定義された数列に関する命題の証明には，数学的帰納法が有効なことが多い．

ドミノ式の証明法

〈注意〉 これ以降は数学Ⅲの範囲であり，理系生限定の内容である．

理系 [10] **数列の極限**

(1) **収束**

数列(a_n)がαに**収束**するとは，番号nが限りなく大きくなるときa_nが定数αに限りなく近づくことである．このことを，次のように表す．

$$\lim_{n\to\infty} a_n = \alpha.$$

$n\to\infty$のとき $a_n \to \alpha$．

$a_n \xrightarrow[n\to\infty]{} \alpha$． ……**本書ではこれをよく用いる**

参考 「$a_n \to \alpha$」は「$\underbrace{|a_n - \alpha|}_{a_n と \alpha の誤差} \to 0$」と同じことである．

補足 「収束しないこと」を「発散する」という．

(2) **不定形**

ある数列をいくつかの部分に分け，各部の極限を求めてみると，その数列全体の極限は直接にはわからないということがある．このようなときに"**不定形**"という表現を用いる．

(例) (1) $\lim_{n\to\infty} \dfrac{n^2+n}{3n^2+1}$ …… $\dfrac{\infty}{\infty}$型不定形

(2) $\lim_{n\to\infty}(3^n - 2^n)$ …… $\infty - \infty$型不定形

注意 $\dfrac{\infty}{\infty}$などは，あくまで便宜的表現であり，正式な数式ではない．したがって，答案には書かないこと．ましてや，「$\dfrac{\infty}{\infty}$を約分して1」などとしてはならない！

〔(例)の解答〕

(1) nが大きいとき，分子，分母それぞれにおいて，「n^2」は「他の項」よりずいぶん大きい．そこで，「他の項」の影響力が無くなるよう，分子分母を「n^2」で割ると

ここが"主要部"　　　　　　　　　取るに足らない"ゴミ"

$$\dfrac{\boxed{n^2}+n}{\boxed{3n^2}+1} = \dfrac{1+\boxed{\dfrac{1}{n}}}{3+\boxed{\dfrac{1}{n^2}}} \xrightarrow[n\to\infty]{} \dfrac{1}{3}.$$

ここはゴミ　　　　　　ゴミは消えちゃう

$3^6=729$　　$2^6=64$

(2) nが大きいとき，「3^n」は「2^n」よりずいぶん大きい．そこで，「2^n」の影響力が無くなるよう，"主要部"「3^n」で"くくる"．

ここが"主要部"

$$\boxed{3^n}-2^n = \boxed{3^n}\left\{1-\left(\dfrac{2}{3}\right)^n\right\} \xrightarrow[n\to\infty]{} \infty.$$

ここはゴミ　　　　　ゴミは消えちゃう

注意 このように，極限を考える際には，式変形する**前に**どこが主要部か？（どこがゴミか？）を見極めることが肝心である．

理系 [11] **自然対数の底**

「**自然対数の底**」と呼ばれる定数 e を，次のように定義する．
$$e = \lim_{h \to 0}(1+h)^{\frac{1}{h}}.$$
… $1^{\pm\infty}$ 型不定形

理系 [12] **無限級数**

無限級数
$$a_1 + a_2 + a_3 + \cdots + a_n + \cdots$$
$$= \sum_{k=1}^{\infty} a_k$$
← いずれも略記法

が**収束**するとは，その**部分和** $S_n = \sum_{k=1}^{n} a_k$ が作る数列 $S_1, S_2, \cdots, S_n, \cdots$ が収束することを言う．つまり

分離して考える！
$$\sum_{k=1}^{\infty} a_k = \lim_{n \to \infty} \sum_{k=1}^{n} a_k.$$
2° その極限　1° 有限個の和 S_n

理系 [13] **区分求積法**

$F'(x) = f(x)$ とする．右図の斜線部の面積 S を2通りの方法で表すことにより，次の等式を得る．

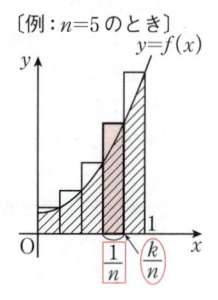

$$\int_0^1 f(x)\,dx \left(= \Big[F(x)\Big]_0^1\right)$$
$$= \lim_{n \to \infty} \sum_{k=1}^{n} f\left(\frac{k}{n}\right) \cdot \frac{1}{n}.$$

〔例：$n=5$ のとき〕

0から1まで細かく集める

縦の長さ×微小な横幅 = 微小長方形の面積を

地味系問題・派手系問題

　次の Stage 4 から，扱う問題が数列などと融合したりして，見た目かなり高度で難しそうになってきます．筆者の経験では，経験の浅い生徒さんは最初そうした問題に出会ったとき，まったくできません．ところが授業を聞き，復習をし，類題を練習すると…すぐに，とはいいませんが割と短期間で見違えるようにできるようになります．これは，『高度なものに限って，定型的でパターンが決まっている』ことが多いからです．このタイプの問題を "派手系" と呼ぶことにします．

　　派手系：初見では無理だが，訓練すれば劇的にできるようになる．

すでに扱った内容も含め，"派手系" の代表的なものとしては
○「カルノー図」(⇐ 例題57)
○「推移グラフ」(⇐ 例題53)
○「確率漸化式」(⇒ 例題73)
などがあげられます．

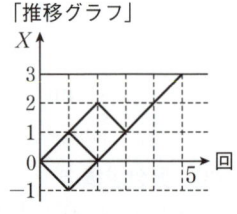

　一方，それとは対極にあるのが "地味系" の問題です．これは，見た目が素朴でありその場でコツコツ地道に例を書いたりして考えれば，ひょっとすると高校受験生・中学受験生の中にも解ける人がいるかもしれない反面，"型" にはまっていないので長年勉強してきたはずの大学受験生でも解けないこともある，そんなタイプです．(⇐ ITEM47, 48 「番号と色」)

　　地味系：誰でも取り組めるが，訓練しても得点力が急速にはアップしない．

　これら2タイプのうち力を入れたいのは，やはり効果の出やすい，もっと言うなら「即効性のある」"派手系" の方でしょう．実際，"教える" 立場としては，授業でも書物でもその系統に比重をおいて扱うのが通例です．しかし，入試の実態としては，"派手系" と "地味系" でそれほど出題頻度に差があるわけではありません．この頻度を基準にするなら，多くの場合指導は意図的に偏っていますから，"地味系" の問題演習も怠らないよう気を付けてください．また，"派手系" の問題を本当に理解してマスターするための前提となる基礎的な「考え方」は，"地味系" の問題演習を通して学ばれることが多いので，偏り過ぎた学習を続けると単なる上っ面だけのパターン暗記に陥る危険性が高くなります．前記2タイプを，バランスよく学ぶことを心掛けましょう．

　本書でも，Stage 3 の「入試実戦編」以降，とくに Stage 4, 5 になると "派手系" の比率が高くなってきます．しかし，つねに「現象の見方」，「考え方」から詳しく解説し，根本から理解してもらうことを目指して書かれています．また，それに加えてときに Stage 1, 2 も振り返って学ぶことで，揺るぎない力が身に付くよう配慮してありますのでご安心ください．

Stage 4
実戦融合問題編

　上位大学入試における"花形"ともいうべき,「確率・場合の数」と「数列」（数学B）などの融合問題を扱います．問題は"見た目"高度になり,「難しそう…」と感じることが多くなります．しかし,"融合問題"の中には
　　　「確率・場合の数」の問題として半人前
　　　「数列」の問題としても半人前
　　　両方合わせてやっと一人前
というものも多く，数列に関する基礎が備わっていれば，実戦ではむしろ点が取りやすいこともよくあります．（実際，Stage 3 と Stage 4 では難易が逆転していることも多々あります．）
　また，入試数学において，"高度"なものは往々にして典型的でもあり，
　　　初見で解くのは無理だが類題経験があればけっこう取れる
ことが多いのです．
　という訳で,「確率・場合の数」と「数列」の融合問題の対策は次の２つです．
　　$\begin{cases} 1°：両分野の基礎を固める． \\ 2°：典型的な問題演習経験を積む． \end{cases}$
　1°のために，事前に特講E「数列」をサッと読んでおきましょう．そして，ITEM ごとに学習を進めながら，必要に応じて参照してください（有用と思われる参照箇所は⇨印で明示してあります）．大切なのはあくまでも「基礎」です．数列の応用問題ができていなくてもとくに支障はありません．
　もちろん，2°のためにあるのがこの Stage 4 です．しっかりとした，正しい訓練を積めば，医学部に代表される上位大学入試で勝負を決するこの種の問題を，『得点源』にできます！
　実際の入試では，発想・計算処理の両面においてここで扱うものよりさらに入り組んだものも出ますが，それをこなすためにも，ベースとなる典型問題をしっかり理解し，身に付けておくのが最優先課題です．
　この Stage 4 および Stage 5 では，一部数学Bの「統計的推測」の内容も扱います．その ITEM の表題には,「ITEM 89：○○（数学B）」のように，その旨明記します．（すでに ITEM 66 でも扱いましたが．）

ITEM 67 確率 確率の最大化

「確率」と「数列」を融合した応用問題の手始めとして，自然数の変数 n を含んだ確率が最大（もしくは最小）となる n を特定する問題を扱います．ある現象が「いちばん起こりやすいのはどんなときか？」というのは，ごく自然に興味をもつ対象ですよね．

ここがツボ！ 数列の増減→「階差数列」の符号を調べる

例題67 n は 2 以上の整数とする．アーチェリーの名手がおり，各回の試技における命中確率は $\dfrac{99}{100}$ である．この名手が n 回試技をして 2 回だけ失敗する確率が最大となる n を求めよ．

着眼 確率の問題としては，単なる「独立反復試行」に過ぎません．勝負は，その確率（n で表された数列）の増減をいかに調べるかです．（⇦p.168 特講E [5] 参考）

解答

○ 題意の確率を p_n とする．
各回の試技における事象とその確率は次のとおり．

$$\begin{cases} 命中 \cdots 確率 \dfrac{99}{100}\,(=a\ とおく) \\ 失敗 \cdots 確率 \dfrac{1}{100}\,(=b\ とおく) \end{cases}$$

…面倒な分数はいったん文字で置き換える

○ n 回 $\begin{cases} 命中 \cdots n-2\ 回 \\ 失敗 \cdots 2\ 回 \end{cases}$ となる確率を求めて

$$p_n = {}_n\mathrm{C}_2\, a^{n-2} b^2 = \dfrac{n(n-1)}{2} a^{n-2} b^2.$$

…順序を区別している

○ 数列 (p_n) の「増減」を調べる．

p_n の階差数列
$$p_{n+1} - p_n = \dfrac{(n+1)n}{2} a^{n-1} b^2 - \dfrac{n(n-1)}{2} a^{n-2} b^2$$

$$= \dfrac{n a^{n-2} b^2}{2} \{(n+1)a - (n-1)\}$$ …$a=\dfrac{99}{100}$

$$= \dfrac{n a^{n-2} b^2}{200} \{99(n+1) - 100(n-1)\} = \underbrace{\dfrac{n a^{n-2} b^2}{200}}_{正} (199 - n). \quad \cdots ①$$

$\therefore\ p_{n+1} \begin{cases} > p_n & (n \leq 198), \\ = p_n & (n = 199), \quad \cdots ②. \\ < p_n & (n \geq 200). \end{cases}$

i.e. $\cdots < p_{197} < p_{198} < p_{199} = p_{200} > p_{201} > p_{202} > \cdots. \quad \cdots ③$

　　　　　　197　198　199　200　201　　　赤字は②における n の値

よって求める n は，**199，200**．

重要 数列(p_n)の「増減」を調べるには，直前と直後，つまり p_{n+1} と p_n の大小関係に注目し，両者の差をとった**階差数列** $p_{n+1}-p_n$ の**符号**を調べるのがもっとも自然であり，正統的かつ汎用性が高い方法です． p_n-p_{n-1} でもOK

解説 せっかく①式が正しく作れたのに答えを間違える人が多発します．①をもとに，必ず②のように p_{n+1} の p_n に対する大小関係を，番号 n の範囲に応じて明示してください．また，その際「$p_{n+1} \geq p_n$」などと「>」と「=」をいっしょにしたらアウトです！ ここでは「$p_{n+1} > p_n$」と「$p_{n+1} = p_n$」は，決定的に異なる大小関係です！ ちゃんと区別して書いてください．
⇦p.166 特講E [1]

②を書いてもなお答えを間違える人もかなりいます．これは，「数列」の基礎中の基礎：「番号に対応付けて数を並べる」ことができないせいで起こります．ちゃんと②の n にいろいろな整数値を当てはめて，具体的に隣接項どうしの大小関係を③のように表しましょう（その考え方が③式に赤字で示してあります）．ただし，③式を必ず初項（本問では p_2）から書くのは無駄です．大切なのは増減の変わり目ですから，p_{199} の近辺をしっかり考えたら，前，後ろの方は"同様に"と片づけます．

補足 本問で登場する確率「$\frac{99}{100}$」や「$\frac{1}{100}$」のように面倒な値を何度も書くことになりそうな予感がしたら，ぜひ **解答** のようにいったん文字で置き換えましょう．
「$\left(\frac{99}{100}\right)^{n-2}$」と「$a^{n-2}$」では，書くときのスピードが違い過ぎて勝負になりませんよ．

参考 p_{n+1} と p_n の大小関係を調べる際，それらの比：$\frac{p_{n+1}}{p_n}$ と 1 の大小関係を考えて次のようにする方法もあります．

$$\frac{p_{n+1}}{p_n} = \frac{(n+1)n}{2}a^{n-1}b^2 \cdot \frac{2}{n(n-1)}\frac{1}{a^{n-2}b^2}$$
$$= \frac{(n+1)a}{n-1} = \frac{99(n+1)}{100(n-1)}. \quad \cdots ④$$

分数で割るときは，逆数を掛ける

よって $\frac{p_{n+1}}{p_n} > 1 \Leftrightarrow \frac{99(n+1)}{100(n-1)} > 1$ であり，分母は正だから，$p_{n+1} > p_n \Leftrightarrow 99(n+1) > 100(n-1)$，i.e. $n < 199$. 以下 $\frac{p_{n+1}}{p_n} = 1$，<1 についても同様にして，②と同じ結果を得る．

解答 と比べると，①で「正」と書いている部分の多くが約分されて消えるので書く量が少ない半面，④以降で（符号に注意して）分母を払ったり移項したりと面倒ですね．よってこの「比をとる」という方式は，「約分されて消える部分が極端に多いときのみ有効」といえます．（筆者は「差」：8割，「比」：2割くらいで使い分けています．）

類題 67 白玉が入った箱がある．球の個数は未知である．今，箱から100個の玉を取り出し，全て赤く塗って箱に戻した．玉をよくかき混ぜてから再び100個の玉を取り出したところ，そのうち4個が赤く塗られていた．このような事象が起きる確率が最大となるのは，玉の総数が何個であるときか．

ITEM 68 場合の数 正多角形

正多角形は，その美しい対称性により入試各分野で格好の素材となります．「確率」，「場合の数」も例外ではありません．

ここがツボ！ 外接円に注目して，**モレなく ダブりなく**

例題68 n は 2 以上の整数とする．正 $2n$ 角形の頂点から異なる 3 点を選んで三角形を作るとき，以下の問いに答えよ．ただし，$2n$ 個の頂点は全て区別するとする．　○○を区別？
(1) 直角三角形は何個できるか．
(2) 鋭角三角形は何個できるか．

重要 選ぶのはあくまでも「頂点」です．「辺」ではありませんから正多角形（の辺）そのものを描いても意味がありません．正多角形の「頂点」がもつ性質である「**外接円を等分すること**」を意識して図示しましょう．

解答　頂点を記

$2n$ 個の頂点を $A_0, A_1, A_2, \cdots, A_{2n-1}$ と表し，O を中心とする外接円 C の円周上に右図のように等間隔で並んでいるとする．

(1) ○直角となる頂点の対辺は C の直径である．(下図1)
　○直径の選び方は
　　$A_0A_n, A_1A_{n+1}, A_2A_{n+2}, \cdots, A_{n-1}A_{2n-1}$
　の n 通り．（下図2）　A_0A_n と A_nA_0 などをダブルカウントしないこと！
　○例えば A_0A_n が直径のとき，他の頂点の選び方は $2n-2$ 通り（下図3）．
　他の直径に対しても同様である．

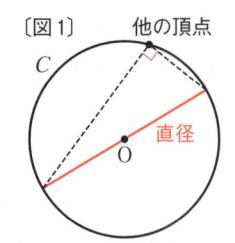

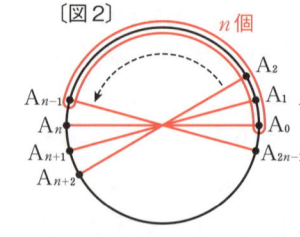

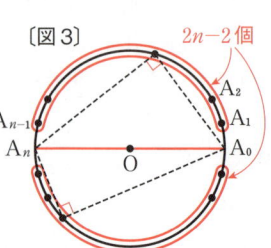

〔図1〕 他の頂点　直径
〔図2〕 n 個
〔図3〕 $2n-2$ 個

　○以上より，求める直角三角形の個数は
　　　$n \cdot (2n-2) = \bm{2n(n-1)}$．　…①

(2) ○ 3頂点を選んでできる三角形は，$2n$ 個から異なる3個を取る組合せを考えて

$$_{2n}C_3 = \frac{2n(2n-1)(2n-2)}{3!} = \frac{2n(2n-1)(n-1)}{3}(個) \quad \cdots ②$$

（同一直線上にある3点はない）
（事象全体を把握する）

あり，これらは
「鋭角三角形」，「直角三角形」，「鈍角三角形」のいずれか． $\cdots ③$

○ そこで，「鈍角三角形」の個数を求める．まず，鈍角となる頂点は
$A_0, A_1, A_2, \cdots, A_{2n-1}$ の $2n$ 通り．

○ たとえば $\angle A_0$ が鈍角のとき，他の2頂点を
$A_k, A_l \ (1 \leq k < l \leq 2n-1)$
とする．A_k を固定したとき，$\angle A_0$ が鈍角となるのは，A_l が**直径** $A_k A_{n+k}$ に関して A_0 と同じ側にあるとき，すなわち $l > n+k$ より
$l = n+k+1, n+k+2, \cdots, 2n-1$
のとき．このような l の個数は
$(2n-1)-(n+k) = n-1-k$． （⇐ p.167 特講E [3](4) 補足）

（頂点の位置関係を 視）

○ ただし，これが正の整数値をとることから，$k=1, 2, 3, \cdots, n-2$．

○ よって鈍角三角形の個数は
$$2n \sum_{k=1}^{n-2}(n-1-k) = 2n \cdot \frac{(n-2)+1}{2}(n-2) = n(n-1)(n-2).$$

（初め　終り　等差数列　個数）

○ これと①，②，③より，求める鋭角三角形の個数は
$$\frac{2n(2n-1)(n-1)}{3} - 2n(n-1) - n(n-1)(n-2)$$
$$= \frac{1}{3}n(n-1)\{2(2n-1)-6-3(n-2)\} = \frac{1}{3}\boldsymbol{n(n-1)(n-2)}.$$

解説 鋭角，直角，鈍角の判定において決め手となるのは**外接円の直径**です．(1)では**直径をなす辺**に注目することでダブりのない場合分けをし，(2)の「鈍角三角形」では**直径** $A_k A_{n+k}$ に関する A_l と A_0 の位置関係を考えています．

なお，本問と異なり頂点の個数が奇数のときは，直径の両端となる2点はありませんから直角三角形はできなくなります．

（モレなく　ダブりなく）

注意 (2)で「鈍角三角形」を数えたのは，**1つに特定できる鈍角**に注目してダブりのない場合分けができるからです．「鋭角三角形」だと3つの角全てが鋭角なので，いったい「どの角に注目して場合分けしているのか」わからなくなってしまいます．

類題 68 n は自然数とする．正 $6n$ 角形の頂点から3点を選んで三角形を作るとき，以下の問いに答えよ．ただし，$6n$ 個の頂点は全て区別するとする．

[1] 正三角形は何個できるか．

[2] 3辺の長さが全て異なる三角形は何個できるか．

（解答▶解答編 p.35）

ITEM 69 場合の数 — 2変数の条件

複数の変数が様々な条件を満たしているとき，その条件を式で表しただけでは自信がもてないことがあります．そんなとき頼りになる手法を学びましょう．

ここがツボ！ 座標平面上の格子点を数える． 「格子点」とは，x，y 座標がともに整数である点

例題69 n は 2 以上の整数とする．$1, 2, 3, \cdots, 2n$ の $2n$ 個の数から重複を許して 3 個を選ぶ組合せのうち，取り出した 3 個の数が等差数列（公差が 0 でも可）をなすようなものの個数を求めよ．

方針 まずは 3 個の値に名前を与え，問題に記された条件を式として表してみます．そして，さらにその条件を明確に捉える方法を探ります．

解答

○ 選んだ 3 整数を a, b, c（ただし $a \leq b \leq c$）と表すと，題意の条件は

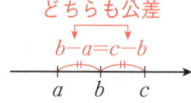

$$\begin{cases} 1 \leq a \leq b \leq c \leq 2n, & \cdots ① \\ a + c = 2b. & \cdots ② \ (\Leftarrow \text{p.167 特講E [3](3)}) \end{cases}$$

これを満たす組 (a, b, c) の個数が求めるものである．

○ ② より，$c = 2b - a$．…②'．これを ① に代入すると

$$\underset{\text{ア}}{1 \leq a} \leq \underset{\text{イ}}{b} \leq \underset{\text{ウ}}{2b - a} \leq \underset{\text{エ}}{2n}.$$

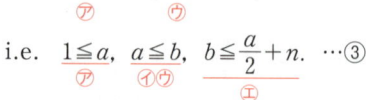

i.e. $\underset{\text{ア}}{1 \leq a},\ \underset{\text{イウ}}{a \leq b},\ \underset{\text{エ}}{b \leq \dfrac{a}{2} + n}.\ \cdots ③$

これを満たす組 (a, b) は，①，② を満たす組 (a, b, c) と 1 対 1 対応であり，右図網掛け部（境界も含む）内の格子点で表される．

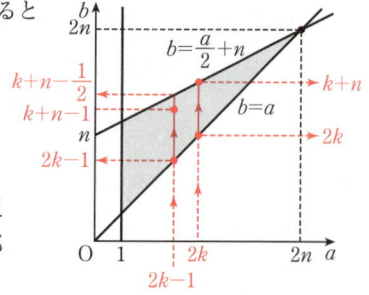

○ 直線 $a = 2k$ 上の格子点の個数 t_k は

$b = 2k, 2k+1, 2k+2, \cdots, k+n$

の個数を数えて（$\Leftarrow$ p.167 特講E [3](4) 補足）

$t_k = (k+n) - (2k-1) = n+1-k.$ （ただし，$k = 1, 2, 3, \cdots, n.$）

○ 直線 $a = 2k-1$ 上の格子点の個数 s_k は

$b = 2k-1, 2k, 2k+1, \cdots, k+n-1$ の個数を数えて

$s_k = (k+n-1) - (2k-1-1) = n+1-k$（個）．（ただし，$k = 1, 2, 3, \cdots, n.$）

○ 以上より，求める個数は

$$\sum_{k=1}^{n}(s_k + t_k) = \sum_{k=1}^{n}2\underset{\text{等差数列}}{(n+1-k)} = 2 \cdot \frac{n+1}{2} \cdot n = \boldsymbol{n(n+1)}. \quad \cdots ④$$

〔③以降の別解〕

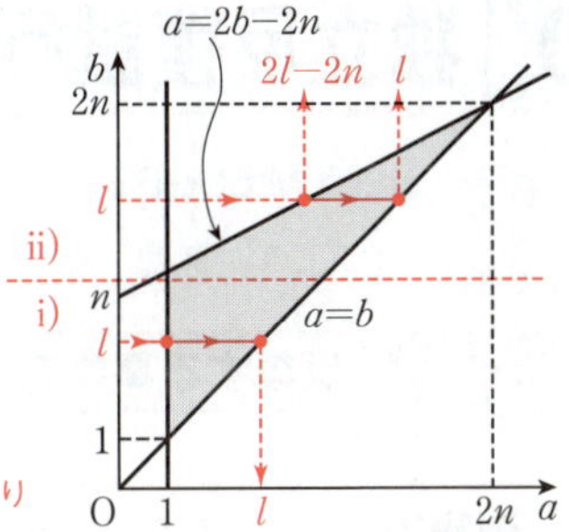

○ 直線 $b=l$ ($l=1, 2, 3, \cdots, n$) 上の格子点は
$a=1, 2, 3, \cdots, l$ の l 個.

○ 直線 $b=l$ ($l=n+1, n+2, n+3, \cdots, 2n$) 上の格子点は
$a=2l-2n, 2l-2n+1, 2l-2n+2, \cdots, l$ の
$l-(2l-2n-1)=2n+1-l$ 個.

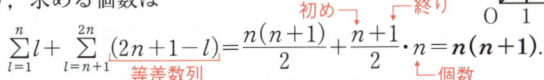

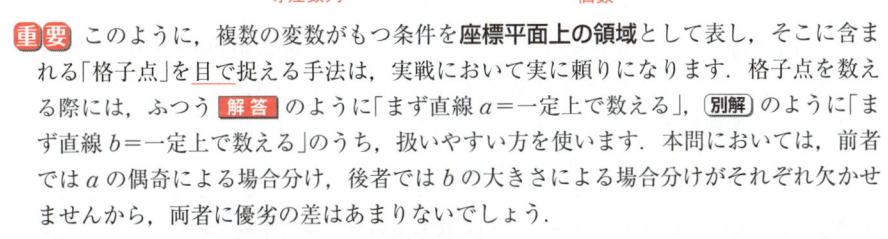

○ 以上より, 求める個数は
$$\sum_{l=1}^{n} l + \sum_{l=n+1}^{2n} (2n+1-l) = \frac{n(n+1)}{2} + \frac{n+1}{2}\cdot n = n(n+1).$$

重要 このように, 複数の変数がもつ条件を**座標平面上の領域**として表し, そこに含まれる「**格子点**」を目で捉える手法は, 実戦において実に頼りになります. 格子点を数える際には, ふつう 解答 のように「まず直線 $a=$ 一定上で数える」, 別解 のように「まず直線 $b=$ 一定上で数える」のうち, 扱いやすい方を使います. 本問においては, 前者では a の偶奇による場合分け, 後者では b の大きさによる場合分けがそれぞれ欠かせませんから, 両者に優劣の差はあまりないでしょう.

解説 直線 $b=\frac{a}{2}+n$ 上の点の b 座標(縦座標)は, a が偶数なら整数ですが a が奇数だとそうではなくなりますね. そこで 解答 では a の偶奇による場合分けを行いました.

補足1 座標平面を利用するには, 変数が 2 つでなくてはなりません. 本問では最初変数が a, b, c と 3 つあるので, 等式②を用いて 1 つを消去します.

注意1 その際, うっかり $b=\frac{a+c}{2}$ と変形して b を消去してはなりません. 右辺が分数型なので, a と c が整数でも b が整数にならない可能性があり, 面倒です. 本問の 解答 では②′より a と b が整数なら c も整数ですから心配いりませんね. なお, $a=2b-c$ により a を消す方法なら, 本問と同じように解答できます.

注意2 ③の上にある不等式は, 隣接 2 項の間に成り立つ 4 つの不等式㋐〜㋓に分解して考えることにより, ③へと円滑に変形できます.

補足2 ④の「$\sum_{k=1}^{n}(s_k+t_k)$」において, $k=1$ に対応する s_1, t_1 は, それぞれ直線 $x=1, 2$ 上の格子点数を表します. 同様に, $k=2$ に対応する s_2, t_2 は, それぞれ直線 3, 4 上の格子点数です. 以下, $k=3, 4, \cdots, n$ についても同様に考えると, 直線 $x=1, 2$ から $x=2n-1, 2n$ までの全直線上の格子点数が表されていることがわかります.

参考 ①のように大小関係を指定しておけば, 求める「組合せ」と「組 (a, b, c)」とは 1 対 1 対応でしたね. (⇐ ITEM20)

類題 69 n は 2 以上の整数とする. $1, 2, 3, \cdots, 2n$ の $2n$ 個の数から異なる 3 個を選ぶ組合せを考える. 取り出した 3 個の数を 3 辺の長さとする三角形ができて, しかも最大辺の長さが偶数であるような組合せの個数を求めよ.

(解答 ▶ 解答編 p.37)

ITEM 70 確率　独立反復試行：2連勝で終了

よくわかった度チェック！ ① ② ③

ITEM 52〜ITEM 54 で見た，あるルールに基づいて優勝者を決定する問題の別タイプです．また，数列の和として確率を求める練習もします．

> **ここがツボ！** 反復する事象を視覚化

例題70　A, B 2 人が繰り返し試合を行い，先に 2 連勝した方が優勝とする．各試合において，A, B が勝つ確率はそれぞれ $\dfrac{2}{3}$, $\dfrac{1}{3}$ である．n は 2 以上の整数として，次に答えよ．

c は「Championship」の頭文字

(1) ちょうど n 試合目に A が優勝を決める確率 c_n を求めよ．
(2) 第 n 試合後までに A が優勝を決める確率 C_n を求めよ．
(理系) (3) A が優勝する確率を求めよ．

方針　「A が優勝する」という事象は，視覚化してみれば案外単純です．

解答

(1) ○各試合における事象とその確率は次の通り．
$$\begin{cases} A:\text{「A が勝つ」}\cdots 確率 \dfrac{2}{3}, \\ B:\text{「B が勝つ」}\cdots 確率 \dfrac{1}{3}. \end{cases}$$
事象を 記

○A が最後に 2 連勝して優勝する事象は，次の 2 タイプに分けられる．
　$AB\,AB\,AB\cdots AB\,AA$ …①（試合数は偶数）
　$B\,AB\,AB\,AB\cdots AB\,AA$ …②（試合数は奇数）

事象を 視

以下，k はある自然数とする．

○$n=2k$ のとき，①のみが考えられ，AB の反復回数は $k-1$．よって
$$c_n = c_{2k} = \left(\dfrac{2}{3}\cdot\dfrac{1}{3}\right)^{k-1} \cdot \dfrac{2}{3}\cdot\dfrac{2}{3} = 2\left(\dfrac{2}{9}\right)^{k} \quad \left(k=\dfrac{n}{2}\right). \quad \cdots ③$$

○$n=2k+1$ のとき，②のみが考えられ，AB の反復回数は $k-1$．よって
$$c_n = c_{2k+1} = \dfrac{1}{3}\left(\dfrac{2}{3}\cdot\dfrac{1}{3}\right)^{k-1} \cdot \dfrac{2}{3}\cdot\dfrac{2}{3} = \dfrac{2}{3}\left(\dfrac{2}{9}\right)^{k} \quad \left(k=\dfrac{n-1}{2}\right). \quad \cdots ④$$

○以上より，求める確率は
$$c_n = \begin{cases} 2\left(\dfrac{2}{9}\right)^{\frac{n}{2}} & (n=2,\ 4,\ 6,\ \cdots), \\ \dfrac{2}{3}\left(\dfrac{2}{9}\right)^{\frac{n-1}{2}} & (n=3,\ 5,\ 7,\ \cdots). \end{cases} \quad \cdots ⑤$$

(2) m はある自然数とする.

○ $n=2m+1$ のとき

$$C_n = C_{2m+1} = \sum_{k=2}^{2m+1} c_k$$

$$= \sum_{k=1}^{m} (c_{2k} + c_{2k+1}) \quad \cdots ⑥ \quad \leftarrow \begin{array}{l} c_2+c_3 \\ +c_4+c_5 \\ +c_6+c_7 \\ \vdots \\ +c_{2m}+c_{2m+1} \end{array} \quad \bullet\bullet\bullet \text{項の並びをイメージ}$$

$$= \sum_{k=1}^{m} \left\{ 2\left(\frac{2}{9}\right)^k + \frac{2}{3}\left(\frac{2}{9}\right)^k \right\}$$

$$= \sum_{k=1}^{m} \frac{8}{3}\left(\frac{2}{9}\right)^k \quad \bullet\bullet\bullet \text{等比数列の和}(\Leftarrow \text{p.168 特講E [4](4)})$$

$$= \frac{8}{3} \cdot \frac{2}{9} \cdot \frac{1-\left(\frac{2}{9}\right)^m}{1-\frac{2}{9}} = \frac{16}{21}\left\{1-\left(\frac{2}{9}\right)^m\right\} \quad \left(m=\frac{n-1}{2}\right). \quad \cdots ⑦$$

（初め／公比／項数）

○ $n=2m$ のとき

$$C_n = C_{2m} = C_{2m+1} - c_{2m+1} \quad \bullet\bullet\bullet \quad C_{2m+1} = \underbrace{c_2 + c_3 + \cdots + c_{2m}}_{C_{2m}} + c_{2m+1}$$

$$= \frac{16}{21}\left\{1-\left(\frac{2}{9}\right)^m\right\} - \frac{2}{3}\cdot\left(\frac{2}{9}\right)^m$$

$$= \frac{16}{21} - \frac{10}{7}\left(\frac{2}{9}\right)^m \quad \left(m=\frac{n}{2}\right). \quad \cdots ⑧$$

○ 以上より，求める確率は （最終結果は「n」で表す）

$$C_n = \begin{cases} \dfrac{16}{21} - \dfrac{10}{7}\left(\dfrac{2}{9}\right)^{\frac{n}{2}} & (n=2,\ 4,\ 6,\ \cdots), \\ \dfrac{16}{21} - \dfrac{16}{21}\cdot\left(\dfrac{2}{9}\right)^{\frac{n-1}{2}} & (n=3,\ 5,\ 7,\ \cdots). \end{cases} \quad \cdots ⑨$$

(3) 「A が優勝する確率」とは，$\displaystyle\sum_{n=2}^{\infty} c_n = \lim_{n\to\infty} C_n$ である.

⑧, ⑦より，$m \to \infty$ のとき

$$C_{2m} \to \frac{16}{21},\ C_{2m+1} \to \frac{16}{21}.$$

よって求める確率は，$\displaystyle\lim_{n\to\infty} C_n = \frac{16}{21}$.

解説1 (1)は，Aが優勝する事象として初戦でどちらが勝つかに注目すると①，②の2タイプが考えられることにより，n の偶奇によって場合分けすることになります．その際，解答過程においては

　　　偶数：「$2k$」，奇数：「$2k+1$」

と表すと考えやすいですね．ただし(1)の最終結果は，③，④のままにせず，⑤のように「問題文で与えられた文字 n で表す」のが（一応の）"礼儀作法"でしょう．

しかし，(2)で∑計算を行うときには<u>1ずつ値を変える</u>kを用いて計算しますので，③，④の方を使います．よって(1)において，(2)で使用しない⑤を書かなくても減点しないという採点者もいると思われます．（安全策としては⑤も書いておくべきです．）

奇数は「$2k-1$」と表すこともありますが，本問のnは2から始まりますので，偶数$2k$と直後の奇数$2k+1$を"ペア"として表すのが収まりがよく，実際(2)の∑計算においてc_{2k}とc_{2k+1}がどちらも<u>$k=1$から始まる</u>ので助かりますね．

重要 ⑥式のような∑記号による表現は，kに1, 2, 3, …, mを代入して得られる各項を，⑥式右の赤字のように頭の中で思い浮かべながら書くことによって，初めて正確に用いることができます．

注意 (1), (2)の最終結果⑤, ⑨において，nに2や3を代入して検算しておきましょう．

これ以降は，**理系** の内容です．

解説2 (3)で問われている「Aが優勝する確率」とは，<u>回数に制限を設けず</u>，「Aが第何試合でもいいから優勝を決める確率」です．本問の試行では$ABABAB…$といつまでも繰り返す可能性もあり，試合数に上限はないので，(c_n)の無限級数，つまり(C_n)の極限が求めるものとなります．

補足 数列(C_n)もnの偶奇によって場合分けして求めました．よって(3)でその極限を考える際にも，当然

偶数番号の列(C_{2m})…⑦， $C_2, C_4, C_6, …$
奇数番号の列(C_{2m+1})…⑦， $C_3, C_5, C_7, …$

と分けて考えます．ただし，求めるべきものはあくまでも

数列(C_n) $C_2, C_3, C_4, C_5, C_6, C_7, …$

の極限ですから，偶数番号，奇数番号の双方について極限を求め，両者が一致したときその値が(C_n)全体としての極限値となります．⑦，⑦のどちらか片方のみ極限を求めたのでは不完全です．

〔(3)の別解〕 Aが優勝する事象は下左図のように分けられる．

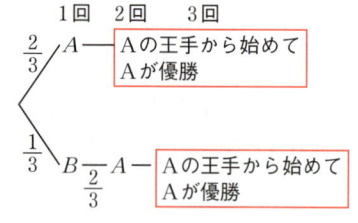

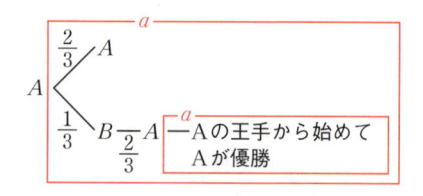

Aが勝ち，次も勝てば優勝となる状態を「Aの王手」と呼び，その状態から始めてAが優勝する確率をaとおく．上右図において，2つの赤枠が表す事象の確率はいずれもaである．よって，大きい方の赤枠が表す事象の確率を2通りに表すことにより

$$a = \frac{2}{3} + \frac{1}{3} \cdot \frac{2}{3} \cdot a . \quad \therefore \quad a = \frac{6}{7}$$

これと上左図より，求める A が優勝する確率は
$$\frac{2}{3}\cdot a + \frac{1}{3}\cdot\frac{2}{3}\cdot a = \frac{8}{9}\cdot\frac{6}{7} = \frac{16}{21}.$$

解説3 このような「方程式」を用いた解法が成立しえた原因は，前右図のようにある事象(大きな赤枠)の中に，それと同じ事象(小さな赤枠)が再現されているからです．回数に制限がないという本問の特徴かつ難しさを逆に利用し，2つの事象を完全に同一視しているわけです．上手い手ですね！

　ただし，この解法を試験場において自分で正しく組み立てるのは容易ではありません．必ず **解答** にある地道な方法もマスターしておきましょう．

↑**発展** 前記 **別解** では，「A の王手から初めて A がいつしか優勝する確率」という，捉えどころがなく収束するか否かも確認されていないものを初めから「定数」と決めつけて「a」とおいています．このような行為は厳密にいうと少し問題があるのですが，大学レベルの知識背景を用いるとその正当性が保証されます．次の通りです．

　「A の王手から初めて n 試合目で A が優勝」の確率を a_n とし，その第 n 項までの和を $A_n = a_1 + a_2 + \cdots + a_n$ とおくと

$A_n - A_{n-1} = a_n \geq 0$ より，数列 (A_n) は単調増加列である．

A_n は「確率」だから，$A_n \leq 1$．　●上に有界であるという

(ここが大学レベル) つまり (A_n) は**単調かつ有界**な数列である．

↳よって (A_n) は収束する．

　したがってその極限値を「a」とおいてよい．

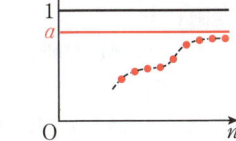

という訳で，入試実戦では **別解** のように解答しても許されるでしょう．なお，これと似た方法論は Stage 5，ITEM 92「巴戦」や ITEM 94「破産の確率」でも用います．

類題 70 n は自然数とする．箱の中に A，A，B の 3 枚のカードが入っている．そこからカードを 1 枚取り出してもとに戻すことを繰り返し，同じ文字が連続して出たら終了とする．

[1] ちょうど $2n$ 回目で終了する確率を求めよ．

[2] n 回目までに終了する確率を求めよ．

(解答 ▶ 解答編 p.38)

ITEM 71 確率 「まで」から「ちょうど」へ

よくわかった度チェック！ ① ② ③

前 ITEM ではある事象がちょうど n 回目に起きる確率の和を考えることで第 n 回までに起きる確率を求めました．今回は，その逆ルートを辿ります．

ここがツボ！ 事象の全体像を視覚的に把握

例題71 箱の中に 5 個の玉があり，連続した 5 個の整数 a, $a+1$, $a+2$, $a+3$, $a+4$ がそれぞれの玉に 1 つずつ記されていることがわかっている．ただし，a の値は知らされていない．

この箱から，玉を 1 つ取り出し，記されている整数を記録してもとに戻す操作を繰り返す．n は 2 以上の整数として答えよ．

(1) 操作を n 回繰り返したとき，a の値が判明している確率 p_n を求めよ．
(2) 操作を n 回繰り返したときに初めて a の値が判明する確率 q_n を求めよ．

着眼

(1) 「a の値が判明している」とは，どんな数が出ることなのでしょう．たとえば 3 回の操作で「6, 3, 5」と出た場合

$$(a, a+1, a+2, a+3, a+4) = (2, 3, 4, 5, 6), (3, 4, 5, 6, 7)$$

の 2 つの可能性があり，a は特定されません．仮に前者だとすれば最小数 2 が，後者だとすれば最大数 7 が取り出されていないからです．

一方「4, 3, 7」と出た場合は

$$(a, a+1, a+2, a+3, a+4) = (3, 4, 5, 6, 7)$$

と決定します．最小数 3 と最大数 7 がどちらも取り出されたからです．

(2) (1) を正しく利用するため，事象の全体像をしっかり視覚化します．

解答

(1) ○ 「a の値が判明している」とは，最小数 a と最大数 $a+4$ がどちらも取り出されていることに他ならない．

○ n 回の操作において

A：「a が少なくとも 1 回取り出される」，
B：「$a+4$ が少なくとも 1 回取り出される」

とすると，求める確率 p_n は

$$p_n = P(A \cap B).$$

○ $\overline{A}$：「n 回とも a 以外」，
$\overline{B}$：「n 回とも $a+4$ 以外」，
$\overline{A} \cap \overline{B}$：「$n$ 回とも $a+1$, $a+2$, $a+3$」．

事象を 記
カルノー図で 視

求めたい
求めやすい

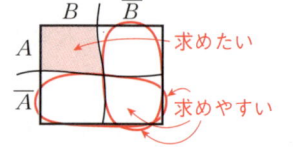

192 → 4·48 → 2^6·3

○よって求める確率は
$$p_n = 1 - \{P(\overline{A}) + P(\overline{B}) - P(\overline{A} \cap \overline{B})\}$$
$$= 1 - \left\{\left(\frac{4}{5}\right)^n + \left(\frac{4}{5}\right)^n - \left(\frac{3}{5}\right)^n\right\}$$
$$= 1 - 2\left(\frac{4}{5}\right)^n + \left(\frac{3}{5}\right)^n \quad \cdots ①$$

(2) 初めて a の値が判明するのが第 k 回とすると，k のとり得る値は次のとおり．

$$k : \underbrace{2, \; 3, \; \cdots, \; n-1, \; n}_{p_n}, \; n+1, \; \cdots \qquad \textbf{事象の全体像を〈視〉}$$

ここで $\underbrace{2, 3, \cdots, n-1}_{p_{n-1}}$

$n = 3, \; 4, \; 5, \; \cdots$ のとき

p_n は，$k = 2, \; 3, \; \cdots, \; n-1, \; n$ となる確率，

p_{n-1} は，$k = 2, \; 3, \; \cdots, \; n-1$ となる確率．

よって求める確率 q_n は

$$q_n = p_n - p_{n-1} \quad \cdots ②$$

また，$q_2 = p_2$ であり，$n = 1$ のとき①式の値は 0 だから，$n = 2, 3, 4, \cdots$ に対して

$$q_n = \left\{1 - 2\left(\frac{4}{5}\right)^n + \left(\frac{3}{5}\right)^n\right\} - \left\{1 - 2\left(\frac{4}{5}\right)^{n-1} + \left(\frac{3}{5}\right)^{n-1}\right\} \quad \cdots ③$$
$$= \frac{2}{5}\left\{\left(\frac{4}{5}\right)^{n-1} - \left(\frac{3}{5}\right)^{n-1}\right\}.$$

解説 a や $a+4$ が「少なくとも 1 回取り出される」というあいまいな事象が相手となりましたので，原則通り余事象に注目しました．

重要 ②を見ればわかるように，(2)の q_n を(1)の p_n の（ほぼ）階差数列として求めています．前 ITEM の **例題70** で，(2)の C_n を(1)の c_n の和として求めたのと対照的ですね．(⇦p. 168 **特講E [5]**)

重要なのは，「p_n」と「q_n」の関係を，正確に，確実に把握することです．そのためにも，ぜひ(2)の冒頭のような**事象の全体像の視覚化**を習慣づけてください．

なお，これと同様な手法を，⬆ **類題 100** [2]でも使います．

参考 (2)は，(1)を用いず直接求めることもできます．第 n 回に初めて $a, a+4$ が出揃う事象は，次の 2 タイプに分けられます．

ⅰ) 1～$n-1$ 回　　　　　n 回　　　ⅱ) 1～$n-1$ 回　　　　　　　n 回

$\begin{cases} a \text{ が 1 回以上出る} \\ a+4 \text{ は出ない} \end{cases} \to a+4$ 　　　$\begin{cases} a+4 \text{ が 1 回以上出る} \\ a \text{ は出ない} \end{cases} \to a$

ⅰ)，ⅱ)の確率は，**例題57** と同様にしていずれも $\left\{\left(\frac{4}{5}\right)^{n-1} - \left(\frac{3}{5}\right)^{n-1}\right\} \cdot \frac{1}{5}$ と求まり，q_n も得られます．

類題 71 サイコロを n 回投げ，出た目すべての積を X_n とする．

[1] X_n が 6 の倍数ではない確率 p_n を求めよ．

[2] $X_1, \; X_2, \; X_3, \; \cdots$ のうち初めて 6 の倍数となるものが X_n である確率 q_n を求めよ．

(解答▶解答編 p.39)

193：素数

ITEM 72 確率 一定方向への推移

ここからしばらくは，時刻の進行，回数の進行にともない状態が変化していく現象を扱います．時の流れの中で変わりゆく現象を，紙の上に視覚的に表現することを練習していきます．

ここがツボ！ 状態の推移とその確率を「推移図」で視覚化

例題72 あるランプは，1秒毎に青，黄，赤のいずれかの色で光る．青の1秒後の色は確率 $\frac{2}{3}$ で青，確率 $\frac{1}{3}$ で黄であり，黄の1秒後の色は確率 $\frac{1}{2}$ で黄，確率 $\frac{1}{2}$ で赤である．ランプは初め青だったとして，n 秒後 ($n=2, 3, 4, \cdots$) に初めて赤になる確率を求めよ．

方針 文章で書かれた条件設定を，できるだけわかりやすく図式化し，それを見ながら条件を満たす事象を探っていきます．

解答
○ B：青，Y：黄，R：赤と表すと，色は右の確率で推移する．
○ 最後にBである時刻を k (秒) とすると，題意の事象は次図の通り．

時刻：0	1	$\cdots$	k	$k+1$	$k+2$	$\cdots$	$n-1$	n
色：B	B	$\cdots$	B	Y	Y	$\cdots$	Y	R

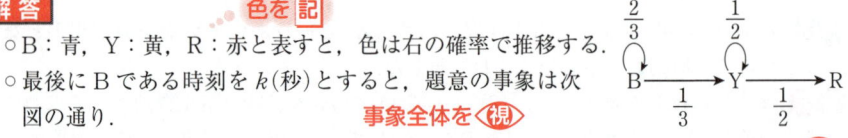

このとき，各種推移の回数は次の通り．

計 n 回 $\begin{cases} B \to B \cdots k \text{ 回}, \\ B \to Y \cdots 1 \text{ 回}, \\ Y \to Y \cdots n-2-k \text{ 回}, \\ Y \to R \cdots 1 \text{ 回}. \end{cases}$

この事象の確率は

① $\cdots \left(\frac{2}{3}\right)^k \cdot \frac{1}{3} \cdot \left(\frac{1}{2}\right)^{n-2-k} \cdot \frac{1}{2} = \frac{1}{3} \cdot \left(\frac{1}{2}\right)^{n-1} \cdot \left(\frac{2}{3} \cdot 2\right)^k$

$\left(\frac{1}{2}\right)^{n-2-k} = \left(\frac{1}{2}\right)^{n-2} \cdot 2^k$

$= \frac{1}{3}\left(\frac{1}{2}\right)^{n-1}\left(\frac{4}{3}\right)^k.$

○ k のとり得る値は，$k=0, 1, 2, \cdots, n-2$ だから，求める確率は

$$\sum_{k=0}^{n-2} \frac{1}{3}\left(\frac{1}{2}\right)^{n-1}\left(\frac{4}{3}\right)^k = \frac{1}{3}\left(\frac{1}{2}\right)^{n-1} \cdot \frac{\left(\frac{4}{3}\right)^{n-1}-1}{\frac{4}{3}-1} = \left(\frac{2}{3}\right)^{n-1} - \left(\frac{1}{2}\right)^{n-1}.$$

公比 $\frac{4}{3}$ の等比数列

解説 **解答**の最初の図は，「直前」(矢印の根元)から「直後」(矢印の先)への状態推移とその確率を視覚的に表したもので，時の流れの中で事象が変化していくタイプの問題ではまさに"決め手"となります．本書ではこのような図のことを今後「**推移図**」と呼び，問題の状況に応じて少しアレンジしながらどんどん使っていきます．

この推移図を見るとわかるとおり，本問の試行では，ランプの色が「B→Y→R」と一定の向きに変化するので考えやすいですね．

補足1 k のとり得る値を確認しておきましょう．考えられる全パターンを具体的に書くと，次のようになります．

時刻:0	1	2	3	…	$n-3$	$n-2$	$n-1$	n
色: <u>B</u>	Y	Y	Y	…	Y	Y	Y	R …②
B	<u>B</u>	Y	Y	…	Y	Y	Y	R
B	B	<u>B</u>	Y	…	Y	Y	Y	R
⋮				⋮				⋮
B	B	B	…	<u>B</u>		Y	Y	R
B	B	B	…		B	<u>B</u>	Y	R …③

事象の各場合を具体的に 視

赤下線を付したBの時刻が「k」です．たしかに $0, 1, 2, \cdots, n-2$ の各値をとることがわかりますね．

補足2 ①式が，たしかに $k = 0, 1, 2, \cdots, n-2$ の全てにおいて適用できることを確認しておきましょう．

k がいちばん小さくて $k=0$（上表②）のとき，B→Bの推移はありませんから，「$\left(\frac{2}{3}\right)^k$」は不要です．しかし，$k=0$ のときその値は $\left(\frac{2}{3}\right)^0 = 1$ ですから，あってもかまいませんね．

逆に k がいちばん大きくて $k=n-2$（上表③）のとき，Y→Yの推移はありませんから「$\left(\frac{1}{2}\right)^{n-2-k}$」は不要ですが，同様に値が「1」ですので大丈夫です．

問題によっては，調べてみると最初や最後の値だけは場合分けして特別扱いしなくてはならないケースもありますから気を付けてください．(⇨ **類題 72**, **例題91**)

参考 本問の確率は自然数 n に対して定まるものですから，「数列」でもあるといえます（⇦p.166 **特講E [1]**）．ただし，本問のようにその一般項が直接得られてしまうケースでは，「数列」であることを意識するのは Σ 計算をするときだけかもしれません．

類題 72

[1] 3人で1回じゃんけんをするとき，1人だけが勝つ確率，および2人だけが勝つ確率を求めよ．

[2] 2人で1回じゃんけんをするとき，1人だけが勝つ確率を求めよ．

[3] 3人がじゃんけんを繰り返して勝者1人を決める．このとき，n 回目のじゃんけんで初めて勝者が1人に決まる確率を求めよ．

(解答▶解答編 p.40)

ITEM 73 確率 確率漸化式（各回2状態）

よくわかった度チェック！ ① ② ③

前ITEMと同様，時の流れ，回数の進行にともなう状態変化を扱いますが，決定的な違いとして，変化の向きが一方向ではなく，ある状態間を行ったり来たりするので，とても時刻，回数 n に対して一般項が直接には求まりません．こんなとき助けてくれるのが，漸化式を利用する方法です．

ここがツボ！ 直前と直後の関係を，推移図として視覚化

例題73 ある情報を人から人へと次々伝達する．1回の伝達において，情報は確率 $\dfrac{9}{10}$ でそのまま伝えられ，確率 $\dfrac{1}{10}$ で直前の情報を否定したものが伝えられる．n 回の情報伝達の後，初めの情報が正しく伝えられる確率を求めよ．

着眼 まずは最初の何回かの状態を樹形図に書き表してみると，右のようになります．なお，初めの情報を「○」，それを否定した情報を「×」で表し，$p=\dfrac{9}{10}$, $q=\dfrac{1}{10}$ とおいています．

事象を 記

どうでしょう．これ以上事象変化を追いかけるのはとても大変そうで，このまま続けても答えが求まるとは思えませんね．

今，答えが求まると言いましたが，そのことをもっと明確に，数学的に表現し，それに応じた対策を述べると次のようになります．

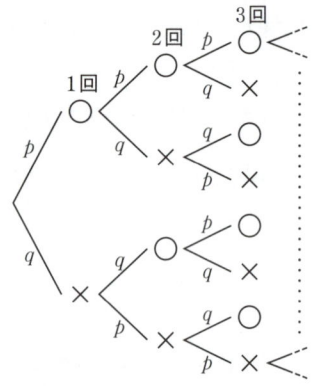

- 本問の「確率」は，情報伝達回数 n に対して定まるもの，つまり「数列」である．
 ⇐p.166 特講E [2]　　⇐p.166 特講E [1]
- 数列の定め方は次の2通りである．

(*) $\begin{cases} \text{「一般項」} & \cdots n\text{番目を直接}n\text{で表す．} \\ \text{「ドミノ式」} & \cdots \text{初項と漸化式で定める．（帰納的定義）} \end{cases}$

- 本問で要求されているのは「一般項」であるが，直接には求まりそうにない．
- また，本問では直前と直後の間に明確なルールが規定されている．
 つまり，前から後ろへ順番に決まっていく「ドミノ式構造」がある．
- そこで，「ドミノ式」に攻めてみる．

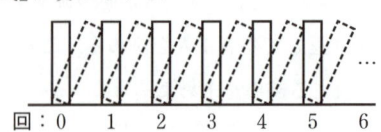

回： 0　1　2　3　4　5　6

$\rightarrow 14^2 \rightarrow 2^2\cdot 7^2$

つまり，答えが求まるとは，数列の一般項が得られるという意味でした．そして「答えが求まるとは思えません」とは，一般項が直接には得られないということに過ぎません．「ドミノ式」を用いて間接的に求める手段は残されているのです．

本問に限らず，数学の基本事項が体系的に学ばれていれば，このようにして困難を乗り越えることができることは，ぜひ記憶しておいてください．

解答

○「初めの情報」を○，「初めの情報を否定した情報」を×で表し，n 回の情報伝達の後○が伝えられている確率を p_n とおく．各回の伝達において，情報は右の確率で伝えられる．

　　　　　　　　　　　　　　　　　　　　直前直後の関係を〈視〉

○よって，$n+1$ 回の情報伝達の後○が伝えられている事象は，★第 n 回後の状態に注目して**場合分け**すると右図の 2 パターンに分けられる．したがって

$$p_{n+1} = p_n \cdot \frac{9}{10} + (1-p_n) \cdot \frac{1}{10} \quad \cdots ①$$

$$= \frac{4}{5} p_n + \frac{1}{10}. \quad \cdots ①'$$

　　　　　　　　　　　　　　　　　　推移図で〈視〉

○また，最初の人は正しい情報を持っていたから
　　　$p_0 = 1.$ …②　　　初項は，「p_1」ではなく「p_0」（⇒ p.199 の 補足 ）

○①′を変形すると　……⇐ p.172 特講E [8](2)(a)(例1) 補足

$$p_{n+1} - \frac{1}{2} = \frac{4}{5}\left(p_n - \frac{1}{2}\right). \quad \cdots ①''$$
　　　　　　　　　　　　数列 $\left(p_n - \frac{1}{2}\right)$ は公比 $\frac{4}{5}$ の等比数列

$$\therefore\quad p_n - \frac{1}{2} = \left(p_0 - \frac{1}{2}\right)\left(\frac{4}{5}\right)^n.$$

これと②より，求める確率は

$$p_n = \frac{1}{2} + \left(1 - \frac{1}{2}\right)\left(\frac{4}{5}\right)^n = \frac{1}{2} + \frac{1}{2}\left(\frac{4}{5}\right)^n.$$

解説1 本問のように，「確率」を表す数列の「漸化式」を，俗に**「確率漸化式」**と呼びます．これを利用するタイプの問題での重要ポイントは，直前（n 回）と直後（$n+1$ 回）の関係を，**解答** ①式の右にあるような**「推移図」**で表すことです．

この推移図は，前 ITEM の図を真似て右のように簡略化して表すこともできます．（矢印の根元が n 回，矢印の先が $n+1$ 回を表します．）

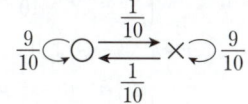

解説2 ①では，$n+1$ 回後に○である確率 p_{n+1} を次の 2 つに分けて求めました．

　　○→○ … n 回後に○の確率 p_n に，→の推移確率 $\frac{9}{10}$ を掛ける

　　×→○ … n 回後に×の確率 $1-p_n$ に，→の推移確率 $\frac{1}{10}$ を掛ける

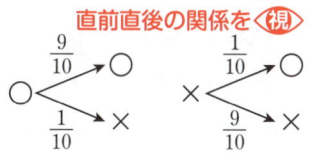

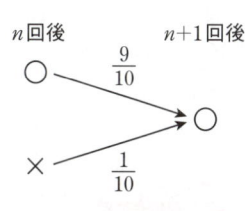

モレなく
ダブりなく

ステージ4　実戦融合問題編　確率

197：素数

n 回後の状態は，「○」「×」2 通りだけであり，しかもこの 2 つはもちろん「排反」です．したがって，これらの確率の和は全事象の確率「1」ですね．よって，n 回後に×である確率は $1-p_n$ となります．ただし，この部分が「$1-\triangle$」にならない問題もありますから，必ず「2 つ合わせて全事象か？」を確認してください．（⇨ ITEM75）

「確率漸化式」では，本問のように各回 2 種類の状態があり，その 2 つの状態間をある確率で行ったり来たりと推移するタイプが基本型です．

なお，「推移確率 $\dfrac{9}{10}$」とは，詳しく述べると

n 回後が○のとき $n+1$ 後が○である**条件付き確率**

のことです $\left(\dfrac{1}{10}\text{ の方も同様}\right)$．もっとも，「条件付き確率」をとくに意識することなく，単に「起こりやすさの割合を掛ける」という感覚で①式は作れますが．

重要 「確率漸化式」は，ほとんどの問題で**場合分け**して作ります．これは，一種の"原則"として記憶しておいてください．例外もありますが（⇨ ITEM83）．本問では，確率を求めようとしている第 $n+1$ 回の直前：第 n 回の状態に注目して場合分けを行いました．その際，①式直前の★のように，何を基準として場合分けしたかを明記すると，**モレなく ダブりなく** 正しい場合分けができます．

参考1 本問は，上記 2 つの状態の確率を両方持ち出し，次のように「連立漸化式」を誘導として付けて出題されることもあります．簡単に解答も付しておきます．
「n 回の情報伝達の後，初めの情報が正しく伝えられる確率を p_n，それを否定した情報が伝えられる確率を q_n とする．p_{n+1}, q_{n+1} を p_n, q_n で表せ．」

n 回後　　　$n+1$ 回後　　　　　n 回後　　　$n+1$ 回後

○ $\xrightarrow{\frac{9}{10}}$ ○　　　　　○ $\xrightarrow{\frac{1}{10}}$ ×

× $\xrightarrow{\frac{1}{10}}$ 　　　　　× $\xrightarrow{\frac{9}{10}}$

$$\begin{cases} p_{n+1} = p_n \cdot \dfrac{9}{10} + q_n \cdot \dfrac{1}{10}, & \cdots ③ \\ q_{n+1} = p_n \cdot \dfrac{1}{10} + q_n \cdot \dfrac{9}{10}, & \cdots ④ \end{cases}$$

また，$p_0 = 1, q_0 = 0$．　…⑤

③＋④，③－④ より（⇦ p.176 **特講E** [8](2)(c)**(例2)**）

$$\begin{cases} p_{n+1} + q_{n+1} = p_n + q_n, \\ p_{n+1} - q_{n+1} = \dfrac{4}{5}(p_n - q_n). \end{cases}$$

$\therefore \begin{cases} p_n + q_n = p_0 + q_0 = 1, & \cdots ⑥ \\ p_n - q_n = (p_0 - q_0)\left(\dfrac{4}{5}\right)^n = \left(\dfrac{4}{5}\right)^n. \end{cases}$ （⑤も用いた．）

これを辺々加えると，p_n が求まります．

ただし，⑥はもともとわかっていたことですので，わざわざ p_n 以外に q_n まで持ち出したこの方法は，あまりお勧めしたくはありません．

ドミノ式

注意1 漸化式①′ を得たら，その直後に「初項」を求めてください．数列の「帰納的定義」とは，

　　　初項を定める（最初のドミノを倒す）と
　　　漸化式を作る（ドミノを，前が後ろを押し倒すよう並べる）

この2つ両方で「ドミノ式」

の2つによってなされるものです．よって，漸化式だけでなく必ず初項も求めて数列をちゃんと**定義**することを優先するべきであり，漸化式を変形するのはその後です．(初項が求めづらいという例外もありますが．(⇨ **ITEM94** 破産の確率))

補足 本問において「初め」とは，情報伝達をまだ1度もしていない状態，つまり"0回後"ですね．「数列は1番から始まるもの」という先入観が強い人もいるかもしれませんが，ここでは数列 (p_n) の初項を「p_0」にするのが自然ですし，なおかつ p_1 より簡単に求まります．

問題文に，「n は自然数」（つまり1以上）と明記されているケースでも，$n=0$ から初めてかまいません．「解きやすさ」のために n の範囲（定義域）を問題の指定よりあえて広くとり，ちゃんと指定範囲の n 全てについて考察しているのですから．

ちなみに，$n=0$ のときの①式の左辺，右辺はそれぞれ，p_1, $p_0 \cdot \dfrac{9}{10} + (1-p_0) \cdot \dfrac{1}{10}$ となります．「p_1」は第1回が○となる確率 $\dfrac{9}{10}$ であり，これは上式の右側において $p_0 = 1$ としたときの値と一致します．つまり，①式は $n=0$ のときにもちゃんと成立します．

注意2 一般項は，$p_n - \dfrac{1}{2} = \left(p_0 - \dfrac{1}{2}\right)\left(\dfrac{4}{5}\right)^{n-0}$ となります．数列の $\boxed{n}$ 番目は $\boxed{0}$ より $\boxed{n-0}$ 番後ろですから当然ですね．くれぐれも「$n-1$ 乗」にしないように！

参考2 個数（場合の数）に関する漸化式の扱いも，本問とほぼ同様です．違いは（等確率な）全ての場合の数で割るか割らないかだけ…というのが実情です．なのでこの後の数 ITEM では，「確率漸化式」と「個数の漸化式」を取り混ぜて扱います．また，表題も敢えて「個数の漸化式」とはせず，「確率漸化式」に統一しています．

理系 参考3 $n \to \infty$ のとき，この確率は $p_n \to \dfrac{1}{2}$ と収束します．（「$\dfrac{9}{10}$」をたとえ $\dfrac{999}{1000}$ に変えても同じ極限を得ます．）つまり，たとえ1回の伝達においては高確率で正しく伝わる情報も，何度も伝達を繰り返すと，結果として正しく伝わるか否かは"五分五分"になってしまうということです．"噂"はやはりアテにならない？

類題 73 片面が白，反対側の面が赤であるカード3枚が置かれている．これに対して次の操作を繰り返す．

　　　操作：各回において，どのカードも独立に確率 $\dfrac{1}{3}$ でひっくり返す．

初め，3枚とも白を表にして置かれているとして，操作を n 回繰り返した後3枚とも赤を表にしている確率を求めよ．

(解答▶解答編 p.41)

ITEM 74 確率　確率漸化式（明示的でない"ドミノ"構造）

前 ITEM では"ドミノ式構造"，つまり直前直後の関係が問題に記述されていました．それに対し本 ITEM では，そこまで明確ではないものでも，実はドミノ構造があって漸化式が有効なことがあるという実例を体験してもらいます．

ここがツボ！ 現象の中にあるドミノ構造を発見せよ

例題74 サイコロを n 回投げるとき，3 の倍数が偶数回出る確率を求めよ．

着眼 最初の数回の例を作って実験・観察してみましょう．

回	1	2	3	4	5	6
目	5	③	2	4	⑥	1
3の倍数の累計回数	0	1	1	1	2	2

○囲みが 3 の倍数
下線部が偶数
　　　　+1　+0　+0　+1　+0

3 の倍数が出た累計回数は，3 or 6 が出たときに 1 増えて偶奇が変わり，それ以外のときは変化しません．このように，サイコロの目に応じて直前と直後の関係が決まっていく仕組みは，漸化式を用いて数列の各項を定めていく"ドミノ式の定義"と同じ構造ですね．（⇦p.166 特講E [2](2)）

解答

○「3 or 6 の目」を○，「それ以外の目」を×で表し，求める確率を p_n とおく．

各回における確率は
$$\begin{cases} \bigcirc \cdots \dfrac{2}{6} = \dfrac{1}{3}, \\ \times \cdots \dfrac{4}{6} = \dfrac{2}{3}. \end{cases}$$

○サイコロを $n+1$ 回投げたとき○が偶数回となる事象は，★n 回までに出た○の回数の偶奇に注目して**場合分け**すると，右のようになる．したがって

$$p_{n+1} = p_n \cdot \dfrac{2}{3} + (1-p_n) \cdot \dfrac{1}{3}, \quad \cdots ①$$

i.e. $p_{n+1} = \dfrac{1}{3} p_n + \dfrac{1}{3}. \quad \cdots ①'$

推移を〈視〉

　　　　　　第 $n+1$ 回
n回まで　　　↓　　　$n+1$回まで
偶数 ──×$\left(\dfrac{2}{3}\right)$──→ 偶数
奇数 ──○$\left(\dfrac{1}{3}\right)$──↗

○また，第 0 回後（つまり最初）には○の出た回数は 0 回だから
$p_0 = 1. \quad \cdots ②$

「0 (=2·0)」も偶数！

○①′を変形すると

$$p_{n+1} - \dfrac{1}{2} = \dfrac{1}{3}\left(p_n - \dfrac{1}{2}\right). \quad \cdots ①''$$ （⇦p.172 特講E [8](2)(a)(例1)）

$$\therefore\quad p_n - \frac{1}{2} = \left(p_0 - \frac{1}{2}\right)\left(\frac{1}{3}\right)^n.$$

これと②より
$$p_n = \frac{1}{2} + \frac{1}{2}\left(\frac{1}{3}\right)^n.$$

解説 前記「推移図」で表された場合分けは，★に明記した場合分けの基準により，前ITEM と同様に **モレなく ダブりなく** なされたものだと確信できますね．

参考 前 ITEM の **例題73** では，ドミノ式構造(つまり直前直後の関係)が問題文中に明示されていましたが，じつは本問の「n 回までの○の実現回数」のように**明示されないドミノ式構造**というのもけっこうあります． **類題 74** や **例題75**，**例題76** で扱う「n 回までの和・合計」も，その代表的なものの１つです．

補足1 前 ITEM に続き，ここでも $p_0(=1)$ を初項としました．もちろんこれで大丈夫です．$n=0$ のときの①式の左辺，右辺はそれぞれ
$$p_1,\quad p_0\cdot\frac{2}{3}+(1-p_0)\cdot\frac{1}{3}$$

です．「p_1」は第１回が×となる確率 $\frac{2}{3}$ であり，これは上式の右側において p_0 に１を代入した値と一致します．つまり，①式は $n=0$ のときもちゃんと成立します．

補足2 ここで求める確率は，自然数(もしくは０)n に対して定まる値＝「数列」です． **解答** では，実験を通して発見した「ドミノ式」の構造を活用すべく漸化式を立てました．数列のもう一方の定め方：「一般項」を直接求めようとした場合，３の倍数の出る回数が $0, 2, 4, 6, \cdots$ と多岐にわたりますから大変そうですね．ところが，じつは次のように解答可能なのです．(初見で思いつくのは無理でしょうが…)

別解 $a=\frac{1}{3}, b=\frac{2}{3}$ とおく．○が出る回数が偶数：$0, 2, 4, \cdots$ である確率は
$$p_n = {}_nC_0 b^n + {}_nC_2 a^2 b^{n-2} + {}_nC_4 a^4 b^{n-4} + \cdots.\quad\cdots\text{⑦}$$
（${}_nC_k a^k b^{n-k}$ の総和 (k：even, $0\le k\le n$)）

一方，その余事象である○が出る回数が奇数：$1, 3, 5, \cdots$ である確率は
$$1 - p_n = {}_nC_1 ab^{n-1} + {}_nC_3 a^3 b^{n-3} + {}_nC_5 a^5 b^{n-5} + \cdots.\quad\cdots\text{④}$$
（${}_nC_k a^k b^{n-k}$ の総和 (k：odd, $1\le k\le n$)）

辺々引くと（n：even なら⑦の末項，n：odd なら④の末項．）
$$2p_n - 1 = {}_nC_0 b^n - {}_nC_1 ab^{n-1} + {}_nC_2 a^2 b^{n-2} - {}_nC_3 a^3 b^{n-3} + \cdots + (-1)^n {}_nC_n a^n$$
$$= {}_nC_0 b^n + {}_nC_1(-a)b^{n-1} + {}_nC_2(-a)^2 b^{n-2} + {}_nC_3(-a)^3 b^{n-3} + \cdots + {}_nC_n(-a)^n$$
$$= \sum_{k=0}^{n} {}_nC_k (-a)^k b^{n-k} = (-a+b)^n = \left(\frac{1}{3}\right)^n.$$

$$\therefore\quad p_n = \frac{1}{2}\left\{1 + \left(\frac{1}{3}\right)^n\right\}.$$

類題 74 箱の中に $1, 2, 3, \cdots, 9$ のカードが１枚ずつ入っている．そこからカードを１枚取り出してその数を記録して元に戻すことを n 回繰り返す．記録した数の合計が偶数である確率を求めよ．

ITEM 75 確率 確率漸化式（$1-p_n$でよい？？）

前の2つのITEMで，2種類の状態間の推移を漸化式で捉えていく手法を学びました．そこでは，漸化式の右辺に「$1-p_n$」が現れましたが，「いつでもそうなるとは限りませんよ」という教訓に満ちた題材を見て行きます．

ここがツボ！ 場合分けにモレ，ダブリはないか？

例題75 2枚のコインを投げる操作を繰り返し，次のルールで持ち点を変えていく．

ルール
- 初めの持ち点は0点である．
- 2枚とも裏が出たとき，持ち点を0点として操作を終了する．
- それ以外のとき，表が出た枚数を持ち点に加算する．

操作をn回繰り返した後，持ち点が0以外の偶数である確率を求めよ．

着眼 例題74の「n回までに3の倍数が出る回数」と同様，本問の「n回までの得点合計」も，それが持つ（明示的でない）ドミノ構造を使って解答します．だからといって，ろくに現象を見もせず，習った解き方をそのまま当てはめると痛い目に会いますよ．

解答 ○コインの表，裏をそれぞれH，Tと表し，n回後に持ち点が0以外の偶数である確率をp_nとする．各回の操作における事象とその確率は次のとおり．

- TとT → 操作終了（持ち点は0へ） … 確率 $\frac{1}{2} \cdot \frac{1}{2} = \frac{1}{4}$,
- HとT → +1点（持ち点の偶奇が変わる） … 確率 $2 \cdot \frac{1}{2} \cdot \frac{1}{2} = \frac{1}{2}$,
- HとH → +2点（持ち点の偶奇は不変） … 確率 $\frac{1}{2} \cdot \frac{1}{2} = \frac{1}{4}$.

（2枚のコインを区別している．）

○よって各回の操作において，持ち点の偶奇は右図の確率で推移する．

○n回後に操作が終了していないのは，初めからn回続けて「+1点 or +2点」が起きるときで，その確率は

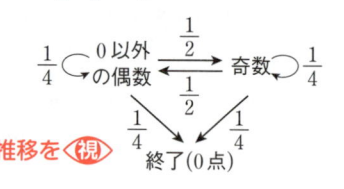

$$\left(\frac{1}{2} + \frac{1}{4}\right)^n = \left(\frac{3}{4}\right)^n. \quad \cdots ①$$

○$n+1$回後の持ち点が0以外の偶数である事象は，n回後の持ち点の偶奇に注目して**場合分け**すると，右の推移図のようになる．したがって

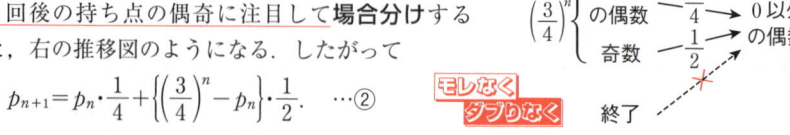

$$p_{n+1} = p_n \cdot \frac{1}{4} + \left\{\left(\frac{3}{4}\right)^n - p_n\right\} \cdot \frac{1}{2}. \quad \cdots ②$$

$$\therefore \quad p_{n+1} = -\frac{1}{4} p_n + \frac{1}{2}\left(\frac{3}{4}\right)^n. \quad \cdots ②'$$

○「1回後の持ち点が0以外の偶数」⟺「第1回が +2」だから，$p_1 = \dfrac{1}{4}$．　…③

○②′を変形すると（⇦p.173 **特講E** [8](2)(a)(**例3**））

$$p_{n+1} - \dfrac{1}{2}\left(\dfrac{3}{4}\right)^{n+1} = -\dfrac{1}{4}\left\{p_n - \dfrac{1}{2}\left(\dfrac{3}{4}\right)^n\right\}. \quad \boxed{p_n - \dfrac{1}{2}\left(\dfrac{3}{4}\right)^n \text{ は公比 } -\dfrac{1}{4} \text{ の等比数列}}$$

$$\therefore \quad p_n - \dfrac{1}{2}\left(\dfrac{3}{4}\right)^n = \left\{p_1 - \dfrac{1}{2}\left(\dfrac{3}{4}\right)^1\right\}\left(-\dfrac{1}{4}\right)^{n-1}.$$

これと③より　$-\dfrac{1}{8} = \dfrac{1}{2} \cdot \dfrac{-1}{4}$

$$p_n = \dfrac{1}{2}\left(\dfrac{3}{4}\right)^n + \left(\dfrac{1}{4} - \dfrac{1}{2} \cdot \dfrac{3}{4}\right)\left(-\dfrac{1}{4}\right)^{n-1} = \dfrac{1}{2}\left\{\left(\dfrac{3}{4}\right)^n + \left(-\dfrac{1}{4}\right)^n\right\}.$$

解説 ②の { } 内が「$1 - p_n$」ではないことに注意してください．n 回後における持ち点の状態は，①右の推移図にあるように，「0以外の偶数」，「奇数」以外に「終了」もあります．したがって「0以外の偶数」，「奇数」の確率の合計は1ではなく，①にあるとおり $\left(\dfrac{3}{4}\right)^n$ なのです．

注意 今回は，数列 (p_n) の初項を p_0 ではなく p_1 にしました．最初（0回後），持ち点は「0点」ですが，もちろんこの後操作を行いますから，「終了」したときの「0点」と同列に扱うことはできませんね．つまり本問において「最初（0回後）」は特異な存在であり，除外して考えた方が無難だと判断しました．

別解 n 回繰り返した後の持ち点が「0以外の偶数」，「奇数」である確率をそれぞれ p_n，q_n とすると，①式右の推移確率からわかるように

$$\begin{cases} p_{n+1} = p_n \cdot \boxed{\dfrac{1}{4}} + q_n \cdot \boxed{\dfrac{1}{2}}, & \cdots ④ \\ q_{n+1} = p_n \cdot \boxed{\dfrac{1}{2}} + q_n \cdot \boxed{\dfrac{1}{4}}, & \cdots ⑤ \end{cases}$$

また，$p_1 = \dfrac{1}{4}$，$q_1 = \dfrac{1}{2}$．　第1回が +1点

④+⑤，④−⑤より（⇦p.176 **特講E** [8](2)(c)(**例2**））

$$\begin{cases} p_{n+1} + q_{n+1} = \dfrac{3}{4}(p_n + q_n), \\ p_{n+1} - q_{n+1} = -\dfrac{1}{4}(p_n - q_n). \end{cases} \therefore \begin{cases} p_n + q_n = (p_1 + q_1)\left(\dfrac{3}{4}\right)^{n-1} = \left(\dfrac{3}{4}\right)^n, & \cdots ⑥ \\ p_n - q_n = (p_1 - q_1)\left(-\dfrac{1}{4}\right)^{n-1} = \left(-\dfrac{1}{4}\right)^n. \end{cases}$$

これを辺々加えると，p_n が求まります．n 回後に「0以外の偶数」，「奇数」となる確率の合計が⑥のように求まり，①に気付けなくても正解へ導かれます．

類題 75 1個のサイコロを繰り返し投げて持ち点を変えていく．6の目が出たとき，持ち点をすべて失い0点とし，それ以外のときは出た目の数だけ持ち点に加算する．初めの持ち点は0点とし，サイコロを n 回（n は自然数）投げたとき持ち点が0でない偶数となる確率を p_n とする．

[1] さいころを n 回投げたとき持ち点が0である確率を求めよ．

[2] p_n を求めよ．

(解答 ▶ 解答編 p.43)

ITEM 76 確率 確率漸化式（"束ねる"）

前 ITEM までの確率漸化式と比べ，今回は各回における状態が多様になります．一見とても処理不能なくらい大変に見えますが，少し踏み込んで事象を見つめてみると，鮮やかな解決策が浮かび上がってきます．

ここがツボ！ 次への推移確率が等しい事象は"束ねて"考える．

例題76 1つのサイコロを n 回繰り返し投げるとき，出た目の総和が 7 の倍数となる確率を求めよ．

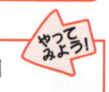

着眼 前 ITEM 同様，ここでも「n 回までの和」が問われていますので，同様に"ドミノ式"に解答してみます．ただし，**例題75** では持ち点（合計得点）が偶数か奇数か（もしくは 0 点か），つまり 2 で割った余りが「0 か 1 か」を考えたのに対し，今回は 7 で割った余りですから…「0, 1, 2, 3, 4, 5, 6」と 7 種類もあって大変です！　でも，慎重に「推移」を見ていくと，**ある発見**が得られます．

解答

○ 第 1 回から第 n 回までの目の総和を 7 で割った余りを X_n とし，求める確率，つまり $X_n = 0$ となる確率を p_n とする．

○ $X_{n+1} = 0$ となる事象は，X_n の値に注目して**場合分け**すると右のようになる．

○ つまり，$X_n = 1, 2, 3, 4, 5, 6$，i.e. $X_n \neq 0$ のときに限り，確率 $\dfrac{1}{6}$ で $X_{n+1} = 0$ へ推移する．

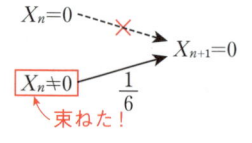

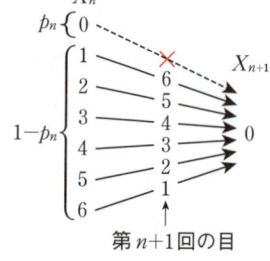

余りの推移を 視

$$\therefore\ p_{n+1} = (1 - p_n) \cdot \dfrac{1}{6}\ (n = 0, 1, 2, \cdots).\ \cdots ①$$

○ 最初（第 0 回）において，出た目の総和 $0 (= 7 \cdot 0)$ は 7 の倍数だから，$p_0 = 1$．　…②

○ ①を変形すると（⇔ p.172 特講E [8](2)(a)(例1)）

$$p_{n+1} - \dfrac{1}{7} = -\dfrac{1}{6}\left(p_n - \dfrac{1}{7}\right).\ \cdots ①'$$

$$\therefore\ p_n - \dfrac{1}{7} = \left(p_0 - \dfrac{1}{7}\right)\left(-\dfrac{1}{6}\right)^n.$$

これと②より

$$p_n = \dfrac{1}{7} + \left(1 - \dfrac{1}{7}\right)\left(-\dfrac{1}{6}\right)^n = \dfrac{1}{7} + \dfrac{6}{7}\left(-\dfrac{1}{6}\right)^n.$$

解説 本問のポイントは，①式，およびその上の推移図にある $X_n \neq 0 \xrightarrow{\frac{1}{6}} X_{n+1}=0$ が理解できるか，そしてそれに気付くか否かです．

まず，「理解しづらい」と感じる人は，遠回りでもいったん次のようなルートを辿ってみてください．問題では n 回までの総和が 7 の倍数である確率，つまり $X_n=0$ の確率 p_n だけが問われていますが，n 回後に考えられる他の全ての状態：$X_n=1, 2, 3, 4, 5, 6$ の確率をそれぞれ $q_n, r_n, s_n, t_n, u_n, v_n$ とおきます．そうすれば，**解答** の最初の推移図から，次式が得られます．

$$p_{n+1} = q_n \cdot \frac{1}{6} + r_n \cdot \frac{1}{6} + s_n \cdot \frac{1}{6} + t_n \cdot \frac{1}{6} + u_n \cdot \frac{1}{6} + v_n \cdot \frac{1}{6} \quad \cdots ③$$

$$= (q_n + r_n + s_n + t_n + u_n + v_n) \cdot \frac{1}{6}. \quad \cdots ④$$

③を立式する段階では n 回後における 6 種類の状態 $X_n=1, 2, 3, 4, 5, 6$ を別々に考えています．ところが $X_{n+1}=0$ へ推移する確率は，6 つのどの状態からでも $\frac{1}{6}$ という同一な値なので，④のように $\frac{1}{6}$ で"くくれる"わけです．n 回後における状態は，もちろん $X_n=0, 1, 2, 3, 4, 5, 6$ の 7 種類ですから，④式（　）内は $X_n=0$ の余事象の確率 $1-p_n$ となり，結局①と同じ式が得られます．

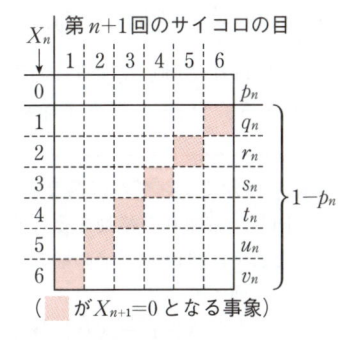

解答 ではイキナリ①式を書きましたが，じつは頭の中では上図のようなものを思い浮かべながら，同じ発想をしています．次のように：

事象としては異なる 6 つの状態を，
$X_{n+1}=0$ への推移確率が等しいので "**束ねる**"．

このような思考を繰り返すうち，徐々にこの"束ねる"という発想が有効であることに気付き，そして自然に使えるようになっていきます．

注意 その思考を怠り，単にマニュアルとして暗記すると，**解答** 最初の推移図を見ながら「確率 $\frac{1}{6}$ の矢印が 6 本あるので $p_{n+1} = \left(6 \cdot \frac{1}{6}\right)(1-p_n)$」なんてやっちゃいますよ！

参考 「7 の倍数」と問われて「7 で割った余り」に注目できるようにするため，「整数」の基礎をしっかり勉強しておいてください．**例題55** でも，「$6=2\cdot3$」という素因数分解が決め手になりましたね．

類題 76 四面体 ABCD の頂点上を動く点 P がある．P は初め A にある．そして 1 秒毎に辺で結ばれた 3 点のいずれかに等確率で移動する．n は自然数として答えよ．

[1] n 秒後に P が A にある確率を求めよ．

[2] n 秒後に P が B にある確率を求めよ．

(解答 ▶ 解答編 p.44)

ITEM 77 確率 確率漸化式（偶奇分け）

ここまで「漸化式」の有効性をたっぷり見てきましたが，その前にちゃんと**やるべきことをやる**習慣を付けましょう．

> **ここがツボ！** まずは，試行そのもの，事象の推移そのものを見る

例題77 動点 P は初め A にあり，四角形 ABCD の頂点から頂点へと次々移動する．各回の移動において，P は確率 $\frac{1}{3}$ で左回りに動いて隣りの頂点に移動し，確率 $\frac{2}{3}$ で右回りに動いて隣りの頂点に移動する．n 回移動をしたとき，P が A にある確率を求めよ．

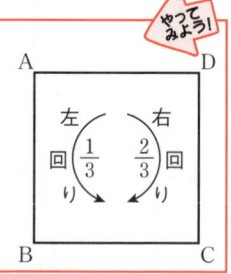

着眼 自分でランダムに例を作り，点 P の動きを観察してみることから始めましょう．左回り，右回りの移動をそれぞれ「l」，「r」で表します．**動き方を〈記〉**

たとえば，lrrrllrr の順に動いたとすると，動点 P の位置は次のように変化します．

回：0　1　2　3　4　5　6　7　8
$A \xrightarrow{l} B \xrightarrow{r} A \xrightarrow{r} D \xrightarrow{r} C \xrightarrow{l} D \xrightarrow{l} A \xrightarrow{r} D \xrightarrow{r} C$　**例を〈視〉**

この例では，P が A にある事象は(最初も含めて)3 回起きました．大切なのは，単に「P が A にある」事象を"点"として捉えるのではなく，その事象が「どんな**推移**の中で起きるか」を観察することです．なぜなら，本問では点 P の位置に関して**直前と直後**の関係が規定されているのですから．

この視点があれば，A の直前および直後は，必ず隣接している B or D であることに気付きます．逆に B or D の直前および直後は，A or C ですね．これで解答の準備ができました．

解答 ○求める確率を p_n とおく．P は，次のように移動する．

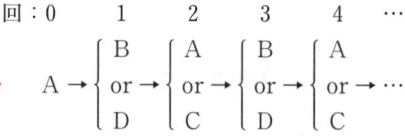

推移を〈視〉

回：0　　1　　　2　　　3　　　4　　…

$A \to \begin{cases} B \\ or \\ D \end{cases} \to \begin{cases} A \\ or \\ C \end{cases} \to \begin{cases} B \\ or \\ D \end{cases} \to \begin{cases} A \\ or \\ C \end{cases} \to \cdots$

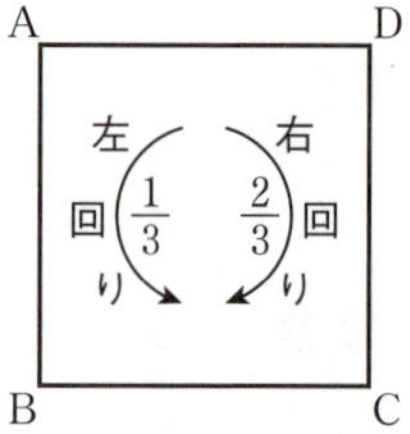

よって n 回移動をしたときの P の位置は

$\begin{cases} n : \text{even} \cdots \text{A or C}, \\ n : \text{odd} \ \ \cdots \text{B or D}. \end{cases}$　　even：偶数　odd：奇数

よって，n が奇数のとき $p_n = 0$．

○$2k$ 回後 ($k = 0, 1, 2, \cdots$) に P が A に位置する確率 $q_k(= p_{2k})$ を求める．
$2k+2 (= 2(k+1))$ 回後に P が A に位置する事象は，$2k$ 回後の位置に注目して次のように**場合分け**される．

206　→ 2・103

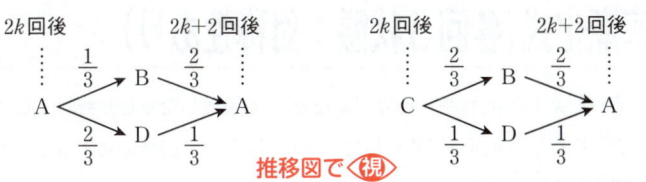

```
  2k回後    2k+2回後           2k回後    2k+2回後
   ⋮  1/3       2/3  ⋮          ⋮  2/3       2/3  ⋮
   A  →  B  →  A              C  →  B  →  A
      ↘     ↗                     ↘     ↗
       2/3   1/3                   1/3   1/3
        D                           D
```

推移図で⟨視⟩

したがって

$$q_{k+1} = q_k\left(\frac{1}{3}\cdot\frac{2}{3} + \frac{2}{3}\cdot\frac{1}{3}\right) + (1-q_k)\left(\frac{2}{3}\cdot\frac{2}{3} + \frac{1}{3}\cdot\frac{1}{3}\right)$$

$$= q_k\cdot\frac{4}{9} + (1-q_k)\cdot\frac{5}{9}$$

$$= -\frac{1}{9}q_k + \frac{5}{9}. \quad \cdots ①$$

○ また，最初（0回後）PはAにあったから，$q_0 = 1$. $\cdots ②$
○ ①を変形すると

$$q_{k+1} - \frac{1}{2} = -\frac{1}{9}\left(q_k - \frac{1}{2}\right).$$

$$\therefore \quad q_k - \frac{1}{2} = \left(q_0 - \frac{1}{2}\right)\left(-\frac{1}{9}\right)^k.$$

これと②より

$$q_k = \frac{1}{2} + \frac{1}{2}\left(-\frac{1}{9}\right)^k.$$

すなわち，$n = 2k$ のとき

$$p_n = p_{2k} = q_k = \frac{1}{2} + \frac{1}{2}\left(-\frac{1}{9}\right)^k \quad \left(k = \frac{n}{2}\right).$$

＜kとnの関係を明示＞

○ 以上より，求める確率は

$$p_n = \begin{cases} \dfrac{1}{2} + \dfrac{1}{2}\left(-\dfrac{1}{9}\right)^{\frac{n}{2}} & (n: \text{even}), \\ 0 & (n: \text{odd}). \end{cases}$$

解説 という訳で，偶数回後に限定して考えれば，「確率漸化式」の超基本形というべき「各回2状態」（⇔**例題73**）に過ぎなかったということです。

注意 仮に**着眼**のような実験をすることなく，イキナリ答案用紙に解答を書き始めたら…，おそらくどの回においても状態が「A, B, C, D」と4通りあると思い込み，遠回りをすることになるでしょう。

類題 77 片面が白，反対側の面が赤であるカード3枚が置かれている．これに対して次の操作を繰り返す．

操作：各回において，3枚のうちどれか1枚だけをひっくり返す．

初め，3枚とも白を表にして置かれているとして，操作を n 回繰り返した後1枚だけ赤を表にしている確率を求めよ．

(解答▶解答編 p. 45)

ITEM 78 確率
確率漸化式（各回3状態：対称性あり）

前ITEMまでは，"束ねる"，"偶奇分け"を駆使したりして各回における状態が2つに絞られるものを扱ってきました．本ITEMでは，自然に考えると3種類の状態がある試行を取り上げます…といっても，じつは…

ここがツボ！ 状態変化の対称性を見落とすな

例題78 赤玉2個が入った箱Aと白玉2個が入った箱Bがある．これら2つの箱から玉を1個ずつ取り出して交換する操作を繰り返す．この操作をn回繰り返したとき箱Aに赤玉が2個，1個入っている確率をそれぞれp_n, q_nとする．p_n, q_nを求めよ．

方針 右のような玉の入れ替えが行われます．例によって，玉を記号化し，推移図をかいてみましょう．そうすれば，美しい特徴に目が留まるはずです．

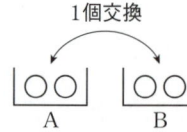

解答

○赤玉をR，白玉をWで表し，$\dfrac{\text{Aの玉}}{\text{Bの玉}}$と書くと，各回における事象は次図の確率で推移する．

n回後にそうなる確率

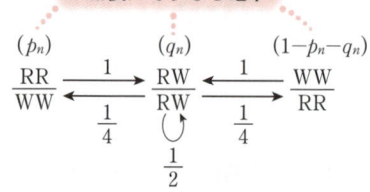

(p_n)　　　(q_n)　　　$(1-p_n-q_n)$

$\dfrac{\text{RR}}{\text{WW}} \xrightleftharpoons[\frac{1}{4}]{1} \dfrac{\text{RW}}{\text{RW}} \xleftharpoons[\frac{1}{4}]{1} \dfrac{\text{WW}}{\text{RR}}$

（中央のループ：$\frac{1}{2}$）

$q_{n+1} = p_n \cdot 1 + q_n \cdot \dfrac{1}{2} + (1-p_n-q_n) \cdot 1$ …①

$= q_n \cdot \dfrac{1}{2} + (1-q_n) \cdot 1$ …②

$= -\dfrac{1}{2} q_n + 1.$ …③

○また，最初は$\dfrac{\text{RR}}{\text{WW}}$だから，$q_0 = 0$. …④

○③を変形すると

$q_{n+1} - \dfrac{2}{3} = -\dfrac{1}{2}\left(q_n - \dfrac{2}{3}\right).$

∴ $q_n - \dfrac{2}{3} = \left(q_0 - \dfrac{2}{3}\right)\left(-\dfrac{1}{2}\right)^n.$

これと④より
$$q_n = \frac{2}{3}\left\{1-\left(-\frac{1}{2}\right)^n\right\} \ (n \geq 0). \quad \cdots ⑤$$

○次に，推移図より $n \geq 1$ のとき
$$p_n = \frac{1}{4}q_{n-1} = \frac{1}{6}\left\{1-\left(-\frac{1}{2}\right)^{n-1}\right\}. \quad \cdots ⑥$$

補足 **解答** では状態推移の確率を結果のみ図に書き入れました．過程を省いても許される程度の平易な作業ですが，念のため一部を説明しておきます．

○ $\dfrac{RR}{WW} \xrightarrow{1} \dfrac{RW}{RW}$．…必ず箱 A の R と箱 B の W が交換されるから，確率 1．

○ $\dfrac{RW}{RW} \xrightarrow[\frac{1}{4}]{} \dfrac{RR}{WW}$．…箱 A の W と箱 B の R が交換される確率は，$\dfrac{1}{2}\cdot\dfrac{1}{2}=\dfrac{1}{4}$．

重要 上記作業を経てできた推移図を見ると，状態 $\dfrac{RW}{RW}$ を中心としてきれいに**左右対称**になっているのがわかります．つまり，$\dfrac{RR}{WW}, \dfrac{WW}{RR}$ いずれからでも $\dfrac{RW}{RW}$ への推移確率は等しく 1 ですから，ITEM 76 でも使った"束ねる"作戦が使えます．この 2 つの事象をひとまとめにして右図のように実質「2 状態」だと考えれば，①を経ることなく対称の中心にある q_n だけの漸化式②が**直接**得られます．

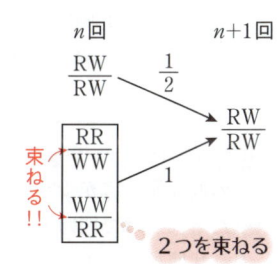

参考 入試では，n 回後に $\dfrac{WW}{RR}$ である確率にも「r_n」と名前が与えられ，右のような 3 つの漸化式が要求されることもありますが，けっきょくは第 2 式と $p_n+q_n+r_n=1$ だけで **解答** の②式が得られてしまいます．

$$\begin{cases} p_{n+1} = \qquad q_n \cdot \dfrac{1}{4}, \\ q_{n+1} = p_n \cdot 1 + q_n \cdot \dfrac{1}{2} + r_n \cdot 1, \\ r_{n+1} = \qquad q_n \cdot \dfrac{1}{4} \end{cases}$$

注意 ⑤は $n=0$ でも有効ですが，⑥は q_{n-1} を含んでいるので $n=0$ では無効です．

類題 78 動点 P は初め A にあり，四角形 ABCD の頂点から頂点へと次々移動する．各回の移動において，P は今いる頂点または線分で結ばれた頂点に等確率で移動する．たとえば P が A にあるとき，次は確率 $\dfrac{1}{3}$ で A, B, D に位置し，P が B にあるとき，次は確率 $\dfrac{1}{4}$ で B, A, C, D に位置する．

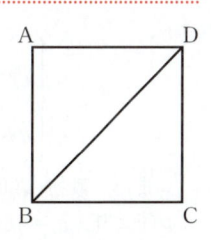

[1] n 回移動をしたとき，P が B または D にある確率を求めよ．

[2] n 回移動をしたとき，P が A にある確率を求めよ．

ITEM 79 確率 — 確率漸化式（各回3状態：対称性なし）

前 ITEM は見た目各回3状態でも，「対称性」のおかげで実質2状態でした．今回はその対称性がありませんので，正真正銘の「3状態」です．当然，立式も計算処理も一気に高度化しますから，自信がない人はパスしてかまいません．

ここがツボ！ 1つの数列の漸化式を作る

例題79 赤玉2個が入った箱Aと白玉4個が入った箱Bがある．これら2つの箱から玉を1個ずつ取り出して空の箱Cに入れ，かき混ぜてからA，Bに1個ずつ戻す操作を繰り返す．この操作を n 回繰り返したとき箱Aに赤玉が2個，1個入っている確率をそれぞれ p_n, q_n とする．p_n, q_n を求めよ．

着眼 前 ITEM の 例題78 から，白玉が2個増え，玉の取り換え方が少し変化しただけですが…，たったそれだけで問題の様相は一変します．とにかく，状態推移を視覚化してみましょう．

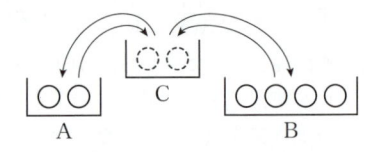

解答

○ 赤玉を R, 白玉を W で表し，$\dfrac{\text{Aの玉}}{\text{Bの玉}}$ と書くと，各回における事象は次図の確率で推移する．

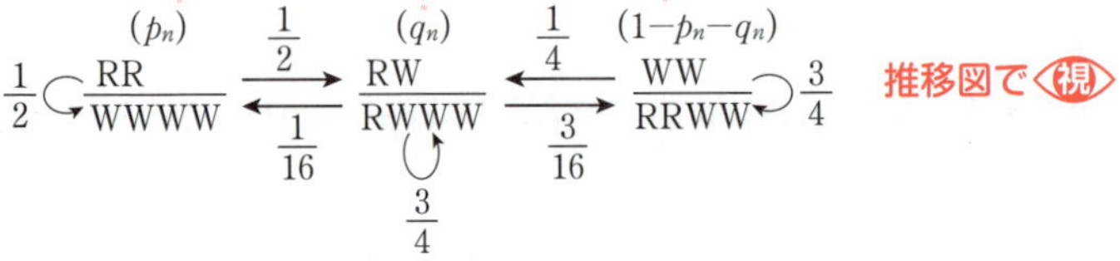

n 回後にそうなる確率

$$\dfrac{1}{2} \circlearrowleft \underset{\text{WWWW}}{\text{RR}}\ (p_n) \;\underset{\frac{1}{16}}{\overset{\frac{1}{2}}{\rightleftarrows}}\; \underset{\text{RWWW}}{\text{RW}}\ (q_n) \;\underset{\frac{3}{16}}{\overset{\frac{1}{4}}{\rightleftarrows}}\; \underset{\text{RRWW}}{\text{WW}}\ (1-p_n-q_n) \circlearrowright \dfrac{3}{4}$$

（$\dfrac{3}{4}$ の自己ループあり）

推移図で 〈視〉

$$\therefore \begin{cases} p_{n+1} = p_n \cdot \dfrac{1}{2} + q_n \cdot \dfrac{1}{16}, & \cdots ① \\ q_{n+1} = p_n \cdot \dfrac{1}{2} + q_n \cdot \dfrac{3}{4} + (1-p_n-q_n) \cdot \dfrac{1}{4} = \dfrac{1}{4}p_n + \dfrac{1}{2}q_n + \dfrac{1}{4}. & \cdots ② \end{cases}$$

○ また，最初（第0回）Aには赤が2個入っていたから，$p_0 = 1$, $q_0 = 0$. $\cdots$ ③

○ ①より，$q_n = 16p_{n+1} - 8p_n$. $\cdots$ ①′　これと②より　⇐ p.176 特講E [8](2)(c)(例1)

$$16p_{n+2} - 8p_{n+1} = \dfrac{1}{4}p_n + \dfrac{1}{2}(16p_{n+1} - 8p_n) + \dfrac{1}{4}.$$

これで p_n だけの漸化式！

$$p_{n+2} = p_{n+1} - \dfrac{15}{64}p_n + \dfrac{1}{64}. \quad \cdots ④ \quad (p_0 = 1,\ p_1 = \dfrac{1}{2}. \because ①, ③)$$

$\alpha = \alpha - \dfrac{15}{64}\alpha + \dfrac{1}{64}$ を解くと $\alpha = \dfrac{1}{15}$

○ ④を変形すると $p_{n+2} - \dfrac{1}{15} = \left(p_{n+1} - \dfrac{1}{15}\right) - \dfrac{15}{64}\left(p_n - \dfrac{1}{15}\right).$ …④′

そこで，$a_n = p_n - \dfrac{1}{15}$ とおくと

$$a_{n+2} = a_{n+1} - \dfrac{15}{64}a_n. \quad \left(a_0 = 1 - \dfrac{1}{15} = \dfrac{14}{15},\ a_1 = \dfrac{1}{2} - \dfrac{1}{15} = \dfrac{13}{30}.\right)$$

これは次の 2 通りに変形できる．   ⇦ p.175 特講E 【8】(2)(b)(例1)

$$\begin{cases} a_{n+2} - \dfrac{3}{8}a_{n+1} = \dfrac{5}{8}\left(a_{n+1} - \dfrac{3}{8}a_n\right), \\ a_{n+2} - \dfrac{5}{8}a_{n+1} = \dfrac{3}{8}\left(a_{n+1} - \dfrac{5}{8}a_n\right). \end{cases}$$

$\left(a_{n+1} - \dfrac{3}{8}a_n\right)$ は公比 $\dfrac{5}{8}$ の等比数列

$$\therefore\ \begin{cases} a_{n+1} - \dfrac{3}{8}a_n = \left(a_1 - \dfrac{3}{8}a_0\right)\left(\dfrac{5}{8}\right)^n = \left(\dfrac{13}{30} - \dfrac{3}{8}\cdot\dfrac{14}{15}\right)\left(\dfrac{5}{8}\right)^n = \dfrac{1}{12}\left(\dfrac{5}{8}\right)^n, \\ a_{n+1} - \dfrac{5}{8}a_n = \left(a_1 - \dfrac{5}{8}a_0\right)\left(\dfrac{3}{8}\right)^n = \left(\dfrac{13}{30} - \dfrac{5}{8}\cdot\dfrac{14}{15}\right)\left(\dfrac{3}{8}\right)^n = -\dfrac{3}{20}\left(\dfrac{3}{8}\right)^n. \end{cases}$$

辺々引いて両辺を 4 倍すると

$$a_n = \dfrac{1}{3}\left(\dfrac{5}{8}\right)^n + \dfrac{3}{5}\left(\dfrac{3}{8}\right)^n.$$

$\therefore\ p_n = \dfrac{1}{15} + \dfrac{1}{3}\left(\dfrac{5}{8}\right)^n + \dfrac{3}{5}\left(\dfrac{3}{8}\right)^n.$ $p_n = a_n + \dfrac{1}{15}$

これと①′ より

$$q_n = 16\underbrace{\left\{\dfrac{1}{15} + \dfrac{1}{3}\left(\dfrac{5}{8}\right)^{n+1} + \dfrac{3}{5}\left(\dfrac{3}{8}\right)^{n+1}\right\}}_{p_{n+1}} - 8\underbrace{\left\{\dfrac{1}{15} + \dfrac{1}{3}\left(\dfrac{5}{8}\right)^n + \dfrac{3}{5}\left(\dfrac{3}{8}\right)^n\right\}}_{p_n}$$

$$= \dfrac{8}{15} + \dfrac{2}{3}\left(\dfrac{5}{8}\right)^n - \dfrac{6}{5}\left(\dfrac{3}{8}\right)^n.$$

補足1 推移図にある確率の求め方を，一部説明しておきます．

○ $\dfrac{\text{RR}}{\text{WWWW}} \xrightarrow{\frac{1}{2}} \dfrac{\text{RR}}{\text{WWWW}} \cdots \begin{cases}\text{箱 C は必ず「RW」となる．}\\ \text{ここから R を A に戻す確率は } \dfrac{1}{2}.\end{cases}$

○ $\dfrac{\text{RW}}{\text{RWWW}} \xrightarrow{\frac{1}{16}} \dfrac{\text{RR}}{\text{WWWW}} \cdots \begin{cases}\text{A から W，B から R を取り出す確率は } \dfrac{1}{2}\cdot\dfrac{1}{4}. \\ \text{箱 C：「RW」から，R を A に戻す確率は } \dfrac{1}{2}.\end{cases}$

補足2 ④を④′へ変形するとき利用した α の方程式は，2 項間漸化式の解法を真似たものです．（⇦ p.172 **特講E** 【8】(2)(a)**(例1)**）

類題 79 赤玉2個が入った箱 A と白玉4個が入った箱 B がある．A から玉を1個取り出して B に入れ，B の玉をよくかき混ぜてから1個取り出して A に入れる．この操作を n 回繰り返したとき箱 A に赤玉が2個，1個入っている確率をそれぞれ p_n，q_n とする．p_n，q_n を求めよ．

(解答▶解答編 p.48)

211：素数

ITEM 80 確率 場合の数
確率漸化式（ちょうど〜になる）

よくわかった度チェック！ ① ② ③

前 ITEM までは，時の流れ，回数の進行にともなう「状態」に関する確率を扱ってきましたが，本 ITEM 以降，それとは違ったタイプの問題も見て行きます．

ここがツボ！ 場合分けの観点を明記せよ．

例題80 数直線上を動く点 P がある．P は初め原点にあり，コインを投げる度に，表が出たら P は正の向きに 2 だけ進み，裏が出たら P は正の向きに 1 だけ進む．P が点 n に到達する確率を求めよ．ただし，n は自然数とする．

着眼 まずは"実験"から．たとえば「$n=10$」のつもりで，初めから何回かの移動量，そしてその合計である P の座標の変化を表にしたものを下に 2 例挙げます．

(例1)

回	1	2	3	4	5	6	…
移動量	2	1	1	2	2	2	…
座標	2	3	4	6	8	10	…

(例2)

回	1	2	3	4	5	6	7	8	…
移動量	1	1	2	1	2	1	1	2	…
座標	1	2	4	5	7	8	9	11	…

(例1)では，P の座標がちょうど $\underset{n}{10}$ になりましたが，(例2)では，P の座標が 9 から 11 へと 10 を"飛び越えて"しまい，ちょうど 10 にはなりません．さて，この(例1)のようになる確率はいくらか？と問われているわけですが…ちょっと求まりそうにありませんね．そもそも，座標 $\underset{n}{10}$ に達するか否かが確定するまでの回数が，(例1)では 6 回，(例2)では 8 回と異なりますし…

でも，**例題73 着眼**で述べた「**基礎力**」があれば大丈夫です．この確率は，自然数 n に対して定まるもの，つまり「数列」であり，「一般項」が直接には求まりそうにないので「ドミノ式」で攻める，つまり漸化式を作ります．

方針 点 n に達する確率 p_n と点 $n+1$ に達する確率 p_{n+1} の関係を考えてみます．まず思い浮かぶのは，点 n に達した P が，次に $+1$ だけ移動して点 $n+1$ に達するパターンですが…，点 $n+1$ に達する方法はそれ以外にもありますね．これで，方針が立ちしました．

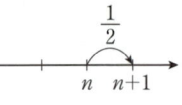

解答 ○求める確率を p_n とおく．P が点 $n+2$ に達する事象は，最後の移動量に注目して右の 2 つに分けられる．

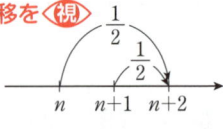

$$\therefore\ p_{n+2}=p_{n+1}\cdot\frac{1}{2}+p_n\cdot\frac{1}{2}\ \cdots①$$

○P は最初点 0 に達している．また，点 1 に達するのは第 1 回の移動が $+1$ のとき．

$$\therefore\ p_0=1,\ p_1=\frac{1}{2}\ \cdots②$$

○①を変形すると （⇦ p.175 **特講E** [8](2)(b)）

$$\begin{cases} p_{n+2} - p_{n+1} = -\frac{1}{2}(p_{n+1} - p_n), \\ p_{n+2} + \frac{1}{2}p_{n+1} = p_{n+1} + \frac{1}{2}p_n. \end{cases} \therefore \begin{cases} p_{n+1} - p_n = (p_1 - p_0)\left(-\frac{1}{2}\right)^n, \\ p_{n+1} + \frac{1}{2}p_n = p_1 + \frac{1}{2}p_0. \end{cases}$$

これと②より

$$\begin{cases} p_{n+1} - p_n = \left(\frac{1}{2} - 1\right)\left(-\frac{1}{2}\right)^n = \left(-\frac{1}{2}\right)^{n+1}, & \cdots ③ \\ p_{n+1} + \frac{1}{2}p_n = \frac{1}{2} + \frac{1}{2} \cdot 1 = 1. & \cdots ④ \end{cases}$$

④ − ③ より

$$\frac{3}{2}p_n = 1 - \left(-\frac{1}{2}\right)^{n+1}. \quad \therefore \quad p_n = \frac{2}{3}\left\{1 - \left(-\frac{1}{2}\right)^{n+1}\right\}.$$

解説「確率漸化式」を作ろうとする場合，まずは**方針**のように2項間漸化式を目指すのが普通です．本問では，その考察過程を通して自然と3項間漸化式に辿り着きました．本問は，「漸化式を作れ」と誘導されることも多いですが，上記のような方針を自ら発想できるようにもなるための訓練として，あえて誘導を付けませんでした．

注意 確率漸化式の立式で場合分けをする際，**解答**赤下線部のように**場合分けの観点を明記することが大切です．**これを怠り漠然と場合分けすると，

$$\begin{cases} n+1 \to n+2 \cdots \boxed{+1} \text{と移動，または} \\ n \to n+2 \cdots \boxed{+2} \text{ or }\boxed{+1, +1} \end{cases}$$

なんて平気でやってしまいます．2つの赤下線部がダブってますね．

参考 最後の代わりに最初の移動量で場合分けしても，同じ漸化式が得られます．

$$\text{点 }n+2\text{ への移動}\begin{cases} +1 \to n+1 \text{ だけ移動} \\ +2 \to n \text{ だけ移動} \end{cases}$$

$$\therefore \quad p_{n+2} = \frac{1}{2} \cdot p_{n+1} + \frac{1}{2} \cdot p_n.$$

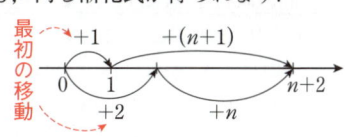

この「最初の結果に注目した場合分け」は **例題82**，**例題94** で活躍します．

発展 着眼 (例2)で述べた"飛び越える"という現象，つまり点 n に到達しないという**余事象**は，点 $n-1$ に到達して次に +2 だけ移動することですから，

2項間漸化式：$1 - p_{n+1} = p_n \cdot \frac{1}{2}$. ができてしまいますね．

類題 80 n は自然数とする．赤，緑，青の3色のタイルが，どれも充分な数だけあるとする．それぞれのタイルの大きさは右図のとおりである．これらを左から右へと隙間なく並べ，縦20 cm，横 $10n$ cm の長方形を埋め尽くす方法は何通りあるか．ただし，タイルは横に倒して使ってもよいとし，たとえば右の2つの並べ方も区別する．

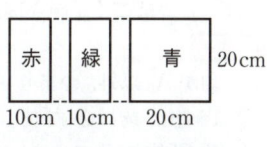

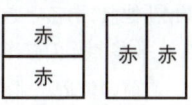

(解答▶解答編 p.50)

ITEM 81 確率 すごろく

今回扱う素材は，「すごろく」という日常的な素材です．前 ITEM と同様，「ちょうど〜になる」という事象を考えますが，"1度飛び越えたらもうダメ"だった例題80とは少し状況が異なります．

> **ここがツボ！**
> 「アガリ」への推移を考える．
> 「アガリ」か，「そうでない」かの2つの状態を考える．

例題81 円を7等分する7個の点 $A_0, A_1, A_2, \cdots, A_6$ がこの順に時計回りに並んでいる．サイコロを投げ，出た目の数だけ駒を点から点へと時計回りに動かす試行を繰り返す．最初 A_0 にあった駒が，n 回サイコロを投げた後初めて A_0 に戻る確率を p_n とする．

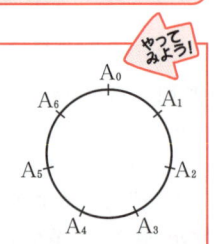

たとえば，サイコロの目が 6, 2, 1, 5 の順に出たとき，駒は
$$A_0 \xrightarrow{6} A_6 \xrightarrow{2} A_1 \xrightarrow{1} A_2 \xrightarrow{5} A_0$$
と移動するから，4回後に初めて A_0 に戻る．p_n を求めよ．

着眼 問題文中にある例を見てみましょう．ここでは，本問の試行を"すごろく"に見立てて，A_0 に戻ることを"アガリ"と呼ぶことにします．

1回目：A_0 からは，どの目が出てもアガリにはなりません．…①
2回目：A_6 から1進めばアガリですが，2進んだので A_0 を"飛び越えて"しまいました．
3回目：A_1 から6進めばアガリですが，1しか進まないので A_0 に達しません．
4回目：A_2 から5進んだのでアガリです！

3つの赤下線部を見るとわかるように，駒が $A_1, A_2, A_3, A_4, A_5, A_6$ のいずれかにあれば，ある1つのサイコロの目が出ればアガリ，そうでなければまた駒は $A_1, A_2, A_3, A_4, A_5, A_6$ のいずれかへ移動します．このように試行のルールを捉えてしまえば，じつはごく単純な問題であることが見えてきます．

解答

○ 駒が A_0 以外，つまり $A_1, A_2, A_3, A_4, A_5, A_6$ のいずれかにあることを「他」で表す．1回後，駒は必ず「他」にある．　　　A_0，「他」の2状態しかない

○ 駒が「他」にあるとき，次回 A_0 に移動できるサイコロの目は下左の表のとおり．よって，推移とその確率は下右の図のようになる．

直前の位置	A_1	A_2	A_3	A_4	A_5	A_6
A_0 へ移動する目	6	5	4	3	2	1

$\frac{5}{6} \circlearrowleft$ 「他」 $\xrightarrow{\frac{1}{6}} A_0$

○ n 回後 ($n≧2$) に初めて A_0 に戻る移動の仕方は次のとおり．

回： 1　　2　　3　　　 $n-2$　$n-1$　 n
$A_0 \underset{1}{\to}$ 他 $\underset{\frac{5}{6}}{\to}$ 他 $\underset{\frac{5}{6}}{\to}$ 他 $\underset{\frac{5}{6}}{\to} \cdots \underset{\frac{5}{6}}{\to}$ 他 $\underset{\frac{5}{6}}{\to}$ 他 $\underset{\frac{1}{6}}{\to} A_0$

○ 以上より，求める確率は

$$1 \cdot \left(\frac{5}{6}\right)^{n-2} \cdot \frac{1}{6} = \frac{1}{6}\left(\frac{5}{6}\right)^{n-2} \ (n≧2), \quad p_1 = 0.$$

解説 本問がこのようにスッキリ片付いた理由は，駒が A_1, A_2, A_3, A_4, A_5, A_6 のどこにいても，次回 A_0 へ移動する確率が $\frac{1}{6}$ と一定だからです．このように，「事象としては一見異なるが，推移確率が等しい状態を"束ねて"1つの事象とみる」という考え方により，けっきょくは

「アガリ」と「アガリでない」，つまり「A_0」と「他」

という 2 つの状態間の推移を考えるだけの問題になった訳です．このような"束ねる"手法の有効性は，ITEM 76 などで紹介しましたね．

参考 じつは本問の試行は，その **例題76** と本質的に同じものでした．要するに，初回からの移動量の合計が 7 の倍数になればアガリ，というのが本問の意味です．この「移動量の合計が 7 の倍数」という事象が，n 回後に起きている確率が **例題76**，n 回後に初めて起きる確率が本問なのでした．

この「初めて起きる」という事象は，**例題84** でも登場します．

補足1 結果として漸化式の出番はありませんでしたが，「直前直後の関係に注目する」という考え方は一連の確率漸化式の問題と共通しており，**例題80** の「ちょうど～に到達する」とよく似た事象を考えるので，ここで扱いました．

補足2 **着眼** ①で述べたことより，1 回後にアガリになることはないので，$p_1 = 0$ です．また，2 回後にアガリとなるのは

$A_0 \underset{1}{\to}$ 他 $\underset{\frac{1}{6}}{\to} A_0$

となるときで，「他→他」という推移は起こりませんが，答えの中の $\left(\frac{5}{6}\right)^{n-2}$ は $n = 2$ のとき $\left(\frac{5}{6}\right)^0 = 1$ なので支障ありません．

類題 81 サイコロを繰り返し投げて得点を変化させるゲームを行う．n 回サイコロを投げた後の得点 X_n を，次のルールで決定する．

$\begin{cases} \text{初めの得点は } X_0 = 0 \text{ である．} \\ \text{第 } n \text{ 回のサイコロの目を } a_n \text{ とし，} X_n = |X_{n-1} - a_n| \text{ と定める} (n = 1, 2, 3, \cdots). \end{cases}$

整数 n ($n = 2, 3, 4, \cdots$) に対して，$X_k \neq 0$ ($k = 1, 2, 3, \cdots, n-1$)，$X_n = 0$ となる確率を求めよ．

(解答▶解答編 p.51)

ITEM 82 確率漸化式（連続しない）

確率　場合の数

よくわかった度チェック！ ① ② ③

「連続しない」, つまり「隣りどうし, 直前直後が異なる」という"ドミノ式"っぽい条件が設定されていますから, 漸化式を用いる方法でよいでしょう. 問題は, 「いったい何に注目して場合分けを行うか」です.

ここがツボ！ 「最後の方」にこだわらず, 「最初」で場合分けすることも考えて

例題82 箱の中に 1, 2, 3 のカードが1枚ずつ入っている. そこからカードを1枚取り出して元に戻すことを n 回繰り返すとき, 2以上のカードどうしが連続して出ない確率を求めよ.

着眼 まずは条件を満たす最初の何回かを書き並べてみます.
この作業を通して
$$\begin{cases} 1 \to \text{次は何でもよい} \\ 2, 3 \to \text{次は1のみ} \end{cases}$$
という関係が繰り返し使われていることがわかります. そこで, この「直前・直後の関係」を, 漸化式で表す方法を探ります.

解答

○　2以上のカードどうしが連続して出ない　…①
という条件のもとで考える.

○ 各回における事象とその確率は次のとおり.
$$\begin{cases} 1 \quad \cdots \text{確率} \dfrac{1}{3}, \\ 2 \text{ or } 3 \quad \cdots \text{確率} \dfrac{2}{3}. \end{cases}$$

○ 求める確率, つまり①を満たす n 回の列ができる確率を p_n とおく. ①を満たす $n+2$ 回の列ができる事象は, 第1回の数字に注目して場合分けすると右図のとおりであり,
「1」の後①を満たす n 回の列ができる確率は p_n に等しい. …(*)

$$\therefore \quad p_{n+2} = \dfrac{1}{3} \cdot p_{n+1} + \dfrac{2}{3} \cdot \dfrac{1}{3} \cdot p_n$$
$$= \dfrac{1}{3} p_{n+1} + \dfrac{2}{9} p_n. \quad \cdots ②$$

○ 1回だけ取り出すとき, ①は必ず満たされる. 2回取り出すとき, ①が満たされないのは2回とも「2 or 3」が出るときのみ.

$$\therefore \quad p_1 = 1, \ p_2 = 1 - \left(\dfrac{2}{3}\right)^2 = \dfrac{5}{9}. \quad \cdots ③$$

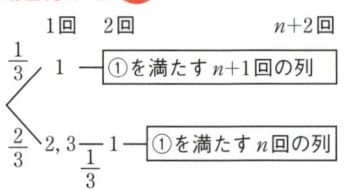

○②を変形すると

$$\begin{cases} p_{n+2} - \dfrac{2}{3}p_{n+1} = -\dfrac{1}{3}\left(p_{n+1} - \dfrac{2}{3}p_n\right), \\ p_{n+2} + \dfrac{1}{3}p_{n+1} = \dfrac{2}{3}\left(p_{n+1} + \dfrac{1}{3}p_n\right). \end{cases}$$

(⇦ p. 175 特講E [8](2)(b))

$$\therefore \begin{cases} p_{n+1} - \dfrac{2}{3}p_n = \left(p_2 - \dfrac{2}{3}p_1\right)\left(-\dfrac{1}{3}\right)^{n-1}, \\ p_{n+1} + \dfrac{1}{3}p_n = \left(p_2 + \dfrac{1}{3}p_1\right)\left(\dfrac{2}{3}\right)^{n-1}. \end{cases}$$

これと③より

$$\begin{cases} p_{n+1} - \dfrac{2}{3}p_n = \left(\dfrac{5}{9} - \dfrac{2}{3}\cdot 1\right)\left(-\dfrac{1}{3}\right)^{n-1} = -\left(-\dfrac{1}{3}\right)^{n+1}, & \cdots ④ \\ p_{n+1} + \dfrac{1}{3}p_n = \left(\dfrac{5}{9} + \dfrac{1}{3}\cdot 1\right)\left(\dfrac{2}{3}\right)^{n-1} = 2\left(\dfrac{2}{3}\right)^{n+1}. & \cdots ⑤ \end{cases}$$

⑤−④より

$$p_n = 2\left(\dfrac{2}{3}\right)^{n+1} + \left(-\dfrac{1}{3}\right)^{n+1}.$$

解説 本問のポイントは，なんといっても **解答** 中にある(∗)です．**解答** のように場合分けしたとき，「1」が出た後は，この試行の「最初」と同じく「次に何が出てもよい」という状態にもどります．よって

「(最初から)①を満たす n 回の列ができる確率 p_n」と

「『1』の後①を満たす n 回の列ができる確率」とは等しい

（一見異なる事象を同一視）

と言えるわけです．この(∗)の考え方が使えたのは，場合分けを初めの方の結果に応じて行い，「1」が出たとき，"初めに戻った"と考えられるようにしたからです．**例題80** **参考** で用いた「最初の結果に注目した場合分け」が見事に役立ちましたね．

参考 一方，「最後」の方に注目して場合分けしようとすると，「1」で終わるか「2 or 3」で終わるかで次の出方が変わりますから，どうしても①を満たす列をそれら2タイプに分類して臨まざるを得ません．そちらの考え方へ誘導したのが **類題 82** です．

類題 82 A，B2種類の文字を1列に並べてできる n 個の文字列のうち，隣り合う2文字の少なくとも一方がAであるものを考える．ただし，A，Bはどちらも何度使ってもよいとする．

[1] このような文字列のうちAで終わるものの個数を a_n，Bで終わるものの個数を b_n とするとき，a_{n+1}, b_{n+1} を a_n, b_n で表せ．

[2] このような文字列の総数を求めよ．

(解答▶解答編 p.52)

ITEM 83 場合の数 — 領域の分割

よくわかった度チェック！ ① ② ③

前 ITEM までとはかなり違った雰囲気に見える問題ですが，**基本**をベースに考えていくと，結局これまでたっぷり練習してきた手法に辿り着きます．

> **ここがツボ！**「基本」を念頭において，「現象」を観察する．

例題83 平面上に n 本の直線があり，どの 2 直線も交わり，どの 3 直線も 1 点で交わらないとする．このとき，これらの直線によって平面が分けられる領域の個数を求めよ．

着眼 まずは試しに，直線を 4 本ほど引いてみます．右図のようになり，11 個の領域に分割されました．（各領域に付した番号は，単に個数を数えやすくするためのものです．）

さて，これを「n 本の直線」に一般化して解答できるかというと…どうも無理っぽいですね．そこで，またしても"例"の**基本**の出番です．

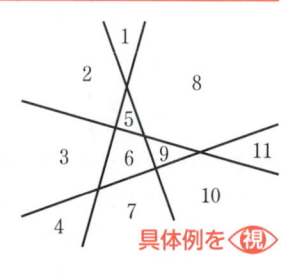

具体例を視

方針 例題73，例題80 でも述べた通りです．

題意の個数は，自然数 n に対して定まるものだから「数列」である．

よってその攻め方は $\begin{cases} 一般項 \\ ドミノ式 \end{cases}$ のどちらかである． …"2択"です

以上の視点に立てば，先ほど一般化して解答するのは無理っぽいと言ったのは，正確に言うと「一般項」が直接には得にくい，という意味ですから，「ドミノ式」でいきます．

解答

○ 求める領域の個数を a_n とおく．

○ a_{n+1} と a_n の関係を考える．$n+1$ 本目の直線 ℓ を引くとき，ℓ はそれ以前に引かれていた n 本の直線と 1 回ずつ交わり，異なる n 個の交点により，$n+1$ 個の部分に分けられる． …"植木算"ですね
そして各々の部分が，1 つだった領域を 2 つに分割する．

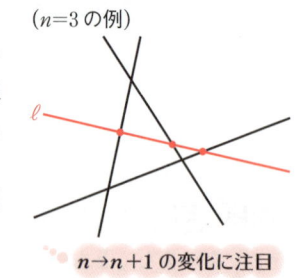

（$n=3$ の例）

$n \to n+1$ の変化に注目

$$\therefore\ a_{n+1} - a_n = n+1. \quad \cdots ①$$

○ 直線を 1 本だけ引くとき，平面は 2 つの領域に分かれるから

$$a_1 = 2. \quad \cdots ②$$

○ よって $n \geq 2$ のとき

$$a_n = a_1 + \sum_{k=1}^{n-1}\underbrace{(k+1)}_{等差数列} \quad (\Leftarrow \text{p.168 特講E [5](1)})$$

218 → 2·109

$$= 2 + \frac{2+n}{2} \cdot (n-1) \quad (\Leftarrow \text{p.167 特講E 【3】(4)})$$

$$= \frac{1}{2}(n^2+n+2). \quad (これは n=1 でも成立する.)$$

重要 （＊）の部分の発想は，あくまでも「n 本の状態から $n+1$ 本の状態への推移を観察しよう」という「ドミノ式」な考えがベースにあって初めて実現可能なものです．このように，基本概念を携えながら現象を観察して初めて，何かを"発見"することができるのです．

教科書に載っていることもある有名問題ですので，"知っていたからできた"という人もいるかもしれませんが，本当に目指したいのは，たとえ初見でも上記のようなアプローチの仕方によりこの問題が解ける真の実力を身に付けることです．

補足 本問は，漸化式を作る際に「場合分け」という観点を持たない珍しい例です．

参考 この問題は

「面積無限な部分（⑦）の個数 b_n」，

「面積有限な部分（④）の個数 c_n」

と区別して問われることもよくあります．その際には，（＊）にある「$n+1$ 個の部分」を

「長さ無限な部分（半直線）2 個」と，

「長さ有限な部分（線分）$n-1$ 個」

と区別してそれぞれの"役割"を考えます．図を見ながら，次のことを確認してください．

「半直線」…⑦1つを⑦2つに分割する．

「線分」…⑦1つを⑦，④1つずつに分割する．or
　　　　　④1つを④2つに分割する．

けっきょく，次のようになります．

「半直線」…⑦を1つ増やす．

「線分」…④を1つ増やす．

以上より

$b_{n+1} - b_n = 2$,

$c_{n+1} - c_n = n-1$.

これと $b_1=2$, $c_1=0$ から，b_n, c_n の一般項は次のように求まります．

$b_n = 2n$, $c_n = \frac{1}{2}(n-2)(n-1)$.

（これらの和は，当然ながら本問の a_n と一致していますね．）

類題 83 平面上に n 個の円があり，どの2つの円も異なる2点で交わり，どの3つの円も1点で交わらないとする．このとき，これらの円によって平面が分けられる領域の個数を求めよ．

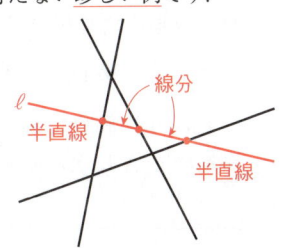

(解答 ▶ 解答編 p.53)

ITEM 84 確率
確率漸化式？

ここまで，確率漸化式の問題を立て続けに演習してきました．もちろんこれで一定の成果は現れるでしょう．ただし，確率＋数列の融合問題＝確率漸化式のようにパターン化しないで欲しい…というのが本 ITEM の意図です．

> **ここがツボ！** まずは事象そのものと向き合ってみる．
> 解法を決めるのはそれから．

例題84 動点 P は初め A にあり，四角形 ABCD の頂点から頂点へと次々移動する．各回の移動において，P は確率 $\frac{1}{3}$ で左回りに動いて隣りの頂点に移動し，確率 $\frac{2}{3}$ で右回りに動いて隣りの頂点に移動する．n 回後に P が初めて A に戻る確率を求めよ．ただし，$n \geq 2$ とする．

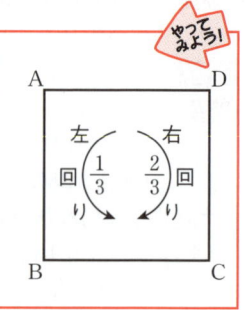

着眼 すでにお気付きと思います．行われる「試行」は 例題77 と同じです．ただし，問われている「事象」は異なります．

例題77：「n 回後に，P が A にある」
本問：「n 回後に P が初めて A に戻る」

(これは，ITEM 81 参考 に書いた 例題76 と 例題81 の対比と同じものです．)

それでは，「途中で A に戻らない」ことを念頭において，P を動かしてみましょう．たとえば，次のような動き方が考えられます．（左回り，右回りの移動をそれぞれ「l」，「r」で表します．）

回：0　1　2　3　4　5　6　7　8
A $\xrightarrow{l}$ B $\xrightarrow{l}$ C $\xrightarrow{r}$ B $\xrightarrow{l}$ C $\xrightarrow{l}$ D $\xrightarrow{r}$ C $\xrightarrow{r}$ B $\xrightarrow{r}$ A　　事象の例を〈視〉

この例では，8 回後に初めて A に戻りました．この動き方を観察すれば，P の移動の仕方にあるルールがあることが見えてきます．A に戻るまでの間，偶数回後は必ず C で，その直後に B or D へ移動したらすぐにまた C へ戻ることが繰り返されます．

そもそも 例題77 で見たように，動点 P は偶数回後は無条件に A or C にあるのでした．よって本問の条件下では，A に戻るまで偶数回後は必ず C にあるのです．

解答

○ 求める確率を p_n とおく．P が 2 回後に初めて A に戻るのは右のように移動するときだから　　C へ行かないときは特殊！

$$p_2 = \frac{1}{3} \cdot \frac{2}{3} + \frac{2}{3} \cdot \frac{1}{3} = \frac{4}{9}.$$

○ P が 3 回後以降に初めて A に戻るとき，次のように移動する．

220 → 22・10 → $2^2 \cdot 5 \cdot 11$

$$
\underbrace{A \to {B \atop or} \to {C \atop D}}_{ア} \underbrace{\to {B \atop or} \to {C \atop D}}_{イ} \to {B \atop or} \to {C \atop D} \to \cdots \to C \to {B \atop or} \to {C \atop D} \underbrace{\to {B \atop or} \to A}_{ウ} \quad \cdots(*)
$$

イは0回のこともある　　　　　推移を〈視〉

- よって初めて A に戻るのは偶数回後に限るから，n が奇数のとき，$p_n = 0$.
- P が前記($*$)のように移動し，イのような 2 回分の移動が k 回($k=0, 1, 2, \cdots$)繰り返されるときを考えると，P は $2k+4$ 回後に初めて A に戻る．

また，ア，イ，ウのような 2 回分の移動の確率は，それぞれ次のとおり．

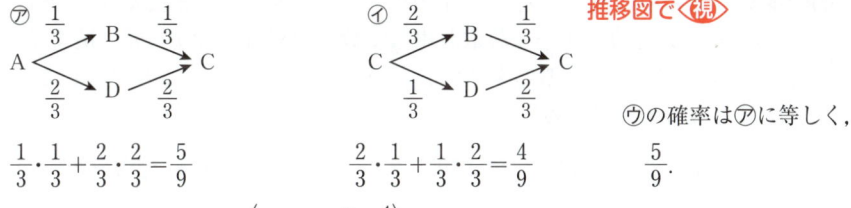

推移図で〈視〉

ア：$A \xrightarrow{\frac{1}{3}} B \xrightarrow{\frac{1}{3}} C$，$A \xrightarrow{\frac{2}{3}} D \xrightarrow{\frac{2}{3}} C$

イ：$C \xrightarrow{\frac{2}{3}} B \xrightarrow{\frac{1}{3}} C$，$C \xrightarrow{\frac{1}{3}} D \xrightarrow{\frac{2}{3}} C$

ウの確率はアに等しく，

$\dfrac{1}{3}\cdot\dfrac{1}{3} + \dfrac{2}{3}\cdot\dfrac{2}{3} = \dfrac{5}{9}$ 　　　 $\dfrac{2}{3}\cdot\dfrac{1}{3} + \dfrac{1}{3}\cdot\dfrac{2}{3} = \dfrac{4}{9}$ 　　　 $\dfrac{5}{9}$.

よって，$n = 2k+4$ $\left(\text{i.e. } k = \dfrac{n-4}{2}\right)$ のとき

$$p_n = p_{2k+4} = \dfrac{5}{9} \cdot \left(\dfrac{4}{9}\right)^k \cdot \dfrac{5}{9} \quad (\text{これは } k=0 \text{ でも成立}) \quad \cdots ①$$

$$= \left(\dfrac{5}{9}\right)^2 \left(\dfrac{4}{9}\right)^{\frac{n-4}{2}} = \dfrac{25}{16}\left(\dfrac{2}{3}\right)^n.$$

- 以上より，求める確率は

$$p_n = \begin{cases} 0 & (n=3, 5, 7, \cdots), \\ \dfrac{4}{9} & (n=2), \\ \dfrac{25}{16}\left(\dfrac{2}{3}\right)^n & (n=4, 6, 8, \cdots). \end{cases}$$

「2」は別扱い

解説 **着眼**のようにしっかりとした**現象観察**を行い，「ア→[イの反復]→ウ」という素朴な事象把握さえできればアッサリと解決しますね．逆にこれを怠って，「とりあえず漸化式立てよっかな」とやると，的外れな解答になってしまいます．

くれぐれも記号化，視覚化を駆使して例を書くなどの実験を行い，
事象の全体構造を把握しようとする姿勢を見失わないでください！

補足 ①において，$k=0$，つまりイがまったくないとき，イの反復に相当する部分の確率 $\left(\dfrac{4}{9}\right)^k$ が $\left(\dfrac{4}{9}\right)^0 = 1$ となりますから，①は正しい式になっていますね．

類題 84 あるランプは，各時刻において青，赤のいずれかの色で光る．初めランプは青であり，各時刻の 1 秒後の色は確率 $\dfrac{4}{5}$ で直前と同じ色，確率 $\dfrac{1}{5}$ で直前と異なる色である．ランプが 2 度赤く光ったら終了とし，n 秒後($n=2, 3, 4, \cdots$)に終了となる確率を p_n とするとき，p_n を n で表せ．

(解答▶解答編 p.54)

ステージ4　実戦融合問題編　確率

221　→ 13・17

ITEM 85 確率 漸化式と条件付き確率

「確率漸化式」と「条件付き確率」の融合問題です．とくに目新しいことはありません．両者について学んできた基本となる考え方を適用するまでです．

> **ここがツボ！** 漸化式の立式で用いた式に注目．

例題85 箱の中に 0，1，2，…，7 のカードが 1 枚ずつ計 8 枚入っている．そこからカードを 1 枚取り出して数字を記録してから元に戻すことを繰り返す．記録された数字を順に $X_1, X_2, X_3, \cdots$ とし，これに対して整数 Y_n を次のように定める．

$$Y_n = X_1 \cdot 10^{n-1} + X_2 \cdot 10^{n-2} + X_3 \cdot 10^{n-3} + \cdots + X_{n-1} \cdot 10 + X_n = \sum_{k=1}^{n} X_k \cdot 10^{n-k}$$

(1) Y_{n+1} を Y_n と X_{n+1} で表せ．
(2) Y_n が 7 の倍数である確率を求めよ．
(3) Y_{n+1} が 7 の倍数であるとき，Y_n が 7 の倍数である確率を求めよ．

方針 (2) は，(1) で「直前 Y_n と直後 Y_{n+1} の関係に注目してドミノ式に」という考え方が誘導されているので，方針は確立しています．あとは「推移」をわかりやすく視覚化すれば，"例の"考え方が使えることに気が付きます．

(3) は条件付き確率ですから，例によって対象となっている事象に名前を与え，求めるべき確率を**式で明示**し，どこを"参照"すればよいかを考えます．

解答 (1) $Y_{n+1} = X_1 \cdot 10^n + X_2 \cdot 10^{n-1} + X_3 \cdot 10^{n-2} + \cdots + X_{n-1} \cdot 10^2 + X_n \cdot 10 + X_{n+1}$
$= 10(X_1 \cdot 10^{n-1} + X_2 \cdot 10^{n-2} + X_3 \cdot 10^{n-3} + \cdots + X_{n-1} \cdot 10 + X_n) + X_{n+1}$
$= 10\underline{Y_n} + \underline{X_{n+1}}.$

(2) ○求める確率を p_n とする．7 で割った余りに関して考える．Y_{n+1} が 7 の倍数となる事象は，$\underline{Y_n\text{ を 7 で割った余りに注目}}$して**場合分け**すると下左の表のようになる．よって，下右の推移図を得る．

Y_n の余り	0	1	2	3	4	5	$\boxed{6}$	← $7a+6$
$10Y_n$ の余り	0	3	6	2	5	1	$\boxed{4}$	(a は整数)
第 $n+1$ 回	0, 7	4	1	5	2	6	3	← $7(10a+8)+4$

Y_n を 7 で割った余り　　　Y_{n+1} を 7 で割った余り

0 —— $\frac{2}{8}$ ——→ 0

1〜6 —— $\frac{1}{8}$ ——→ 0

余り 1〜6 を"束ねる"

○∴ $p_{n+1} = p_n \cdot \dfrac{2}{8} + (1-p_n) \cdot \dfrac{1}{8}$ …①
$= \dfrac{1}{8} p_n + \dfrac{1}{8}$. …①′

○また，$Y_1 = X_1 = 0$，7 となる確率を考えて，$p_1 = \dfrac{2}{8}$. …②　　　0 ($=7\cdot 0$) も 7 の倍数

○①′を変形すると，$p_{n+1} - \dfrac{1}{7} = \dfrac{1}{8}\left(p_n - \dfrac{1}{7}\right)$.　　数列 $\left(p_n - \dfrac{1}{7}\right)$ は公比 $\dfrac{1}{8}$ の等比数列

$$\therefore \quad p_n - \frac{1}{7} = \left(p_1 - \frac{1}{7}\right)\left(\frac{1}{8}\right)^{n-1}.$$

これと②より，求める確率は

$$p_n = \frac{1}{7} + \left(\frac{2}{8} - \frac{1}{7}\right)\left(\frac{1}{8}\right)^{n-1} = \frac{1}{7} + \frac{6}{7}\left(\frac{1}{8}\right)^n.$$

(3) ○ A：「Y_{n+1} が 7 の倍数」，B：「Y_n が 7 の倍数」

とすると，求めるものは条件付き確率 $P_A(B) = \dfrac{P(A \cap B)}{P(A)}$.

○①において，右辺全体が $P(A)$，右辺の第 1 項が $P(A \cap B)$ である．よって

$$P_A(B) = \frac{\boxed{p_n \cdot \frac{2}{8}}}{\boxed{p_n \cdot \frac{2}{8}} + \boxed{(1-p_n) \cdot \frac{1}{8}}}$$

ITEM 63 補足 の $\dfrac{\square}{\square + \bigcirc}$ 型分数式

分母は $p_{n+1} = \dfrac{1}{7} + \dfrac{6}{7}\left(\dfrac{1}{8}\right)^{n+1}$ でもよい

$$= \frac{2p_n}{p_n + 1} = \frac{2\left\{\frac{1}{7} + \frac{6}{7}\left(\frac{1}{8}\right)^n\right\}}{\left\{\frac{1}{7} + \frac{6}{7}\left(\frac{1}{8}\right)^n\right\} + 1} = \frac{8^n + 6}{4 \cdot 8^n + 3}.$$

解説 (2) ○①の立式にあたっては，ITEM 76 でも使った次の考え方を用いています．
「Y_n を 7 で割った余りが 1，2，3，4，5，6」という 6 つの異なる状態を，
「Y_{n+1} が 7 の倍数」への推移確率が等しいので "束ねる"．

○表において，たとえば Y_n の余りが 2 のとき，ある整数 a を用いて $Y_n = 7a + 2$ と表せて，$10Y_n = 10(7a+2) = 7(10a+2) + 6$ より $10Y_n$ を 7 で割った余りは 6 となります（他の場合も同様）．

(3) これは Y_{n+1} から Y_n へと，時の流れに逆行している条件付き確率ですね．

（⇐ **ITEM63**）「時」に惑わされず，$P(A)$ を表した①式の右辺：$\boxed{p_n \cdot \frac{2}{8}} + \boxed{(1-p_n) \cdot \frac{1}{8}}$

に対して，そのうち B も起きている $\boxed{p_n \cdot \frac{2}{8}}$ の起こりやすさの割合を求めましょう．

参考 Y_n は，記録された数字 X_1，X_2，X_3，…，X_n を左から順に並べて作った n 桁の十進整数 $X_1 X_2 X_3 \cdots X_{n-1} X_{n(10)}$ です．ただし，各位に 8，9 は現れませんので，n 桁（以下）の全ての自然数を表してはいませんが．

類題 85 赤玉 2 個が入った箱 A と白玉 2 個が入った箱 B がある．これら 2 つの箱から玉を 1 個ずつ取り出して交換する操作を繰り返す．ただし，箱 A に赤玉がなくなった時点で操作を終了する．この操作を n 回繰り返し，そのとき箱 A に赤玉が 2 個，1 個入っている確率をそれぞれ p_n，q_n とする．

[1] q_n を求めよ．

[2] 操作を $n+1$ 回繰り返し，$n+1$ 回後に箱 A に赤玉が 1 個入っているとき，n 回後に箱 A に赤玉が 1 個入っている確率を求めよ．ただし，$n \geq 1$ とする．

(解答▶解答編 p.55)

ITEM 86 確率 — 数列 Σ と条件付き確率

よくわかった度チェック！ ① ② ③

条件付き確率のうち，ITEM 63（原因の確率）や ITEM 64 など，直接には求めづらいタイプと数列の Σ 計算との融合です．前 ITEM と同様，大切なのは，各々の**基本**です．

> **ここがツボ！** 条件付き確率 → 事象に名前を付け，目標を明示．

例題86 n は 4 以上の整数とする．n 個の箱があり，k 番目 ($k=1, 2, 3, \cdots, n$) の箱には赤玉 3 個と白玉 k 個が入っている．

(1) 箱を 1 つ選び，その箱から 2 つの玉を同時に取り出すとき，赤玉 2 個が取り出される確率を求めよ．

(2) 箱を 1 つ選び，その箱から 2 つの玉を同時に取り出したところ，赤玉 2 個が取り出された．その箱に入っていた赤玉が白玉より多い確率を求めよ．

(3) 箱を 1 つ選び，その箱から 2 つの玉を同時に取り出したところ，赤玉 2 個が取り出された．取り出した玉をもとに戻さずさらに同じ箱から 1 個の玉を取り出すとき，赤玉が取り出される確率を求めよ．

方針 n 個の箱の様子を視覚的に表し，**全体像**を見据えて解答しましょう．

$\begin{pmatrix} R \text{は赤玉} \\ W \text{は白玉} \end{pmatrix}$
R:3コ W:1コ	R:3コ W:2コ	R:3コ W:3コ	…	R:3コ W:kコ	…	R:3コ W:nコ
1番	2番	3番		k番		n番

箱の中身を 視

解答

(1) ○ k 番の箱を選ぶ確率は，$\dfrac{1}{n}$． ……これを忘れないように！

○ k 番の箱から赤玉 2 つを取り出す確率は
$$\frac{{}_3C_2}{{}_{k+3}C_2} = \frac{6}{(k+3)(k+2)} \; (= p_k \text{とおく}).$$

○ よって求める確率は　　　　いわゆる部分分数展開
$$\sum_{k=1}^{n} \frac{1}{n} \cdot \frac{6}{(k+3)(k+2)} = \frac{6}{n} \sum_{k=1}^{n}\left(\frac{1}{k+2} - \frac{1}{k+3}\right) \; (\Leftarrow \text{p. 171 特講E [7](5)①})$$
事象を 記
$$= \frac{6}{n}\left(\frac{1}{3} - \frac{1}{n+3}\right) = \frac{2}{n+3}.$$

(2) ○ A：「赤玉 2 個を取り出す」，B：「1, 2 番の箱を選ぶ」とすると，求めるものは，
条件付き確率：$P_A(B) = \dfrac{P(A \cap B)}{P(A)}$． …① ……目標を明示

224 → 4·56 → $2^5 \cdot 7$

○ (1)より，$P(A)=\dfrac{2}{n+3}$．

○ $A\cap B$：「1，2番の箱を選び赤玉2個を取り出す」だから
$$P(A\cap B)=\dfrac{1}{n}\cdot p_1+\dfrac{1}{n}\cdot p_2=\dfrac{1}{n}\cdot\dfrac{1}{2}+\dfrac{1}{n}\cdot\dfrac{3}{10}=\dfrac{4}{5n}.$$

○ 以上より，求める条件付き確率は
$$P_A(B)=\dfrac{\dfrac{4}{5n}}{\dfrac{2}{n+3}}=\dfrac{2(n+3)}{5n}.$$

(3) ○ C：「2度目に取り出す玉が赤」とすると，求めるものは条件付き確率：
$$P_A(C)=\dfrac{P(A\cap C)}{P(A)}. \quad\cdots\text{②} \quad\bullet\!\bullet\!\bullet\ \boxed{\text{目標を明示}}$$

○ $A\cap C$：「取り出す3個が全て赤」だから，(1)と同様にして
$$P(A\cap C)=\sum_{k=1}^{n}\dfrac{1}{n}\cdot\dfrac{{}_3C_3}{{}_{k+3}C_3}$$

（通分してチェック）
$$=\dfrac{1}{n}\sum_{k=1}^{n}\dfrac{6}{(k+3)(k+2)(k+1)}$$
$$=\dfrac{3}{n}\sum_{k=1}^{n}\left\{\dfrac{1}{(k+1)(k+2)}-\dfrac{1}{(k+2)(k+3)}\right\} \quad (\Leftarrow\text{p.171 \ 特講E [7](5)②})$$
$$=\dfrac{3}{n}\left\{\dfrac{1}{6}-\dfrac{1}{(n+2)(n+3)}\right\}=\dfrac{n+5}{2(n+2)(n+3)}.$$

○ 以上より，求める条件付き確率は
$$P_A(C)=\dfrac{\dfrac{n+5}{2(n+2)(n+3)}}{\dfrac{2}{n+3}}=\dfrac{n+5}{4(n+2)}.$$

注意 本問では，「箱を選ぶ」という試行も行われますから，(1)の最初でk番の箱を選ぶ確率「$\dfrac{1}{n}$」を書くことを忘れず実行してください．

解説 条件付き確率を求める際には，とにかく考察対象となる事象に名前を付け，②の式を明記して目標をハッキリさせましょう．

補足 (3)の$A\cap C$では，「1回目：2個とも赤」→「2回目：赤」と考えてもかまいませんが，1，2回目で取り出す全ての玉3個の組合せは各々**等確率**ですから，「赤玉3個を取り出す」とシンプルに考えて処理しました．　　　　　　　 　 　 　 　 　　 $\boxed{\text{等確率？}}$

類題 86 nは自然数とする．$2n$個の箱があり，k番目($k=1,2,3,\cdots,2n$)の箱には赤玉k個と白玉$2n-k$個が入っている．箱を1つ選び，その箱から玉を1つ取り出しもとに戻してからもう1度玉を1つ取り出す．赤玉が2回続けて取り出されたとき，1番目からn番目の箱が選ばれている確率を求めよ．

(解答▶解答編 p.56)

ITEM 87 確率 区分求積法との融合（数学Ⅲ）　理系

理系入試では，数学Ⅲ微積分極限の出題率が高く，時として確率と融合した形でも出題されます．そんな中の典型的な一例をここで扱います．

ここがツボ！ $\lim$ と Σ が混在したら，「区分求積法」も視野に入れて

例題87　a は自然数の定数とする．n 個の箱があり，k 番目 ($k=1, 2, 3, \cdots, n$) の箱には赤玉 k 個と白玉 $n-k$ 個が入っている．まず箱を1つ選ぶ．そして選んだ箱から玉を取り出してもとに戻すことを繰り返し行う．
(1) k 番目の箱を選び，なおかつそこから a 回続けて赤玉を取り出す確率を求めよ．
(2) a 回続けて赤玉を取り出す確率を p_n とする．このとき $\lim_{n\to\infty} p_n$ を求めよ．
(3) a 回続けて赤玉を取り出したとき，次の $a+1$ 回目も赤玉を取り出す確率を q_n とする．このとき $\lim_{n\to\infty} q_n$ を求めよ．

方針　極限との融合ですが，(2)の確率 p_n，(3)の条件付き確率 q_n を求める際には n を定数とみなして基本に忠実にやればよいのです．

$\begin{pmatrix}Rは赤玉\\Wは白玉\end{pmatrix}$　$\begin{vmatrix}R:1コ\\W:n-1コ\end{vmatrix}$　$\begin{vmatrix}R:2コ\\W:n-2コ\end{vmatrix}$　$\cdots$　$\begin{vmatrix}R:kコ\\W:n-kコ\end{vmatrix}$　$\cdots$　$\begin{vmatrix}R:nコ\\W:0コ\end{vmatrix}$　箱の中身を〈視〉

　　　　　　1番　　　　2番　　　　　　　　k番　　　　　　　n番

解答

(1) k 番の箱を選ぶ確率は，$\dfrac{1}{n}$．

○ k 番の箱から a 回続けて赤玉を取り出す確率は，$\left(\dfrac{k}{n}\right)^a$．

○ よって求める確率は，$\dfrac{1}{n}\cdot\left(\dfrac{k}{n}\right)^a$．

(2) ○ (1)の確率を $k=1, 2, 3, \cdots, n$ について加えて

$$p_n = \sum_{k=1}^{n}\dfrac{1}{n}\cdot\left(\dfrac{k}{n}\right)^a.$$

○ $\therefore\ \lim_{n\to\infty} p_n = \lim_{n\to\infty}\sum_{k=1}^{n}\left(\dfrac{k}{n}\right)^a\cdot\dfrac{1}{n}$　　$\dfrac{k}{n}$ を x，$\dfrac{1}{n}$ を dx に変える

$= \int_0^1 x^a\, dx$　（⇐p.179　**特講E** [13]区分求積法）

$= \left[\dfrac{x^{a+1}}{a+1}\right]_0^1 = \dfrac{1}{a+1}$．

(3) ○ A：「1〜a 回が赤」，B：「$a+1$ 回が赤」とすると，条件付き確率 q_n は

　　　　事象を記

$$q_n = P_A(B) = \frac{P(A \cap B)}{P(A)}.$$　　…目標を明示

○ $P(A) = p_n$.

○ $A \cap B$：「1〜$a+1$ 回が赤」だから

$$P(A \cap B) = \sum_{k=1}^{n} \frac{1}{n} \cdot \left(\frac{k}{n}\right)^{a+1}.$$

○ ∴ $\displaystyle\lim_{n\to\infty} q_n = \lim_{n\to\infty} \frac{\sum_{k=1}^{n} \left(\frac{k}{n}\right)^{a+1} \cdot \frac{1}{n}}{\sum_{k=1}^{n} \left(\frac{k}{n}\right)^{a} \cdot \frac{1}{n}}$

$$= \frac{\int_0^1 x^{a+1}\, dx}{\int_0^1 x^a\, dx} = \frac{\frac{1}{a+2}}{\frac{1}{a+1}} = \frac{a+1}{a+2}.$$

	k	n	a
(1)	定	定	定
p_n, q_n を求める	変	定	定
極限を求める	/	変	定

（「定」：定数，「変」：変数）

解説　本問で現れた 3 つの文字 k, n, a の"役回り"を右表にまとめました．解答の各場面で，どの文字が定数でどの文字が変数かを正確に把握しておくことで，何をなすべきかを正しく判断できます．

解説　確率 p_n は $\sum$ 記号を用いて表すしかなく，(2)ではその極限が問われています．つまり「$\lim$ と $\sum$ が混在」しているわけです．このようなときの解決策の 1 つとして，「区分求積法」は必ず覚えておきましょう．

　本問で用いた区分求積法はもっとも平易なもので，(2)の解答中赤枠で囲んだ「$\frac{k}{n}$」，「$\frac{1}{n}$」が初めから現れていますから，これらをそれぞれ「x」，「dx」に置きかえ，$\lim \sum$ を $\int_0^1$ にすれば OK です．（区分求積法については数学Ⅲの学習を通して詳しく学んでおいてくださいね．）

ステージ4　実戦融合問題編　確率

類題　87　n 個の箱があり，k 番目の箱には赤玉 k 個と白玉 $n-k$ 個が入っている（$k = 1$, 2, 3, $\cdots$, n）．箱を 1 つ選び，その箱から玉を 1 個取り出すことを 10 回繰り返す．ただし，取り出した玉は箱に戻してから次の玉を取り出す．

[1] 10 回続けて赤玉を取り出す確率を p_n として，$\displaystyle\lim_{n\to\infty} p_n$ を求めよ．

[2] 10 回中ちょうど 3 回赤玉を取り出す確率を q_n として，$\displaystyle\lim_{n\to\infty} q_n$ を求めよ．

（解答 ▶ 解答編 p.56）

ITEM 88 確率 e に収束（数学III）理系

前ITEMに続いて確率と極限の融合問題です．数学III微分積分極限において重要な役割を担う「自然対数の底」e が登場します．

ここがツボ！ まずは各部の変化を観察→どこに，どんな不定形があるかを見極める．

例題88 n は自然数とする．アーチェリーの名手がおり，各回の試技において失敗する確率は $\frac{1}{n}$ である．この選手が試技を繰り返すとき，以下の問いに答えよ．

(1) n 回続けて成功する確率を p_n とする．$\lim_{n\to\infty} p_n$ を求めよ．

(2) n 回中 a 回失敗する確率を q_n とする．$\lim_{n\to\infty} q_n$ を求めよ．ただし，a は $1 \leq a \leq n$ を満たす整数の定数とする．

重要 理系の方なら，「自然対数の底」e の定義：

$$e = \lim_{h\to 0}(1+\boxed{h})^{\frac{1}{\boxed{h}}} \quad \cdots(*)$$

　　3つの□を揃えて使う

はご存知ですね？この等式は，極限の問題を解く際に「公式」として用いることもよくあります．$(*)$ の右辺は，$h\to 0$ のとき $1+h\to 1$，$\frac{1}{h}\to \pm\infty$ となる，いわゆる"不定形"であり，便宜的に「$1^{\pm\infty}$型」と呼ばれる形です．よって，極限の問題でこれと同じ型の不定形に遭遇した場合，$(*)$ を用いると解決する可能性が高いと言えます．

解答 各回の試技における事象とその確率は次のとおり．

　　成功…確率 $1-\frac{1}{n}$，　失敗…確率 $\frac{1}{n}$．

(1) 求める極限は

$$\lim_{n\to\infty} p_n = \lim_{n\to\infty}\left(1-\frac{1}{n}\right)^n. \quad \cdots 1^\infty 型不定形$$

そこで，$h=-\frac{1}{n}$ とおくと，$n\to\infty$ のとき $h\to 0$ であり，$n=-\frac{1}{h}$ だから

$$\lim_{n\to\infty} p_n = \lim_{h\to 0}(1+h)^{-\frac{1}{h}} \quad \cdots(*)の形を作る$$

$$= \lim_{h\to 0}\left\{(1+h)^{\frac{1}{h}}\right\}^{-1} = e^{-1} = \frac{1}{e}.$$

(2) q_n は，n 回 $\begin{cases} 成功：n-a 回, \\ 失敗：a 回 \end{cases}$ となる確率だから

228 → 12・19 → $2^2 \cdot 3 \cdot 19$

$$q_n = {}_nC_a\left(1-\frac{1}{n}\right)^{n-a}\left(\frac{1}{n}\right)^a \quad \cdots ① \quad (\Leftarrow \text{ITEM 30：独立反復試行})$$

(1) の p_n

$$\therefore \lim_{n\to\infty} q_n = \lim_{n\to\infty} \frac{n(n-1)(n-2)\cdots(n-a+1)}{a!}\left(1-\frac{1}{n}\right)^n \left(1-\frac{1}{n}\right)^{-a} \frac{1}{n^a} \quad \cdots ②$$

$$= \lim_{n\to\infty} \frac{1}{a!} \cdot 1 \cdot \left(1-\frac{1}{n}\right) \cdot \left(1-\frac{2}{n}\right) \cdots\cdots \left(1-\frac{a-1}{n}\right) \left(1-\frac{1}{n}\right)^n \left(1-\frac{1}{n}\right)^{-a}$$

$$= \frac{1}{a!} \cdot 1^a \cdot \frac{1}{e} \cdot 1^{-a} = \frac{1}{ea!}. \quad \cdots ③$$

解説 (1)では，重要で述べた「1^∞ 型」の不定形が現れましたので，等式（＊）を活用すべく $h = -\dfrac{1}{n}$ と置き換えました．

また，(2)では①式の中に(1)の p_n が含まれているのが見えますので，それ以外の部分に目をやると，②式中の2か所の 赤枠部分 が，いずれも a 個の積になっていることがわかります．これら2か所を合体させたのが次行の赤枠内です．この部分の各因数は全て1に収束し，因数の個数は定数 a ですから，赤枠全体の極限は $1^a(=1)$ です．

参考 (1)の答えは $\dfrac{1}{e} = \dfrac{1}{2.718\cdots} = 0.367\cdots$ です．これは，n がすごく大きいとき，各回の成功確率が「$1-\dfrac{1}{n}$」とほとんど成功確実でも，n 回という多数回連続して成功する確率は約 $\dfrac{1}{3}$ くらいになってしまう，ということを表しています．

発展 (1)は失敗回数が0回，つまり(2)で $a=0$ としたときの確率です．(2)の結果である③は，$a=0$ のとき $0! = 1$（⇨ p.58 特講C [4]）より $\dfrac{1}{e}$ となり，ちゃんと(1)の結果と一致しています．つまり③は $a=0, 1, 2, 3, \cdots, n$ で成り立ちます．

大雑把な話をすると，$n\to\infty$，つまり試技回数がすごく大きいとき，この名手の失敗回数が $0, 1, 2, 3, \cdots$（どこまでも続ける）である確率の総和は

無限級数 $\cdots \dfrac{1}{e\cdot 0!} + \dfrac{1}{e\cdot 1!} + \dfrac{1}{e\cdot 2!} + \dfrac{1}{e\cdot 3!} + \cdots = \dfrac{1}{e}\left(\dfrac{1}{0!} + \dfrac{1}{1!} + \dfrac{1}{2!} + \dfrac{1}{3!} + \cdots\right).$

これは，全事象の確率と考えられますから，その値は「1」のはずです．つまり

$$\frac{1}{0!} + \frac{1}{1!} + \frac{1}{2!} + \frac{1}{3!} + \cdots = e$$

が成り立つことがわかります．（ちゃんとした証明は（⇨Stage 5 類題 98 の 発展））

類題 88 n は3以上の整数とする．箱の中に2個の赤玉と $n-2$ 個の白玉が入っている．そこから同時に2個の玉を取り出し，色を確かめてからもとに戻すことを繰り返す．取り出した2個に白が含まれることが n^2 回続けて起きる確率を p_n とするとき，$\lim_{n\to\infty} p_n$ を求めよ．

（解答 ▶解答編 p.58）

ITEM 89 確率 期待値

「期待値」を求める作業は，前半：「定義に基づく立式」と後半：「和の計算」に分けられます．後半は，入試問題の多くはΣ計算となるので，実質的に数学B「数列」との融合となります．

ここがツボ！ 事象を中心に考える

例題89 箱の中に $1, 2, 3, \cdots, n$ $(n \geq 2)$ のカードが1枚ずつ計 n 枚入っている．そこからカードを2枚同時に抜き出す．
(1) 小さい方の数を X とする．X の期待値 $E(X)$ を求めよ．
(2) 大きい方の数の2乗を Y とする．Y の期待値 $E(Y)$ を求めよ．

【**期待値**】ある試行において，**事象**に対して値が定まる変数を**確率変数**といい，ふつう大文字 X, Y などで表す．

確率変数 X がとり得る値とその確率が右表のようになっているとき

X	x_1	x_2	$\cdots\cdots$	x_n	計
確率	p_1	p_2	$\cdots\cdots$	p_n	1

$$\sum_{k=1}^{n} x_k p_k = x_1 p_1 + x_2 p_2 + x_3 p_3 + \cdots + x_n p_n$$

を X の**期待値**（または**平均**）といい，$E(X)$ と表す．　期待値＝Expected Value

方針 上記の期待値の定義に現れているのは「確率変数」と「確率」のみですが…，これらがどちらも**事象**に対して定まるものであることを意識してください．

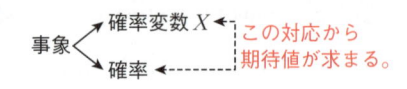

事象 ─ 確率変数 X
　　 ─ 確率

この対応から期待値が求まる．

解答

取り出す2枚の組合せ：${}_n C_2 = \dfrac{n(n-1)}{2}$（通り）の各々は等確率．

(1) ○ $X = k$ となるための条件は，取り出す2枚が $\{k, k+1$ 以上$\}$ となることで，これを満たす組合せの個数は，大きい方の数のとり得る値を考えて
$k+1, k+2, \cdots, n$ の $n-k$ 通り．（⇦p.167 特講E [3](4) 補足）
（ただし，$k = 1, 2, 3, \cdots, n-1$.）

○ $\therefore\ E(X) = \sum_{k=1}^{n-1} k \cdot \dfrac{n-k}{{}_n C_2}$ …① 　期待値の定義

X の値 ↓　その確率

$= \dfrac{2}{n(n-1)} \sum_{k=1}^{n-1}(nk - k^2)$

$= \dfrac{2}{n(n-1)} \left\{ n \cdot \dfrac{(n-1)n}{2} - \dfrac{(n-1)n(2n-1)}{6} \right\}$

230　→ 23・10　→ 2・5・23

$$=\frac{2}{6}\{3n-(2n-1)\}=\frac{n+1}{3}.$$

(2) ○「大きい方が l 」であるとき，
$$Y=l^2.$$
また，このようになる組合せは $\{l-1$ 以下, $l\}$ であり，その個数は小さい方の値を考えて
$$1,\ 2,\ \cdots,\ l-1\ \text{の}\ l-1\ \text{通り．（ただし，}l=2,\ 3,\ \cdots,\ n.\text{）}$$

○ $\therefore\ E(Y)=\sum_{l=2}^{n}\underset{\text{その確率}}{\underline{l^2}}\cdot\underset{}{\underline{\frac{l-1}{{}_n\mathrm{C}_2}}}\ \cdots$ ② （Y の値 ／ その確率）

$$=\frac{2}{n(n-1)}\sum_{l=1}^{n}(l^3-l^2)\quad(\because\ l=1\ \text{のとき}\ l^3-l^2=0)$$
$$=\frac{2}{n(n-1)}\left\{\frac{n^2(n+1)^2}{4}-\frac{n(n+1)(2n+1)}{6}\right\}$$
$$=\frac{2(n+1)}{12(n-1)}\underbrace{\{3n(n+1)-2(2n+1)\}}_{3n^2-n-2}$$
$$=\frac{n+1}{6(n-1)}(n-1)(3n+2)=\frac{(n+1)(3n+2)}{6}.$$

解説 (1)の X は取り出した 2 数の小さい方そのものであり，「確率変数」と「事象」がほぼ一体化しているので，確率変数 $X=k$ → 事象：「小さい方が k 」，という向きで考えても問題ありません．ところが，(2)の Y ではそれだと行き詰ります．たとえば「$Y=3$ になる事象は…えーーっと…」なんてやり出すと悲惨です．必ず
$$\text{事象「大きい方が}\ l\text{」}\ \rightarrow\ \text{確率変数}\ Y=l^2$$
という向きで考えることを意識してください．

注意 結局，「期待値」の問題で行う作業とは次の 4 つです．
　　1° 事象に対して，確率変数の値を求める ⎫ この 2 つを意識しよう！
　　2° 事象に対して，確率の値を求める　　⎭
　　3° 期待値の定義に従って立式する（**解答** の①，②）
　　4° Σ 計算をする

3° までは数学 A，4° が数学 B ですね．入試では，少ない問題数の中でなるべく多分野の力を試したいという事情があるため，こうした融合問題が頻出となります．

類題 89 n は自然数の定数とする．箱の中に 1 と書かれたカード 1 枚と 2 と書かれたカード 2 枚が入っている．そこからカードを 1 枚取り出して数を記録してもとに戻す操作を繰り返し，1 のカードが出るか，もしくは操作が n 回に達したら終了する．終了までに記録された数の総和 X の期待値を求めよ．

(解答 ▶ 解答編 p.59)

ITEM 90 確率 期待値と二項係数

「独立反復試行」における「期待値」を扱います．前 ITEM で見たように，「期待値」とは「確率変数」と「確率」の積の総和であり，独立反復試行においては，確率が「二項係数」で表されますから，最後の計算段階で二項係数の Σ 計算というややレベルの高い処理が要求されます．

> **ここがツボ！** 事象を中心に考える．二項定理を活用する．

例題90 数直線上の動点 P は，初め原点にあり，各回の移動においてサイコロを投げて 4 以下の目が出たら +2，それ以外の目なら −1 だけ移動する．n 回移動をした後の P の座標 X の期待値 $E(X)$ を求めよ．

方針 前 ITEM の 例題89 (2)と同様，事象を中心にし，そこから「確率」および「確率変数 X」へと考えることが大切です．これをたとえば「X が 5 ということはえーーーっとその確率は…」と，「確率変数 X」から「確率」へとやってしまうと訳が分からなくなりますよ．

事象 ← 確率変数 X ← この対応から
　　 ← 確率　　　　　期待値が求まる．

解答

○各回における事象とその確率は次のとおり．

$$\begin{cases} +2 \cdots 確率 \dfrac{4}{6} = \dfrac{2}{3}, \\ -1 \cdots 確率 1 - \dfrac{2}{3} = \dfrac{1}{3}. \end{cases}$$

移動のルールを〈視〉

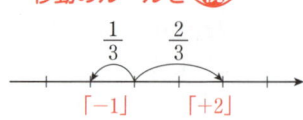

　　$\frac{1}{3}$　$\frac{2}{3}$
――――――――――→
　　「−1」　「+2」

○ n 回 $\begin{cases} +2 : k 回, \\ -1 : n-k 回 \end{cases}$ （k は 0 以上 n 以下の整数）

となる事象に対して，次のように定まる．

$\begin{cases} その確率は，{}_nC_k \left(\dfrac{2}{3}\right)^k \left(\dfrac{1}{3}\right)^{n-k}, & \text{←事象に対して定まる「確率」} \\ X の値は，2 \cdot k + (-1)(n-k) = 3k - n. & \text{←事象に対して定まる「確率変数」} \end{cases}$

○よって求める期待値は

$$E(X) = \sum_{k=0}^{n}(3k-n) \cdot {}_nC_k\left(\dfrac{2}{3}\right)^k\left(\dfrac{1}{3}\right)^{n-k} \quad \cdots ①$$

$$= 3\underbrace{\sum_{k=0}^{n} k\, {}_nC_k\left(\dfrac{2}{3}\right)^k\left(\dfrac{1}{3}\right)^{n-k}}_{S とおく} - n\underbrace{\sum_{k=0}^{n} {}_nC_k\left(\dfrac{2}{3}\right)^k\left(\dfrac{1}{3}\right)^{n-k}}_{T とおく}. \quad \cdots ②$$

ここで，二項定理より，$T = \left(\dfrac{2}{3} + \dfrac{1}{3}\right)^n = 1.$ …③　←T は全事象の確率だから当然

232 → 4·58 → $2^3 \cdot 29$

また，$a=\dfrac{2}{3}$, $b=\dfrac{1}{3}$ とおくと　　繰り返し書くことになりそうな分数は文字で表すと楽！

$$S=\sum_{k=0}^{n} k\,{}_nC_k a^k b^{n-k} \quad \cdots ④ \qquad k=0 \text{ のとき下線部は } 0. \text{ よって…}$$

$$=\sum_{k=1}^{n} n\,{}_{n-1}C_{k-1} a^k b^{n-k} \quad (\Leftarrow \text{p.162 \; 特講D \;[3](c)})$$

$$=\underbrace{na\sum_{l=0}^{n-1} {}_{n-1}C_l a^l b^{n-1-l}}_{⑤} \quad (l=k-1 \text{ とおいた})$$

$$=na\underbrace{(a+b)^{n-1}}_{⑥}=n\cdot\dfrac{2}{3}.$$

○ これと③を②に代入して

$$E(X)=3\cdot\dfrac{2}{3}n-n\cdot 1 = \boldsymbol{n}.$$

解説　④式では「$k\,{}_nC_k$」と2か所にあった変数 k を，次の行では「$n\,{}_{n-1}C_{k-1}$」と1か所に集め，$\sum$ 計算をしやすくしています．

「⑤から⑥へ」の変形で悩む人がいますが，悩んでも無意味です（笑）．考えるべきは「⑥から⑤へ」の展開が正しいかどうかです．ですから，⑥を先に「たぶんこうかな？」と書き，それを二項展開した式が⑤と一致するよう調整していくのです．

発展1　この試行において，「$+2$ の移動回数 Y」の期待値 $E(Y)$ を考えてみます．本問の独立反復試行において，試行回数は n，各回

n 回 $\begin{cases} +2:k \text{ 回} & \left(\text{確率 } \dfrac{2}{3}\right), \\ -1:n-k \text{ 回} & \left(\text{確率 } \dfrac{1}{3}\right) \end{cases} \to Y=k$

　　　　　　　事象　　　確率変数

における「$+2$ 移動」の確率は $\dfrac{2}{3}$ ですから，p.165 **特講D [5]** にある「二項分布」に関する知識を用いて，

確率変数 Y は**二項分布** $B\!\left(n,\dfrac{2}{3}\right)$ に従う．よって，$E(Y)=n\cdot\dfrac{2}{3}$．　$\cdots⑦$
　　　　　　　　　　↑反復回数　　↑各回における「$+2$」の確率　　必ずこれを書くこと！

と解答すれば簡単です．ちなみに，**解答** における S の $\sum$ 計算は，p.165 にあるこの公式の証明過程そのものですね．

発展2　X と $Y(=k)$ の間には，$X=3Y-n$ という関係があり，**解答** の計算過程からわかるように，期待値について

$E(X)=E(3Y-n)=3E(Y)-n$ 　（一般化すると $E(aY+b)=aE(Y)+b$）
　　　　　↑定数　↑定数　　　　　　　　　　　↑定数　　　↑定数

が成り立ちます．ここに⑦を代入すれば，いとも簡単に $E(X)$ が求まりますね．

類題 90　サイコロを n 回 $(n\geqq 2)$ 繰り返し投げるゲームを行い，連続して同じ目が出る度に得点を得る．初めての得点を1点とし，2度目以降は直前の2倍の点を得る．ゲームが終了したときの合計得点 X の期待値を求めよ．

（解答▶解答編 p.61）

ITEM 91 確率 良問

よくわかった度チェック！
① ② ③

これまでの 90 ITEM で，様々なことを学んできました．それらをしっかりマスターすることで"ほとんど"の入試問題には対応ができるはずです．とはいえもちろん「全ての問題が必ず解ける」ようになった訳ではありません．学んだ**解法それ自体**だけでなく，解答過程で鍛えてきた現象観察力，記号化・視覚化を駆使した**事象把握力**が備わって初めて解答可能な問題を，Stage 4 の最後に取り上げます．　例題 ，類題とも，京都大学の問題です．

ここがツボ！ 現象そのものを見る

例題91　n 枚のカードを積んだ山があり，各カードには上から順番に 1 から n まで番号が付けられている．ただし $n \geq 2$ とする．このカードの山に対して次の操作を繰り返す．

1 回の試行では，一番上のカードを取り，山の一番上にもどすか，あるいはいずれかのカードの下に入れるという操作を行う．これら n 通りの操作はすべて同じ確率であるとする．n 回の試行を終えたとき，最初一番下にあったカード（番号 n）が山の一番上にきている確率を求めよ．

着眼　求める確率は自然数 n に対して定まる数列ですが，少なくとも 例題73 などにあった「明示的なドミノ式構造」は見られません．よって「漸化式作っておしまい」とは行きそうにありませんね．まずは具体例を作って実験してみましょう．下に，題意の条件が満たされる $n=4$ のときの一例をあげます．　　適当な大きさの n で実験

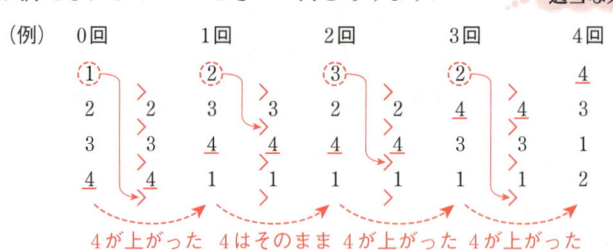

（例）
0回	1回	2回	3回	4回
①	②	③	②	4
2	3	2	4	3
3	4	4	3	1
4	4	1	1	2

4が上がった　4はそのまま　4が上がった　4が上がった

これを見ると，注目しているカード「4($=n$)」が 1 段上に上がるときと上がらないときがあります．上から n 段目にあったカード「n」が n 回後に一番上(1 段目)にあるということは，n 回のほとんどの回で上に移動し，1 回だけ移動しないことになります．

このような，回数の進行にともなう「n」の位置変動を「推移グラフ」（⇦ ITEM37 ）によって把握しながら，各回において移動する確率を求めて行きましょう．

解答　○カード「n」の位置（上からの段数）の推移として考えられるのは次の i)，ii)である．（①, ②, …, nは，カード「n」の上からの段数を表す．)

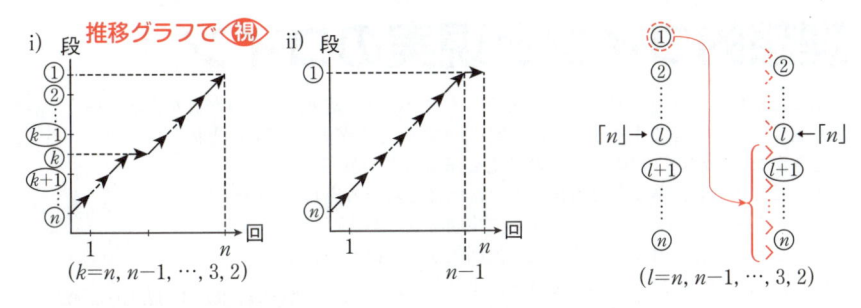

○ カード「n」が上から l 段目のときの試行を考える（上右の図）．
カード「n」が上へ1段移動するのは，l 段目のカードを l 段目（カード「n」）の下〜n 段目の下に入れるときであり，その確率は，$\dfrac{n-(l-1)}{n}=\dfrac{n+1-l}{n}$．

○ よってi），つまり k 段目のとき1回だけ上がらないような移動の確率は

$$\dfrac{1}{n}\cdot\dfrac{2}{n}\cdot\cdots\cdot\dfrac{n-k}{n}\cdot\left(1-\dfrac{n+1-k}{n}\right)\cdot\dfrac{n+1-k}{n}\cdot\cdots\cdot\dfrac{n-2}{n}\cdot\dfrac{n-1}{n}$$

カード n の位置

$$=\dfrac{1}{n}\cdot\dfrac{2}{n}\cdot\cdots\cdot\dfrac{n-k}{n}\cdot\dfrac{n+1-k}{n}\cdot\cdots\cdot\dfrac{n-2}{n}\cdot\dfrac{n-1}{n}\times\dfrac{k-1}{n}$$

$$=\dfrac{(n-1)!}{n^n}(k-1) \quad (k=2, 3, 4, \cdots, n).$$

○ 同様に，ii）のように移動する確率は

$$\dfrac{1}{n}\cdot\dfrac{2}{n}\cdot\cdots\cdot\dfrac{n-2}{n}\cdot\dfrac{n-1}{n}\times\dfrac{1}{n}=\dfrac{(n-1)!}{n^n}.$$

カード「n」を最上段に入れる

○ 以上より，求める確率は

$$\sum_{k=2}^{n}\dfrac{(n-1)!}{n^n}(k-1)+\dfrac{(n-1)!}{n^n}=\dfrac{(n-1)!}{n^n}\cdot\dfrac{1+(n-1)}{2}\cdot(n-1)+\dfrac{(n-1)!}{n^n}$$

等差数列

$$=\dfrac{(n-1)!(n^2-n+2)}{2n^n}.$$

注意 いちばん極端なケースii）は，終了直前でカード「n」が1段目にあるときだけは，「n」自身の入れ場所を選ぶので，例外扱いせざるを得ません．（⇐ 例題72 補足2）

類題 91 N を自然数とする．$N+1$ 個の箱があり，1から $N+1$ までの番号が付いている．どの箱にも玉が1個入っている．番号1から N までの箱に入っている玉は白玉で，番号 $N+1$ の箱に入っている玉は赤玉である．次の操作（*）を，各々の $k=1, 2, 3, \cdots, N+1$ に対して，k が小さい方から順番に1回ずつ行う．

（*）k 以外の番号の N 個の箱から1個の箱を選び，その箱の中身と番号 k の箱の中身を交換する．（ただし，N 個の箱から1個の箱を選ぶ事象は，どれも同様に確からしいとする．）

操作がすべて終了したとき，赤玉が番号 $N+1$ の箱に入っている確率を求めよ．

（解答▶解答編 p.61）

理想的コインと現実のコイン

あなたがギャンブラーで，ある1枚のコインを投げた結果，その目が表か裏かという"賭け"を繰り返しているとします．そして，「今日はやたらと表がよく出るな」と感じています．さて，そのときあなたは次の3つのうちどの考えを採用しますか？

1. ここまで表があまりにも出過ぎ．次回はそろそろ裏じゃないか．
2. ここまで表がよく出ているから，次回も表である可能性が高い．
3. これまではこれまで．次は次．次回表か裏かは五分五分．

ふつう，数学の問題で「コイン」を持ち出すときは，　　そうでない入試問題もわりとありますが

☆表と裏のどちらか一方が等確率 $\frac{1}{2}$ で出る理想的なコインである

ことを前提とします．その"慣例"に従うなら，正解はもちろん 3 です．

しかし，ギャンブルで用いる現実のコインは，理想的とは限りません．ちょっと角が欠けていたり，重心が少し片寄っている可能性もあります．じつは，そのような「現実のコイン」をモデル化したのが，類題 87 発展 です．箱→コイン，赤玉→表，白玉→裏とおきかえればわかるように，☆とはまた別の次のような仮定のもとで考えています．

★

コイン番号	1	2	3	…	k	…	n
表の確率	$\frac{1}{n}$	$\frac{2}{n}$	$\frac{3}{n}$	…	$\frac{k}{n}$	…	$\frac{n}{n}$

ほぼ0　　　　　　　　　　　1

左記 n 種類のコインのどれかが等確率 $\frac{1}{n}$ で選ばれている．

理系 $\Big($ $n\to\infty$ のときの極限を考えましたから，表の出る確率が(ほぼ)0のコインから確率1のコインまでが均一に選ばれるという仮定を設けたことになります．$\Big)$

選んだ1枚のコインを繰り返し投げる「独立反復試行」を行うとき，問題を通して得られた結論は，次のとおりでした．(文系の方は，次の結果が正しいことを認めた上で続きを読んでくださいね．)

$1\sim a$ 回 $\begin{cases}表: r 回\\ 裏: a-r 回\end{cases}$ のとき，「$a+1$ 回が表」となる条件付き確率は $\frac{r+1}{a+2}$．

この結果から，$1\sim a$ 回の中で表が出た回数 r が多いほど，次の $a+1$ 回目に表が出る確率は大きいといえます．といっても，表が何度も出たせいでそのコインが表の出やすいものへと変化したわけではありません．「表が何度も出る」という事象が起きた後で，つまりそのような情報を得た上で判断すると，大きい番号のコイン，つまり表が出やすいコインが選ばれている確率が大きいので，次回表が出る確率も大きいのです．(⇦ ITEM63 発展 事後確率)

このような考え方を「ラプラス連鎖」(Laplace's low of succession) といいます

ここまでの議論を整理すると次のとおりです．

$\begin{cases}前提☆ \to 正しい考え方は 3．\\ 前提★ \to 正しい考え方は 2．\end{cases}$

つまり冒頭の問いの正解は，どの前提を採用するかによって変わってくるのです．

ちなみに筆者がギャンブラーなら，次のように考えます．

「仮定☆」はおめでたい理想論．一方「★表の出る確率が0から1まで全ての値を均一にとる」も，☆とは正反対の極論．妥当な前提はこれらの中間で，「使っているコインで表が出る確率は $\frac{1}{2}$ に近い可能性が高いが，少し表が出やすいコインかも．」よって，2 を選ぶ！

2つの例☆，★は，たしかに現実離れした両極端なモデルですが，その構造の単純さゆえ数学的に解析可能であり，これらをもとに"適切な戦略"をイメージすることに一役買っていますね．

日々清らかな暮らしを営まれている受験生の皆さんに対して「ギャンブル」の話題なんて不謹慎だったかもしれませんね．でも，じつは「確率論」は，もともと賭け事における賞金の公平な分配をめぐってパスカルとフェルマーの間で交わされた議論から始まったのです．

Stage 5
超高難度有名問題編

　この最終ステージで取り上げる問題には，初見で解ける見込みがほとんどないほど高度なものもかなり含まれます．自信がない人はパスしてくださいね．

　ただ，「高度」なものに限って，反面「型にはまっている」ものでありまして，大学以降の書物においては"定番物"とされているものばかりです．なので，時として（ほぼ）「そのまま」入試で出ちゃいますから，余力のある人は完璧に覚えてください．もし出たら「ラッキー」です！（中途半端な記憶は，かえって問題解決の妨げになることもありますので要注意.）

　とは言っても，出題頻度自体はけっして高くはありませんので，「覚え込む」ことはあくまで副産物，オマケです．難問に対して，覚悟を決めて，踏ん張って理解しようとすることで，思考力の鍛錬をすることこそが本 Stage の主目的です．

　ただし，この難問揃いの Stage 5 にあって，さらにことさら⬆マークを付した問題や ITEM は…ホントに難しいです．もし無謀にも（?）チャレンジしてみて「わかんない〜」となってもけっして悲観なさらぬように．この Stage 5 が理解できなくても東大くらいなら受かりますから（笑）．"読みもの"と切り替えて「雰囲気だけ味わっとこーかな」とお付き合いしていただくのもアリです．

　いずれにせよ，超上級者限定のステージです．問題のレベルに合わせて解説のレベルも上げますよ！「基礎はバッチリわかっていらっしゃる」という前提で書きます．（楽だわぁ〜）

ITEM 92 確率 巴戦（数学Ⅲ） 理系

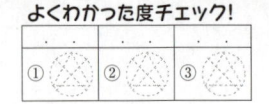

ITEM 52〜54, 70 でも扱った，繰り返し対戦を行って優勝者を決める試行です．対戦する人が2人から3人に増え，状況が複雑化します．もちろん，記号化・視覚化をしっかりしていきます．

ここがツボ！ 勝者，敗者をともに視覚化

例題92 A，B，C の3人が次のルールで2人ずつ試合をして優勝者を決める．
　第1試合は A と B が対戦する．
　勝った人が次の試合で残りの人と対戦する．これを繰り返す．
　誰かが2連勝したら，その人の優勝とする．
各試合において引き分けはなく，A が B に勝つ確率を $\dfrac{3}{4}$，A が C に勝つ確率は $\dfrac{4}{5}$，B が C に勝つ確率は $\dfrac{2}{3}$ とする．A が優勝する確率を求めよ．

方針 つい，「勝つ人」だけを追いかけて視覚化しそうになりますが，敗者も明示することによって次の試合の対戦者が把握しやすくなります．

解答

○ 一般に X が Y に勝つことを $\dfrac{X}{Y}$ と表すと，各事象の確率は次のとおり．　**勝敗を 記**

$$\begin{cases} \dfrac{A}{B}\cdots\dfrac{3}{4}(=p\text{ とおく}), \\ \dfrac{B}{A}\cdots\dfrac{1}{4}(=p'\text{ とおく}), \end{cases} \begin{cases} \dfrac{A}{C}\cdots\dfrac{4}{5}(=q\text{ とおく}), \\ \dfrac{C}{A}\cdots\dfrac{1}{5}(=q'\text{ とおく}), \end{cases} \begin{cases} \dfrac{B}{C}\cdots\dfrac{2}{3}(=r\text{ とおく}), \\ \dfrac{C}{B}\cdots\dfrac{1}{3}(=r'\text{ とおく}). \end{cases}$$

　　　文字で表記を簡潔に

ⅰ) $\dfrac{A}{B} - \dfrac{C}{A} - \dfrac{B}{C} - \dfrac{A}{B} - \dfrac{C}{A} - \dfrac{B}{C} - \dfrac{A}{B} - \cdots - \dfrac{C}{A} - \dfrac{B}{C} - \dfrac{A}{B} - \dfrac{A}{C}$

ⅱ) $\dfrac{B}{A} - \dfrac{C}{B} - \dfrac{A}{C} - \dfrac{B}{A} - \dfrac{C}{B} - \dfrac{A}{C} - \cdots - \dfrac{B}{A} - \dfrac{C}{B} - \dfrac{A}{C} - \dfrac{A}{B}$

推移を 視

A が勝つ事象は，$\begin{cases} \text{ⅰ}): \text{第1回が } \dfrac{A}{B} \\ \text{ⅱ}): \text{第1回が } \dfrac{B}{A} \end{cases}$ の2タイプに分けられる．　**モレなく ダブりなく**

○ ⅰ) の事象は次のとおり．

$$\dfrac{A}{B} \to \left(\dfrac{C}{A}, \dfrac{B}{C}, \dfrac{A}{B}\right) \text{ を } k \text{ 回反復} \to \dfrac{A}{C} \quad (k=0, 1, 2, \cdots) \quad \cdots ①$$

○ ⅱ) の事象は次のとおり．

$$\left(\dfrac{B}{A}, \dfrac{C}{B}, \dfrac{A}{C}\right) \text{ を } k \text{ 回反復} \to \dfrac{A}{B} \quad (k=1, 2, \cdots) \quad \cdots ②$$

238　→ 2·119 → 2·7·17

○ 求める確率は，これらの総和を求めて

$$\lim_{n\to\infty}\sum_{k=0}^{n-1} p\cdot(q'rp)^k\cdot q + \lim_{n\to\infty}\sum_{k=1}^{n}(p'r'q)^k\cdot p.$$ …どちらの項も収束する

$$=\lim_{n\to\infty} pq\cdot\frac{1-(q'rp)^n}{1-q'rp}+\lim_{n\to\infty}(p'r'q)p\cdot\frac{1-(p'r'q)^n}{1-p'r'q}$$ …等比数列の和

$$=pq\cdot\frac{1}{1-q'rp}+p'r'qp\cdot\frac{1}{1-p'r'q} \quad\cdots ③$$

$$=\frac{3}{4}\cdot\frac{4}{5}\cdot\frac{1}{1-\frac{1}{5}\cdot\frac{2}{3}\cdot\frac{3}{4}}+\frac{1}{4}\cdot\frac{1}{3}\cdot\frac{4}{5}\cdot\frac{3}{4}\cdot\frac{1}{1-\frac{1}{4}\cdot\frac{1}{3}\cdot\frac{4}{5}}$$

$$=6\cdot\frac{1}{9}+\frac{3}{4}\cdot\frac{1}{14}=\underbrace{\frac{2}{3}}_{\text{i)}}+\underbrace{\frac{3}{56}}_{\text{ii)}}=\frac{121}{168}.$$ …i)が大半を占める．初戦が肝腎！

⬆補足 より厳密に解答するなら，**例題70** (3)と同様，第 n 回までに A が優勝する確率を A_n として，$\lim_{n\to\infty} A_n$ を求めます．その際，①，②における試合数がそれぞれ $3k+2$，$3k+1$ であることから，n を 3 で割った余りについて場合分けして，$\lim_{m\to\infty} A_{3m}$，$\lim_{m\to\infty} A_{3m+1}$，$\lim_{m\to\infty} A_{3m+2}$ の 3 つを求めることになります．ただ，本当にそれを実行するとかなり面倒であり，p.191 **発展** に記した事情により $\lim_{n\to\infty} A_n$ が収束することはわかっているので，上記 **解答** くらいで許されるでしょう．

別解 その ITEM 70〔(3)の別解〕で紹介した「方程式」を用いる方法が本問でも使えます．$\dfrac{A}{B}$ が起きたとき，その後 A が優勝する条件付き確率を x とし，$\dfrac{B}{A}$ が起きたとき，その後 A が優勝する条件付き確率を y とすると

$$\begin{cases} x=q+q'rpx, \\ y=r'q(p+p'y). \end{cases} \therefore \begin{cases} x=\dfrac{q}{1-q'rp}, \\ y=\dfrac{r'qp}{1-r'qp'}. \end{cases}$$

よって求める A が優勝する確率は

$$px+p'y=p\cdot\frac{q}{1-q'rp}+p'\cdot\frac{r'qp}{1-r'qp'}.$$

これは③と一致していますね．

参考 ちなみに，どの対戦でも両者が勝つ確率が等しく $\dfrac{1}{2}$ だった場合，③式で全ての文字を $\dfrac{1}{2}$ とすることにより，A が優勝する確率は $\dfrac{5}{14}$ となります．また，第 1 戦で対戦する A，B の優勝確率は対称性より等しく，C の優勝確率は $1-2\cdot\dfrac{5}{14}=\dfrac{4}{14}$ となるので，A，B，C の優勝確率の比は 5：5：4 です．つまり，初戦で対戦する二人が若干有利ということがいえますね．

類題 92 **例題92** のルールにもとづいて試合を行う．C が優勝する確率を求めよ．

(解答▶解答編 p.63)

ITEM 93 確率 ランダムウォーク(反射壁)

ITEM 37, 53, 54, 70 でも扱った時の流れの中で点が移動していく現象を考えます. ただし, 本問は状態数が多く, 複雑です. 頼りになるのは, やはり「推移グラフ」です.

ここがツボ! 点の移動を「推移グラフ」で視覚化

例題93 数直線上の動点 A が, 5点 -2, -1, 0, 1, 2 上を 1 秒ごとに次のルールで移動する.

ルール：各回の移動において,

$$\begin{cases} 確率 \dfrac{2}{3} で正の向きに距離 1 だけ動く. \\ 確率 \dfrac{1}{3} で負の向きに距離 1 だけ動く. \\ ただし, 点 -2, 2 の後は必ず原点に向けて距離 1 だけ動く. \end{cases}$$

時刻 0(秒)において A は点 1 にあるとして, 時刻 n(秒)(n は自然数)に A が点 0 に位置する確率 p_n を求めよ.

着眼 動点 A が, 右へ左へとウロウロ移動する「ランダムウォーク」と呼ばれる問題で, すでに 例題37 でも似た素材は扱いました. 対策も同じです.

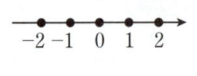

解答

○ $p = \dfrac{2}{3}$, $q = \dfrac{1}{3}$ とおくと, 動点 A は右図の確率で移動するから, A の位置は次のとおり.

(*) $\begin{cases} 時刻 n が偶数のとき, 点 -1, 1 のいずれか. \\ 時刻 n が奇数のとき, 点 -2, 0, 2 のいずれか. \end{cases}$

よって, n が偶数のとき $p_n = 0$.

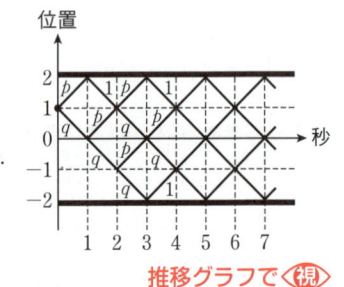

○ 次に, $n = 2m$ ($m = 0, 1, 2, \cdots$) のとき A が点 1 にある確率を a_m とする. $n = 2(m+1)$ において A が点 1 にある事象は, $n = 2m$ における A の位置に注目して場合分けすると, 右図のようになる. よって

$a_{m+1} = a_m \cdot (p \cdot 1 + q \cdot p) + (1 - a_m) \cdot p^2$

$\qquad = a_m \cdot \dfrac{8}{9} + (1 - a_m) \cdot \dfrac{4}{9}$

$\qquad = \dfrac{4}{9} a_m + \dfrac{4}{9}.$ …①

○ また, $a_0 = 1$. …②

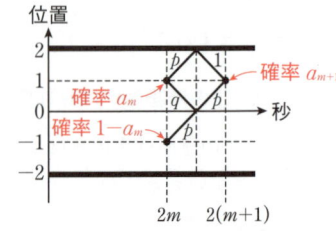

○ ①を変形すると
$$a_{m+1} - \frac{4}{5} = \frac{4}{9}\left(a_m - \frac{4}{5}\right).$$
$$\therefore \quad a_m - \frac{4}{5} = \left(a_0 - \frac{4}{5}\right)\left(\frac{4}{9}\right)^m.$$
これと②より，$a_m = \frac{4}{5} + \frac{1}{5}\cdot\left(\frac{4}{9}\right)^m.$

○ よって $n=2m+1$ ($m=0, 1, 2, \cdots$) のとき，右図より
$$p_n = a_m \cdot \frac{1}{3} + (1-a_m)\cdot\frac{2}{3}$$
$$= -\frac{1}{3}\cdot\left\{\frac{4}{5} + \frac{1}{5}\cdot\left(\frac{4}{9}\right)^m\right\} + \frac{2}{3}$$
$$= \frac{2}{5} - \frac{1}{15}\left(\frac{4}{9}\right)^m \quad \left(m = \frac{n-1}{2}\right).$$

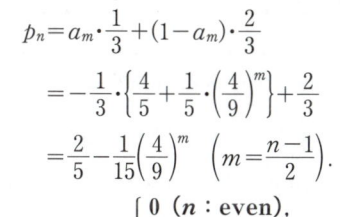

p_n と a_m の関係を⟨視⟩

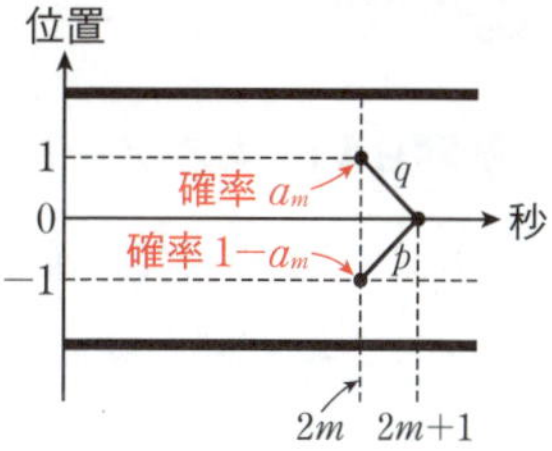

○ 以上より，$p_n = \begin{cases} 0 \ (n:\text{even}), \\ \dfrac{2}{5} - \dfrac{1}{15}\left(\dfrac{4}{9}\right)^{\frac{n-1}{2}} = \dfrac{2}{5} - \dfrac{1}{15}\left(\dfrac{2}{3}\right)^{n-1} \ (n:\text{odd}). \end{cases}$

解説 問題文にあるとおり，A は「5 点」$-2, -1, 0, 1, 2$ 上を移動しますが，(*)に記したように，時刻 n が偶数のときは点 $-1, 1$ の「2 状態」，奇数のときは点 $-2, 0, 2$ の「3 状態」です．問われているのは「点 0」に位置する確率ですが，当然「2 状態」の方が扱いやすいので，まずは時刻 n が偶数のとき点 $-1, 1$ に位置する確率を求め，それを利用して「点 0」へ移動する確率を求めるのが効率的な戦略です．

参考 動点 A は点 1 から点 2 へ行くと，次は必ず点 1 に戻ります．つまり A は，まるで点 2 にある "壁" で跳ね返るように動きます (点 -1 から点 -2 へ行くときも同様)．このような動きを「反射壁のあるランダムウォーク」と呼んだりします．推移グラフにおいては，2 本の太い水平線がこの反射壁を表しています．

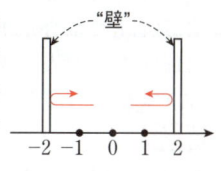

類題 93 数直線上の 2 つの動点 A, B が，5 点 $-2, -1, 0, 1, 2$ 上を 1 秒ごとに次のルールで移動する．

各回の移動において $\begin{cases} \text{確率 } \frac{1}{2} \text{ で正の向きに距離 1 だけ動く．} \\ \text{確率 } \frac{1}{2} \text{ で負の向きに距離 1 だけ動く．} \\ \text{ただし，点 } -2, 2 \text{ の後は必ず原点に向けて距離 1 だけ動く．} \end{cases}$

時刻 0 において動点 A は点 1 に，動点 B は点 -1 にあり，それぞれ独立に (無関係に) 上記ルールに従って同時に移動する．n は自然数として以下に答えよ．

[1] A, B が点 0 に位置する初めての時刻がどちらも n (秒) である確率 p_n を求めよ．

[2] A, B がどちらも点 0 に位置する初めての時刻が n (秒) である確率 q_n を求めよ．

(解答 ▶ 解答編 p.64)

ITEM 94 | 確率 | 破産の確率

なんとなく 例題37 に似た雰囲気の問題ですが、いったいいつ終わるのかが判然としない事象を扱うのでつかみどころがないように映ります．でも，適切な方針を立てればスッキリと解決しますよ．

ここがツボ！ スタート時の得点だけに注目する

例題94 あるゲームを繰り返し行う．各回のゲームにおいては，確率 $\frac{1}{2}$ で 1 点得て，確率 $\frac{1}{2}$ で 1 点を失う．そして，得点が 0 点もしくは 10 点になったらこのゲームを終了する．0 以上 10 以下の整数 n に対して，n 点から始めて 0 点となって終了する確率 p_n を求めよ．ただし，$p_0 = 1$，$p_{10} = 0$ である．

補足 「得点」を「お金」に置き換えていうと，「0 点」とは「破産」，「10 点」とは「成功」のことですね．

方針 まずは 例題37 と同じように得点の変化を「推移グラフ」で表します．一般項は直接求まりそうにありませんので，漸化式の利用を考えます．その際，「何に着目して場合分けするのか」が大切でしたね．たとえば 例題73 では"最後の方"：第 n 回の状態に注目して場合分けしましたが，今回は"最後"がありませんし，だいいち「n」が本問では「回数」ではなくスタート時点での得点ですので…．そこで，ITEM 82 および ITEM 80 参考 で使った「"最初"に注目して場合分け」を採用してみます．

解答

○ $1 \leq n \leq 9$ のとき，n 点から始めて 0 点となって終了する事象は，第 1 回の得点に注目して次の排反な 2 通りに分けられる．

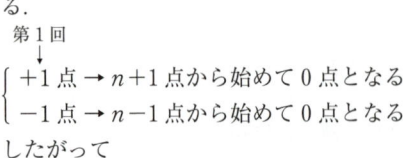

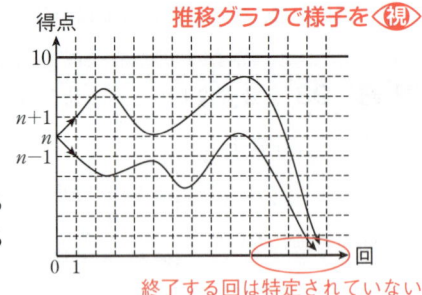

第 1 回
$\begin{cases} +1 \text{ 点} \to n+1 \text{ 点から始めて 0 点となる} \\ -1 \text{ 点} \to n-1 \text{ 点から始めて 0 点となる} \end{cases}$

したがって

$$p_n = \frac{1}{2} p_{n+1} + \frac{1}{2} p_{n-1},$$

i.e. $p_{n+1} = 2p_n - p_{n-1}. \quad \cdots ①$

○ また，$p_0 = 1$，$p_{10} = 0. \quad \cdots ②$ ・・・ p_1 は不明…

○ ①，②を用いて p_n を求める．

①を変形すると，$p_{n+1} - p_n = p_n - p_{n-1}.$ ・・・ p_n の階差数列は定数数列

242 → 2·121 → 2·11²

よって $p_{n+1}-p_n$ は n によらない定数である．そこで

$$p_{n+1}-p_n=d \quad \cdots ③$$

とおくと

$$p_{10}=p_0+10d. \quad \text{《}p_n \text{ は公差 } d \text{ の等差数列》}$$

これと②より

$$0=1+10d. \quad d=\frac{-1}{10}.$$

$$\therefore \quad p_n=p_0+\frac{-1}{10}n=1-\frac{n}{10}.$$

解説1 p_n は，n 点から始めて 0 点になって終わる事象全体の確率であり，何回目に終わるかは決められていません．そこが取っ付きにくさの原因ですが，逆に言うと回数に制限がないので，何点から始めるかだけを考えればよいことになるのです．

参考1 得られた結果を表に表すと，次のようになります．

n	0	1	2	3	4	5	6	7	8	9	10
p_n	1	$\frac{9}{10}$	$\frac{8}{10}$	$\frac{7}{10}$	$\frac{6}{10}$	$\frac{5}{10}$	$\frac{4}{10}$	$\frac{3}{10}$	$\frac{2}{10}$	$\frac{1}{10}$	0

ある持ち点 n から始めて，得点を全て失って終了となる，つまり"破産"して終了する確率が p_n です．当然のことながら初めの持ち点 n が少ないほど"破産"しやすくなるということを物語っています．

参考2 前 ITEM の **例題93** と同様，本問も推移グラフにおいて得点が増えたり減ったり"ウロウロ"変動するランダムウォークです．**例題93** は座標 ± 2 が"反射壁"になっていてそこに到ると反対向きに跳ね返りました．それに対して本問は得点が 0, 10 になるとそこで終了，つまりそこから二度と動けなくなるので，"吸収壁のあるランダムウォーク"と呼ばれたりします．

補足 $p_0=1$, $p_{10}=0$ …② が問題文で与えられていましたが，これは自分で考えてみても当然です．スタート時の得点が 0 点であれば，すでに「0 点」の"吸収壁"に捉えられているので必ず破産となりますから，$p_0=1$ です．逆にスタート時の得点が 10 点であれば，すでに「10 点」の"吸収壁"にいるので破産することはあり得ません．よって，$p_{10}=0$ です．

解説2 数列の帰納的定義（ドミノ式）は，ふつうはまず漸化式と初項が確定するものですが，本問では③のように漸化式が未知定数 d を含んでおり，p_{10} を求めてみて初めて d が決定するという珍しい手順を踏みます．

類題 94 あるゲームを繰り返し行う．各回のゲームにおいては，確率 $\frac{2}{3}$ で 1 点得て，確率 $\frac{1}{3}$ で 1 点を失う．そして，得点が 0 点もしくは 10 点になったらこのゲームを終了する．0 以上 10 以下の整数 n に対して，n 点から始めて 10 点となって終了する確率 q_n を求めよ．ただし，$q_0=0$, $q_{10}=1$ である．

（解答▶解答編 p. 66）

ITEM 95 場合の数 カタラン数

ITEM 23, ITEM 35 などで考えた「格子状街路での最短経路数」の発展版です．見た目はほとんど似たような問題ですが，用いる発想は異次元レベルの高度さです．

ここがツボ！ 決め手は「対称移動」

例題95 右図のような東西 n 区画，南北 n 区画の街路があるとき，以下の問いに答えよ．

(1) A から B まで行く最短経路の個数を求めよ．

(2) A から B まで行く最短経路のうち，直線 CD に触れることがないものの個数は $\frac{1}{n+1}{}_{2n}C_n$ であることを証明せよ．ただし，n は 2 以上の整数とする．

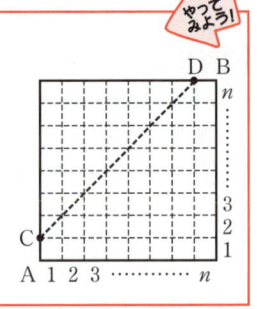

方針 (1) は典型問題ですが，(2) は工夫が必要です．区画数が少なければ，例題35 (2) や 例題37 (2) で用いた"書き込み方式"で乗り切れますが，「n 区画」では無理です．ここは黙って鑑賞していただくしかありません．

解答 (1)「題意の最短経路」と「→ n 個と↑ n 個の並べ方」は 1 対 1 対応．よって求める場合の数は，${}_{2n}C_n$．　　階乗記号で表さなくてもよい

(2) ○ (1) の経路のうち，直線 CD (以下，ℓ と称する) に触れるものを考える．このような経路は，初めて ℓ と触れる点を P として，A から P までの部分を ℓ に関して対称移動することにより，右図のような折れ線となる．これは，A の ℓ に関する対称点 A′ から B に到る最短経路と 1 対 1 に対応する．

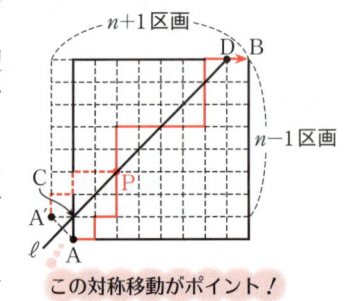

○ それは，「→ $n+1$ 個と↑ $n-1$ 個の並べ方」と 1 対 1 対応だから，その個数は ${}_{2n}C_{n+1}$．

○ 以上より，ℓ に触れない経路数は

$${}_{2n}C_n - {}_{2n}C_{n+1} = \frac{(2n)!}{n!n!} - \frac{(2n)!}{(n+1)!(n-1)!}$$

$$= \frac{(2n)!\{(n+1)-n\}}{(n+1)!n!} = \frac{1}{n+1} \cdot \frac{(2n)!}{n!n!} = \frac{1}{n+1}{}_{2n}C_n.$$

(1) のたった $\frac{1}{n+1}$!!

解説 ここで用いた対称移動というアイデアは，学んで覚えるしかありません．ポイントは，「触れてはいけない直線 ℓ」に関しての対称移動であること，そしてスタートの A，ゴールの B がいずれも ℓ から 1 区画だけ外れていることです．ここをしっかり押さえておくと，類題 95 [2] も解きやすくなりますよ．

発展 (2)の答えとして現れた数を(第 n 番の)「カタラン数」といいます．これを c_n と表すと，数列 (c_n) の一般項は

$$c_n = \frac{1}{n+1}{}_{2n}\mathrm{C}_n \quad (n=0, 1, 2, \cdots). \quad \text{ただし，} c_0 = 1.$$

n	0	1	2	3	4	5	6	$\cdots$
c_n	1	1	2	5	14	42	132	$\cdots$

数列 (c_n) は，次のように帰納的に定義することもできます．

$$c_0 = 1, \quad c_{n+1} = \sum_{k=0}^{n} c_k c_{n-k} \quad (n=0, 1, 2, \cdots). \quad \cdots ①$$

$$\underbrace{c_0 c_n + c_1 c_{n-1} + c_2 c_{n-2} + \cdots + c_n c_0}$$

(c_n) がたしかにこの漸化式を満たしていることを，例題95 (2)の経路数を用いて確認してみます．例として $n=7$ の場合を考え，$c_8 = \sum_{k=0}^{7} c_k c_{7-k}$ $\cdots ②$ が成り立つことを，左辺がその経路数である 8 区画×8 区画における (2) の経路を用いて説明します．

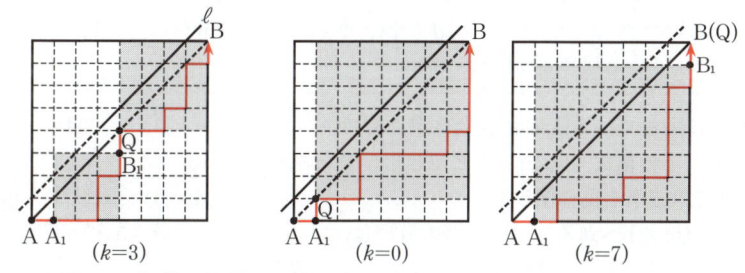

(k=3)　　　(k=0)　　　(k=7)

全ての経路は，まずは必ず A の右隣りの点 A_1 に行きます．そこで「A_1 の後初めて直線 AB に触れる点 Q」に注目して場合分けします．たとえば Q が上左図の位置にある経路数 N を考えましょう．Q へは必ずその下隣りの点 B_1 から来るので，このような経路を B_1 までと Q 以降に分けると次のようになります．

　　㋐ $A_1 \to B_1$：3×3 区画で直線 AB に触れない…c_3 個，
　　㋑ $Q \to B$：4×4 区画で直線 ℓ に触れない…c_4 個．

この 2 数の積 $c_3 c_4$ が N です．Q が他の位置にあっても同様ですが，両極端の 2 つを上図中央および右に図示しました．中央の図($B_1 = A_1$)では㋐がなくなり，右の図($Q=B$)では㋑がなくなりますが，(便宜的に)$c_0 = 1$ と定義してあるので，それぞれの経路数は $c_7 = c_0 c_7$, $c_7 = c_7 c_0$ と表せますね．以上で，②が示せました．(①も同様)

この漸化式が，番号の和が一定である 2 項の積を集めるという，数学業界で"畳み込み"といわれる自然な形をしていることもあり，ここで述べたカタラン数は，様々な素材においてその個数を表現するときに現れます．

類題 95 m, n は $m < n$ を満たす自然数とする．数直線上の動点 P は，1 回の移動で正の向きに 1 だけ移動するか，もしくは負の向きに 1 だけ移動する．最初原点 O にあった点 P が n 回移動した後の座標を X_n として，以下の問いに答えよ．

[1] $X_{2n} = 2m$ となる移動の仕方は何通りか．

[2] $X_{2n} = 2m$ かつ $X_k > 0$ $(k=1, 2, 3, \cdots, 2n-1)$ となる移動の仕方は何通りか．

ITEM 96 確率 ポイヤの壺

(Polya はハンガリーの数学者．日本では「ポリア」と読まれがち．)

よくわかった度チェック！

箱（壺）から玉を繰り返し取り出す試行として，「復元抽出（→独立反復試行）」，「非復元抽出（→条件付き確率）」の2つが典型的でした．ここでは取り出した玉と同色の玉を追加するというやや複雑な試行を行います．「ポイヤの壺」と呼ばれる古典的問題です．

ここがツボ！ 事象の，全体像を観察する

例題96 壺の中に赤玉3個と黒玉1個が入っている．「この壺から玉を1個取り出してもとに戻し，さらにそれと同じ色の玉1個を壺に追加する」という操作を繰り返す．n 回後，壺に $3+k$ 個 ($k=0, 1, 2, \cdots, n$) の赤玉が入っている確率を求めよ．

着眼 壺に入っている玉の状態変化が独特ですから，（赤の個数，黒の個数）と記号化して推移とその確率を視覚化します．

右図で，$(5, 2)$ へ到る3つの経路の確率は，"上側"を通る経路から順に次のようになっています．

$$\frac{3}{4} \cdot \frac{4}{5} \cdot \frac{1}{6}, \ \frac{3}{4} \cdot \frac{1}{5} \cdot \frac{4}{6}, \ \frac{1}{4} \cdot \frac{3}{5} \cdot \frac{4}{6} \quad \cdots ①$$

この3つの確率を見ると，分母はどれも $4 \to 5 \to 6$ と並んでいます．これは，玉の総数が必ず1個ずつ増えていくので当然です．一方の分子も，順序はまちまちですが，現れる3数はどれも「3, 4, 1」であり，3経路の確率は全て等しくなっています．じつは，考えてみればこれも必然なんです．

$(3, 1)$ から $(5, 2)$ へ到る3回の操作においては，赤が2回，黒が1回出ます．赤が出る2回の直前，壺の中にあった赤玉の個数が3個，4個ですから，赤の出方は，どの経路でも $3 \cdot 4$ 通りとなります．黒についても，同様に考えてどの経路でも1通りです．

①のように「乗法定理」を用いると，各径路毎に「$\frac{4}{5}$」，「$\frac{1}{5}$」，「$\frac{3}{5}$」と部分的に異なる確率が現れてしまいますが，分母 ($n(U)$) と分子（条件を満たすもの）を切り離して「場合の数の比」方式を用いれば，どの経路も全体としては等しい確率をもつことがわかります．

解答

○ 各回において玉は1個ずつ増えるから，玉を全て区別したときの取り出し方の順列は，$4 \cdot 5 \cdot 6 \cdots \{4+(n-1)\} = \dfrac{(n+3)!}{3!}$ （通り）あり，各々等確率． 等確率？

○ そのうち, n 回 $\begin{cases} 赤玉を取り出す \cdots k \ 回 \\ 黒玉を取り出す \cdots n-k \ 回 \end{cases}$ となるものを考える.

赤, 黒の出る順序 $\cdots {}_nC_k = \dfrac{n!}{k!(n-k)!}$ (通り). **着眼** 推移図の経路数

赤玉が i 回 ($i=0, 1, 2, \cdots, k-1$) 取り出された後, 壺の中の赤玉の個数は $3+i$ である. 黒玉についても同様だから, 上記順序によらず

$\begin{cases} 赤玉の取り出し方 \cdots 3 \cdot 4 \cdot 5 \cdots \{3+(k-1)\} = \dfrac{(k+2)!}{2} \ (通り), \\ 黒玉の取り出し方 \cdots 1 \cdot 2 \cdot 3 \cdots \{1+(n-k-1)\} = (n-k)! \ (通り). \end{cases}$

○ よって求める確率は

$$\dfrac{(k+2)!}{2} \cdot (n-k)! \cdot \dfrac{n!}{k!(n-k)!} \cdot \dfrac{3!}{(n+3)!} = \dfrac{3(k+1)(k+2)}{(n+1)(n+2)(n+3)}.$$

参考 本問の結果をもとに, 次の第 $n+1$ 回において赤玉が出る確率を求めてみましょう. n 回後の壺の中が $(3+k, 1+n-k)$ であるという<u>条件のもとで</u>第 $n+1$ 回に赤玉を取り出す条件付き確率は $\dfrac{3+k}{4+n}$ ですから, k の値に応じて場合分けすることにより, 求める確率は

$$\sum_{k=0}^{n} \dfrac{3(k+2)(k+1)}{(n+1)(n+2)(n+3)} \cdot \dfrac{3+k}{4+n} = \sum_{k=0}^{n} \dfrac{3(k+1)(k+2)(k+3)}{(n+1)(n+2)(n+3)(n+4)}$$

計算過程は **類題 96** 解答の後に.
($\Leftarrow$ p.171 特講E [7](5)⑤)
$= \dfrac{3(n+1)(n+2)(n+3)(n+4)}{4(n+1)(n+2)(n+3)(n+4)} = \dfrac{3}{4}$

となり, なんとこれは第 1 回に赤が出る確率と同じです！なにやら裏がありそうですね. 次のように見方を変えてみましょう.

[問題]「壺の中に 1, 2, 3, 4 と<u>番号の付いた</u> 4 個の玉が入っている.『この壺から玉を 1 個取り出してもとに戻し, さらにそれと同じ番号の玉 1 個を壺に追加する』という操作を n 回繰り返す. 第 $n+1$ 回に, 3 以下の番号の玉を取り出す確率を求めよ.」
どの番号の玉も出やすさは同等ですから, 第 $n+1$ 回に 1, 2, 3, 4 番の玉を取り出す確率は全て等しく $\dfrac{1}{4}$. よって求める確率は, $3 \cdot \dfrac{1}{4} = \dfrac{3}{4}$ です！

解説 もちろん,「3 以下の番号」を「赤」に置き換えれば, 上記 **参考** の答が得られたことになりますね.「ポイヤの壺」が有名である 1 つの理由は, この「第 $n+1$ 回における確率」のシンプルさでしょうが, それをこのように「問題」とすると "バカ問" になってしまいます. なので出題する際には, **例題96** のように「n 回後の壺の状態」をテーマにするのが普通 (のハズ) です.

類題 96 壺の中に赤玉 2 個と黒玉 1 個が入っている.「この壺から玉を 1 個取り出してもとに戻し, さらにそれと同じ色の玉 1 個を壺に追加する」という操作を繰り返す. n 回後, 壺に $2+k$ 個 ($k=0, 1, 2, \cdots, n$) の赤玉が入っている確率を $p_n(k)$ とするとき, $p_n(0) : p_n(1) : p_n(2) : \cdots : p_n(n) = 1 : 2 : 3 : \cdots : (n+1)$ が成り立つことを示せ.

ITEM 97 場合の数 包除原理（一般）

ITEM 22 などで用いた「包除原理」は，大学受験では原則2つないし3つの集合に対して適用しますが，実は n 個（n は任意の自然数）の集合へと一般化できます．この ITEM では，やや背伸びをして高校数学から少し飛び出し，美しい法則を堪能していただきます．

ここがツボ！ 過不足なく数えているか？

【包除原理（一般）】

ここでは，集合 A, B の共通部分 $A \cap B$ を，表現の簡潔さを優先して「AB」と表します．共通部分のことを「積集合」ともいうので，実際にこう書くこともあります．

n 個の集合 A_1, A_2, A_3, $\cdots$, A_n の和集合の要素の個数について，次の等式が成り立ちます．

★：$n(A_1 \cup A_2 \cup A_3 \cup \cdots \cup A_n)$
$= n(A_1) + n(A_2) + n(A_3) + \cdots + n(A_n)$ …① ……$_nC_1$ 項
$- n(A_1A_2) - n(A_1A_3) - n(A_1A_4) - \cdots - n(A_{n-1}A_n)$ …② ……$_nC_2$ 項
$+ n(A_1A_2A_3) + n(A_1A_2A_4) + \cdots + n(A_{n-2}A_{n-1}A_n)$ …③ ……$_nC_3$ 項
$- n(A_1A_2A_3A_4) - n(A_1A_2A_3A_5) - \cdots - n(A_{n-3}A_{n-2}A_{n-1}A_n)$ …④ ……$_nC_4$ 項
$\vdots$
$+ (-1)^{n-1} n(A_1A_2A_3A_4 \cdots A_n)$. …Ⓝ ……$_nC_n$ 項

一般に，右辺の第 k 行Ⓚには，k 個の集合の共通部分 $_nC_k$ 種類が並んでいます．

★を証明するために，まず，$n = 4$ のときのこの等式：

☆：$n(A_1 \cup A_2 \cup A_3 \cup A_4)$
　　　○△　　△
$= n(A_1) + n(A_2) + n(A_3) + n(A_4)$ …①
　■　　　■　　　■
　　　△
$- n(A_1A_2) - n(A_1A_3) - n(A_1A_4) - n(A_2A_3) - n(A_2A_4) - n(A_3A_4)$ …②
　■　　　　　■　　　　　　　　　　■
$+ n(A_1A_2A_3) + n(A_1A_2A_4) + n(A_1A_3A_4) + n(A_2A_3A_4)$ …③
　■
$- n(A_1A_2A_3A_4)$ …④

が成り立つことを確認してみます．集合 $A_1 \cup A_2 \cup A_3 \cup A_4$ の要素を，次の4タイプに分類し，それぞれ右辺における（符号も含めた）"合計カウント数"を考えてみます．

　$A_1\overline{A_2}\,\overline{A_3}\,\overline{A_4}$，つまり A_1 の1個だけに属する要素：○
　$A_1A_2\overline{A_3}\,\overline{A_4}$，つまり A_1, A_2 の2個だけに属する要素：△
　$A_1A_2A_3\overline{A_4}$，つまり A_1, A_2, A_3 の3個だけに属する要素：■
　$A_1A_2A_3A_4$，つまり A_1, A_2, A_3, A_4 の4個全てに属する要素：□

右辺において，各要素ごとにそれが属する箇所にマークを書き入れておきました．たとえば△なら，「A_3」，「A_4」が現れない集合だけにマークします．（□は当然全てにマ

ークすることになるので省きました．）

合計カウント数は次のとおりになりました．

○…$(+1) \times \underline{1} = 1$,　　　　　　　　　　　　　　　$_1C_1$
△…$(+1) \times \underline{2} + (-1) \times \underline{1} = 1$,　　　　　　　　　$_2C_1$, $_2C_2$
■…$(+1) \times \underline{3} + (-1) \times \underline{3} + (+1) \times \underline{1} = 1$,　　　　$_3C_1$, $_3C_2$, $_3C_3$
□…$(+1) \times \underline{4} + (-1) \times \underline{6} + (+1) \times \underline{4} + (-1) \times \underline{1} = 1$.　$_4C_1$, $_4C_2$, $_4C_3$, $_4C_4$

という訳で，どのタイプの要素も過不足なく「＋1回」だけカウントしており，等式☆が成り立つことが確かめられました．

ところで，上の各行で赤下線を引いた数をよく見ると，右に赤字で書いたようになっています．もちろんこれは偶然ではありません．たとえば■について説明します．■は，A_4 が現れない集合，つまり A_1, A_2, A_3 のうちいくつかの共通部分として作られる集合だけに属するので，たとえば☆右辺の2行目②では $_3C_2$ 回に渡って「−1」とカウントされます．他の行①，③でも同様なので，■の合計カウント数は

$$1 \cdot {_3C_1} + (-1) \cdot {_3C_2} + 1 \cdot {_3C_3}$$

となるのです．

これで包除原理の一般形：★を証明する準備が整いました．n 個の集合 A_1, A_2, A_3, …, A_n のうちちょうど r 個だけに含まれている要素：◎は，★の右辺の第 k 行（$k=1$, 2, 3, …, r）において $_rC_k$ 回に渡って「$(-1)^{k-1}$」とカウントされているので，その合計カウント数は

（二項定理）

$$\sum_{k=1}^{r}(-1)^{k-1}{_rC_k} = -\sum_{k=1}^{r}(-1)^k {_rC_k} = 1 - \sum_{k=0}^{r}(-1)^k {_rC_k} = 1 - \{1+(-1)\}^r = 1.$$

つまり◎は，★の右辺において過不足なく「＋1回」と数えられています．そしてこれは $r=1$, 2, 3, …, n の全てに対していえることなので，★が示されました．□

これを公式として使うことを認めれば，たとえば次のような問題が"即答"です．

例題97　a, a, b, b, c, c, d, d, e, e の10文字を並べるとき，どこかに同じ文字が隣り合う箇所があるような並べ方は何通りあるか．
（⇐ 類題 31）

略解　A：「aどうしが隣り合う」，B：「bどうしが隣り合う」，C：「cどうしが隣り合う」，D：「dどうしが隣り合う」，E：「eどうしが隣り合う」とする．
$n(A) = n(B) = \cdots = n(E)$, $n(AB) = n(AC) = \cdots = n(DE)$ などにより，求める個数は

$$n(A \cup B \cup C \cup D \cup E)$$
$$= {_5C_1} \cdot n(A) - {_5C_2} \cdot n(AB) + {_5C_3} \cdot n(ABC) - {_5C_4} \cdot n(ABCD) + {_5C_5} \cdot n(ABCDE)$$
$$= 5 \cdot \frac{9!}{(2!)^4} - 10 \cdot \frac{8!}{(2!)^3} + 10 \cdot \frac{7!}{(2!)^2} - 5 \cdot \frac{6!}{2!} + 5! = \mathbf{73920}.$$　……計算は面倒ですが…

類題 97　0, 1, 2, …, 9 の10種類の数字を，重複を許して n 個並べるとき，1, 2, 3, 4, 5 を全て含む並べ方は何通りか．ただし $n \geq 5$ とする．

ITEM 98 確率 場合の数 乱列

扱うテーマは 例題31 とまったく同じですが，「5人」だった人数がここでは「n 人」へと一般化され，用いる発想は各段にレベルアップします．

ここがツボ！ 設定された条件の本質を見極める

例題98 n 人の人が，それぞれ 1 つずつプレゼントを持ち寄ってプレゼント交換を行う．すなわち，n 個のプレゼントを全員に 1 個ずつ配る．このとき全員が自分の持ってきたプレゼント以外を受け取る配り方の数を a_n とする．

(1) a_n, a_{n-1}, a_{n-2} の間に成り立つ関係式を求めよ．

(2) プレゼントの分配を無作為に行うとき，全員が自分の持ってきたプレゼント以外を受け取る確率は $\sum_{k=2}^{n} \frac{(-1)^k}{k!}$ (ただし，$n \geq 2$) であることを示せ．

方針 もともとあった対応が全て変化して乱れてしまう「乱列」といわれるものを考えます．まずは記号化&視覚化をして実験です．例として $n=5$ くらい（まさに 例題31 でやったように）考えてみるのもよい方法です．そして，それを「n」へと一般化しながら，a_n の隣接項の間にある関係を探っていきます．

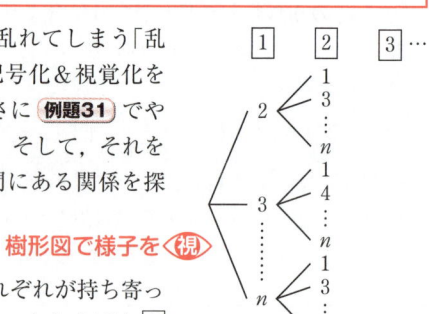

樹形図で様子を〈視〉

解答

(1) ○ n 人の人を $\boxed{1}$, $\boxed{2}$, $\boxed{3}$, …, $\boxed{n}$, それぞれが持ち寄ったプレゼントを 1, 2, 3, …, n と表し，たとえば人 $\boxed{3}$ にプレゼント 2 を配ることを「$\boxed{3}$-2」と表す．また，題意の条件を満たす配り方を「n 個の乱列」と呼ぶことにする．

○ $n \geq 3$ のとき，$\boxed{1}$ がもらうプレゼントは，2, 3, 4, …, n の $n-1$ 通り．

○ たとえば $\boxed{1}$-2 のとき，$\boxed{2}$〜$\boxed{n}$ に，1 と 3〜n を配る方法を考える ($\boxed{1}$-3, $\boxed{1}$-4, …, $\boxed{1}$-n も同様…①).
$\boxed{2}$ への配り方に注目すると，右の 2 つに分けられる．

	$\boxed{2}$	$\boxed{3}$〜$\boxed{n}$
i)	1	3〜n
ii)	1 以外	

$\boxed{2}$ に注目

○ i) の配り方は，$\boxed{3}$〜$\boxed{n}$ に 3〜n を配る方法，つまり $n-2$ 個の乱列だから，a_{n-2} 通りある．

○ ii) において，プレゼント 1 に課せられた条件は，「$\boxed{2}$ に配らないこと」であり，これはプレゼント 2 に課せられていた条件と同じである． …(*)
よって ii) の配り方は，$\boxed{2}$〜$\boxed{n}$ に 2〜n を配る方法，つまり $n-1$ 個の乱列だから，a_{n-1} 通りある．

○ 以上より，$a_n = (n-1)(a_{n-1} + a_{n-2})$. …②

250 → 2·125 → 2·5³

(2) ○ 1個の乱列は存在しないから，$a_1=0$．…③
2個の乱列は $\boxed{1}$-2, $\boxed{2}$-1 のみだから，$a_2=1$．…④

○配り方は全部で $n!$ 通りあり，各々等確率だから，題意の確率 p_n は，$p_n=\dfrac{a_n}{n!}$．

○そこで，②の両辺を $n!$ で割ると
$$\frac{a_n}{n!}=(n-1)\left\{\frac{a_{n-1}}{n(n-1)!}+\frac{a_{n-2}}{n(n-1)(n-2)!}\right\}$$
$$\therefore\quad p_n=\left(1-\frac{1}{n}\right)p_{n-1}+\frac{1}{n}p_{n-2}.$$
$$p_n-p_{n-1}=\frac{-1}{n}(p_{n-1}-p_{n-2}).\quad\cdots\text{⑤}\qquad\text{階差数列に注目}$$

○③，④より，$p_1=0$，$p_2=\dfrac{1}{2}$．

○⑤を $n=3,\ 4,\ 5,\ \cdots,\ n$ として繰り返し用いると，$n\geqq 3$ のとき
$$p_n-p_{n-1}=(p_2-p_1)\cdot\frac{-1}{3}\cdot\frac{-1}{4}\cdot\frac{-1}{5}\cdot\cdots\cdot\frac{-1}{n}$$
$$=(-1)^{n-2}\cdot\frac{1}{2}\cdot\frac{1}{3}\cdot\frac{1}{4}\cdot\frac{1}{5}\cdot\cdots\cdot\frac{1}{n}=\frac{(-1)^n}{n!}\quad(\text{これは }n=2\text{ でも成立}).$$

○よって $n\geqq 2$ のとき
$$p_n=p_1+\sum_{k=2}^{n}\frac{(-1)^k}{k!}=\sum_{k=2}^{n}\frac{(-1)^k}{k!}.\quad\square\qquad\text{これ以上は簡単には表せません}$$

解説1 ①の同等性を述べた後，$\boxed{1}$-2 となる配り方のうち i)，つまり $\boxed{1}$ と $\boxed{2}$ の2人だけで交換するタイプの特殊性には気付きやすいでしょう．問題は，それ以外の配り方 ii)です．

解説2 本問のポイントは，何と言っても ii) で用いた（*）:「プレゼント1を，プレゼント2として扱う」という発想です．ピンとこない人は，例として $n=5$ （例題31 そのもの）のときを考え，ii) タイプの具体例を書いてみましょう．ii) に現れる配り方（ア）は，たしかに $\boxed{2}$〜$\boxed{5}$ に 2〜5 を配る乱列の一例（イ）と対応していますね．

	$\boxed{2}$	$\boxed{3}$	$\boxed{4}$	$\boxed{5}$	
1以外→3	1	5	4	（ア）
2はダメ→3	2	5	4	（イ）

発展 p_n の結果は $\displaystyle\sum_{k=0}^{n}\frac{(-1)^k}{k!}$ とも書けます．そして $n\to\infty$ としたときの極限は

証明は 類題 98 解答の後に

$\displaystyle\sum_{k=0}^{n}\frac{(-1)^k}{k!}=\frac{1}{e}(=0.367\cdots$．$e$ は自然対数の底) となることが有名です．つまり，大人数でのプレゼント交換は，おおよそ3回に1回成功するということですね．

類題 98 n 人の生徒がいるクラスで，先生が生徒に向けて n 枚の異なるメッセージを書いて1枚ずつ配った．生徒全員が1枚ずつメッセージを読んだ後，それらを回収して再び配るとき，全ての生徒が1度目とは異なるメッセージを受け取る確率が $\displaystyle\sum_{k=0}^{n}\frac{(-1)^k}{k!}$ であることを，ITEM 97 の包除原理（一般）を用いて示せ．

(解答▶解答編 p.72)

ITEM 99 確率 期待値の加法性（数学B）

ITEM 89, 90 で扱った「期待値」は，その定義に基づいて和を計算すれば求まるものが多いのですが…，ときとしてそれではとても求まりそうにないくらい大変な問題があります．そんなときに頼りになる手法を学びます．

ここがツボ！ 単純な確率変数の和として表す．

【期待値の加法性】
X, Y を確率変数とすると，期待値に関して，次の等式が成り立つ．
$$E(X+Y)=E(X)+E(Y). \quad \text{「和の期待値」は「期待値の和」}$$

補足1 これは，確率変数 X, Y の間に関係性があろうが，なかろうが，必ず成り立つ．（⇦ ITEM66 事象の独立）3つ（以上）の確率変数 X, Y, Z についても同様である．つまり

$$E(X+Y+Z)=E(\overbrace{(X+Y)}^{\text{1つの確率変数とみる}}+Z)$$
$$=E(X+Y)+E(Z)=E(X)+E(Y)+E(Z).$$

（「期待値の加法性」の証明は，類題 99 の解答の後で行います．）

例題99 N, r, n は自然数とする．箱の中に赤玉 r 個と白玉 $N-r$ 個，計 N 個の玉が入っている．そこから n 個を同時に取り出すとき，そこに含まれる赤玉の個数を X とする．ただし，$r<N$, $n \leq N$ とする．
(1) $N=10, r=4, n=5$ のとき，X の期待値 $E(X)$ を求めよ．
(2) X の期待値 $E(X)$ を N, r, n を用いて表せ．

方針 (1)は期待値の定義に従ってできそうですが，(2)はそうは行きませんね．

解答
(1) ○玉を全て区別して考える．取り出す 5 個の組合せ
$${}_{10}C_5 = \frac{10 \cdot 9 \cdot 8 \cdot 7 \cdot 6}{5 \cdot 4 \cdot 3 \cdot 2} = 4 \cdot 9 \cdot 7 \text{(通り)}$$
の各々は等確率．
○取り出される玉の個数は右の 5 通り．

赤玉(X)	0	1	2	3	4
白玉	5	4	3	2	1

○よって求める期待値は
$$E(X)=0 \cdot P(X=0)+1 \cdot P(X=1)+2 \cdot P(X=2)+3 \cdot P(X=3)+4 \cdot P(X=4)$$
$$=1 \cdot \frac{{}_4C_1 \cdot {}_6C_4}{{}_{10}C_5}+2 \cdot \frac{{}_4C_2 \cdot {}_6C_3}{{}_{10}C_5}+3 \cdot \frac{{}_4C_3 \cdot {}_6C_2}{{}_{10}C_5}+4 \cdot \frac{{}_4C_4 \cdot {}_6C_1}{{}_{10}C_5}$$
$$=\frac{4 \cdot 15+2 \cdot 6 \cdot 20+3 \cdot 4 \cdot 15+4 \cdot 6}{4 \cdot 9 \cdot 7}=\frac{504}{4 \cdot 9 \cdot 7}=2.$$

(2) ○赤玉 r 個に 1, 2, 3, …, r と番号をつけ，それぞれに関係した確率変数 X_k ($k=1, 2, 3, …, r$) を次のように定める．

$$X_k = \begin{cases} 1 & (k\text{番が取り出されるとき}), \\ 0 & (k\text{番が取り出されないとき}). \end{cases}$$

玉ごとに分けて考える

○　$X = X_1 + X_2 + X_3 + \cdots + X_r$　　　…①

だから，<u>期待値の加法性</u>より

$$E(X) = E(X_1) + E(X_2) + E(X_3) + \cdots + E(X_r). \quad \text{…②}$$

○ 1つの赤玉 k 番が取り出される確率は $\dfrac{n}{N}$ だから　　…③

$$E(X_k) = 1 \cdot \frac{n}{N} + 0 \cdot \left(1 - \frac{n}{N}\right) = \frac{n}{N}.$$

○ これはどの赤玉についても同じだから，②より

$$E(X) = \frac{n}{N} \cdot r.$$

解説1　念のため，等式①が成り立つことを説明しておきます．
例えば赤玉のうち1番，3番，4番の3個だけが取り出された場合

$X = X_1 + X_2 + X_3 + X_4 + \cdots + X_r$　　取り出した番号のところだけ1
　　$= 1 + 0 + 1 + 1 + 0 + \cdots + 0 = 3$

となり，たしかに取り出された赤の個数と一致しています．
　このように，ある事象が起きるか起きないかに応じて1または0の値をとる確率変数は，その事象が起きる回数を"カウント"する機能をもっています．

解説2　(2)では，(1)と違って取り出す個数 n が赤玉，白玉の個数より多いか少ないかすらわかっていませんから，取り出される赤，白の個数に応じて分けて考えるのはつらいですね．

参考1　(2)の結果に，(1)の条件であった $N=10$, $r=4$, $n=5$ を代入すると，このときの $E(X)$ の値は $\dfrac{5}{10} \cdot 4 = 2$ となり，(1)の結果と一致していますね．

参考2　本問の結果は，大雑把な直観と見事に一致しています．

全体の $\dfrac{r}{N}$ が赤だから，取り出す n 個にもそれと同じ割合だけ赤が含まれていそう．よって期待値は $\dfrac{r}{N} \cdot n$.　(1)では $\dfrac{4}{10} \cdot 5 = 2$

もちろん，こう書いても試験での説明としては不備ですが．

補足2　③の確率は次のように理解できます．全ての玉 N 個をでたらめに1列に並べ，左から n 番目までを選ぶと考えます．そうすれば，ある1つの玉が取り出される確率は，n 番目までに並ぶ確率を考えて，$\dfrac{n}{N}$ ですね．（もちろん，取り出される n 個の玉の組合せを用いても求まります．）

類題　99　サイコロ n 個を同時に投げ，5以上の目が出たサイコロだけをもう1度同時に投げる．第2回に出た目の合計を X として，その期待値 $E(X)$ を求めよ．

（解答▶解答編 p.73）

ITEM 100 確率 クーポンコレクター（数学B, 数学Ⅲ）

100円硬貨を入れてツマミをガチャっとひねると出てくるカプセルトイを集めるように，何種類かの収集対象品がランダムに手に入る試行を繰り返したとき，収集家（コレクター）が全種類揃える，いわゆる"コンプリート"する事象を考えます．対象物が「クーポン」（商品券）というのはピンときませんが，古来こう呼ばれてきた有名問題です．

ここがツボ！ "待ち回数"の合計を考える

例題100 〔理系〕

(1) 独立反復試行におけるある事象は，各回において起きる確率が p $(0<p<1)$ であるとする．この事象が初めて起きるのが第 X 回として，X の期待値 $E(X)=\lim_{n\to\infty}\sum_{k=1}^{n}k\cdot P(X=k)$ を求めよ．ただし，必要ならば $0<a<1$ のとき $\lim_{n\to\infty}na^n=0$ が成り立つことを用いてよい．

(2) 1つのサイコロを繰り返し投げ，全ての目が出そろうまでの回数を Y とする．$i=2, 3, 4, 5, 6$ に対して，$i-1$ 種類目のサイコロの目が出た後 i 種類目のサイコロの目が出るまでの回数を Y_i とする．Y_i の期待値を i で表せ．また，Y の期待値を求めよ．

着眼 (1)で問われているのは，ある事象が起きるまでの"待ち回数"の期待値です（⇦ 類題 89 参考）．(2)では，サイコロの目が6種類の"収集物"を表しており，Y は"コンプリートに要する回数"です．

解答 (1) ○各回の試行における事象とその確率は

事象と確率を整理 … $\begin{cases} 「ある事象」が起きる（「○」で表す） \cdots 確率\ p, \\ 「ある事象」が起きない（「×」で表す） \cdots 確率\ 1-p\ (=q\ とおく). \end{cases}$

○ $X=k$ となるのは，$\underbrace{\times\times\times\cdots\times\times}_{k-1\ 回}○$ のときだから

$$\sum_{k=1}^{n}k\cdot P(X=k)=\sum_{k=1}^{n}k\cdot q^{k-1}p=p\underbrace{\sum_{k=1}^{n}kq^{k-1}}_{S_n\ とおく}.$$ …等差数列×等比数列の和

○ $S_n=1\cdot 1+2q+3q^2+4q^3+\cdots+nq^{n-1}$, …① ⇦p.169 特講E [7](3)

$\underline{-)\ qS_n=\quad\ 1\cdot q+2q^2+3q^3+\cdots+(n-1)q^{n-1}+nq^n.}$

$(1-q)S_n=1+q+q^2+\cdots+q^{n-1}-nq^n$

$\qquad\quad =1\cdot\dfrac{1-q^n}{1-q}-nq^n.$

∴ $pS_n=\dfrac{1}{p}-\dfrac{q^n}{p}-nq^n\ (\because\ 1-q=p).$

○これと $0<q<1$ より，求める期待値は，$E(X)=\lim_{n\to\infty}pS_n=\dfrac{1}{p}$. …②

(2) ○$i-1$ 種類目のサイコロの目が出た後，各回において i 種類目のサイコロの目が出る確率は
$$\dfrac{6-(i-1)}{6}=\dfrac{7-i}{6}.$$

例：$i=3$ のとき，
$\begin{cases}\text{すでに出ている}\cdots 2\text{種類}\\ \text{まだ出ていない}\cdots 4\text{種類}\end{cases}$

○よって Y_i の期待値は，(1)の「p」にこの確率を代入して
$$E(Y_i)=\dfrac{6}{7-i}\ (i=2,\ 3,\ 4,\ 5,\ 6).$$

○1種類目のサイコロの目は必ず第1回に出るから
$$Y=1+Y_2+Y_3+Y_4+Y_5+Y_6.\ \text{…③}$$ ← Y を Y_i で表す

$\therefore\ E(Y)=1+E(Y_2)+E(Y_3)+E(Y_4)+E(Y_5)+E(Y_6)$ ← 期待値の加法性
$E(1)=1$
$=1+\dfrac{6}{5}+\dfrac{6}{4}+\dfrac{6}{3}+\dfrac{6}{2}+\dfrac{6}{1}=\dfrac{147}{10}.$

解説 「Y_i」と「Y」の間の関係式③が本問のポイントです．これがたしかに成り立つことを，右の例を見て納得してください．このように，最終目標である確率変数 Y を，他のもっと単純な確率変数 Y_i の「和」として表せば，前 ITEM で学んだ「期待値の加法性」が使えて，「全ての目が出そろう」という事象を，「"次の"種類の目が出る」という事象に分解して考えることができて楽ですね．

(例) 1種類目　2種類目　3種類目　4種類目　…
5　5 2　5 1　2 5 1 4　4 1 2
1回　$Y_2=2$　$Y_3=2$　$Y_4=4$　…

参考 ②の結論は，大雑把な直観と一致しています．たとえば各回において確率 $p=\dfrac{1}{10}$ で起きる事象を考えると，それが初めて起きるまでの回数，すなわち"待ち回数"の期待値が $\dfrac{1}{p}=10$(回) というのは，直観的にも納得しやすいですね．（もちろん，テストでこうした直観に頼った解答をしてはいけませんが．）

発展 (2)の「6種類」を一般化して「r 種類」に変えると，**解答** とまったく同じようにして，コンプリートに要する回数の期待値は
$$1+\dfrac{r}{r-1}+\dfrac{r}{r-2}+\dfrac{r}{r-3}+\cdots+\dfrac{r}{1}=r\left(\dfrac{1}{r}+\dfrac{1}{r-1}+\dfrac{1}{r-2}+\cdots+\dfrac{1}{1}\right)$$
となり，$r\to\infty$ のとき，$r\log r$ との比が1に近づきます．（⇒ **類題 100** **参考3**）

↑類題 100 r 種類 ($r\geq 2$) の商品のどれかが毎回等確率で出る装置がある．n 回後までに全種類を収集している確率を p_n とし，ちょうど n 回後に初めて全種類を収集する確率を q_n とする．以下の問いに答えよ．(ITEM 97 の包除原理(一般)を用いてよい．)

[1] $n\geq r$ のとき，$p_n=1-\displaystyle\sum_{k=1}^{r-1}(-1)^{k-1}{}_rC_k\left(1-\dfrac{k}{r}\right)^n$ を示せ．

[2] $n\geq r+1$ のとき，$q_n=\displaystyle\sum_{k=1}^{r-1}(-1)^{k-1}{}_{r-1}C_{k-1}\left(1-\dfrac{k}{r}\right)^{n-1}$ を示せ．

(解答▶解答編 p.75)

◆著者紹介

●広瀬和之（ひろせ・かずゆき）
・大手予備校講師歴 30 年超　河合塾数学科講師
・『予備校数学講師広瀬の 渾身動画見放題』https://www.hirosuu.com/
著書解説動画などの映像授業，膨大な量のプリント類・学習法アドバイスを公開
・『YouTube 広瀬教育ラボチャンネル』数学学習法・投資関連など多彩な内容

・著書多数(学参・証券外務員試験)・Amazon 著者ページあり
・指導対象：大学受験数学・投資・他
・数学指導の 3 本柱：**基本**にさかのぼる．**現象**そのものをあるがままに見る．**計算**を合理的に行う．
・数学講義で心掛けていること：簡潔な「本質」を抽出・体系化し，生徒と共有できる「正しい言葉」で，教室の隅まで「響く声」で伝える．（どれも"あたりまえなこと"ばかり）

□　イラスト　よしのぶもとこ
□　図版作成　㈲デザインスタジオエキス．

シグマベスト
合格る確率＋場合の数

本書の内容を無断で複写（コピー）・複製・転載することを禁じます。また、私的使用であっても、第三者に依頼して電子的に複製すること（スキャンやデジタル化等）は、著作権法上、認められていません。

Ⓒ広瀬和之　2024　　　　Printed in Japan

著　者	広瀬和之
発行者	益井英郎
印刷所	中村印刷株式会社
発行所	株式会社文英堂

〒601-8121　京都市南区上鳥羽大物町28
〒162-0832　東京都新宿区岩戸町17
（代表）03-3269-4231

●落丁・乱丁はおとりかえします．

【カードの内容（表面）】

問題文（一部の問題は抜粋）

○ 区別のない8個のボールを，区別のない3つの箱に入れる方法は何通りあるか．ただし，空の箱があってはならないとする．

区別のない8個のボールを，区別のない3つの箱に入れる方法は何通りあるか．ただし，空の箱があってはならないとする．

区別のない8個のボールを，区別のない3つの箱に入れる方法は何通りあるか．ただし，空の箱があってもよいとする．

5枚のカードがあり，それぞれに1, 2, 3, 4, 5の数字が1つずつ書かれている．
(1) 上記のうち3枚を並べて3桁の整数を作る方法は何通りか．
(2) 上記5枚全てを並べて5桁の整数を作る方法は何通りか．

1個のサイコロを繰り返し2回投げる．第1回と第2回を区別して考えるとき，目の出方は何通りあるか．

8個の異なるボールを3個の異なる箱に入れる方法は何通りか．ただし，空の箱があってもよいとする．

5枚のカードがあり，それぞれに1, 2, 3, 4, 5の数字が1つずつ書かれている．このうち3枚を左から順に並べて3桁の奇数を作る方法は何通りか．

5枚のカードがあり，それぞれに0, 1, 2, 3, 4の数字が1つずつ書かれている．このうち3枚を並べて3桁の偶数を作る方法は何通りか．

異なる3つのサイコロA，B，Cを同時に投げるとき，少なくとも1つのサイコロの目が5以上であるような目の出方は何通りか．

5枚のカードがあり，それぞれに1, 2, 3, 4, 5の数字が1つずつ書かれている．ここから異なる2枚のカードを選ぶ方法は何通りあるか．

$\boxed{1}\boxed{2}\boxed{2}\boxed{3}\boxed{3}\boxed{3}\boxed{3}$ の7枚のカードを並べる方法は何通りあるか．

---

[1] a, b, c, d, e, f の6人を円周上に並べる方法は何通りあるか．
[2] 1, 2, 2, 3, 3, 4, 4 と番号の付いた7つの石を円周上に並べる方法は何通りあるか．

1 例題1　　　ITEM 1：数え上げ

5 通り

モレなく，ダブりなく

Stage 1　場合の数　　　①ボールと箱

【カードの内容（裏面）】

カード番号 → 1 例題1 ← 問題番号　ITEM 1：数え上げ ← タイトル
　　　　　　　　　　　　　　↑
答え → 5 通り　　　　　　ITEM 番号

モレなく，ダブりなく　　　　　　　　　← 解法ポイントの概略

Stage 1　場合の数　　　①ボールと箱 ← テーマグループ
Stage 番号　場合の数 or 確率　　　　　（p.9 を参照）

---

3 例題2　　　ITEM 2：順列

(1) 60 通り，(2) 120 通り

均等に分かれる樹形図

Stage 1　場合の数

---

2 類題 1 [1]　　ITEM 1：数え上げ

10 通り

モレなく，ダブりなく

Stage 1　場合の数　　　①ボールと箱

---

5 類題 3 [2]　　ITEM 3：重複順列

6561 通り

箱に区別があることに注意

Stage 1　場合の数　　　①ボールと箱

---

4 例題3　　　ITEM 3：重複順列

36 通り

順序の区別を考えて

Stage 1　場合の数

---

7 例題5　　　ITEM 5：場合分け

30 通り

2 つの場合に分けて和の法則も使う

Stage 1　場合の数

---

6 例題4　　　ITEM 4：数える順序

36 通り

制限のキビシイ所から数える

Stage 1　場合の数

---

9 例題7　　　ITEM 7：組合せ

10 通り

記号・公式を用いる．考え方も理解して

Stage 1　場合の数　　　ⓔ"割り算"

---

8 例題6　　　ITEM 6：補集合の利用

152 通り

求めやすいものを全体から引く

Stage 1　場合の数　　　ⓒ補集合

---

11 類題 9　　　ITEM 9：円順列

(1) 120 通り　(1) 90 通り

1 つを固定して

Stage 1　場合の数　　　ⓑ円順列

---

10 類題 8　　　ITEM 8：同じものを含む順列

105 通り

同じものをいったん区別して考える

Stage 1　場合の数　　　ⓔ"割り算"

サイコロ1個を投げるとき，5以下の目が出る確率を求めよ．

サイコロ1個とコイン1個を投げるとき，サイコロの目が5以下でコインが表である確率を求めよ．

箱の中に赤玉6個と白玉3個が入っている．そこから順に玉を1個ずつ3個取り出す．ただし，取り出した玉は元に戻さずに次の玉を取り出す．このとき赤玉2個と白玉1個を取り出す確率を求めよ．

サイコロを2個投げるとき，出た目2つが連続する整数である確率を求めよ．

(1) 1つのサイコロを5回投げるとき，5回とも3の倍数の目が出る確率を求めよ．
(2) 1, 2, 3, 4, 5, 6の6枚のカードが入った箱からカードを1枚取り出し，番号を記録してから元に戻す．この試行を5回繰り返すとき，5回とも3の倍数のカードが取り出される確率を求めよ．

当たりくじが2本，外れくじが5本入った箱がある．ここからくじを1本取り出し，それを元に戻さずにもう1本取り出す．
(1) 1本目が当たりで2本目も当たりである確率を求めよ．
(2) 2本目が当たりである確率を求めよ．

1個のコインを繰り返し投げるとき，第3回までに表が出る確率を求めよ．

サイコロをn回投げるとき，少なくとも1回は5以上の目が出る確率を求めよ．

男子5人，女子3人を1列に並べる方法について答えよ．
(1) 3人の女子が全員隣り合う並べ方は何通りあるか．
(2) 3人の女子のうちどの2人も隣り合わない並べ方は何通りあるか．

異なる3個のサイコロを投げるときについて答えよ．
(1) 出た目3個のどの2つの差も2以上となるような目の出方は何通りか．
(2) 出た目3個の和が9となるような目の出方は何通りか．

サイコロを3回投げるとき，出た目を順にa_1, a_2, a_3とする．$a_1 < a_2 < a_3$を満たす組(a_1, a_2, a_3)の個数を求めよ．

-1, 0, 1の3つの数字を，重複を許して6個並べる．和が正となる並べ方は何通りか．

13 例題11　ITEM 11：乗法定理（独立試行） $\dfrac{5}{12}$ 割合どうしを掛けるイメージで Stage 1　確率	**12** 例題10　ITEM 10：場合の数の比 $\dfrac{5}{6}$ 6通りの目の出方が「等確率」であることを意識する． Stage 1　確率
15 例題13　ITEM 13：同基準 $\dfrac{5}{18}$ 分母を数えるときと同じ基準で分子も数える． Stage 1　確率	**14** 例題12B　ITEM 12：等確率 $\dfrac{15}{28}$ 「等確率」を最優先 Stage 1　確率
17 例題15　ITEM 15：独立でない試行（非復元抽出） (1) $\dfrac{1}{21}$, (2) $\dfrac{2}{7}$ 状況の変化を視覚的に把握 Stage 1　確率　　ⓜ条件付き確率	**16** 例題14　ITEM 14：独立反復試行 (1) $\dfrac{1}{243}$, (2) $\dfrac{1}{243}$ 順序があることを意識して！ Stage 1　確率　　ⓗ独立反復試行
19 類題 17　ITEM 17：余事象の利用 $1-\left(\dfrac{2}{3}\right)^n$ 考えるべき事象があいまいなら… Stage 1　確率　　ⓒ余事象	**18** 例題16　ITEM 16：起こりやすさの割合 $\dfrac{7}{8}$ 確率＝起こりやすさの割合 Stage 1　確率
21 例題19　ITEM 19：組合せ→順列 (1) 24通り, (2) 25通り まずは組合せを書き出し→順列 Stage 2　場合の数	**20** 例題18　ITEM 18：隣り合う, 隣り合わない（その1） (1) 4320通り, (2) 14400通り 隣り合うものはカタマリにする 隣り合わないものは後から"間"に入れる Stage 2　場合の数　　ⓐ隣り合う・合わない
23 類題 21　ITEM 21：対称性の活用 294通り 何と何が同数か？ Stage 2　場合の数	**22** 例題20A　ITEM 20：順序が指定されているとき 20通り 「順列」の代わりに「組合せ」を考える Stage 2　場合の数　　ⓓ1対1対応

1から200までの自然数について，以下の問いに答えよ．
(1) 4の倍数は何個あるか．
(2) 4の倍数または5の倍数であるものは何個あるか．
(3) 4の倍数または5の倍数または6の倍数であるものは何個あるか．

右図のような街路があるとき，AからCを通ってBまで行く最短経路の個数を求めよ．

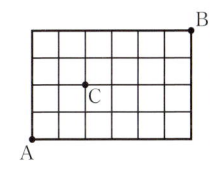

区別のつかない10個のボールを異なる3個の箱A，B，Cに入れる方法の数を求めよ．ただし，空の箱があってもよいとする．

[1] 同じ商品10個を4人の人に分け与える方法は何通りあるか．ただし，1個ももらわない人がいる場合も考えるとする．
[2] 区別のつかない5個のサイコロを投げるとき，目の出方は何通りか．

区別のつかない10個のボールを異なる3個の箱A，B，Cに入れる方法の数を求めよ．ただし，空の箱があってはならないとする．

9人の人を3つの組に分けるとき，3人，3人，3人の3組に分ける方法は何通りか．

赤い玉が1個，黄色い玉が3個，緑の玉が6個ある．これらの全てをひもでつないでできる数珠は何通りあるか．

赤いカード2枚と，白いカード3枚の計5枚のカードを1列に並べるとき，赤いカード2枚が隣り合う確率を求めよ．

1，2，3，4，5と番号の付いた赤いカード5枚を1列に並べ，1，2，3，4，5と番号の付いた白いカード5枚を1列に並べる．このとき，赤いカードの番号の並びと白いカードの番号の並びとが一致する確率を求めよ．

サイコロを繰り返し5回投げるとき，3の倍数の目がちょうど3回出る確率を求めよ．

5人の人がそれぞれ1個ずつプレゼントを用意し，各人が1個ずつプレゼントをもらう（プレゼント交換）．どの人も自分が用意したもの以外をもらうような方法は何通りあるか．

jishoの5文字を並べてできる単語を辞書式に並べるとき，初めから60番目の単語は何か．

25 例題23 (2)　ITEM 23：最短経路 90 通り 最短経路と矢印の並べ方の1対1対応 Stage 2　場合の数　　　ⓙ最短経路, ⓓ	**24** 例題22　ITEM 22：包除原理 (1) 50, (2) 80, (3) 94 集合どうしの関係を視覚化 Stage 2　場合の数　　　ⓕ包除原理, ⓖ
27 類題 24　ITEM 24：○を｜で仕切る 　　　　　　　　　　　　　（その1） [1] 286 通り, [2] 252 通り 分け方と｜の入れ方との対応を考える Stage 2　場合の数　　　ⓚ○と｜, ⓓ	**26** 例題24　ITEM 24：○を｜で仕切る 　　　　　　　　　　　　　（その1） 66 通り 3つに分けるには，2本の｜で仕切る Stage 2　場合の数　　　ⓚ○と｜, ⓓ
29 例題26 (2)　ITEM 26：組分け 280 通り 「区別する」と「区別しない」の対応関係 Stage 2　場合の数　ⓔ"割り算", 対応関係	**28** 例題25　ITEM 25：○を｜で仕切る 　　　　　　　　　　　　　（その2） 36 通り ∧に｜を入れる Stage 2　場合の数　　　ⓚ○と｜, ⓓ
31 例題28　ITEM 28：注目すべきこと 　　　　　　　　　　　　　のみに集中 $\dfrac{2}{5}$ 注目すべきことのみ考える 等確率性には注意 Stage 2　確率	**30** 類題 27　ITEM 27：円順列と 　　　　　　　　　　　　数珠順列 44 通り 「数珠順列」から「円順列」への枝分か れを考える Stage 2　場合の数　　　ⓑ円順列, ⓔ
33 例題30　ITEM 30：独立反復試行 　　　　　　　　　　　　（回数指定） $\dfrac{40}{243}$ 起こり方の順序も考える Stage 2　確率　　　　ⓗ独立反復試行	**32** 例題29A　ITEM 29：一方を固定して $\dfrac{1}{120}$ 一方を固定し，他方との相対関係に 注目 Stage 2　確率
35 類題 32　ITEM 32：辞書式配列 jisoh 並び方を視覚化して Stage 3　場合の数	**34** 例題31　ITEM 31：書き出しか？ 　　　　　　　　　　　　　法則か？ 44 通り 書き出す作業の中で法則を見つける Stage 3　場合の数

1, 2, 3, 4, 5 の5種類の数字を並べて n 桁の自然数を作る．ただし，同じ数字を繰り返し用いてもよいとする．
(2) 数字 1, 2 をどちらも含む自然数は何個あるか．
(3) 数字 1, 2, 3 を全て含む自然数は何個あるか．

---

accurate の8文字を1列に並べるとき，文字 a が隣り合い，文字 c が隣り合わないような並べ方は何通りあるか．

右図のような街路を通る A から B までの最短経路のうち，以下のようなものの個数を求めよ．
(1) D, F をいずれも通らないもの．
(2) C, D, E, F を全て通らないもの．

数直線上の動点 P を，次の規則で動かす．サイコロを投げて偶数の目が出れば P を正の向きに 1 移動し，奇数の目が出れば P を負の向きに 1 移動する．原点 O から出発して，サイコロを n 回投げた後の P の座標を X_n として，$X_{10}=0$ かつ $X_n \ne 0$ ($n=1, 2, 3, \cdots, 9$) となる確率を求めよ．

次の各条件を満たす整数の組 (x, y, z) の個数をそれぞれ求めよ．
(1) $x+y+z=10$ ($x, y, z \geq 0$)
(2) $x+y+z=10$ ($x, y, z > 0$)

以下において $a_1, a_2, a_3, \cdots$ は整数とする．
(1) $1 \leq a_1 \leq a_2 \leq a_3 \leq \cdots \leq a_8 \leq 4$ を満たす組 $(a_1, a_2, \cdots, a_8)$ の個数を求めよ．
(2) $1 \leq a_1 \leq a_2 \leq a_3 \leq 10$ を満たす組 (a_1, a_2, a_3) の個数を求めよ．

---

a 6 個と b 5 個を 1 列に並べて作る文字列のうち，左端が a で，隣どうしで文字が異なる所が 4 か所あるものは何個あるか．

区別のつかないサイコロ 3 個を同時に投げるとき，目の出方は何通りか．

サイコロを 10 回投げるとき，出た目すべての積で奇数である値は何通りか．

---

n は 3 以上の整数とする．異なる n 個のボールを 3 つの箱に入れる方法について考える．ただし，空の箱があってはならないとする．
(1) 箱を区別するとき，入れ方は何通りか．
(2) 箱を区別しないとき，入れ方は何通りか．

---

n は正の整数とする．異なる n 個のボールを 3 つの箱に入れる方法について考える．ただし，空の箱があってもよいとする．
(1) 箱を区別するとき，入れ方は何通りか．
(2) 箱を区別しないとき，入れ方は何通りか．

---

m は正の整数とする．区別のつかない $6m$ 個のボールを 3 つの箱に入れる方法について考える．ただし，空の箱があってもよいとする．
(1) 箱を区別するとき，入れ方は何通りか．
(2) 箱を区別しないとき，入れ方は何通りか．

37 例題34　ITEM 34：隣り合う，隣り合わない（その2） 1800 通り 「隣り合う」「合わない」を使い分け Stage 3　場合の数　ⓐ隣り合う・合わない, ⓖ	**36** 例題33 (2)(3)　ITEM 33：〜〜を含む列 (2) $5^n-2\cdot 4^n+3^n$, (3) $5^n-3\cdot 4^n+3\cdot 3^n-2^n$ 補集合を考えて包除原理 Stage 3　場合の数　ⓕ包除原理, ⓒⓖ
39 例題37 (2)　ITEM 37：座標の変化 $\dfrac{7}{256}$ 変化の過程を推移グラフで視覚化 Stage 3　確率　ⓘ推移グラフ	**38** 例題35　ITEM 35：最短経路（通れない点） (1) 326, (2) 56 「法則利用」or「書き込み方式」 Stage 3　場合の数　ⓙ最短経路, ⓕⓒⓖ
41 例題39　ITEM 39：○を｜で仕切る→増加列 (1) 165, (2) 220 値の変わり目を仕切る Stage 3　場合の数　ⓚ○と｜, ⓓ	**40** 例題38 (1)(2)　ITEM 38：○を｜で仕切る→整数解の個数 (1) 66, (2) 36 整数「1」を区別のつかない○とみなす Stage 3　場合の数　ⓚ○と｜, ⓓ
43 例題41A　ITEM 41：○を｜で仕切る→アラカルト 56 通り ○,｜は，何を意味しているか？ Stage 3　場合の数　ⓚ○と｜, ⓓ	**42** 例題40A　ITEM 40：○を｜で仕切る→「連」 40 「連」の切れ目を仕切る Stage 3　場合の数　ⓚ○と｜, ⓓ
45 例題42　ITEM 42：ボールと箱（相互関係1） (1) $3^n-3\cdot 2^n+3$, (2) $\dfrac{3^{n-1}-2^n+1}{2}$ 箱を「区別しない」から「区別する」への対応を考える Stage 3　場合の数　ⓛボールと箱, ⓔ	**44** 例題41B　ITEM 41：○を｜で仕切る→アラカルト 66 通り ○,｜は，何を意味しているか？ Stage 3　場合の数　ⓚ○と｜, ⓓ
47 例題44　ITEM 44：ボールと箱（相互関係3） (1) $(3m+1)(6m+1)$, ⬆(2) $3m^2+3m+1$ 同じボールで同じ個数なら区別はつかない Stage 3　場合の数　ⓛボールと箱, ⓔⓚⓓ	**46** 例題43　ITEM 43：ボールと箱（相互関係2） (1) 3^n, ⬆(2) $\dfrac{3^{n-1}+1}{2}$ 積の法則は使えているか？ Stage 3　場合の数　ⓛボールと箱, ⓔ

- (1) 3人で1回じゃんけんをするとき，1人だけが勝つ確率を求めよ．
- (2) 3人で1回じゃんけんをするとき，アイコになる確率を求めよ．
- (3) n人$(n\geq 2)$で1回じゃんけんをするとき，アイコになる確率を求めよ．

1, 2, 3, 4, 5, 6と番号のついた赤いカードと1, 2, 3, 4, 5, 6と番号のついた白いカードの計12枚を1列に並べる．
- [1] 同じ色のカード6枚が連続している箇所がある確率を求めよ．
- [2] 同じ番号のカードどうしが全て隣り合っている確率を求めよ．

赤い玉2個，白い玉3個，黒い玉4個の合計9個の玉を円形に並べる．
- (1) 黒い玉4個が全て隣り合う確率を求めよ．
- (2) 赤い玉どうし，白い玉どうしが隣り合わない確率を求めよ．

立方体の各面にそれぞれ1色を塗る方法について答えよ．ただし，隣り合う面は必ず異なる色で塗るとする．また，回転したりひっくり返したりして同じになるものは同一な塗り方とみなす．
- (1) 6色を用いて塗る方法は何通りあるか．
- (2) 5色を用いて塗る方法は何通りあるか．

座標平面上の動点Pを，サイコロを投げて次のように動かす．1の目が出ればPをx軸の正の向きに1だけ移動し，2, 3の目が出ればPをy軸の正の向きに1だけ移動する．また，4, 5, 6の目が出ればPを動かさない．原点Oから出発し，サイコロを6回投げた後P(1, 2)となる確率を求めよ．

サイコロを繰り返し投げるとき，第7回に5度目の4以上の目が出る確率を求めよ．

A，B2人が繰り返し試合を行う．各試合において，A，Bが勝つ確率はそれぞれp, q ($p+q=1$, $p>0$, $q>0$)である．先に3勝リードした方が優勝とするとき，ちょうど9試合目にAが優勝を決める確率を求めよ．

A，B2人が繰り返し試合を行う．各試合において，A，Bが勝つ確率はそれぞれp, q ($p+q=1$, $p>0$, $q>0$)である．先に2勝リードした方が優勝とするとき，ちょうど8試合目にAが優勝を決める確率を求めよ．

サイコロをn回投げ，出た目すべての積をXとする．
- (1) Xが偶数である確率を求めよ．
- (2) Xが6の倍数である確率を求めよ．

サイコロをn回投げ，出た目すべての積をXとする．
- (1) Xが4の倍数である確率を求めよ．
- (2) Xが12の倍数である確率を求めよ．

サイコロをn回投げるとき，出た目の最大値が5である確率を求めよ．

サイコロをn回投げるとき，出た目の最大値をX，最小値をYとする．
- (1) $X=5$, $Y=2$となる確率を求めよ．
- (2) $X-Y=3$となる確率を求めよ．

49 類題 48　ITEM 48：番号と色（その2） [1] $\dfrac{1}{77}$，[2] $\dfrac{1}{10395}$ 注目するものに応じて分母を数える Stage 3　確率	**48** 例題46　ITEM 46：じゃんけん (1) $\dfrac{1}{3}$，(2) $\dfrac{1}{3}$，(3) $1-\dfrac{2^n-2}{3^{n-1}}$ 「人」と「手」をどちらも区別していることを自覚 Stage 3　確率
51 例題50 (1)(2)　ITEM 50：立方体の塗り方 (1) 30通り，(2) 15通り 1つを固定して Stage 3　場合の数　　　ⓑ円順列	**50** 例題49　ITEM 49：円順列と確率 (1) $\dfrac{1}{14}$，(2) $\dfrac{2}{7}$ 1つを固定して等確率性を確保 Stage 3　確率　　　ⓑ円順列
53 類題 52　ITEM 52：独立反復試行 〜勝したら終了 $\dfrac{15}{128}$ 最終回は決まっていることに注意 Stage 3　確率　　　ⓗ独立反復試行	**52** 例題51 (1)　ITEM 51：独立反復試行（各回3事象） $\dfrac{5}{36}$ 3種類の事象の順序も考える Stage 3　確率　　　ⓗ独立反復試行
55 例題54 (1)　ITEM 54：独立反復試行：デュース $8p^5q^3$ 勝ち負けの繰り返しを推移グラフで視覚化 Stage 3　確率　　　ⓗ独立反復試行，ⓘ	**54** 例題53 (2)　ITEM 53：独立反復試行 〜勝リードで終了 $27p^6q^3$ 勝ち数の差を推移グラフで視覚化 Stage 3　確率　　　ⓗ独立反復試行，ⓘ
57 例題56　ITEM 56：積が4, 12の倍数 (1) $1-\left(1+\dfrac{2}{3}n\right)\left(\dfrac{1}{2}\right)^n$， ⬆(2) $1-\left(1+\dfrac{2}{3}n\right)\left(\dfrac{1}{2}\right)^n-\left(\dfrac{2}{3}\right)^n+\left(1+\dfrac{n}{2}\right)\left(\dfrac{1}{3}\right)^n$ 事象の起きる順序も忘れずに Stage 3　確率　　　ⓖカルノー図，ⓕⓒ	**56** 例題55　ITEM 55：積が2, 6の倍数 (1) $1-\left(\dfrac{1}{2}\right)^n$， (2) $1-\left(\dfrac{1}{2}\right)^n-\left(\dfrac{2}{3}\right)^n+\left(\dfrac{1}{3}\right)^n$ 素因数2, 3の有無をカルノー図で視覚化 Stage 3　確率　　　ⓖカルノー図，ⓕⓒ
59 例題58　ITEM 58：最大値, 最小値 (1) $\left(\dfrac{2}{3}\right)^n-2\cdot\left(\dfrac{1}{2}\right)^n+\left(\dfrac{1}{3}\right)^n$ (2) $3\left\{\left(\dfrac{2}{3}\right)^n-2\cdot\left(\dfrac{1}{2}\right)^n+\left(\dfrac{1}{3}\right)^n\right\}$ 事象をしっかりと分析して視覚化 Stage 3　確率　　　ⓖカルノー図	**58** 例題57　ITEM 57：最大値 $\left(\dfrac{5}{6}\right)^n-\left(\dfrac{2}{3}\right)^n$ 最大値の定義に従い，カルノー図で視覚化 Stage 3　確率　　　ⓖカルノー図

1
ジョーカーを除いた52枚のトランプから1枚取り出して元に戻すことを繰り返す．このとき，第n回に4度目のスペードカードが取り出される確率を求めよ．ただし，nは4以上の自然数とする．

2
赤玉4個，白玉10個が入った箱から，1個ずつ順に玉を取り出す（取り出した玉はもとに戻さない）．第n回に3個目の赤玉が取り出される確率を求めよ．ただし，$3\leq n\leq 13$とする．

3
大小2つのサイコロを同時に投げるとき，次の問いに答えよ．
(1) 大のサイコロの目が6であるとき，2つの目の和を5で割った余りが2である確率を求めよ．
(2) 6の目が出たとわかっているとき，大のサイコロの目が6である確率を求めよ．

4
当たり2本と外れ4本のくじが入った箱から，1本ずつ順にくじを取り出す（取り出したくじはもとに戻さない）．2本目が当たりであるとき，1本目が当たりである確率を求めよ．

5
あるメーカーには2つの工場A，Bがあり，それぞれ製品全体の8割，2割を作っている．また，不良品の割合は工場Aで1%，工場Bで3%である．今，製品を1つ選んでチェックしたところそれは不良品であった．このときその製品が工場Aで作られた確率を求めよ．

6
2つの箱A，Bがあり，Aには赤玉4個と白玉1個，Bには赤玉2個と白玉3個が入っている．それぞれの箱から玉を1つずつ，計2個の玉を取り出す．この中に赤玉があるとき，箱Bから白を取り出した確率を求めよ．

7
ある試行における2つの事象A，Bがある．
$P(B)=\dfrac{13}{30}$，$P(\overline{A}\cap\overline{B})=\dfrac{1}{30}$，$P_A(B)=\dfrac{1}{3}$
であるとき，$P_B(A)$を求めよ．

8
nは2以上の整数とする．アーチェリーの名手がおり，各回の試技における命中確率は$\dfrac{99}{100}$である．この名手がn回試技をして2回だけ失敗する確率が最大となるnを求めよ．

9
nは2以上の整数とする．正$2n$角形の頂点から異なる3点を選んで三角形を作るとき，以下の問いに答えよ．ただし，$2n$個の頂点は全て区別するとする．
(1) 直角三角形は何個できるか．
(2) 鋭角三角形は何個できるか．

10
nは2以上の整数とする．$1, 2, 3, \cdots, 2n$の$2n$個の数から重複を許して3個を選ぶ組合せのうち，取り出した3個の数が等差数列（公差が0でも可）をなすようなものの個数を求めよ．

11
nは自然数とする．箱の中にA，A，Bの3枚のカードが入っている．そこからカードを1枚取り出してもとに戻すことを繰り返し，同じ文字が連続して出たら終了とする．
[1] ちょうど$2n$回目で終了する確率を求めよ．
[2] n回目までに終了する確率を求めよ．

12
サイコロをn回投げ，出た目すべての積をX_nとする．
[1] X_nが6の倍数ではない確率p_nを求めよ．
[2] $X_1, X_2, X_3, \cdots$のうち初めて6の倍数となるものがX_nである確率q_nを求めよ．

61 例題60 ITEM 60：第○回に△度目の（非復元） $$\frac{(n-1)(n-2)(14-n)}{2002}$$ 注目している赤の出る回のみ考える Stage 3　確率	**60** 類題 59 ITEM 59：第○回に△度目の（反復試行） $$\frac{(n-1)(n-2)(n-3)}{486}\left(\frac{3}{4}\right)^n$$ 指定された回以前の事象の順序を考える Stage 3　確率　　　ⓗ独立反復試行
63 例題62 ITEM 62：条件付き確率（時の流れ） $$\frac{1}{5}$$ 時の流れに惑わされず，起こりやすさの割合を考える Stage 3　確率　　ⓜ条件付き確率, ⓖ	**62** 例題61 ITEM 61：条件付き確率（単なる割合） (1) $\frac{1}{3}$,　(2) $\frac{6}{11}$ 「確率」＝「起こりやすさの割合」 Stage 3　確率　　　ⓜ条件付き確率
65 類題 64 ITEM 64：条件付き確率（応用） $$\frac{6}{11}$$ 事象に名前を付けて目標を明示してから Stage 3　確率　　ⓜ条件付き確率, ⓖ	**64** 例題63 ITEM 63：条件付き確率（原因の確率） $$\frac{4}{7}$$ 事象に名前を付けて目標を明示してから Stage 3　確率　　ⓜ条件付き確率, ⓖ
67 例題67 ITEM 67：確率の最大化 199, 200 階差数列の符号を調べる Stage 4　確率	**66** 例題65 ITEM 65：条件付き確率（抽象的） $$\frac{8}{13}$$ 事象全体をカルノー図で視覚化 Stage 3　確率　　ⓜ条件付き確率, ⓖ
69 例題69 ITEM 69：2変数の条件 $n(n+1)$ 座標平面上の格子点に帰着 Stage 4　場合の数	**68** 例題68 ITEM 68：正多角形 (1) $2n(n-1)$,　(2) $\frac{1}{3}n(n-1)(n-2)$ 外接円に注目し，**モレなく ダブりなく** Stage 4　場合の数
71 類題 71 ITEM 71：「まで」から「ちょうど」へ [1] $\left(\frac{1}{2}\right)^n+\left(\frac{2}{3}\right)^n-\left(\frac{1}{3}\right)^n$, [2] $\frac{1}{2}\left(\frac{1}{2}\right)^{n-1}+\frac{1}{3}\left(\frac{2}{3}\right)^{n-1}-\frac{2}{3}\left(\frac{1}{3}\right)^{n-1}$ 事象の全体像を視覚化して把握する Stage 4　確率	**70** 類題 70 ITEM 70：独立反復試行：2連勝で終了 [1] $\frac{5}{2}\left(\frac{2}{9}\right)^n$, [2] $1-\left(\frac{2}{9}\right)^{\frac{n-1}{2}}$ (n : odd), $1-2\left(\frac{2}{9}\right)^{\frac{n}{2}}$ (n : even). 繰り返される事象を視覚化して Stage 4　確率　　　ⓗ独立反復試行

あるランプは，1秒毎に青，黄，赤のいずれかの色で光る．青の1秒後の色は確率 $\frac{2}{3}$ で青，確率 $\frac{1}{3}$ で黄であり，黄の1秒後の色は確率 $\frac{1}{2}$ で黄，確率 $\frac{1}{2}$ で赤である．ランプは初め青だったとして，n 秒後($n=2, 3, 4, \cdots$)に初めて赤になる確率を求めよ．

ある情報を人から人へと次々伝達する．1回の伝達において，情報は確率 $\frac{9}{10}$ でそのまま伝えられ，確率 $\frac{1}{10}$ で直前の情報を否定したものが伝えられる．n 回の情報伝達の後，初めの情報が正しく伝えられる確率を求めよ．

サイコロを n 回投げるとき，3の倍数が偶数回出る確率を求めよ．

2枚のコインを投げる操作を繰り返し，次のルールで持ち点を変えていく．初めの持ち点は0点である．2枚とも裏が出たとき，持ち点を0点として操作を終了する．それ以外のとき，表が出た枚数を持ち点に加算する．操作を n 回繰り返した後，持ち点が0以外の偶数である確率を求めよ．

1つのサイコロを n 回繰り返し投げるとき，出た目の総和が7の倍数となる確率を求めよ．

片面が白，反対側の面が赤であるカード3枚が置かれている．これに対して操作「各回において，3枚のうちどれか1枚だけをひっくり返す」を繰り返す．初め，3枚とも白を表にして置かれているとして，操作を n 回繰り返した後1枚だけ赤を表にしている確率を求めよ．

赤玉2個が入った箱Aと白玉2個が入った箱Bがある．これら2つの箱から玉を1個ずつ取り出して交換する操作を繰り返す．この操作を n 回繰り返したとき箱Aに赤玉が2個，1個入っている確率をそれぞれ p_n, q_n とする．p_n, q_n を求めよ．

赤玉2個が入った箱Aと白玉4個が入った箱Bがある．これら2つの箱から玉を1個ずつ取り出して空の箱Cに入れ，かき混ぜてからA，Bに1個ずつ戻す操作を繰り返す．この操作を n 回繰り返したとき箱Aに赤玉が2個，1個入っている確率をそれぞれ p_n, q_n とする．p_n, q_n を求めよ．

数直線上を動く点Pがある．Pは初め原点にあり，コインを投げる度に，表が出たらPは正の向きに2だけ進み，裏が出たらPは正の向きに1だけ進む．Pが点 n に到達する確率を求めよ．ただし，n は自然数とする．

円を7等分する7個の点 A_0, A_1, A_2, $\cdots$, A_6 がこの順に時計回りに並んでいる．サイコロを投げ，出た目の数だけ駒を点から点へと時計回りに動かす試行を繰り返す．最初 A_0 にあった駒が，n 回サイコロを投げた後初めて A_0 に戻る確率 p_n を求めよ．

箱の中に1, 2, 3のカードが1枚ずつ入っている．そこからカードを1枚取り出して元に戻すことを n 回繰り返すとき，2以上のカードどうしが連続して出ない確率を求めよ．

平面上に n 本の直線があり，どの2直線も交わり，どの3直線も1点で交わらないとする．このとき，これらの直線によって平面が分けられる領域の個数を求めよ．

73 例題73　ITEM 73：確率漸化式（各回2状態） $\frac{1}{2}+\frac{1}{2}\left(\frac{4}{5}\right)^n$ 直前と直後の関係を推移図で視覚化 Stage 4　確率　　　ⓝ確率漸化式	**72** 例題72　ITEM 72：一定方向への推移 $\left(\frac{2}{3}\right)^{n-1}-\left(\frac{1}{2}\right)^{n-1}$ 状態の移り変わりを推移図で視覚化 Stage 4　確率
75 例題75　ITEM 75：確率漸化式（$1-p_n$ でよい？？） $\frac{1}{2}\left\{\left(\frac{3}{4}\right)^n+\left(-\frac{1}{4}\right)^n\right\}$ モレなくダブりのない場合分けをしているか？ Stage 4　確率　　　ⓝ確率漸化式	**74** 例題74　ITEM 74：確率漸化式（明示的でない"ドミノ"構造） $\frac{1}{2}+\frac{1}{2}\left(\frac{1}{3}\right)^n$ 現象の中にあるドミノ構造を見抜く Stage 4　確率　　　ⓝ確率漸化式
77 類題77　ITEM 77：確率漸化式（偶奇分け） $0\ (n:\text{even}),$ $\frac{3}{4}+\frac{1}{4}\left(\frac{1}{3}\right)^{n-1}(n:\text{odd})$ まずは，事象そのものを見る Stage 4　確率　　　ⓝ確率漸化式	**76** 例題76　ITEM 76：確率漸化式（"束ねる"） $\frac{1}{7}+\frac{6}{7}\left(-\frac{1}{6}\right)^n$ 推移確率が等しい事象は"束ねて"扱う Stage 4　確率　　　ⓝ確率漸化式
79 例題79　ITEM 79：確率漸化式（各回3状態：対称性なし）⬆ $p_n=\frac{1}{15}+\frac{1}{3}\left(\frac{5}{8}\right)^n+\frac{3}{5}\left(\frac{3}{8}\right)^n$ $q_n=\frac{8}{15}+\frac{2}{3}\left(\frac{5}{8}\right)^n-\frac{6}{5}\left(\frac{3}{8}\right)^n$ 1つの数列の漸化式を作る Stage 4　確率　　　ⓝ確率漸化式	**78** 例題78　ITEM 78：確率漸化式（各回3状態：対称性あり） $q_n=\frac{2}{3}\left\{1-\left(-\frac{1}{2}\right)^n\right\}$ $p_n=\frac{1}{6}\left\{1-\left(-\frac{1}{2}\right)^{n-1}\right\}$ 状態変化の対称性に注目 Stage 4　確率　　　ⓝ確率漸化式
81 例題81　ITEM 81：すごろく $p_n=\frac{1}{6}\cdot\left(\frac{5}{6}\right)^{n-2}(n\geq 2),\ p_1=0$ 「アガリ」か，「そうでない」かの2つの状態を考える Stage 4　確率	**80** 例題80　ITEM 80：確率漸化式（ちょうど〜になる） $\frac{2}{3}\left\{1-\left(-\frac{1}{2}\right)^{n+1}\right\}$ 場合分けの基準を明記 Stage 4　確率　　　ⓝ確率漸化式
83 例題83　ITEM 83：領域の分割 $\frac{1}{2}(n^2+n+2)$ "ドミノ式"を頭に置いて現象を見る Stage 4　場合の数　　　ⓝ個数の漸化式	**82** 例題82　ITEM 82：確率漸化式（連続しない） $2\left(\frac{2}{3}\right)^{n+1}+\left(-\frac{1}{3}\right)^{n+1}$ 「最初」の方に注目して場合分け Stage 4　確率　　　ⓝ確率漸化式

あるランプは，各時刻において青，赤のいずれかの色で光る．初めランプは青であり，各時刻の1秒後は確率 $\frac{4}{5}$ で直前と同じ色，確率 $\frac{1}{5}$ で直前と異なる色である．ランプが2度赤く光ったら終了として，n 秒後 ($n=2,3,4,\cdots$) に終了となる確率 p_n を求めよ．

---

n は自然数とする．$2n$ 個の箱があり，k 番目 ($k=1, 2, 3, \cdots, 2n$) の箱には赤玉 k 個と白玉 $2n-k$ 個が入っている．箱を1つ選び，その箱から玉を1つ取り出しもとに戻してからもう1度玉を1つ取り出す．赤玉が2回続けて取り出されたとき，1番目から n 番目の箱が選ばれている確率を求めよ．

---

a は自然数の定数とする．n 個の箱があり，k 番目 ($k=1, 2, 3, \cdots, n$) の箱には赤玉 k 個と白玉 $n-k$ 個が入っている．まず箱を1つ選ぶ．そして選んだ箱から玉を取り出してもとに戻すことを繰り返し行う．a 回続けて赤玉を取り出す確率を p_n とする．このとき $\lim_{n \to \infty} p_n$ を求めよ．

箱の中に2個の赤玉と $n-2$ 個 ($n \geq 3$) の白玉が入っている．そこから同時に2個の玉を取り出し，色を確かめてからもとに戻すことを繰り返す．取り出した2個に白が含まれることが n^2 回続けて起きる確率を p_n とするとき，$\lim_{n \to \infty} p_n$ を求めよ．

箱の中に 1, 2, 3, $\cdots$, n ($n \geq 2$) のカードが1枚ずつ計 n 枚入っている．そこからカードを2枚同時に抜き出す．
(1) 小さい方の数を X とする．X の期待値 $E(X)$ を求めよ．
(2) 大きい方の数の2乗を Y とする．Y の期待値 $E(Y)$ を求めよ．

数直線上の動点 P は，初め原点にあり，各回の移動においてサイコロを投げて 4 以下の目が出たら $+2$，それ以外の目なら -1 だけ移動する．n 回移動をした後の P の座標 X の期待値 $E(X)$ を求めよ．

数直線上の動点 A が，5点 $-2, -1, 0, 1, 2$ 上を1秒ごとに移動する．各回において，正，負の向きにそれぞれ確率 $\frac{2}{3}, \frac{1}{3}$ で距離1だけ動く．ただし，点 $-2, 2$ の後は必ず原点方向へ距離1だけ動く．時刻 0(秒) において A は点 1 にあるとして，時刻 n(秒) に A が点 0 に位置する確率 p_n を求めよ．

あるゲームを繰り返し行う．各回のゲームで，確率 $\frac{1}{2}$ で1点得て，確率 $\frac{1}{2}$ で1点を失う．得点が0点もしくは10点になったらこのゲームを終了とするとき，0以上10以下の整数 n に対して n 点から始めて0点となって終了する確率 p_n を求めよ．ただし，$p_0=1$，$p_{10}=0$ である．

壺の中に赤玉3個と黒玉1個が入っている．「この壺から玉を1個取り出してもとに戻し，さらにそれと同じ色の玉1個を壺に追加する」という操作を繰り返す．n 回後，壺に $3+k$ 個 ($k=0, 1, 2, \cdots, n$) の赤玉が入っている確率を求めよ．

0, 1, 2, $\cdots$, 9 の10種類の数字を，重複を許して n 個並べるとき，1, 2, 3, 4, 5 を全て含む並べ方は何通りか．ただし $n \geq 5$ とする．

---

n 人の人が，それぞれ1つずつプレゼントを持ち寄ってプレゼント交換を行う．すなわち，n 個のプレゼントを全員に1個ずつ配る．このとき全員が自分の持ってきたプレゼント以外を受け取る配り方の数を a_n とする．a_n, a_{n-1}, a_{n-2} の間に成り立つ関係式を求めよ．

N, r, n は自然数とする．箱の中に赤玉 r 個と白玉 $N-r$ 個，計 N 個の玉が入っている．そこから n 個を同時に取り出すとき，そこに含まれる赤玉の個数を X とする．ただし，$r<N$，$n \leq N$ とする．X の期待値 $E(X)$ を N, r, n を用いて表せ．

85 類題 86 ITEM 86：数列Σと条件付き確率	84 類題 84 ITEM 84：確率漸化式？
$\dfrac{n+1}{2(4n+1)}$	$\dfrac{4^{n-3}(14+n)}{5^n}$
条件付き確率→事象に名前を付け，目標を明示	まずは事象そのものと向き合う
Stage 4　確率　　　ⓜ条件付き確率	Stage 4　確率

87 類題 88 ITEM 88：e に収束 (理系)（数学Ⅲ）	86 例題87 (2) ITEM 87：区分求積法 (理系) との融合（数学Ⅲ）
$\dfrac{1}{e^2}$	$\dfrac{1}{a+1}$
式のどこに，どんな不定形があるか	limとΣが混在したら，区分求積法かも
Stage 4　確率　　　ⓟ極限（数学Ⅲ）	Stage 4　確率　　　ⓜ条件付き確率，ⓟ

89 例題90 ITEM 90：期待値と二項係数	88 例題89 ITEM 89：期待値
n	(1) $\dfrac{n+1}{3}$，(2) $\dfrac{(n+1)(3n+2)}{6}$
事象を中心に．二項定理を活用して	事象を中心に考える
Stage 4　確率　　　ⓞ期待値	Stage 4　確率　　　ⓞ期待値

91 例題94 ITEM 94：破産の確率	90 例題93 ITEM 93：ランダムウォーク（反射壁）
$1-\dfrac{n}{10}$	0 (n：even), $\dfrac{2}{5}-\dfrac{1}{15}\left(\dfrac{2}{3}\right)^{n-1}$ (n：odd)
スタート時の得点だけを考える	点の移動を推移グラフで視覚化
Stage 5　確率　　　ⓘ推移グラフ，ⓝ	Stage 5　確率　　　ⓘ推移グラフ，ⓝ

93 類題 97 ITEM 97：包除原理（一般）⬆	92 例題96 ITEM 96：ポイヤの壺 ⬆
$10^n-5\cdot 9^n+10\cdot 8^n-10\cdot 7^n+5\cdot 6^n-5^n$	$\dfrac{3(k+1)(k+2)}{(n+1)(n+2)(n+3)}$
包除原理で，過不足なく	状態の推移の全体像を観察する
Stage 5　場合の数　　　ⓕ包除原理，ⓒ	Stage 5　確率

95 例題99 (2) ITEM 99：期待値の加法性（数学B）	94 例題98 (1) ITEM 98：乱列 ⬆
$\dfrac{n}{N}\cdot r$	$a_n=(n-1)(a_{n-1}+a_{n-2})$
単純な確率変数の和として表す	課せられた条件の本質を見破る
Stage 5　確率　　　ⓞ期待値	Stage 5　場合の数　　　ⓝ個数の漸化式

用語リスト

(" "が付いたものは，本書内での呼称)

(用語 …………………… 簡単な説明：頁数)

――― あ ―――
- 1対1対応……………… 1個ずつ対応：66, 72
- 円順列…………………………………… 38
- 同じものを含む順列……………………：36

――― か ―――
- 階乗 $n!$ ………………… 1〜n までの積：25, 58
- "書き出し"……………………… 全てを羅列：18, 90
- 確率…………… 事象の起こりやすさの割合：19, 40
- 確率変数……………… 事象に対して定まる値：230
- 確率漸化式……………………………………196
- 加法定理………………………… 和事象の確率：19
- カルノー図………………… 集合の関係図：17, 71, 94
- 期待値(平均)……………………………：230
- 期待値の加法性…………………………………252
- キャロル表………………… 集合の関係図：144
- 共通部分(交わり)………………… $A \cap B$：17
- "記録カード方式"…………………………29, 51
- 空事象………………… 起こりえない事象：19
- 空集合………………… 要素のない集合：16
- 区分求積法……………… $\lim \sum \int$ に：179, 226
- 組………………………………… 順序を区別：6, 66
- 組合せ $_nC_k$ ……………… 順序を考えない選び方：34
- 組分け……………………… グループに分ける：78
- 原因の確率………………… 時の流れと逆行：154
- 根元事象………………… 細分化不能な事象：41

――― さ ―――
- 試行…………… 偶然に支配される実験：19
- 事後の確率……………… 事象の後で考える：156
- 事象…………………………… 試行の結果：19
- 辞書式配列………………………………25, 92
- 自然対数の底 e ……………………：179, 228
- 集合…………………………… ものの集まり：16
- 樹形図………………………………………18, 24
- 数珠順列……………………………………… 80
- "主役脇役ダブルカウント"…………… 33, 143
- 順列 $_nP_k$ ……………… 順序を考えた並べ方：24
- 条件付き確率…………………………：19, 151
- 乗法定理………………… 積事象の確率：19, 51, 151
- 乗法定理(独立試行)……………………19, 42
- "推移グラフ"………………… 変化を表す：102, 134
- 推移図………………………………………195, 197
- 積事象……………………………… $A \cap B$：19, 42
- 積の法則………… 均等な枝分かれの樹形図：18, 25

――― た ―――
- 全事象……………… 起こり得る事象全体：19, 40
- 全体集合………………… 考えるもの全体：16

――― た ―――
- "束ねる"… 複数の事象をまとめる：131, 204, 215
- "ダブり"……………………… 重複して数える：22, 31
- "ダブルカウント"…………………………→ダブり：22
- 重複組合せ……………………………………75, 110
- 重複順列………………………………………… 26
- 等確率……………………………………19, 40, 44
- 同基準………………… 確率の求め方：19, 44, 46
- 独立(試行)…………… 各操作が無関係：19, 43, 48
- 独立(事象)……………………………………139, 160
- 独立反復試行……………………………………48, 86
- "ドミノ式"………………… 初項＋漸化式：166, 196
- ド・モルガンの法則………… $\cap$，$\cup$ と否定：17, 95

――― な ―――
- 二項係数 $_nC_k$ ……………………… 59, 162, 232

――― は ―――
- "場合の数の比"……………… 確率の求め方：19, 40
- 場合分け………………………………………… 30
- 排反………………………… ダブりなし：19, 123
- 非復元抽出………………… 元に戻さず次を：50
- 復元抽出…………………… 元に戻して次を：48
- 部分集合………………………… 集合の一部：16
- 平均………………………………→期待値：230
- ベン図………………… 集合の関係図：17, 95
- 包除原理………… 和集合の要素数：17, 71, 248
- 補集合 $\overline{A}$ …………………………… A 以外：16, 32

――― ま ―――
- "無関係"…………………………→独立(試行)：19, 42
- "モレ"……………………………… 数え忘れ：22, 31

――― や ―――
- 要素……………… 集合を構成するもの：16
- 余事象 $\overline{A}$ ………………… A が起きない：19, 54

――― ら ―――
- 連………………………… 同じものの連なり：108

――― わ ―――
- 和事象………………………………… $A \cup B$：19
- 和集合(結び)………………………… $A \cup B$：17
- 和の法則……………… 場合分けして加える：18, 30
- "割り算"………… 積の法則の逆利用：34, 36, 79

［視覚化方法一覧］

ITEM 1
「組合せ」　「組」
{1, 2, 5}　(1, 2, 5)

ITEM 2
樹形図（枝分かれが均等）

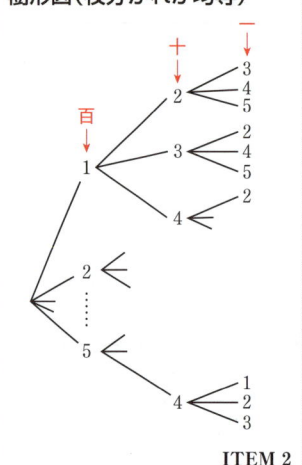

類題31 解答
樹形図（全て書き出す）

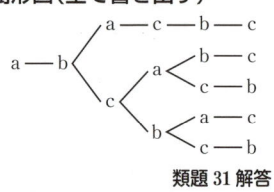

カルノー図

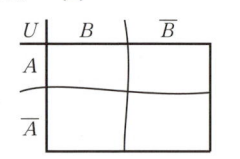

ベン図
特講A 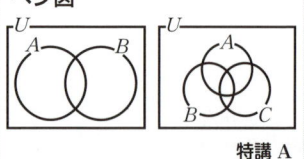

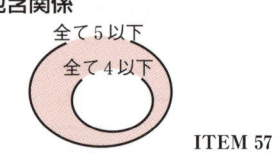

ITEM 57
包含関係
全て5以下
全て4以下

ITEM 11
確率に比例した面積図

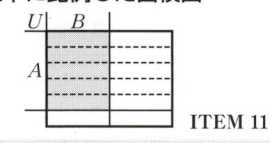

ITEM 24
ボールの箱への入れ方 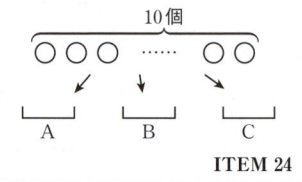
10個
A　B　C

ITEM 17
同時に取り出す操作
1, 2, 3, …, 10

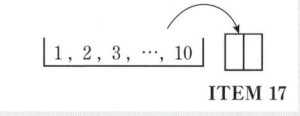

類題12 解答
非復元抽出の操作 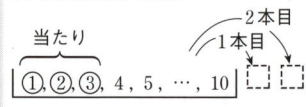
当たり　2本目　1本目
①,②,③, 4, 5, …, 10

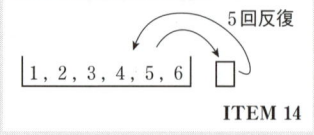

ITEM 14
独立反復試行の操作
5回反復
1, 2, 3, 4, 5, 6

ITEM 30
独立反復試行おける全順序
回：　1　2　3　4　5
$A\ A\ A\ \overline{A}\ \overline{A}$
$A\ A\ \overline{A}\ A\ \overline{A}$
$A\ A\ \overline{A}\ \overline{A}\ A$
⋮
$\overline{A}\ \overline{A}\ A\ A\ A$

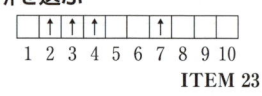

ITEM 18
カタマリとみる　　"間"に入れる

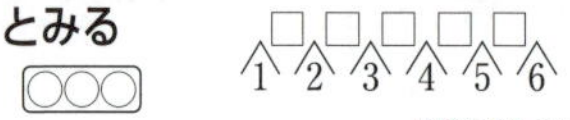

ITEM 23
場所を選ぶ
1 2 3 4 5 6 7 8 9 10

ITEM 24
○を｜で仕切る
○○○｜○○○○○｜○○
⟷　A 3個　B 5個　C 2個

ITEM 26
対応関係 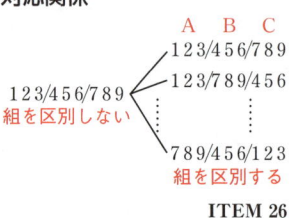
　　　　A　B　C
123/456/789　123/456/789
123/456/789　123/789/456
組を区別しない　⋮
　　　　789/456/123
　　　　組を区別する

ITEM 50
立方体 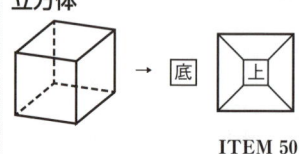
→　底　上

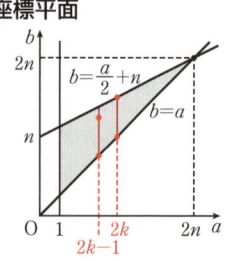

ITEM 69
座標平面
$b = \dfrac{a}{2} + n$
$b = a$
$2k-1$, $2k$, $2n$

ITEM 70
同じ事象の繰り返し
$\boxed{AB}\ \boxed{AB}\ \cdots\ \boxed{AB}\ AA$

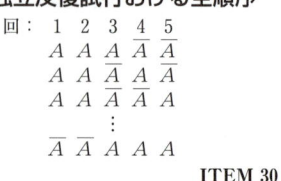

合格る確率 +場合の数

解答編
類題1〜類題100の解答

文英堂

1

解答

[1] 3つの箱に入るボールの個数の内訳を全て書き出すと次のとおり．

{0, 0, 8}, {0, 1, 7}, {0, 2, 6},
{0, 3, 5}, {0, 4, 4}, {1, 1, 6},
{1, 2, 5}, {1, 3, 4}, {2, 2, 4},
{2, 3, 3}

よって求める場合の数は，**10通り**．

解説

「なるべく左に小さな数を書く」というルールを設けて，モレなくダブリなく数えます．

[2] (小の目, 大の目) と表す．

小の目を固定し，大の目がその倍数になっているものを全て書き出すと次のとおり．

(1, 1), (1, 2), (1, 3), (1, 4), (1, 5),
(1, 6),
(2, 2), (2, 4), (2, 6),
(3, 3), (3, 6),
(4, 4),
(5, 5),
(6, 6).

よって求める場合の数は，**14通り**．

2

解答

[1] 左右

左，右の順に考えて，求める場合の数は

積の法則 $6 \cdot 5 = 30$(通り)．

$_6P_2$

[2] 左から右へ順に考えて，求める場合の数は

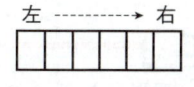

$6! = 6 \cdot 5! = 6 \cdot 120 = $ **720(通り)**．

3

[1] **解答** サイコロを区別して考えて，求める場合の数は

$6^3 = $ **216(通り)**．

重要

「6^3」の意味を確認しておきます．3つのサイコロにA，B，Cと名前を付けて説明すると

$\underset{\text{Aの目}}{6} \cdot \underset{\text{Bの目}}{6} \cdot \underset{\text{Cの目}}{6}$

のように，サイコロを区別した上で積の法則を使っています．

[2] **着眼** ボール，箱に名前を付けて，操作を視覚化しましょう．

ボール 1, 2, 3, …, 8 (空箱OK)

箱 A B C

解答 各ボール毎に3通りの入れ方があるから，求める入れ方の数は

$3^8 = 9^4 = 81^2 = $ **6561**．

4

解答

母音：a, e
子音：b, c, d, f

左中右
　　　a, e

右，中，左の順に考えて，求める場合の数は

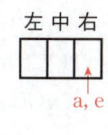

$2 \cdot 5 \cdot 4 = $ **40(通り)**．

解説 制限のある「右」から考えます．

5

着眼 原則どおり制限の厳しい所から順に数えましょう．

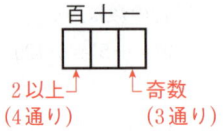

百　十　一
2以上（4通り）　　奇数（3通り）

解答
○ 一の位が1であるものは
$1 \cdot 4 \cdot 3 = 12$（通り）．
○ 一の位が3, 5であるものは
$2 \cdot 3 \cdot 3 = 18$（通り）．
○ 以上より，求める個数は
$12 + 18 = 30$（通り）．

6

解答

1, 3, 5, 7, 9
2, 4, 6, 8
　→ 3枚並べる　操作を視

○ 全ての並べ方の個数は
$n(U) = 9 \cdot 8 \cdot 7$．
○ そのうち
E：「少なくとも1枚は偶数」
の補集合
$\overline{E}$：「3枚とも奇数」
について
$n(\overline{E}) = 5 \cdot 4 \cdot 3$．
○ 以上より，求める場合の数は
$n(E) = n(U) - n(\overline{E})$
$= 9 \cdot 8 \cdot 7 - 5 \cdot 4 \cdot 3$
$= 3 \cdot 4(42 - 5)$
$= 12 \cdot 37 = 444$（通り）．

解説
「少なくとも1枚は偶数」とは，含まれる偶数の枚数が1, 2, 3のいずれかであることを指し，場合分けが多く面倒ですね．

7

解答 異なる8個から異なる5個を取る組合せを考えて，求める場合の数は
$_8C_5 = {}_8C_3$　　$_nC_r = {}_nC_{n-r}$
$= \dfrac{8 \cdot 7 \cdot 6}{3 \cdot 2} = 56$（通り）．

8

解答 カード②2枚，③4枚はそれぞれ同じものだから，求める場合の数は
$\dfrac{7!}{2!4!} = \dfrac{7 \cdot 6 \cdot 5}{2} = 105$（通り）．

9

解答
[1] aを固定し，残りの5人を時計回りに並べる仕方を考えて，求める個数は
$5! = 120$（通り）．

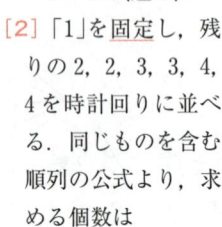

[2] 「1」を固定し，残りの2, 2, 3, 3, 4, 4を時計回りに並べる．同じものを含む順列の公式より，求める個数は
$\dfrac{6!}{2!2!2!} = \dfrac{6 \cdot 5 \cdot 4 \cdot 3 \cdot 2}{2 \cdot 2 \cdot 2}$
$= 90$（通り）．

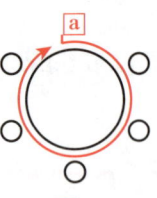

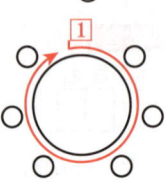

注意 1つを固定し，他を一定の向きに並べる方法を考えるので，「同じものを含む順列の公式」が使えます．

10

解答

1，2，**3**，4，5，**6**，7，8，**9**，10
（3の倍数）

カードの取り出し方：10通りの各々は等確率であり，そのうち3の倍数であるものは3，6，9の3通り．
よって求める確率は
$$\frac{3}{10}.$$

11

解答

1，**2**，3，**4**，5　□　　6，7，**8**，9，**10**　□
　　　　A　　　　　　　　　　B

操作を〈視〉

○ Aから偶数を取り出す確率は，$\frac{2}{5}$．

○ Bから偶数を取り出す確率は，$\frac{3}{5}$．

○ よって求める確率は，$\frac{2}{5}\cdot\frac{3}{5}=\frac{6}{25}$．

重要 箱Aからカードを1枚取り出す試行と，箱Bからカードを1枚取り出す試行とは独立ですから，乗法定理(独立試行)が使えます．独立試行？

12

当たり
①，②，③，4，5，…，10　□ □
　　　　　　　　　　　　　1本目 2本目

くじを全て区別する

方針
問題文では1本目，2本目と順序を考えて2本取り出すように書かれていますが，その結果として取り出される2本の「組合せ」を用いると楽です．満たされるべき条件は「当たりと外れが1本ずつ」という順序に関係ないものですから！

解答

○ 取り出す2本の組合せ：
$${}_{10}C_2=5\cdot9\text{(通り)}$$
の各々は等確率．

○ そのうち当たりと外れが1本ずつであるものは，$3\cdot7$通り．

○ よって求める確率は
$$\frac{3\cdot7}{5\cdot9}=\frac{7}{15}.$$

13

解答

コインをa，b，cと区別する．

○ 3枚のコインの出方：2^3通りの各々は等確率．

○ そのうち条件を満たすものは，
(aの出方，bの出方，cの出方)
と表して　同基準？　　表
(H, H, T), (H, T, H), (T, H, H)　裏
の3通り．

○ よって求める確率は
等確率　　$\frac{3}{2^3}=\frac{3}{8}.$

注意 コインを区別しないことには「等確率」な場合の数は得られません！

14

解 答

W₁ W₂ R₁ R₂ R₃ R₄ R₅　3回反復

玉を全て区別して考える　区別？

○各回において白(W)が出る確率は $\dfrac{2}{7}$.

○求めるものは，上記が3回連続して起こる確率であり，

$$\left(\dfrac{2}{7}\right)^3=\dfrac{8}{343}.$$

重 要

もちろん上記における乗法定理(独立試行)は，順序を区別して使われています．

$$\underset{\text{第1回がW}}{\dfrac{2}{7}}\cdot\underset{\text{第2回がW}}{\dfrac{2}{7}}\cdot\underset{\text{第3回がW}}{\dfrac{2}{7}}$$

15

解 答

1枚目　2枚目
$\begin{vmatrix} 1, & 3, & 5, & 7, & 9 \\ 2, & 4, & 6, & 8 & \end{vmatrix}$　□ □

A：「1枚目が奇数」,
B：「2枚目が奇数」
とする．

[1] ○$P(A)=\dfrac{5}{9}$.　(例) 状態を 視

$\begin{vmatrix} 1, & & 5, 7, 9 \\ 2, & 4, & 6, 8 \end{vmatrix}$

○Aが起きたとき，箱の中は右のようになっている．このもとで2枚目が偶数である確率は

$P_A(\overline{B})=\dfrac{4}{8}$.　条件付き確率

○よって求める確率は

$$P(A\cap\overline{B})=P(A)\cdot P_A(\overline{B})$$
$$=\dfrac{5}{9}\cdot\dfrac{4}{8}=\dfrac{5}{18}.$$

[2] ○$P(\overline{A}\cap B)$ を求める．

$P(\overline{A})=\dfrac{4}{9}$.

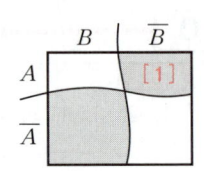

	B	$\overline{B}$
A		[1]
$\overline{A}$		

○$\overline{A}$ が起きたとき，箱の中は右のようになっている．このもとで2枚目が奇数である確率は

(例)
$\begin{vmatrix} 1, 3, 5, 7, 9 \\ 2, 4, 8 \end{vmatrix}$

$P_{\overline{A}}(B)=\dfrac{5}{8}$.

○よって

$$P(\overline{A}\cap B)=P(\overline{A})\cdot P_{\overline{A}}(B)$$
$$=\dfrac{4}{9}\cdot\dfrac{5}{8}=\dfrac{5}{18}.$$

○これと[1]を加えて，求める確率は

$$\dfrac{5}{18}+\dfrac{5}{18}=\dfrac{5}{9}.$$

[2]の **別解**

○1, 2枚目に取り出す2枚の組合せ：

$$_9C_2=9\cdot 4(通り)$$

の各々は等確率．　等確率？

○そのうち条件を満たすものは

$$5\cdot 4(通り)$$　同基準？
　奇数の選び方　偶数の選び方

○よって求める確率は

$$\dfrac{5\cdot 4}{9\cdot 4}=\dfrac{5}{9}.$$

解説　[2]は，**別解**の方が簡単でしたね．実は，[1]と[2]**別解**を比べてみると次のようになっています．

条件設定	解法
[1] 順序が関係ある	順序を区別して
[2] 順序が関係ない	順序を無視して

条件設定に応じた解法を選ぶことが大切ですね．

16

解答

○各回において起きる事象とその確率は

$$\begin{cases} A：「3 以上の目が出る」\cdots \dfrac{4}{6}=\dfrac{2}{3}, \\ \overline{A}：「1，2 の目が出る」\cdots \dfrac{2}{6}=\dfrac{1}{3}. \end{cases}$$

○3 回までに A が起きる事象は，右図のように

1回 A
2回 $\dfrac{A}{\overline{A}}$
3回 $\dfrac{A}{\overline{A}}\!-\!A$

A,
$(\overline{A}, A)$, **順序を区別**？
$(\overline{A}, \overline{A}, A)$

の 3 つに分けられる．

○よって求める確率は

$$\dfrac{2}{3}+\dfrac{1}{3}\cdot\dfrac{2}{3}+\dfrac{1}{3}\cdot\dfrac{1}{3}\cdot\dfrac{2}{3}=\dfrac{18+6+2}{27}$$

第1回が A　　第2回が $\overline{A}$
$$=\dfrac{26}{27}.$$

←以降の **別解**

○題意の事象の余事象は
$(\overline{A}, \overline{A}, \overline{A})$

だから求める確率は

$$1-\left(\dfrac{1}{3}\right)^3=\dfrac{26}{27}.$$

注意 もちろん，「$\left(\dfrac{1}{3}\right)^3$」は，順序を区別した上で乗法定理（独立試行）を用いて得られたものです．

17

解答

○各回において起きる事象とその確率は

$$\begin{cases} A：「5 以上の目が出る」\cdots \dfrac{2}{6}=\dfrac{1}{3}, \\ \overline{A}：「4 以下の目が出る」\cdots \dfrac{4}{6}=\dfrac{2}{3}. \end{cases}$$

○題意の事象の余事象は
「n 回とも $\overline{A}$ が起きる」．

○よって求める確率は

$$1-\left(\dfrac{2}{3}\right)^n.$$

注意 1 から引くことを忘れないように！

18

解答 $\begin{cases} 偶数：2, 4, 6 \\ 奇数：1, 3, 5, 7 \end{cases}$

[1] ○偶数 3 つを**カタマリ**とみて
1, 3, 5, 7, $\boxed{\{2, 4, 6\}}$

の 5 個を並べる…5! 通り．

○□内の 2, 4, 6 を並べる…3! 通り

○よって求める場合の数は
$5!\cdot 3!=120\cdot 6=\mathbf{720(通り)}.$

[2] ○まず奇数 1, 3, 5, 7 を並べる…4! 通り．

○（例）$\underset{}{\wedge}\overset{5}{}\underset{}{\wedge}\overset{3}{}\underset{}{\wedge}\overset{1}{}\underset{}{\wedge}\overset{7}{}\underset{}{\wedge}$

$\wedge$〜$\wedge$ から 3 か所を選んで偶数 2, 4, 6 を 1 枚ずつ入れる…$5\cdot 4\cdot 3$ 通り．

○よって求める場合の数は
$4!\times 5\cdot 4\cdot 3=\mathbf{1440(通り)}.$

補足 [2] の最後の計算は，たとえば次のようにするとよいでしょう．

$4!\times 5\cdot 4\cdot 3=\underbrace{4\cdot 3}_{12}\cdot\underbrace{2\cdot 5}_{10}\cdot\underbrace{4\cdot 3}_{12}=12^2\cdot 10=1440$

$12^2=144$

（⇒本冊 p.56 **特講C** [1](4)）

19

解 答

$1, 2, 3, \cdots, 8 \xrightarrow{\text{重複OK}}$ 百十一 □□□

○ 各位の和が9の倍数となる組合せを考える．

- 和が9
  $\{1, 1, 7\}^{\bigcirc}$, $\{1, 2, 6\}^{\bigcirc}$, $\{1, 3, 5\}^{\bigcirc}$,
  $\{1, 4, 4\}^{\bigcirc}$, $\{2, 2, 5\}^{\bigcirc}$, $\{2, 3, 4\}^{\bigcirc}$,
  $\{3, 3, 3\}^{\triangle}$
- 和が18
  $\{2, 8, 8\}^{\bigcirc}$, $\{3, 7, 8\}^{\bigcirc}$, $\{4, 6, 8\}^{\bigcirc}$,
  $\{4, 7, 7\}^{\bigcirc}$, $\{5, 5, 8\}^{\bigcirc}$, $\{5, 6, 7\}^{\bigcirc}$,
  $\{6, 6, 6\}^{\triangle}$

○ 上記各々から作られる3桁の整数は
$$\begin{cases} \bigcirc \cdots 3! \text{通り} \\ \bigcirc \cdots 3 \text{通り} \\ \triangle \cdots 1 \text{通り} \end{cases}$$

○ 以上により，求める個数は
$$\underset{\bigcirc}{6 \cdot 3!} + \underset{\bigcirc}{6 \cdot 3} + \underset{\triangle}{2 \cdot 1} = 36 + 18 + 2$$
$$= 56 \text{(通り)}.$$

補足 各位の和で最大のものは，$8+8+8=24$ ですから，各位の和で9の倍数であるものは9と18のみです．

20

解 答

[1] $a_1 < a_2 < a_3 < a_4$ のとき
「組 (a_1, a_2, a_3, a_4)」と「組合せ $\{a_1, a_2, a_3, a_4\}$」は 1対1対応．

よって求める場合の数は，サイコロの目：$1, 2, 3, \cdots, 6$ から異なる4個の目を選ぶ組合せを考えて
$${}_6C_4 = {}_6C_2 = \frac{6 \cdot 5}{2} = 15 \text{(通り)}.$$

[2] $\begin{cases} \text{偶数}: 2, 4, 6, 8, 10 \to 2\text{枚選ぶ} \\ \text{奇数}: 1, 3, 5, 7, 9 \to 3\text{枚選ぶ} \end{cases}$

○ 偶数2枚の選び方…${}_5C_2 = 10$(通り)．
  奇数3枚の選び方
  $\qquad \cdots {}_5C_3 = {}_5C_2 = 10$(通り)．

○ たとえば $\begin{cases} 2, 8 \\ 3, 7, 9 \end{cases}$ を並べる仕方を考える．
  偶数 2, 8 はこの順に並ぶから，これらが並ぶ場所を「○」で表して
  $\qquad \bigcirc, \bigcirc, 3, 7, 9$
  の並べ方を考えると
  $\qquad \frac{5!}{2!} = 5 \cdot 4 \cdot 3 = 60$(通り)．

○ 以上より，求める場合の数は
  $\qquad 10 \cdot 10 \times 60 = \mathbf{6000}$(通り)．

21

解 答

○ 題意の「和」を X と表す．X の値は，次のように分けられる．

3^6 通り $\begin{cases} X > 0 & \cdots ① \\ X = 0 & \cdots ② \\ X < 0 & \cdots ③ \end{cases}$ **全体像を視**

○ X の符号の対称性より①，③は同数．
○ ②となる6つの数の組合せ，および順序を考えたときの並べ方の数は，「$+1$」を「$+$」，「-1」を「$-$」で表すと次の通り．

$\{0, 0, 0, 0, 0, 0\} \cdots 1$ 通り

$\{0, 0, 0, 0, +, -\} \cdots \frac{6!}{4!} = 30$(通り)

$\{0, 0, +, +, -, -\}$
$\qquad \cdots \frac{6!}{2!2!2!} = \frac{6 \cdot 5 \cdot 4 \cdot 3 \cdot 2}{2 \cdot 2 \cdot 2} = 90$(通り)

$$\{+, +, +, -, -, -\}$$
$$\cdots \frac{6!}{3!3!} = \frac{6\cdot 5\cdot 4}{3\cdot 2} = 20 \text{(通り)}$$

よって②の個数は
$$1+30+90+20=141.$$

○以上より，求める場合の数は
$$\frac{3^6-141}{2} = \frac{588}{2} = 294 \text{(通り)}.$$

補足 ②の個数を数える際，
「組合せ」→「順列」
の手法（⇦ **ITEM19**）を使っています．

22

解答

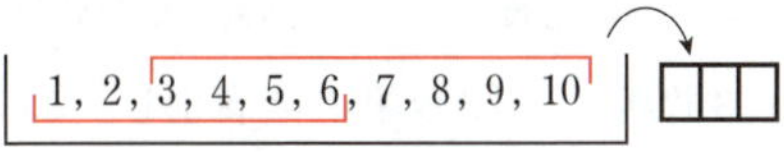

$\underbrace{1, 2, \overbrace{3, 4, 5, 6}, 7, 8, 9, 10}$ □□□

A：「全てが3以上」
B：「全てが6以下」とする．

[1] 求める場合の数 $n(A)$ は，3〜10 の 8枚から3枚を選ぶ組合せを考えて
$$n(A) = {}_8C_3 = \frac{8\cdot 7\cdot 6}{3\cdot 2} = 56 \text{(通り)}.$$

[2] ○求める場合の数は，
$n(A\cup B)$．
右の色付部分

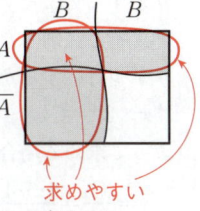

○$n(B) = {}_6C_3$
$= 20.$

○$A\cap B$：「全てが3〜6」だから，
$n(A\cap B) = {}_4C_3 = 4.$

○以上より，求める場合の数は
$n(A\cup B) = n(A)+n(B)-n(A\cap B)$
包除原理 $= 56+20-4 = 72 \text{(通り)}.$

求めやすい

23

解答

[1]「AからBへの最短経路」と「→3個，↑5個の並べ方」は1対1対応．よって求める場合の数は
$${}_8C_3 = \frac{8\cdot 7\cdot 6}{3\cdot 2} = 56\text{(通り)}.$$
「→」を置く場所の選び方

[2] [1]と同様に
「A→C の経路」と「→2個，↑3個の並べ方」

および

「C→B の経路」と「→1個，↑2個の並べ方」

はそれぞれ1対1対応．よって求める場合の数は
積の法則
$${}_5C_2 \cdot {}_3C_1 = 10\cdot 3 = 30\text{(通り)}.$$

24

解答

[1] 商品を○，4人を A，B，C，D と表す．

○○○│○││○○○○○○
A 3個 B 1個 C 0個 D 6個 **例を視**

「題意の分け方」と「10個の○を3本の│で仕切る方法」とは1対1対応．よって求める場合の数は
$${}_{13}C_3 = \frac{13\cdot 12\cdot 11}{3\cdot 2} = 286\text{(通り)}.$$

[2] 区別のつかない5個のサイコロの目を「○」で表し，それを1〜6の目に分配すると考える．

○││○○│○│○│
1 2 3 4 5 6 …サイコロの目

22〜24 の解答 7

「題意の目の出方」と「5個の○を5本の｜で仕切る方法」とは1対1対応．よって求める場合の数は

$${}_{10}C_5 = \frac{10 \cdot 9 \cdot 8 \cdot 7 \cdot 6}{5 \cdot 4 \cdot 3 \cdot 2} = 252 \text{(通り)}.$$

参考 [2]で求めたものは，1～6の中から重複を許して5個取る「重複組合せ」の個数とみることもできます．

25

解答

[1] 消しゴムを○，4人の子供をA，B，C，Dと表す．

○○○○○｜○○｜｜○○○○
1 2 3 4 5 6 7 8 9 10 11
A 5個　　B 2個　↑　D 4個
　　　　　　C 1個

「題意の分け方」と「↑～↑から3か所を選んで｜を1本ずつ入れる方法」とは1対1対応．よって求める場合の数は

$${}_{11}C_3 = \frac{11 \cdot 10 \cdot 9}{3 \cdot 2} = 165 \text{(通り)}.$$

[2] 区別のつかない10個のサイコロの目を「○」で表し，それを1～6の目に分配すると考える．全ての目が出ることに注意する．

○↑○○↑○○↑○○↑○○↑○　サイコロの目
1　2　3　4　5　6

「題意の目の出方」と「↑～↑から5か所を選んで｜を1本ずつ入れる方法」とは1対1対応．よって求める場合の数は

$${}_9C_5 = {}_9C_4$$
$$= \frac{9 \cdot 8 \cdot 7 \cdot 6}{4 \cdot 3 \cdot 2} = 126 \text{(通り)}.$$

注意 この[2]は，「重複組合せ」ではありません．

26

解答

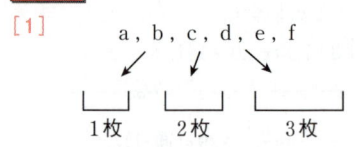

[1]
a，b，c，d，e，f
↓　　↓　　↓
1枚　2枚　3枚

個数の少ない方から

「1枚の組」，「2枚の組」の順にどのカードを入れるかを考えて，求める場合の数は

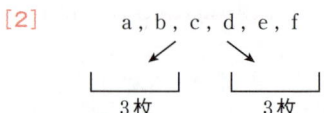

$${}_6C_1 \cdot {}_5C_2 = 6 \cdot 10 = 60 \text{(通り)}.$$

[2]
a，b，c，d，e，f
↓　　　↓
3枚　　3枚

○「3枚組ア」，「3枚組イ」と区別し，この順に入れ方を考えると

　　${}_6C_3$ 通り．

○
　　　　　　　　3枚組ア　3枚組イ
　　　　　　　　a，b，c／d，e，f
a，b，c／d，e，f 〈
　　　　　　　　d，e，f／a，b，c

「組を区別しない題意の分け方」を x 通りとすると，その各々に対して，組をア，イと区別したときの分け方が $2!$ 通りずつ対応するから，

$$x \times 2! = {}_6C_3.$$

○よって求める場合の数は

$$x = \frac{{}_6C_3}{2!} = \frac{6 \cdot 5 \cdot 4}{3 \cdot 2 \cdot 2} = 10 \text{(通り)}.$$

[3] ○まず，aとeを異なる組に入れる．
　　a，□□□　　e，□□□　　**区別**？

○区別のついた2つの組に残りの4枚を入れる仕方を考えて，求める場合の数は

$${}_4C_2 = \frac{4 \cdot 3}{2} = 6 \text{(通り)}.$$

注意　[3]では，aとeが異なる組に入った様子を視覚化し，組に区別がついていることを見抜くことが大切です．

より
$$(x-4)\cdot 2+4\cdot 1=84.$$
$$\therefore\ x=\frac{84-4}{2}+4=44(通り).$$

27

解答

計10個の玉を次のように表す．

$\underbrace{R}_{赤},\ \underbrace{Y,Y,Y}_{黄色},\ \underbrace{G,G,G,G,G,G}_{緑}$

○まず，これら10個でできる円順列を考える．Rを固定し，Y3個G6個を時計回りに並べる仕方を考えて，
$${}_9C_3=\frac{9\cdot 8\cdot 7}{3\cdot 2}=84(通り).\quad \cdots ①$$

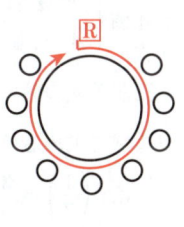

○数珠は次のような2タイプに分けられ，それぞれの1つから作られる円順列は2個または1個．

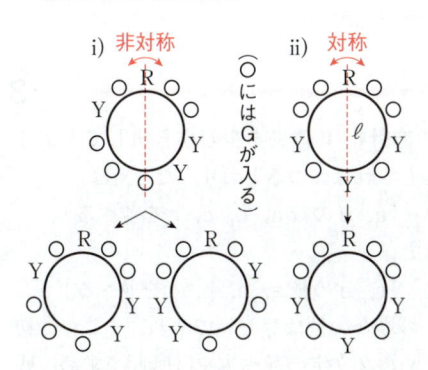

　i) 非対称　　　ii) 対称
　　(○にはGが入る)

○ ii)タイプのネックレスは，図の破線 ℓ に関して対称だから，Rの向かい側はYであり，ℓ の右側にY1個とG3個を並べる仕方を考えて，4通り．

○求める数珠の個数を x とおくと，i)タイプの数珠は $x-4$ 個ある．これと①

28

解答

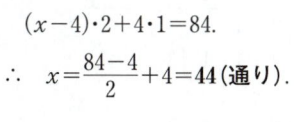

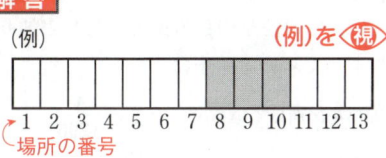

(例)　　　　　　　　　　(例)を〈視〉

　1 2 3 4 5 6 7 8 9 10 11 12 13
　↳場所の番号

○カードを並べるときの絵札3枚の位置は
$${}_{13}C_3=\frac{13\cdot 12\cdot 11}{3\cdot 2}=13\cdot 2\cdot 11(通り)$$
あり，各々等確率．　等確率？

○そのうち絵札3枚が隣り合う位置の選び方は
　　$\{1,2,3\},\{2,3,4\},\cdots,\{11,12,13\}$
の11通り．　同基準？

○よって求める確率は
$$\frac{11}{13\cdot 2\cdot 11}=\frac{1}{26}.$$

解説
条件として設定されている「絵札の位置」だけに注目して効率的に解答しました．

29

方針　Aの出方とBの出方の相対的関係だけが問われています．そこで，一方を固定して考えます．

解答

○Aの目の出方を固定して考える．

(例)
```
A | 5  1  6  3   ←固定
B | 1  1  1  1   ×
  | 1  1  1  2   ×
  |      ⋮
  | 5  1  6  3   ○
  |      ⋮
  | 6  6  6  6   ×
```

○ B の目の出方：6^4 通りの各々は等確率.

○ そのうち A の目の出方と一致するものは，A の任意の目の出方に対し 1 通り.

○ よって求める確率は

順序を区別している …… $\dfrac{1}{6^4} = \dfrac{1}{1296}.$

別解

○ 各回において A，B の目が一致する確率は，A の目を固定して B の出方を考えて，$\dfrac{1}{6}.$

○ 各回の試行は独立だから，求める確率は，$\left(\dfrac{1}{6}\right)^4 = \dfrac{1}{1296}.$

30

解答

[1]

5回反復

W W R R R R R ○

○ 各回における玉の出方とその確率は次のとおり.

$$\begin{cases} \text{「W が出る」} \cdots \dfrac{2}{8} = \dfrac{1}{4}, \\ \text{「R が出る」} \cdots \dfrac{6}{8} = \dfrac{3}{4}. \end{cases}$$

○ 5 回 $\begin{cases} \text{W}\cdots 2\text{回} \\ \text{R}\cdots 3\text{回} \end{cases}$ となる出方の順序は **順序を区別** $_5C_2$ 通り.

○ 上記各々の確率は，$\left(\dfrac{1}{4}\right)^2\left(\dfrac{3}{4}\right)^3.$

○ よって求める確率は

$_5C_2 \cdot \left(\dfrac{1}{4}\right)^2\left(\dfrac{3}{4}\right)^3 = \dfrac{10 \cdot 3^3}{4^5} = \dfrac{135}{512}.$

[2] ○ サイコロ 4 個を区別して考える.

○ 各サイコロにおける目の出方とその確率は次のとおり.

$$\begin{cases} A：\text{「2, 4, 6 の目が出る」} \cdots \dfrac{3}{6} = \dfrac{1}{2}, \\ \overline{A}：\text{「1, 3, 5 の目が出る」} \cdots \dfrac{3}{6} = \dfrac{1}{2}. \end{cases}$$

○ 4 個 $\begin{cases} A \cdots 2\text{個} \\ \overline{A} \cdots 2\text{個} \end{cases}$ となる出方は $_4C_2$ 通り.

○ 上記各々の確率は，$\left(\dfrac{1}{2}\right)^4.$

○ よって求める確率は

$_4C_2 \cdot \left(\dfrac{1}{2}\right)^4 = \dfrac{3}{8}.$

注意 「$\left(\dfrac{1}{2}\right)^4$」を，ワザワザ「$\left(\dfrac{1}{2}\right)^2\left(\dfrac{1}{2}\right)^2$」と書く必要はありません．$A, \overline{A}$ の確率はどちらも $\dfrac{1}{2}$ ですから，それぞれの数の内訳を気にしなくてよいのです．

31

方針 具体例を少し書き出してみようとすればわかるとおり，たとえば

「a, b の後 a, b, c, c を並べる」

と

「c, b の後 a, a, b, c を並べる」

の場合の数は等しいですね．そこで，初めの 2 文字の並べ方を「法則」で求め，残る 4 文字の並べ方のみ「書き出して」みます．

解答

○ 初め 2 文字の並べ方…$3 \cdot 2 = 6$（通り）

○ たとえばそれが (a, b) であるときを考える（他も同様）．

残りの a, b, c, c の並べ方は次のとおり．

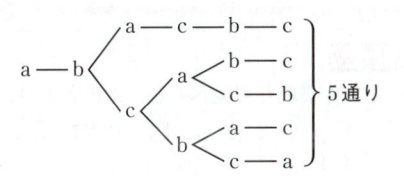

$$a - b \begin{cases} a - c - b - c \\ c \begin{cases} a \begin{cases} b - c \\ c - b \end{cases} \\ b \begin{cases} a - c \\ c - a \end{cases} \end{cases} \end{cases} \text{5通り}$$

○ よって求める場合の数は

$6 \cdot 5 = 30 (通り)$．

別解

○ a, a, b, b, c, c の並べ方の総数は，同じものを含む順列の公式より

$$n(U) = \frac{6!}{2!2!2!}$$

$$= \frac{6 \cdot 5 \cdot 4 \cdot 3 \cdot 2}{2 \cdot 2 \cdot 2} = 90 (通り)．$$

○ A：「a が隣り合う」
B：「b が隣り合う」
C：「c が隣り合う」
とすると，求めるものは

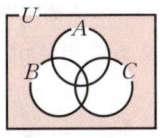

$n(\overline{A} \cap \overline{B} \cap \overline{C})$
$= n(U) - n(A \cup B \cup C)$．

○ $n(A)$ について．

[a, a], b, b, c, c の並べ方を考えて

$$n(A) = \frac{5!}{2!2!} = 30．$$

($n(B)$，$n(C)$ も同数)

○ $n(A \cap B)$ について．

[a, a], [b, b], c, c の並べ方を考えて

$$n(A \cap B) = \frac{4!}{2!} = 12．$$

($n(B \cap C)$，$n(C \cap A)$ も同数)

○ $n(A \cap B \cap C)$ について．

[a, a], [b, b], [c, c] の並べ方を考えて

$n(A \cap B \cap C) = 3! = 6．$

○ 以上より，求める場合の数は

$n(\overline{A} \cap \overline{B} \cap \overline{C})$

$= 90 - \{(30+30+30)-(12+12+12)+6\}$
$= 30．$

参考 たったの 6 文字ですので，この **別解** はやや大袈裟でしたね．本問と実質的に同じ問題で文字数を増やしたものを，**例題97** で扱います．

32

解答

○ j, i, s, h, o をアルファベット順に並べ，右のように数字と対応付けるとき小さい方から 60 番目の自然数を求めればよい．

h	i	j	o	s
1	2	3	4	5

○ $\boxed{1}\ \square\ \square\ \square\ \square$ … $4! = 24(通り)$
(2, 3, 4, 5 の順列を考えた)．
$\boxed{2}\ \square\ \square\ \square\ \square$ も同様．

○ 同様にして，自然数の個数は次表のようになる．

	個数	累計
1 □□□□	24	24
2 □□□□	24	48
3 1 □□□	6	54
3 2 □□□	6	60

○ よって，$\boxed{3}\ \boxed{2}\ \square\ \square\ \square$ の最後が求める自然数であり，それは

$\boxed{3}\ \boxed{2}\ \boxed{5}\ \boxed{4}\ \boxed{1}$

すなわち，求める 60 番目の単語は

jisoh．

33

解答

○ 100～999 の整数の総数は

$999 - 99 = 900 (個)．$

○ それらから作られる 2 つの集合

A：「0, 2, 4, 6, 8 を含む」
B：「0, 3, 6, 9 を含む」

少なくとも 1 つ含む(あいまい!)

を考えると，求める場合の数は
$n(A \cap B)$．

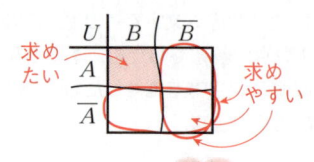

- $\overline{A}$：「3つが全て1，3，5，7，9」，
  $\overline{B}$：「3つが全て1，2，4，5，7，8」，
  $\overline{A} \cap \overline{B}$：「3つが全て1，5，7」
  だから
  $n(\overline{A}) = 5^3$，
  $n(\overline{B}) = 6^3$，
  $n(\overline{A} \cap \overline{B}) = 3^3$．

- 以上より，求めるものは
  $n(A \cap B) = 900 - (5^3 + 6^3 - 3^3)$ …①
  $= 900 - 125 - 216 + 27$
  $= 586$．

解説
①式を集合記号を用いて表すと，次のようになります（「U」は全体集合）．
$n(A \cap B)$
$= n(U) - n(\overline{A} \cup \overline{B})$ 〔包除原理〕
$= n(U) - \{n(\overline{A}) + n(\overline{B}) - n(\overline{A} \cap \overline{B})\}$．

補足
総数900は，次のように考えて求めています．
1から△までの自然数の個数は△個です（右を参照）．

1番，2番，3番 …3個

$\underbrace{1, 2, 3, \cdots, 99}_{99個}, \underbrace{100, 101, \cdots, 999}_{求めたいもの}$ …999個

よって，100〜999の整数の個数は
$999 - 99 = 900$
　　↑$100 - 1$

あるいはこの総数は，積の法則を用いて
$9 \cdot 10 \cdot 10 = 900$
と求めることもできます．

百十一：0以外

34

解答
9文字を整理して並べると，次のとおり．
　　a p r t u s　〔同じ文字を視〕
　　a p
　　a

考えられる文字列からなる2つの集合
　　A：「a が隣り合う所がある」
　　P：「p が隣り合う」
を考える．

	P	$\overline{P}$
A		
$\overline{A}$	[1]	[2]

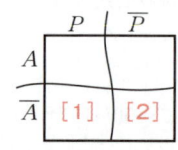

[1] ○求める場合の数は $n(\overline{A} \cap P)$．

- まず，[p, p]，r, t, u, s の5個を並べる．…5! 通り．
  〔p は隣り合う〕

  （例）$\underset{1}{t}\ \underset{2}{[p, p]}\ \underset{3}{s}\ \underset{4}{r}\ \underset{5}{u}$

- ①〜⑥から3か所を選んで a を1個ずつ入れる．…$_6C_3$ 通り．
  〔3つの a は区別しない〕

- よって求めるものは
  $n(\overline{A} \cap P) = 5! \cdot {}_6C_3$
  $= 120 \cdot 20 = \mathbf{2400}$．

[2] ○求めるものは
$n(\overline{A} \cap \overline{P}) = n(\overline{A}) - n(\overline{A} \cap P)$．…①

- そこで，$n(\overline{A})$ を求める．まず，
  p, p, r, t, u, s を並べる．

  …$\dfrac{6!}{2!}$ 通り．〔同じものを含む順列の公式〕

  （例）$\underset{1}{u}\ \underset{2}{s}\ \underset{3}{p}\ \underset{4}{t}\ \underset{5}{r}\ \underset{6}{p}$

- ①〜⑦から3か所を選んで a を1個ずつ入れる．…$_7C_3$ 通り．

○ ∴ $n(\overline{A}) = \dfrac{6!}{2!} \cdot {}_7C_3$
　　　　　$= 3 \cdot \underline{5! \cdot 7} \cdot 5$
　　　　　$= \underline{21 \cdot 600} = 12600.$

これと①，[1] より，求めるものは
$n(\overline{A} \cap \overline{P}) = 12600 - 2400$
　　　　　　$= 10200.$

解説

例題34 **解答2** でも見たように，ある1種類の文字が隣り合わない並べ方の個数はキレイに求まります．よって[1]は直接求めましょう．一方[2]の「a, p という2種類の文字が隣り合わない並べ方」は **解答2** **参考1** で述べたように直接は求めづらいです．そこで，カルノー図を見ながら「[1]を利用するにはどうしたらよいか」と考え，①式の方針を立てました．$n(\overline{A})$ は，[1]と同様1種類の文字 a が隣り合わない（他方の p はどちらでもよい）並べ方の数ですから，スッキリ求まります．

35

[1] **解 答**

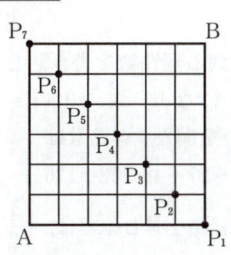

○題意の最短経路は上図の7個の点
　$P_1, P_2, \cdots, P_7$
のうち1個だけを必ず通る．上記の点を通る経路数を順に
　$n_1, n_2, \cdots, n_7$
とすると，求める個数 N は
　$N = n_4 + n_5 + n_6 + n_7.$

○経路の対称性より
　$n_1 = n_7, \ n_2 = n_6, \ n_3 = n_5.$

$\underbrace{n_1 \ n_2 \ n_3 \ \overbrace{n_4 \ n_5 \ n_6 \ n_7}^{N}}_{\text{これも } N}$　**全体像を◁視**

○「A→B の最短経路」は，「→6個，↑6個の並べ方」と1対1対応だから，その個数は
　${}_{12}C_6 = \dfrac{12 \cdot 11 \cdot 10 \cdot 9 \cdot 8 \cdot 7}{6 \cdot 5 \cdot 4 \cdot 3 \cdot 2}$
　　　$= 924.$

○n_4 は，A→P_4→B の経路数で，
　$n_4 = {}_6C_3 \cdot {}_6C_3$
　　　$= 20 \cdot 20 = 400.$

○以上より，求める個数は
　$N = \dfrac{924 + 400}{2}$
　　$= 662.$

$\begin{array}{c} N \ \boxed{n_1 \ n_2 \ n_3 \ n_4} \\ \boxed{n_7 \ n_6 \ n_5 \ n_4} \\ \underbrace{}_{924} \end{array}$

解説
ITEM 21「対称性の利用」の考え方が役立ちましたね．

別解 (n_4, n_5, n_6, n_7 を個別に求めます．なお，P_1〜P_7，n_1〜n_7 の設定および n_4 の求め方は前記のとおり．)

○n_5 は，A→P_5→B の経路数で，
　$n_5 = {}_6C_2 \cdot {}_6C_2$
　　　$= 15 \cdot 15 = 225.$

○同様にして
　$n_6 = {}_6C_1 \cdot {}_6C_1 = 36,$
　$n_7 = 1 \cdot 1 = 1.$

○以上より，求める個数は
　$n_4 + n_5 + n_6 + n_7 = 400 + 225 + 36 + 1$
　　　　　　　　　　　　$= 662.$

[2] **方針** 通れない点が多いので，"書き込み方式"を用います．

解答

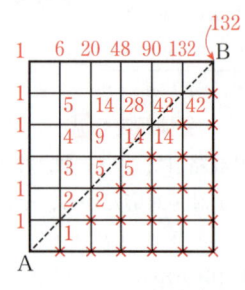

各交差点に到る経路数は，上図に書き込んだ通りになる．よって求める個数は，**132**．

発展
本問と実質的に同じ問題を一般化したものを，Stage 5・ITEM 95 で扱います．

注意：線分 AB 上の点は通ってよい．

36

着眼
まずはいくつか例を作ってみましょう．

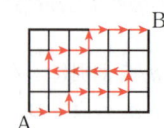

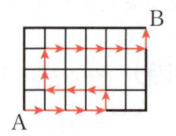

これらの経路が，上向きの移動「↑」だけで決まることに気付けば簡単です．

解答
「題意の経路」と「各段における↑の位置」とは 1 対 1 対応．よって求める個数は
$$7^4 = \mathbf{2401}.$$

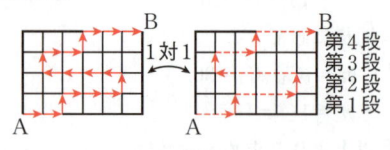

補足
$7^4 = (50-1)^2 = 2500 - 100 + 1 = 2401.$

37

方針
例題37 (2) と同様に「推移グラフ」を利用します．ただし，X_{10} の値がいろいろ考えられることに注意して下さい．

解答
○ 各回において，P は
$$\begin{cases} +1 \cdots \text{確率}\ \dfrac{3}{6} = \dfrac{1}{2}, \\ -1 \cdots \text{確率}\ \dfrac{3}{6} = \dfrac{1}{2} \end{cases}$$
のように移動する．

○ 題意の移動の仕方は下図の経路で表される．

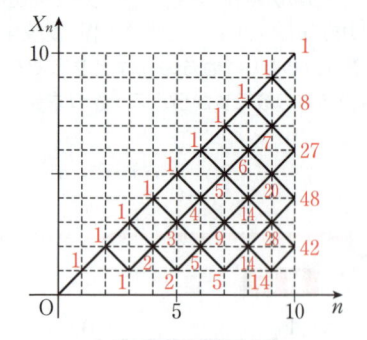

各点に到る経路数を書き込むと，上図のようになり，$X_n > 0$（$n = 1, 2, 3, \cdots, 10$）を満たす経路数は
$$1 + 8 + 27 + 48 + 42 = 126.$$

○ 各々の経路を進む確率は，$\left(\dfrac{1}{2}\right)^{10}$．

○ 以上より，求める確率は
$$126 \cdot \left(\dfrac{1}{2}\right)^{10} = \dfrac{\mathbf{63}}{\mathbf{512}}.$$

38

[1] 解答

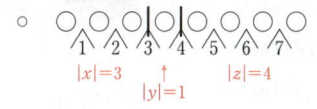

○ ○ ○ | ○ ○ | ○ ○ ○
1 2 3 4 5 6 7
|x|=3 |y|=1 |z|=4

「$|x|+|y|+|z|=8$ ($|x|, |y|, |z|>0$) を満たす組 ($|x|, |y|, |z|$)」と「↑₁～↑₇ から 2 か所を選んで │ を 1 本ずつ入れる方法」は 1 対 1 対応であり，この個数は
$_7C_2=21$.

○ 上記の組 ($|x|, |y|, |z|$) に対し，x, y, z の符号のとり方はそれぞれ 2 通りずつあるから，求める個数は
$21 \cdot 2^3 = 168$.

[2]

方針 3 つの「1」を「○」で表し，それらを $x_1, x_2, \cdots, x_{10}$ へ分配すると考えます．

解答

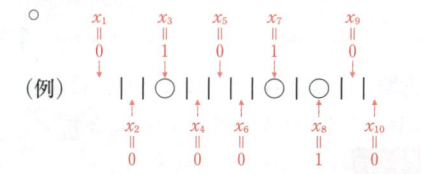

○
(例)
$x_1=0, x_3=1, x_5=0, x_7=1, x_9=0$
│ │ ○ │ │ ○ │ ○ │
$x_2=0, x_4=0, x_6=0, x_8=1, x_{10}=0$

「題意の組 ($x_1, x_2\cdots, x_{10}$)」と「3 個の○を 9 本の│で仕切る方法」とは 1 対 1 対応．
よって求める個数は
$_{12}C_3 = \dfrac{12 \cdot 11 \cdot 10}{3 \cdot 2} = 220$.

[3]

方針 「≧ −1」がクセ者ですね．そこで，「≧ 0」となるよう変数変換します．

解答

○ $X=x+1, \quad Y=y+1, \quad Z=z+1,$
$W=w+1$ とおくと，題意の条件は

$X+Y+Z+W=12$ ($X, Y, Z, W \geq 0$)
…①
与式の右辺より 4 だけ大きい

「題意の組 (x, y, z, w)」と「①を満たす組 (X, Y, Z, W)」は 1 対 1 対応であり，さらにこれは「12 個の○を 3 本の│で仕切る方法」と 1 対 1 対応．よって求める個数は
$_{15}C_3 = \dfrac{15 \cdot 14 \cdot 13}{3 \cdot 2} = 455$.

解説
次の例を見て，(x, y, z, w) と (X, Y, Z, W) が 1 対 1 対応であることを確認して下さい．
(例) $x+y+z+w=8$ ($x, y, z, w \geq -1$)
を満たす (x, y, z, w) = (3, −1, 0, 6)
↕ 全て 1 を加える
$X+Y+Z+W=12$ ($X, Y, Z, W \geq 0$)
を満たす (X, Y, Z, W) = (4, 0, 1, 7)

39

解答

[1]
$a_1 \quad a_2 \quad a_3 \quad a_4 \quad a_5 \quad a_6$
1 │ 2 2 2 │ │ 4 │ 5
   　　　　3 はない
○ │ ○ ○ ○ │ │ ○ │ ○

「題意の組 ($a_1, a_2, \cdots, a_6$)」は，値の変わり目に │ を入れることにより，「6 個の○を 4 本の│で仕切る方法」と 1 対 1 対応．
よって求める個数は
$_{10}C_4 = \dfrac{10 \cdot 9 \cdot 8 \cdot 7}{4 \cdot 3 \cdot 2}$
$= 210$.

[2] $a_1 \leq a_2 \leq \cdots \leq a_5 \leq a_6$ …① [1]
$a_1 \leq a_2 \leq \cdots \leq a_5 > a_6$ …② [2]

38～39 の解答 15

とする.「①または②」, つまり
$$a_1 \leq a_2 \leq \cdots \leq a_5 \quad \cdots ③$$
を満たす組 $(a_1, a_2, \cdots, a_5, a_6)$ の個数 N を求める. ←a_6 も考える！

「③を満たす組 $(a_1, a_2, \cdots, a_5)$」は, (1) と同様にして「5 個の○を 4 本の｜で仕切る方法」と 1 対 1 対応だから, その個数は
$$_9C_4 \text{ 通り}.$$

③のとき, a_6 は 1, 2, $\cdots$, 5 の任意の値をとり得るから,
$$N = {}_9C_4 \cdot 5 \text{ (通り)}.$$

以上より, 求める②を満たす組 $(a_1, a_2, \cdots, a_5, a_6)$ の個数は
$$\underbrace{{}_9C_4 \cdot 5}_{③} - \underbrace{{}_{10}C_4}_{①} = \frac{9 \cdot 8 \cdot 7 \cdot 6}{4 \cdot 3 \cdot 2} \cdot 5 - 210$$
$$= 630 - 210 = \mathbf{420}.$$

注意
N を数えるとき, つい条件③に現れない a_6 の値を考えるのを忘れがちですから気を付けて下さい.

$$_6C_3 = \frac{6 \cdot 5 \cdot 4}{3 \cdot 2} = 20.$$

○上記各々に対し, バーで始まるものとスペースで始まるものがあるから, 求める場合の数は
$$20 \cdot 2 = \mathbf{40} \text{ (通り)}.$$

注意
黒で塗る枠数, 白で塗る枠数の内訳は指定されていませんから, 黒, 白それぞれを 2 つの連に分けると考えるのは損です.

参考
実用されているバーコードでは, 本問で扱った 7 枠の塗り方によって 10 個の数字 0, 1, 2, $\cdots$, 9 のどれかを表すことになっています. 40 通りも塗り方があるので, 余剰分を活かして読み取りエラーが起こらないよう工夫されています. ちなみに(例 1), (例 2)は, それぞれ数字 0, 1 を表します.

40

着眼 本問の「バー」,「スペース」とは, 本 ITEM で扱っている「連」そのものです. よって, 同様な手法が使えます.

解答
○ 7 個の枠を, 左から順に 4 つの組に分ける. この「組」が「連」
そこで, 枠を「○」で表す.
○↑○○↑○↑○↑○ (例 1)を表している.
 1 2 3 4 5 6

○「順に 4 つの組に分ける方法」と「↑₁〜↑₆ から 3 か所を選んで｜を 1 本ずつ入れる方法」とは 1 対 1 対応であり, その個数は

41

着眼「無記名」ということは, 投票者は区別しないということですね. 区別？

解答
5 人の立候補者を A, B, C, D, E と表し, 20 人の票を○で表す.

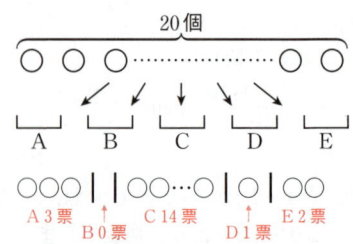

○○○｜｜○○$\cdots$○｜○｜○○
A 3 票　B 0 票　C 14 票　D 1 票　E 2 票

「題意の投票の仕方」と「20 個の○を 4 本の｜で仕切る方法」とは 1 対 1 対応. よって求める場合の数は

$$_{24}C_4 = \frac{24\cdot23\cdot22\cdot21}{4\cdot3\cdot2}$$
$$= 10626 (通り).$$

42

着眼

[1] $1, 2, 3, \cdots, n$ →→→→ A B C D

[2] $1, 2, 3, \cdots, n$ →→→→

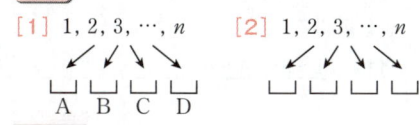

解答

ボールに $1, 2, 3, \cdots, n$ と番号を付ける．

[1] 箱を A，B，C，D と区別する．

○ 空箱も許したとき，各ボールの入れ方は A，B，C，D の 4 通りだから，n 個のボールの入れ方は，4^n 通り．

○ 空でない（つまりボールが入る）箱の個数 X は，
$$X = 1, 2, 3, 4$$
　　　3　2　1　0　←空箱の個数
　　求めやすい　求めたい

のいずれかであり，求めるものは $X = 3, 4$ となる入れ方の数である．

○ $X = 1$ について．

（例） $\underbrace{1\sim n}_{A}\ \underbrace{\quad}_{B}\ \underbrace{\quad}_{C}\ \underbrace{\quad}_{D}$

全てのボールが A，B，C，D のどこに入るかを考えて，4 通り．

○ $X = 2$ について． 状態を視

（例） $\underbrace{1\sim 3}_{A}\ \underbrace{4\sim n}_{B}\ \underbrace{\quad}_{C}\ \underbrace{\quad}_{D}$

$\begin{cases} どの2箱に入るか \cdots {}_4C_2 = 6 (通り), \\ その2箱への入れ方 \cdots 2^n - 2 \ 通り \end{cases}$
より，$6(2^n - 2)$ 通り．　注意！

○ 以上より，求める場合の数は
$$4^n - 4 - 6(2^n - 2) = 4^n - 6\cdot 2^n + 8 (通り).$$

[2]
　　　　　　　　　　A B C D
　　　　　　　　　1/2, 3/4～n/空
$1/2, 3/4\sim n/$空 → 1/2, 3/空/4～n
　　　　　　　　　　　⋮
　　　　　　　　　空/4～n/2, 3/1

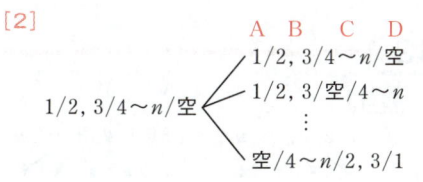

「題意の入れ方」x 通りの各々に対して，箱を区別したら $4!$ 通りずつの[1]の入れ方が対応する．よって　**区別？**
$$x \cdot 4! = 4^n - 6\cdot 2^n + 8.$$
よって求める場合の数は
$$x = \frac{4^n - 6\cdot 2^n + 8}{4!}$$
$$= \frac{2\cdot 4^{n-2} - 3\cdot 2^{n-2} + 1}{3} (通り).$$

解説

ボールが入る箱の個数 X がとり得る全ての値 $1, 2, 3, 4$ を視野に入れて解答することが大切です．

補足

[2]の結果において，$n = 3$（n の最小数）としてみると
$$\frac{2\cdot 4 - 3\cdot 2 + 1}{3} = \frac{3}{3} = 1$$
となり，正しい結果が得られていることがわかります．（右図参照）
空箱は1個以下

発展

[2]の結果を変形すると
$$\underbrace{\frac{2\cdot 4^{n-2} + 1}{3}}_{M とおく} - 2^{n-2}\quad (n = 3, 4, 5, \cdots)$$

となります．M の分子は 3 を法とする合同式を用いると
$$2\cdot 4^{n-2} + 1 \equiv 2\cdot 1^{n-2} + 1 = 3 \equiv 0$$
となり，3 の倍数になっています．よって，M およびこの[2]の結果は，ちゃんと整数値になっています．

43

方針

[1] 1, 2, 3, ⋯, n
↓↓↓↓
A B C D

[2] 1, 2, 3, ⋯, n
↓↓↓↓
☐ ☐ ☐ ☐

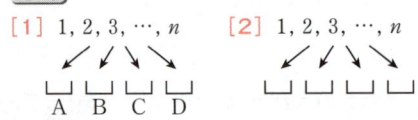

解答

[1] 箱を A, B, C, D と区別する.

○ 空箱も許したとき, 各ボールの入れ方は A, B, C, D の 4 通りだから, n 個のボールの入れ方は, 4^n 通り.

○ 空でない（つまりボールが入る）箱の個数 X は,

$X=1, 2, 3, 4$
      ⋮ ⋮ ⋮ ⋮
      3 2 1 0 ←空箱の個数
      求めやすい 求めたい

○ $X=1$ となる入れ方は, 全てのボールが A, B, C, D のどれに入るかを考えて, 4 通り.

○ 以上より, 求める場合の数は
   4^n-4 通り.

[2] ○

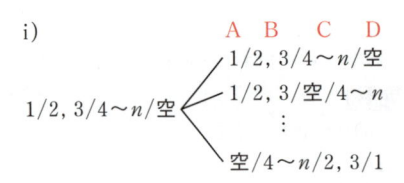

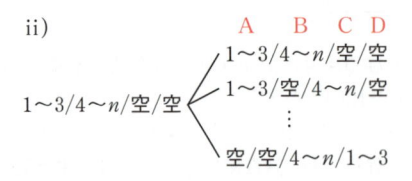

i)
```
                    A    B    C    D
                 ┌─ 1/2, 3/4~n/空
1/2, 3/4~n/空 ──┤  1/2, 3/空/4~n
                 │    ⋮
                 └─ 空/4~n/2, 3/1
```

ii)
```
                      A       B       C    D
                   ┌─ 1~3/4~n/空/空
1~3/4~n/空/空 ───┤  1~3/空/4~n/空
                   │    ⋮
                   └─ 空/空/4~n/1~3
```

「題意の入れ方」の各々に対して, 箱を区別したときに対応する [1] の入れ方の個数は, 次のとおり.

箱を区別しない　箱を区別する
$\begin{cases} \text{i) 空箱が 1 個以下} \to 4!=24(通り), \\ \text{ii) 空箱が 2 個} \quad \to \dfrac{4!}{2!}=12(通り). \end{cases}$
同じものを含む順列の公式　**区別?** ⋯①

○ i), ii) の（[2] における）入れ方の数をそれぞれ x, y とおく.

○ y を求める.

(例) $\underbrace{1\sim 3}_{ア}\ \underbrace{4\sim n}_{イ}$

ボールが入る 2 つの箱をア, イと区別したときの入れ方は, 2^n-2 通り. ⋯②
　　　　注意!

y 通りの入れ方の各々に対して, 箱をア, イと区別したら $2!$ 通りずつの②の入れ方が対応するから

$y\cdot 2!=2^n-2.$
$\therefore\ y=2^{n-1}-1.$

○ 以上と [1] により
$x\cdot 24+(2^{n-1}-1)\cdot 12=4^n-4.$
$x=\dfrac{4^n-6\cdot 2^n+8}{24}.$

よって求める場合の数は

$x+y=\dfrac{4^n-6\cdot 2^n+8}{24}+(2^{n-1}-1)$

$=\dfrac{4^n+6\cdot 2^n-16}{24}$

$=\dfrac{2\cdot 4^{n-2}+3\cdot 2^{n-2}-2}{3}.$

解説

例題43 と同様に, ①の対応関係が一定でないところが難しいですね！

44

解答

[1] 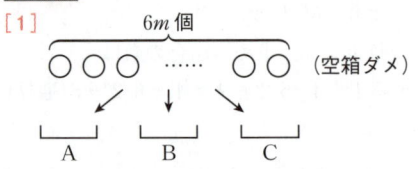
$\underbrace{○○○ \cdots\cdots ○○}_{6m\ 個}$（空箱ダメ）
　↓　　↓　　↓
　A　　B　　C

```
        6m個の○
 ○ ○ ○│○…○│○ ○
 ↑ ↑ ↑    ↑ ↑
 1 2 3   6m-2 6m-1
```

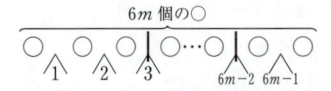

「題意の入れ方」と「↑₁〜↑_{6m-1}から2か所を選んで│を入れる方法」とは1対1対応．

よって求める場合の数は
$$_{6m-1}C_2 = \frac{(6m-1)(6m-2)}{2}$$
$$= (6m-1)(3m-1).$$

[2] ○各箱に入るボールの個数の組合せは，次のように分類され，それぞれに対応する[1]の入れ方の数は次のとおり．

　ⅰ){a, a, a}→1通り，
　ⅱ){a, a, b}→3通り，
　ⅲ){a, b, c}→3!通り．
　(a, b, c は相異なる)

○「題意の入れ方」x 通りのうち，ⅰ)のタイプは {2m, 2m, 2m} の1通り．また，ⅱ)のタイプは下の $3m-2$ 通り．
　{1, 1, 6m-2}
　{2, 2, 6m-4}
　　　⋮
　{2m-1, 2m-1, 2m+2}
　{2m+1, 2m+1, 2m-2}
　　　⋮
　{3m-1, 3m-1, 2}

○これと[1]より
$1·1 + (3m-2)·3 + \{x-1-(3m-2)\}·3!$
$\qquad = (6m-1)(3m-1).$
$9m - 5 + 6(x - 3m + 1)$
$\qquad = 18m^2 - 9m + 1.$
∴ $x = \dfrac{18m^2 - 18m + 6}{6} + 3m - 1$
　　$= 3m^2.$

45

解答

○ 8人を1回戦で対戦する4組に分ける仕方の数 x を求める．

○ まず a, b を異なる組に入れる．

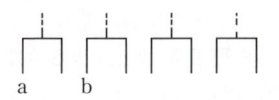

```
 │ │ │ │ │ │ │ │
 a   b
```

○ a, b の相手の決め方は，$6·5 = 30$（通り）．

○ 残る4人を2つの組に分ける方法は，特定の1人の対戦相手を考えて，3通り． …①

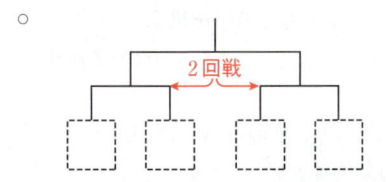

○ ∴ $x = 30·3 = 90.$

○
```
         ┌─2回戦─┐
     ┌───┴───┐
  ┌──┴──┐ ┌──┴──┐
  └┘ └┘ └┘ └┘
   a
```

上記4つの組を上図破線部に配置する方法は，$\overset{\_}{a}$ と2回戦で当たる組を考えて，3通り． …②

○ 以上より，求める場合の数は
　　$90·3 = 270.$

補足

①，②では ITEM 29 の「一方を固定」という考え方を用いました．もちろん，ITEM 26「組分け」の考え方を使って，$\dfrac{_4C_2}{2!} = \dfrac{6}{2} = 3$（通り）とすることもできます．

46

解答

○ 人，手を区別したときの結果：3^8 通りの各々は等確率．

○ 勝つ人の数 N のとり得る値は

○ 全体像を⟨視⟩ $N=0, \underbrace{1, 2, \cdots, 7}_{\text{求めたい}}$ 求めやすい (アイコ)

○ $N=1$ について.
$\begin{cases} 勝つ人\cdots 8\,通り, \\ 勝つ手\cdots 3\,通り. \end{cases}$

○ $N=1, 2, \cdots, 7 \cdots ①$ について.
8人が出す手の種類 X のとり得る値は

$X=\underbrace{1,\ 2,\ 3}_{\text{誰かが勝つ (①)}}$ (アイコ)

① ⟺「$X=2$」であり，このようになる出し方は
$\begin{cases} 2種類の手の選び方\cdots {}_3C_2\,通り, \\ 8人がどちらの手を出すか \\ \qquad\qquad\cdots \underbrace{2^8-2}_{\text{全員同じ手}}\,通り. \end{cases}$

○ 以上より，求める $N=2, 3, \cdots, 7$ となる確率は
$$\frac{{}_3C_2(2^8-2)-8\cdot 3}{3^8} = \frac{2^8-2-8}{3^7} = \frac{82}{729}.$$

解説
$N=0$（アイコ）は，①の余事象ですね．

47

解答 24枚を
$S_1, S_2, \cdots, S_6,$
$H_1, H_2, \cdots, H_6,$
$D_1, D_2, \cdots, D_6,$
$C_1, C_2, \cdots, C_6$
と表して区別する．カードを記 取り出す4枚の組合せ：
$${}_{24}C_4 = \frac{24\cdot 23\cdot 22\cdot 21}{4\cdot 3\cdot 2}$$
$$= 23\cdot 22\cdot 21\,(通り)$$
の各々は等確率．

[1] ○ どのマークか $\cdots$ 4通り.
○ どの番号か $\cdots {}_6C_4$ 通り.
○ よって求める確率は
$$\frac{4\cdot {}_6C_4}{{}_{24}C_4} = \frac{4\cdot 3\cdot 5}{23\cdot 22\cdot 21} \quad ({}_6C_4={}_6C_2)$$
$$= \frac{2\cdot 5}{23\cdot 11\cdot 7} = \frac{\mathbf{10}}{\mathbf{1771}}.$$

[2] ○ 連続する4整数の組合せは
$\{1, 2, 3, 4\}, \{2, 3, 4, 5\},$
$\{3, 4, 5, 6\}$
の3通り.
○ 上記各々に対して，各番号がどのマークか $\cdots 4^4$ 通り.
○ よって求める確率は
$$\frac{3\cdot 4^4}{{}_{24}C_4} = \frac{3\cdot 2^8}{23\cdot 22\cdot 21}$$
$$= \frac{2^7}{23\cdot 11\cdot 7} = \frac{\mathbf{128}}{\mathbf{1771}}.$$

[3] ○ A：「4枚とも同じマーク」$\cdots$ [1]
  B：「4枚の数字が連続」$\cdots$ [2]
とすると，求める確率は
$P(A\cup B)$.

○ $A\cap B$，つまり「同じマークで連続」について考えると，カルノー図で⟨視⟩
$\begin{cases} どのマークか\cdots 4\,通り, \\ 連続4整数の決め方\cdots 3\,通り. \end{cases}$

○ これと，[1], [2] より，求める確率は 包除原理
$P(A\cup B) = P(A)+P(B)-P(A\cap B)$
$$= \frac{4\cdot 3\cdot 5 + 3\cdot 2^8 - 4\cdot 3}{23\cdot 22\cdot 21} \quad \cdots ①$$
$$= \frac{10+128-2}{23\cdot 11\cdot 7}$$
$$= \frac{\mathbf{136}}{\mathbf{1771}}.$$

補足 ①式を

$$\frac{4\cdot 3\cdot 5}{23\cdot 22\cdot 21}+\frac{3\cdot 2^8}{23\cdot 22\cdot 21}-\frac{4\cdot 3}{23\cdot 22\cdot 21}$$

のように同じ分母を何度も書くのは能率が悪いですね.

48

解答 12枚のカードを
$R_1, R_2, \cdots, R_6,$
$W_1, W_2, \cdots, W_6$
と表す.

[1] ○ A：「R 6枚が連続」
  B：「W 6枚が連続」
とすると，求める確率は$P(A\cup B)$.

○ Aについて.

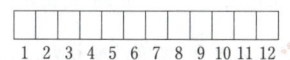

場所の番号: 1 2 3 4 5 6 7 8 9 10 11 12
Rの場所のみに注目.

R 6枚の場所の決め方：
$${}_{12}C_6=\frac{12\cdot 11\cdot 10\cdot 9\cdot 8\cdot 7}{6\cdot 5\cdot 4\cdot 3\cdot 2}$$
$$=11\cdot 3\cdot 4\cdot 7(通り)$$

の各々は等確率.
そのうち条件を満たす場所は
□〜□, □〜□, …, □〜□
 1 6   2 7   7 12
の 7 通り.

よって，$P(A)=\dfrac{7}{{}_{12}C_6}.$ …①

○ 同様に，$P(B)=\dfrac{7}{{}_{12}C_6}.$

○ $A\cap B$について.
R 6枚，W 6枚がどちらも連続するような場所の決め方は，下の2通り.

| R R R R R R W W W W W W |
| W W W W W W R R R R R R |

∴ $P(A\cap B)=\dfrac{2}{{}_{12}C_6}.$ …②

○ 以上より，求める確率は
$$P(A\cup B)=P(A)+P(B)-P(A\cap B)$$
$$=\frac{7+7-2}{{}_{12}C_6}$$
$$=\frac{12}{11\cdot 3\cdot 4\cdot 7}=\frac{1}{77}.$$

[2] （例） 例を〈視〉

| R_5 | W_5 | W_2 | R_2 | W_1 | R_1 | W_6 | R_6 | R_4 | W_4 | W_3 | R_3 |

○ カードを全て区別したときの並べ方：12! 通りの各々は等確率.

○ そのうち条件を満たすものを考える.
  ● $\{R_1, W_1\}, \{R_2, W_2\}, \cdots, \{R_6, W_6\}$の並べ方…6! 通り.
  ● R_1とW_1の並べ方は 2! 通り．R_2とW_2, R_3とW_3, …, R_6とW_6の並べ方も 2! 通り.

○ 以上より，求める確率は
$$\frac{6!\cdot 2^6}{12!}=\frac{2^6}{12\cdot 11\cdot 10\cdot 9\cdot 8\cdot 7}=\frac{1}{10395}.$$

解説

[1] Rの場所のみ考えている①に対し，②ではWの場所も考えていますね．にもかかわらず②の分母が①と同じであることに異和感を覚える人もいるかもしれませんが，Rの場所を決めれば，Wの場所も自動的に決まります．よって，①と②の分母は同じでよいのです．

[2] [1]とちがい，[2]では全てのカードに条件が課せられているので，12枚全ての並べ方を考えることになります．

49

方針 どれか1つの玉を固定します．
[1], [2]とも白い玉に条件が課せられていますから白玉2つを区別し，その一方を固定しましょう．

解答

白玉2つを W_1, W_2 と区別し，他の玉を

　赤：R R
　黒：B B B B

と表す．そして，W_1 を固定し，他の7個の玉を時計回りに並べる仕方：(∗)を考える．

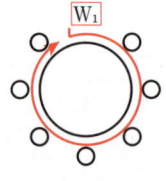

[1] ○(∗)において，W_2 の場所の選び方：7通りの各々は等確率．

○そのうち条件を満たすものは，右の1通り．

○よって求める確率は

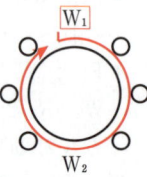

$$\frac{1}{7}.$$

[2] ○(∗)において，W_2, R, R の場所の選び方：$7 \cdot {}_6C_2$ 通りの各々は等確率．

○そのうち条件を満たすものを考える．

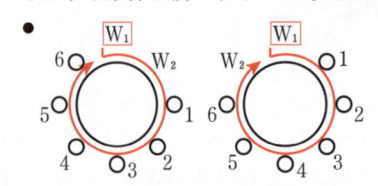

● W_2 の場所…上記の2通り．

● 上記各々に対して，R, R の場所は $\{1, 2\}, \{2, 3\}, \cdots, \{5, 6\}$ の5通り．

○以上より，求める確率は

$$\frac{2 \cdot 5}{7 \cdot {}_6C_2} = \frac{2 \cdot 5}{7 \cdot 3 \cdot 5} = \frac{2}{21}.$$

50

解答 底面，上面と4つの側面を下のように表す．

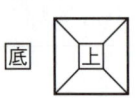

[1] ○5色を a, b, c, d, e と表す．1色のみ2面に塗ることになる．

○2面に塗る色…5通り．

以下，たとえば6面を a, a, b, c, d, e で塗るときを考える．

○b を塗った面を底に固定する．

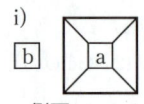

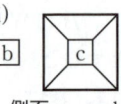

　i)　　　　　　　　ii)

側面：a, c, d, e　　側面：a, a, d, e

○i) 上面が a のとき，側面の塗り方は a, c, d, e の円順列で表され，a を固定して考えると，3! 通り．

ii) 上面が c, d, e (3通り)のときを考える．たとえば上面が c のとき，側面は a, a, d, e の円順列で表され，d を固定して考えると，$\frac{3!}{2!} = 3$ (通り)．

　同じものを含む順列の公式

(上面が d, e でも同様．)

○以上より，求める場合の数は

$5 \cdot (3! + 3 \cdot 3) = 5 \cdot 15 = \mathbf{75 (通り)}$．

[2] ○4色を a, b, c, d と表す．6面に塗る色は，次の2タイプに分けられる．

　i) ○○○□△×　(○, □, △, × は異なる色)
　ii) ○○□□△×

○i) について．

● 3面に塗る色…4通り．

以下，たとえば6面を a, a, a, b,

c, dで塗るときを考える．
- bで塗った面を底に固定する．

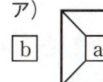

ア）
側面：a, a, c, d

イ）
側面：a, a, a, d

- ア）上面がaのとき，側面の塗り方はa, a, c, dの円順列で表され，cを固定して考えると，$\frac{3!}{2!}=3$（通り）．

- イ）上面がc, d（2通り）のときを考える．たとえば上面がcのとき．側面の塗り方はa, a, a, dの円順列で表され，dを固定して考えると1通り．（上面がdでも同様．）

- よって，ⅰ）の塗り方は
  $4\cdot(3+2\cdot1)=20$（通り）．

○ⅱ）について．
- 2面に塗る色…$_4C_2=6$（通り）．
以下，たとえば6面をa, a, b, b, c, dで塗るときを考える．
- cで塗った色を底に固定する．

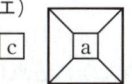

ウ）
側面：a, a, b, b

エ）
側面：a, b, b, d

- ウ）上面がdのとき，側面の塗り方はa, a, b, bの円順列で表され．aどうし，bどうしが隣り合うか隣り合わないかを考えて，2通り．

- エ）上面がa, b（2通り）のときを考える．たとえば上面がaのとき，側面の塗り方はa, b, b, dの円順列で表され，aを固定して考えると，$\frac{3!}{2!}=3$（通り）．（上面がbでも同様．）

- よって，ⅱ）の塗り方は
  $6\cdot(2+2\cdot3)=48$（通り）．

○以上，ⅰ），ⅱ）を合わせて，求める場合の数は
  $20+48=\mathbf{68}$（通り）．

解説
上記解答中，何度も「たとえば」と断った上で例を用いて考えています．このようにできるだけ具体的に表現することは，ミスを防ぐ上でとても大切です．

51

[1] **解 答** ○各回における事象とその確率は次のとおり：
$$\begin{cases} A：\text{「Aが勝つ」}\cdots p, \\ B：\text{「Bが勝つ」}\cdots q, \\ D：\text{「引き分け」}\cdots r, \end{cases}$$
$$\parallel$$
$$\text{Drow}$$

○ 7回 $\begin{cases} A：3回 \\ B：2回 \\ D：2回 \end{cases}$ 回：1 2 3 4 5 6 7
　　　　　　　　AAABBDD
　　　　　　　　AAABDBD
となるA, B, Dの順序は，右のように　　　DDBBAAA

順序を区別？

$\frac{7!}{3!2!2!}=\frac{7\cdot6\cdot5\cdot4}{2\cdot2}=210$（通り）．

○各々の確率は$p^3q^2r^2$．
○よって求める確率は，$\mathbf{210}\boldsymbol{p^3q^2r^2}$．

[2] **着眼**「Bが勝つ」と「引き分け」を区別する意味はありませんね．

解 答
○各回における事象とその確率は次のようにまとめられる：

$\begin{cases} A：「Aが勝つ」 \cdots p, \\ \overline{A}：「Bが勝つ or 引き分け」\cdots q+r. \end{cases}$

○ 7回 $\begin{cases} A：4回 \\ \overline{A}：3回 \end{cases}$ 回：1234567
となる $A, \overline{A}$ の 　　$AAAA\overline{A}\overline{A}\overline{A}$
順序は，右のよう 　 $AAA\overline{A}\overline{A}\overline{A}A$
に ${}_7C_3$ 通り． 　　　　　$\vdots$
　　　　　　　　　$\overline{A}\overline{A}\overline{A}AAAA$

○ 各々の確率は $p^4(q+r)^3$．

○ よって求める確率は
　　${}_7C_3 \cdot p^4(q+r)^3 = 35p^4(q+r)^3$．

参考

$q+r=1-p$ ですから，[2]の答えは $35p^4(1-p)^3$ と答えてもかまいません．[1] の答えもいろいろな表し方が考えられます．

53

解答

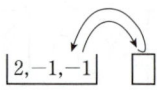

○ 各回における事象とその確率は，次のとおり：
$\begin{cases} +2\,加算\cdots\dfrac{1}{3}, \\ -1\,加算\cdots\dfrac{2}{3}. \end{cases}$

○ $|X|\geq 4$, i.e. $X\leq -4,\ 4\leq X$ となると終了する．この X の推移を下のグラフに表す．

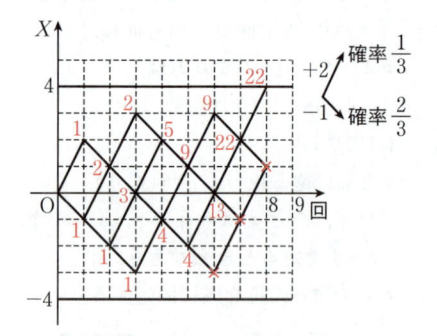

[1] ○ 8回目で終了となる推移は，上図のように各点に到る推移の数を書き込むことにより，22通り．

○ 上記の全てが $\begin{cases} +2\cdots 4回 \\ -1\cdots 4回 \end{cases}$ であり，各々の確率は $\left(\dfrac{1}{3}\right)^4 \cdot \left(\dfrac{2}{3}\right)^4$．

○ よって求める確率は
　　$22 \cdot \left(\dfrac{1}{3}\right)^4 \left(\dfrac{2}{3}\right)^4 = \dfrac{352}{6561}$．

[2] グラフより，第9回で終了することはない．
　よって求める確率は，**0**．

52

解答

○ 各々における事象とその確率は次のとおり：
$\begin{cases} A：「4以上の目」\cdots\dfrac{3}{6}=\dfrac{1}{2}, \\ \overline{A}：「3以下の目」\cdots\dfrac{3}{6}=\dfrac{1}{2}. \end{cases}$

○ 第1～6回　第7回　回：1234567
$\begin{cases} A：4回 \\ \overline{A}：2回 \end{cases} \rightarrow A$ 　　$AAAA\overline{A}\overline{A}|A$
　　　　　　　　　　 $AAA\overline{A}\overline{A}A|A$
となるから，事象 　　　　$\vdots$
の起きる順序は右 　　$\overline{A}\overline{A}AAAA|A$
のように
　　${}_6C_2$ 通り．　$\overline{A}$ が起きる回を選ぶ

○ 各々の確率は，$\left(\dfrac{1}{2}\right)^7$．

○ よって求める確率は
　　${}_6C_2 \cdot \left(\dfrac{1}{2}\right)^7 = \dfrac{15}{128}$．

解説

[1]において

$8回\begin{cases}+2\cdots k\,回\\-1\cdots 8-k\,回\end{cases}$ のとき,

$\begin{cases}X=2\cdot k-1\cdot(8-k)\\\quad =3k-8\end{cases}$.

よって $X=4$ となるのは,
$3k-8=4$ より $k=4$,
つまり
$\begin{cases}+2\cdots 4\,回\\-1\cdots 4\,回\end{cases}$

のときに限ることが示されます.もっとも上記のようなきちんとした論証は不要でしょうが.

同様に,[2]においては

$9回\begin{cases}+2\cdots k\,回\\-1\cdots 9-k\,回\end{cases}$ のとき,

$X=2\cdot k-1\cdot(9-k)$
$\quad =3k-9$
$\quad =3(k-3)$.

これは3の倍数ですから,第9回において $X=-5,-4,4,5$ となって終了することはあり得ないことが,「推移グラフ」を用いるまでもなく示されます.

$X=\pm 2$ となる推移は,次のグラフのようになる.

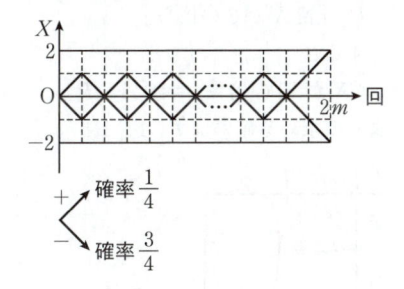

$+ \to$ 確率 $\dfrac{1}{4}$
$- \to$ 確率 $\dfrac{3}{4}$

○ 求める確率は,
$\underline{(+,-)\text{ or }(-,+)\text{ を }m-1\text{ 回反復}}$
計 $2m-2$ 回
$\to (+,+)\text{ or }(-,-)$
となる確率であり,

$\left(\dfrac{1}{4}\cdot\dfrac{3}{4}+\dfrac{3}{4}\cdot\dfrac{1}{4}\right)^{m-1}\cdot\left(\dfrac{1}{4}\cdot\dfrac{1}{4}+\dfrac{3}{4}\cdot\dfrac{3}{4}\right)$

$=\dfrac{5}{8}\left(\dfrac{3}{8}\right)^{m-1}$. 「$\dfrac{5\cdot 3^{m-1}}{8^m}$」でもOK

54

解答

○ 各回における得点とその確率は次のとおり:〔コインを区別している〕

$\begin{cases}+1(\lceil+\rfloor\text{で表す})\cdots\left(\dfrac{1}{2}\right)^2=\dfrac{1}{4},\\-1(\lceil-\rfloor\text{で表す})\cdots 1-\dfrac{1}{4}=\dfrac{3}{4}.\end{cases}$

○ $|X|=2$, i.e. $X=\pm 2$ となった時点で終了する.第 $2m-1$ 回後まで $-1\leq X\leq 1$ であり,第 $2m$ 回後に

55

解答

$\underbrace{1,2,3,4,5,6,7,8,9,10}\;\;\square$ n回反復

[1] ○ A:「積 X が 5 の倍数」,
i.e. 「少なくとも1回は 5, 10」〔あいまい〕
の余事象は
$\overline{A}$:「n 回とも 5, 10 以外」〔明快!〕

○ よって求める確率は
$P(A)=1-P(\overline{A})$
$\quad =1-\left(\dfrac{8}{10}\right)^n=1-\left(\dfrac{4}{5}\right)^n$.

〔順序を区別している〕

[2] ○ 10 は 5・2 と素因数分解されるから，

B：「積 X が 2 の倍数」

とすると

「X が 10 の倍数」$\iff$「$A \cap B$」．

よって求める確率は $P(A \cap B)$．

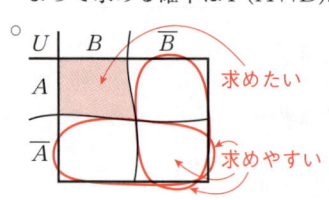

○ カルノー図で〈視〉

□…5 の倍数
1, 2, 3, 4, 5, 6, 7, 8, 9, 10
△…2 の倍数

B：「少なくとも 1 回は偶数」だから，その余事象は

$\overline{B}$：「n 回とも奇数」． 「△」印がついていない

また，$\overline{A} \cap \overline{B}$：「$n$ 回とも 1, 3, 7, 9」．
「□」も「△」も付いていない

○ よって求める確率は

$P(A \cap B)$
$= 1 - \{P(\overline{A}) + P(\overline{B}) - P(\overline{A} \cap \overline{B})\}$
$= 1 - \left\{\left(\dfrac{8}{10}\right)^n + \left(\dfrac{5}{10}\right)^n - \left(\dfrac{4}{10}\right)^n\right\}$
$= 1 - \left(\dfrac{4}{5}\right)^n - \left(\dfrac{1}{2}\right)^n + \left(\dfrac{2}{5}\right)^n$．

参考 本冊 p.139 **参考** と同様です．

$P(B) = 1 - \left(\dfrac{5}{10}\right)^n = 1 - \left(\dfrac{1}{2}\right)^n$

と $P(A) = 1 - \left(\dfrac{4}{5}\right)^n$ を掛けてみると

$P(A)P(B) = \left\{1 - \left(\dfrac{4}{5}\right)^n\right\}\left\{1 - \left(\dfrac{1}{2}\right)^n\right\}$
$= 1 - \left(\dfrac{4}{5}\right)^n - \left(\dfrac{1}{2}\right)^n + \left(\dfrac{2}{5}\right)^n$

となり，[2] の答えと一致していますが，あくまでも $P(A \cap B) \neq P(A)P(B)$ を用いて [2] を解答するのは誤りです．

解 答

試行を〈視〉

n 回反復
| 1, 2, 3, 4, 5, 6, 7, 8, 9, 10 |

○ $9 = 3^2$ だから，積 X が含む素因数 3 の次数を a とすると

A：「X が 9 の倍数」$\iff$「$a \geq 2$」．

←素因数 3 の個数
1, 2, 3, 4, 5, 6, 7, 8, 9, 10
$a = 0, 1, 2, 3, \cdots$ 事象全体を〈視〉

○ これの余事象は

$\overline{A}$：「$a = 0, 1$」

i.e. $\begin{cases} a = 0 \cdots \text{「}n \text{ 回とも 3, 6, 9 以外」}, \\ a = 1 \cdots \text{「3 or 6 が 1 回で，他の} \\ \qquad\qquad n-1 \text{ 回は 3, 6, 9 以外」}. \end{cases}$

○ $a = 1$ の確率は，3 or 6 の目が第何回に出るかを考えて

順序を区別？

$n \cdot \dfrac{2}{10}\left(\dfrac{7}{10}\right)^{n-1}$．

○ 以上より，求める確率は

$P(A) = 1 - P(\overline{A})$
$= 1 - \left\{\left(\dfrac{7}{10}\right)^n + n \cdot \dfrac{2}{10}\left(\dfrac{7}{10}\right)^{n-1}\right\}$ …①
$= 1 - \left(1 + \dfrac{2}{7}n\right)\left(\dfrac{7}{10}\right)^n$．

補足

① の $\{\ \}$ 内は，次のように計算しています．

$n \cdot \dfrac{2}{10}\left(\dfrac{7}{10}\right)^{n-1} = n \cdot \dfrac{2}{10} \cdot \left(\dfrac{7}{10}\right)^{-1}\left(\dfrac{7}{10}\right)^n$
$= n \cdot \left(\dfrac{2}{10} \cdot \dfrac{10}{7}\right)\left(\dfrac{7}{10}\right)^n$
$= \dfrac{2}{7}n \cdot \left(\dfrac{7}{10}\right)^n$．

これと $\left(\dfrac{7}{10}\right)^n$ を加えて，$\{\ \}$ 内は

$$\left(1+\frac{2}{7}n\right)\left(\frac{7}{10}\right)^n$$

となります．

57

解答

$0_a, 0_b, 1_a, 1_b, 2_a, 2_b, \cdots, 9_a, 9_b$ □□□

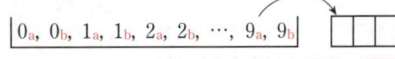

カードを区別 ?

○ 20枚を全て区別したとき，取り出す3枚の組合せ：

$$_{20}C_3 = \frac{20 \cdot 19 \cdot 18}{3 \cdot 2} = 10 \cdot 19 \cdot 6 \text{(通り)}$$

の各々は等確率．

○ 「最大値が4」
$\iff \begin{cases} A：\text{「3枚とも 4 以下」かつ} \\ B：\text{「少なくとも 1 枚は 4」} \end{cases}$

よって求める確率は，$P(A \cap B)$．

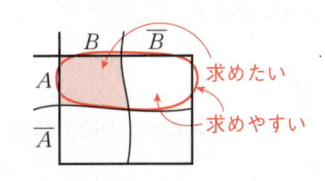

○ [図: B, $\bar{B}$, A, $\bar{A}$ の領域図, 求めたい・求めやすい]

$n(A)$ は，4以下のカードが10枚あることより

$$_{10}C_3 = \frac{10 \cdot 9 \cdot 8}{3 \cdot 2} = 120.$$

$\bar{B}$：「3枚とも 4 以外」だから
$A \cap \bar{B}$：「3枚とも 3 以下」．
3以下のカードは8枚あるから
$n(A \cap \bar{B}) = {}_8C_3$

$$= \frac{8 \cdot 7 \cdot 6}{3 \cdot 2} = 56.$$

○ 以上より，求める確率は

$P(A \cap B) = P(A) - P(A \cap \bar{B})$

$$= \frac{120 - 56}{10 \cdot 19 \cdot 6}$$

$$= \frac{64}{10 \cdot 19 \cdot 6} = \frac{16}{285}.$$

別解（方針）本問では，4のカードが2枚しかありませんから次のように場合分けしてもできます．なお，全ての場合の数は前記解答と同じです．

（解答）

○「最大値が 4」である取り出し方は，次のように分けられる．

 i) $\{4, 4, 3 \text{以下}\}$
 ii) $\{4, 3 \text{以下}, 3 \text{以下}\}$

モレなく ダブりなく

○ 3以下のカードは 8 枚あるから，
 i) は 8 通り，
 ii) は $2 \cdot {}_8C_2 = 2 \cdot \frac{8 \cdot 7}{2} = 56$ (通り)
 どちらの 4 か？

○ よって求める確率は

$$\frac{8 + 56}{10 \cdot 19 \cdot 6} = \frac{64}{10 \cdot 19 \cdot 6} = \frac{16}{285}.$$

58

解答

カードの区別を 無視

$0_a, 0_b, 1_a, 1_b, 2_a, 2_b, \cdots, 9_a, 9_b$ □□□

○ 20枚を全て区別したとき，取り出す3枚の組合せ：

$$_{20}C_3 = \frac{20 \cdot 19 \cdot 18}{3 \cdot 2} = 10 \cdot 19 \cdot 6 \text{(通り)}$$

の各々は等確率．

明快！

○「最大値が6」$\iff \begin{cases} \text{「3枚とも 6 以下」かつ} \\ \text{「少なくとも 1 枚が 6」} \end{cases}$，

「最小値が3」$\iff \begin{cases} \text{「3枚とも 3 以上」かつ} \\ \text{「少なくとも 1 枚が 3」} \end{cases}$

あいまい

○ 上記をまとめて，

57〜58 の解答　27

「最大値が 6」かつ「最小値が 3」
$\iff \begin{cases} A：\text{「3 枚とも 3～6」かつ} \\ B：\text{「少なくとも 1 枚は 6」かつ} \\ C：\text{「少なくとも 1 枚は 3」.} \end{cases}$

よって求める確率は
$P(A \cap B \cap C).$

キャロル表で◯視

○ $A \cap \overline{B}$：「3 枚とも 3～5」,
　$A \cap \overline{C}$：「3 枚とも 4～6」,
　$A \cap \overline{B} \cap \overline{C}$：「3 枚とも 4, 5」.

○ $n(A) = {}_8C_3 = \dfrac{8 \cdot 7 \cdot 6}{3 \cdot 2} = 56,$

　$n(A \cap \overline{B}) = {}_6C_3 = \dfrac{6 \cdot 5 \cdot 4}{3 \cdot 2} = 20,$

　$n(A \cap \overline{C}) = {}_6C_3 = 20,$

　$n(A \cap \overline{B} \cap \overline{C}) = {}_4C_3 = 4.$

○ 以上より, 求める確率は
$\dfrac{56 - (20 + 20 - 4)}{10 \cdot 19 \cdot 6} = \dfrac{20}{10 \cdot 19 \cdot 6} = \dfrac{1}{57}.$

別解

(全ての場合の数は前記解答と同じです.)

○「最大値が 6」かつ「最小値が 3」となる取り出し方は, 次のように分けられる.
　ⅰ) {3, 6, 6}
　ⅱ) {3, 3, 6}　　モレなく ダブりなく
　ⅲ) {3, 4 or 5, 6}

○ ⅰ) の取り出し方は, 3_a, 3_b どちらの 3 を選ぶかを考えて, 2 通り.

○ ⅱ) も同様に 2 通り.

○ ⅲ) の取り出し方は,
$\begin{cases} 3_a,\ 3_b \text{ のどちらか}\cdots 2 \text{ 通り,} \\ 6_a,\ 6_b \text{ のどちらか}\cdots 2 \text{ 通り,} \\ 4_a,\ 4_b,\ 5_a,\ 5_b \text{ のどれか}\cdots 4 \text{ 通り} \end{cases}$

より, $2 \cdot 2 \cdot 4 = 16$ (通り).

○ 以上より, 求める確率は
$\dfrac{2 + 2 + 16}{10 \cdot 19 \cdot 6} = \dfrac{20}{10 \cdot 19 \cdot 6}$
$= \dfrac{1}{57}.$

注意
この 類題 58 や前 ITEM の 類題 57 において 別解 のような素朴な方法が可能だったのは, 取り出すカードが 3 枚と少なく, 同じ数字のカードも 2 枚ずつしかないからこそです. 必ず本解答の方法論もマスターしておいて下さい！

59

方針

各回において, スペード, ハート, ダイヤ, クラブのどれが取り出されるかは等確率です. また,「スペード」に注目しているので,「ハート」,「ダイヤ」,「クラブ」の 3 つは区別せず, "束ねて" 考えるのが得策です.

解答

○ 各回における事象とその確率は次のとおり.
$\begin{cases} A：\text{「スペード」} &\cdots \dfrac{1}{4}, \\ \overline{A}：\text{「スペード以外」} &\cdots \dfrac{3}{4}. \end{cases}$

○ 第 n 回に 4 度目のスペードが出るのは, 次のようになるとき.
　　　$1 \sim n-1$ 回　　n 回
$\begin{cases} A：3 \text{ 回} \\ \overline{A}：n-4 \text{ 回} \end{cases} \rightarrow A$

$1 \sim n-1$ 回について考える. A, $\overline{A}$ の起こり方の順序は ${}_{n-1}C_3$ 通りあり, 各々の確率は

$$\left(\frac{1}{4}\right)^3\left(\frac{3}{4}\right)^{n-4}.$$

○ 第 n 回が「A」であることも考えて，求める確率は

$$_{n-1}C_3 \cdot \left(\frac{1}{4}\right)^3\left(\frac{3}{4}\right)^{n-4} \cdot \frac{1}{4}$$

$$=\frac{(n-1)(n-2)(n-3)}{3\cdot 2}\cdot\left(\frac{1}{4}\right)^4\left(\frac{3}{4}\right)^{n-4}$$

$$=\frac{(n-1)(n-2)(n-3)}{486}\cdot\left(\frac{3}{4}\right)^n.$$

補足1

もちろん，初めから

$$_{n-1}C_3 \cdot \left(\frac{1}{4}\right)^4\left(\frac{3}{4}\right)^{n-4}$$

と書いてもかまいません．

補足2

最終結果は，次のように表すこともできます．

$$\frac{(n-1)(n-2)(n-3)3^{n-5}}{2\cdot 4^n}$$

60

解答

当たりを「○」，外れを「×」で表す．

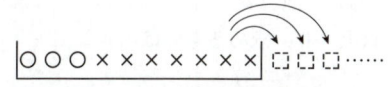

○○○××××××× □□□ ……

試行を⟨視⟩

○ 10本のくじを全て取り出すとき，第何回に○が出るかに注目する．

○ ○が出る3つの「回」の選び方：$_{10}C_3$ 通りの各々は等確率．

○ そのうち条件を満たすものを考える．

　1回〜$n-1$回 ｜ n回 ｜ $n+1$回〜10回
　……○…○…… ｜ ○ ｜ ………………

1回〜$n-1$回から○が出る2つの「回」の選び方を考えて，$_{n-1}C_2$ 通り．

○ よって求める確率は

$$\frac{_{n-1}C_2}{_{10}C_3}=\frac{(n-1)(n-2)\cdot 3\cdot 2}{2\cdot 10\cdot 9\cdot 8}$$

$$=\frac{(n-1)(n-2)}{240}.$$

別解

くじを全て区別して考える．

○ 　1回〜$n-1$回　　　n回
　　$\begin{cases}○：2回\\ ×：n-3回\end{cases}$ → ○
　　　　　①　　　　　　②

○ ①について．

1回〜$n-1$回に取り出されるくじの組合せ：$_{10}C_{n-1}$ 通りの各々は等確率であり，そのうち①を満たすものは $_3C_2\cdot{_7C_{n-3}}$ 通り．
　　　　　　　当り　外れ

○ ②について．

①が起きたとき，箱の中は右のようになっている．よって，①のもとで②の確率は

　○：1本
　×：$10-n$ 本
　計 $11-n$ 本

$$\frac{1}{11-n}.$$

○ よって求める確率は

$$\frac{_3C_2\cdot{_7C_{n-3}}}{_{10}C_{n-1}}\cdot\frac{1}{11-n}$$

$$=\frac{3\cdot 7!(n-1)!(11-n)!}{10!(n-3)!(10-n)!}\cdot\frac{1}{11-n}$$

$$=\frac{3}{10\cdot 9\cdot 8}\cdot\frac{(n-1)(n-2)(11-n)}{11-n}$$

$$=\frac{(n-1)(n-2)}{240}.$$

解説

やはり問題で問われている「当たりが出る回」のみに注目した本解答の方が，計算量は断然少ないですね．

61

解答

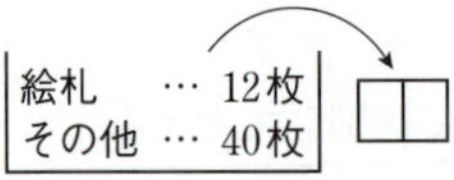

絵札 … 12枚
その他 … 40枚 □□

○ カードを全て区別したとき，取り出す2枚の組合せ：$_{52}C_2$ 通りの各々は等確率．

○ A：「絵札(「○」で表す)が含まれる」
  B：「その他(「△」で表す)が含まれる」
とすると，求めるものは条件付き確率

$$P_A(B) = \frac{n(A \cap B)}{n(A)}$$

…赤色部分
…赤枠囲み

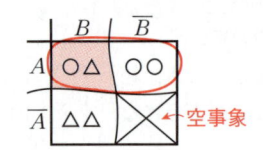

	B	$\overline{B}$
A	○△	○○
$\overline{A}$	△△	×

←空事象

○ A を次の2つに分けて考える．
 $A \cap B$：「○と△」
 $A \cap \overline{B}$：「○と○」

○ $n(A \cap B) = 12 \cdot 40$,
 $n(A \cap \overline{B}) = {}_{12}C_2 = 6 \cdot 11$.

○ 以上より

$$P_A(B) = \frac{\overset{○△}{12 \cdot 40}}{\underset{○△}{12 \cdot 40} + \underset{○○}{6 \cdot 11}}$$

$$= \frac{2 \cdot 40}{2 \cdot 40 + 11} = \frac{80}{91}.$$

解説

ここで求めた条件付き確率 $P_A(B)$ とは，要するに

　○△ or ○○ に対する
　○△ の起こりやすさの割合

に他なりません．

62

解答

○ 10個の玉をすべて区別し，赤玉を R，白玉を W で表す．

○ A：「1個目がW」
  B：「2個目がR」
とすると，求めるものは条件付き確率

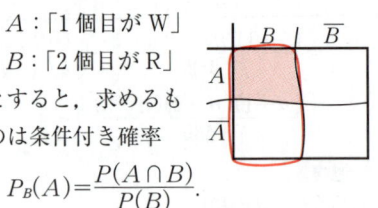

$$P_B(A) = \frac{P(A \cap B)}{P(B)}.$$

	B	$\overline{B}$
A	▨	
$\overline{A}$		

箱の状態を 視

○ |R R R　　　| → |R R R　　　|
  |W W W W W W W| |W W W W W W|

 $P(A) = \frac{7}{10}$. $P_A(B) = \frac{3}{9}$.

∴ $P(A \cap B) = \frac{7}{10} \cdot \frac{3}{9} = \frac{7}{30}$.

○ |R R R　　　| → |R R　　　　|
  |W W W W W W W| |W W W W W W W|

 $P(\overline{A}) = \frac{3}{10}$. $P_{\overline{A}}(B) = \frac{2}{9}$.

∴ $P(\overline{A} \cap B) = \frac{3}{10} \cdot \frac{2}{9} = \frac{2}{30}$.

○ $P(B) = P(A \cap B) + P(\overline{A} \cap B)$.

○ 以上より，求めるものは

$$P_B(A) = \frac{\frac{7}{30}}{\frac{7}{30} + \frac{2}{30}}$$

$$= \frac{7}{7+2} = \frac{7}{9}.$$

解説

とにかく時の流れに惑わされず，B に対する $A \cap B$ の起こりやすさの割合を考えます．

参考 本問で求めた
　2個目がRのとき1個目がW
である条件付き確率 $\frac{7}{9}$ は，

1個目がRのとき2個目がW
R 2個
W 7個
である条件付き確率と一致しています。これも 例題62 重要2 の"記録カード方式"で考えてみれば当然の結果です。

解説　問題文の情報は
　　年齢という原因→投票という結果
という向きに書かれていますが，その向きに惑わされず，ただひたすら起こりやすさの割合を考えます。

63

解答

○1人を選ぶ試行において
　A：「60歳以上を選ぶ」
　B：「投票に行った人を選ぶ」
とすると，求めるものは条件付き確率
　$P_B(A) = \dfrac{P(A \cap B)}{P(B)}$． 赤色部分／赤枠囲み

○題意の情報を整理すると
　$P(A) = \dfrac{2}{5}$, $P_A(B) = \dfrac{4}{5}$,
　　4割　　　　80%
　$P(\overline{A}) = \dfrac{3}{5}$, $P_{\overline{A}}(B) = \dfrac{2}{5}$．
　　　　　　　　　40%

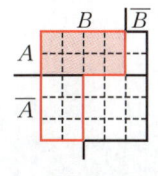

（各事象を表す部分の面積が，その確率に比例するように描いてある．）

○ $P(A \cap B) = \dfrac{2}{5} \cdot \dfrac{4}{5}$,
　$P(\overline{A} \cap B) = \dfrac{3}{5} \cdot \dfrac{2}{5}$,
　$P(B) = P(A \cap B) + P(\overline{A} \cap B)$．

○以上より，求めるものは
　$P_B(A) = \dfrac{\dfrac{2}{5} \cdot \dfrac{4}{5}}{\dfrac{2}{5} \cdot \dfrac{4}{5} + \dfrac{3}{5} \cdot \dfrac{2}{5}}$　□／(□+○) 型
　　　$= \dfrac{8}{8+6} = \dfrac{4}{7}$．

64

解答

○玉を全て区別し，赤玉をR，白玉をWで表す．

○ 試行を〈視〉

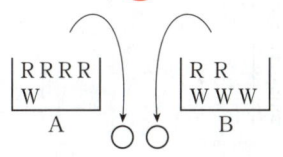

[RRRR W] A　　[RR WWW] B

E：「取り出した玉にRが含まれる」
F：「箱BからWを取り出す」
とすると，求めるものは条件付き確率
　$P_E(F) = \dfrac{P(E \cap F)}{P(E)}$． 赤色部分／赤枠囲み

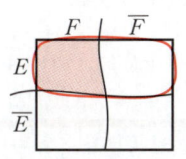

○$E \cap F$ は
「AからR，BからWを取り出す」
事象だから，
　$P(E \cap F) = \dfrac{4}{5} \cdot \dfrac{3}{5}$．

○$E \cap \overline{F}$ は
　$\overline{F}$：「BからRを取り出す」
と同じ事象であり，
　$P(E \cap \overline{F}) = P(\overline{F}) = \dfrac{2}{5}$．

○以上と
$$P(E)=P(E\cap F)+P(E\cap \overline{F})$$
より，求めるものは
$$P_E(F)=\frac{\frac{4}{5}\cdot\frac{3}{5}}{\frac{4}{5}\cdot\frac{3}{5}+\frac{2}{5}}$$
$$=\frac{12}{12+10}=\frac{6}{11}.$$

参考 事象 E, F にとらわれず，単純に箱 A, B から取り出す玉の色に注目して分類してみましょう．

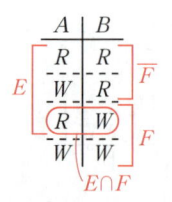

	A	B	
	R	R	
E	W	R	$\overline{F}$
	R	W	F
	W	W	

$E\cap F$

これを見ると，本問で"前提条件"となっていた事象 E は
$$E\cap F \text{ と } \overline{F}$$
の 2 つに分けられることがわかりますね．なお，この分類を見ると，$\overline{E}\cap F$ が空集合であることもわかりますね．

$$P(A\cup B)=x+y+z=\frac{4}{5}, \quad \cdots ①$$
$$P_A(B)=\frac{P(A\cap B)}{P(A)}=\frac{x}{x+y}=\frac{3}{5}, \cdots ②$$
$$P_{\overline{A}}(B)=\frac{P(\overline{A}\cap B)}{P(\overline{A})}=\frac{z}{1-x-y}=\frac{1}{5}.$$
$$\cdots ③$$

○③より
$$5z=1-x-y. \therefore x+y=1-5z.$$
これと①より
$$1-5z+z=\frac{4}{5}.$$
$$\therefore z=\frac{1}{20}, \ x+y=\frac{3}{4}.$$

○これと②：$5x=3(x+y)$ より
$$5x=3\cdot\frac{3}{4}, \ x=\frac{9}{20}.$$
よって求めるものは
$$P(B)=\frac{9}{20}+\frac{1}{20}=\frac{1}{2}.$$

参考 カルノー図における各部分の確率は，次のようになります．

	B	$\overline{B}$
A	$\frac{9}{20}$	$\frac{6}{20}$
$\overline{A}$	$\frac{1}{20}$	$\frac{4}{20}$

65

解答

○ 各確率を 記

	B	$\overline{B}$
A	x	y
$\overline{A}$	z	$1-x-y-z$

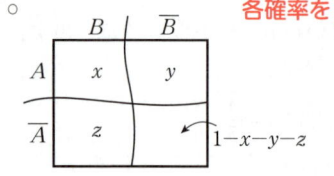

上のように確率 x, y, z をとると，求めるものは
$$P(B)=x+z.$$
○題意の条件は，

66-1

方針 本冊基本事項の ⓒ に立脚して解答します．

解答

○順序を区別したときの出方：
$n(U)=2^n$ 通りの各々は等確率．

○○を区別 ?

○$n(A)$ は「n 回が全て表」，「n 回が全て裏」の 2 通りを除いて，2^n-2（通り）．

○ $n(B)$ は，
$\begin{cases} \text{「}n\text{ 回が全て裏」} \\ \text{「}1\text{ 回が表で }n-1\text{ 回が裏」} \end{cases}$
の 2 つの場合を考えて，
$\quad 1+{}_nC_1=1+n\text{ (通り)}.$

○ $n(A\cap B)$ は，上記のうち「1 回が表で $n-1$ 回が全て裏」だけを考えて，
$\quad {}_nC_1=n\text{ (通り)}.$

○ 以上より，事象 A, B が独立であるための条件：$P(A\cap B)=P(A)P(B)$ は
$\dfrac{2^n-2}{2^n}\cdot\dfrac{1+n}{2^n}=\dfrac{n}{2^n}.$ 　本冊の©を使った
$(2^n-2)(1+n)=n\cdot 2^n.$
$2^n-2-2n=0.$
$2^{n-1}=n+1. \qquad\qquad\cdots①$

○ ①の両辺の値を $n=2, 3, \cdots, 9$ について調べると次のとおり，

n	2	3	4	5	6	7	8	9
2^{n-1}	2	4	8	16	32	64	128	256
$n+1$	3	4	5	6	7	8	9	10

よって求める n は，$n=3$.

補足

$2^{n-1}>n+1$ が 4 以上の全ての n に対して成り立つことが，数学的帰納法を用いて示せます．よって，考察する n の範囲を 2 以上の整数全体に広げても，A と B が独立になるような n は，3 のみです．

66-2

解答

右図のように，
$x=P(A\cap B),$
$y=P(A\cap\overline{B}),$
$z=P(\overline{A}\cap B),$
$w=P(\overline{A}\cap\overline{B})$
とおく．

	B	$\overline{B}$
A	x	y
$\overline{A}$	z	w

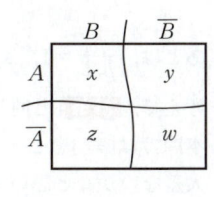

$P(A)=x+y\neq 0$，$P(B)=x+z\neq 0$ のもとで示せばよい．

[1] $P_A(B)=P(B)$ は次のように変形できる．
$\dfrac{x}{x+y}=x+z.$
$x=(x+y)(x+z). \qquad\cdots①$
これは $P(A\cap B)=P(A)P(B)$ が成り立つことを表している．よって
$\quad P_A(B)=P(B)$
$\iff P(A\cap B)=P(A)P(B).\ \square$
　　　　　　「証明終わり」のマーク

[2] ①は次のように変形できる．
$\dfrac{x}{x+z}=x+y.$
これは $P_B(A)=P(A)$ が成り立つことを表している．よって
$P_A(B)=P(B)\iff P_B(A)=P(A).\ \square$

[3] $\overline{A}$, $\overline{B}$ が独立であることは，次のように変形できる．
$P(\overline{A}\cap\overline{B})=P(\overline{A})P(\overline{B}).$
$w=(z+w)(y+w).$
$1-(x+y+z)$
$\quad=\{1-(x+y)\}\{1-(x+z)\}$
$\qquad(\because\ x+y+z+w=1).$
$1-(x+y+z)$
$=1-(x+y+x+z)+(x+y)(x+z).$
$x=(x+y)(x+z).$
これは，$P(A\cap B)=P(A)P(B)$，つまり A, B が独立であることを表している．
よって
$\quad$「A と B が独立」
$\iff$「$\overline{A}$ と $\overline{B}$ が独立」．$\square$

補足　[1]は乗法定理：
$P(A\cap B)=P(A)P_A(B)$ から示すこともできます．

補足

$P_A(B)$ は $P(A)=x+y \neq 0$ のもとで，$P_B(A)$ は $P(B)=x+z \neq 0$ のもとで初めて定義されます．ですから，$P_A(B)$, $P_B(A)$ を扱う本問 [1], [2] は，「$P(A)=x+y \neq 0$, $P(B)=x+z \neq 0$ のもとで示せばよい」といえるのです．

67

方針

100 個の玉を赤く塗って箱に戻した後の状態を視覚化しましょう．

解答

○ 玉の総数を n とする．2 度目に 100 個の玉を取り出す試行における題意の事象は次の通り．

試行を〈視〉

| 赤：100個
白：$n-100$個 | 100個取り出す | 赤：4個
白：96個 |

この確率を p_n とする．

○ 取り出す 100 個の組合せ：${}_n C_{100}$ 通りの各々は等確率．

○ このうち条件を満たすものは
$${}_{100}C_4 \cdot {}_{n-100}C_{96} \text{ 通り } (n \geq 196). \quad \cdots ①$$

○ ∴ $p_n = \dfrac{{}_{100}C_4 \cdot {}_{n-100}C_{96}}{{}_n C_{100}}$

$= {}_{100}C_4 \cdot \dfrac{(n-100)!\,100!\,(n-100)!}{96!\,(n-196)!\,n!}$

$= \dfrac{{}_{100}C_4 \cdot 100!}{96!} \cdot \dfrac{(n-100)!\,(n-100)!}{(n-196)!\,n!}$

○ よって，$p_n - p_{n-1}$ ($n \geq 197$) は次と同符号である． 符号のみに注目

$\dfrac{(n-100)!\,(n-100)!}{(n-196)!\,n!}$

$- \dfrac{(n-101)!\,(n-101)!}{(n-197)!\,(n-1)!}$

$\left(\dfrac{(n-100)!}{=(n-101)!\,(n-100)} \right)$

$= \dfrac{\{(n-101)!\}^2}{(n-196)!\,n!} \underbrace{\{(n-100)^2-(n-196)n\}}_{f(n) \text{ とおく}}.$

これはさらに $f(n)$ と同符号であり，
$f(n) = -4n+10000$
$\quad = 4(2500-n).$

○ 上記によって $f(n)$ の符号を考えることにより

$p_n \begin{cases} > p_{n-1} & (n<2500), \\ = p_{n-1} & (n=2500), \\ < p_{n-1} & (n>2500). \end{cases}$

すなわち，
$\cdots < p_{2498} < p_{2499} = p_{2500} > p_{2501} > \cdots$

よって，求める確率を最大化する n は
$n = 2499, \ 2500.$

別解 p_n と p_{n-1} の大小を比べるため，両者の比をとってみましょう．

$\dfrac{p_n}{p_{n-1}}$　　どうし，どうしで約分がなされる．

$= \dfrac{(n-100)!\,(n-100)!\,(n-197)!\,(n-1)!}{(n-196)!\,n!\,(n-101)!\,(n-101)!}$

$= \dfrac{(n-100)^2}{(n-196)n} \quad (n \geq 197).$

上式の分母は正だから，$\dfrac{p_n}{p_{n-1}} > 1$ のとき

$(n-100)^2 > (n-196)n$.
$-4n + 10000 > 0$.
$n < 2500$.
$\quad \vdots$

あとは，$\dfrac{p_n}{p_{n-1}} = 1$，<1 についても同様に考えて，**解答** と同じ結果が得られます．本問では「差」をとっても「比」をとっても大差ないかなと思います．

補足1

「p_{n-1} と p_n の大小」の代わりに「p_n と p_{n+1} の大小」を比べた場合，解答 や 別解 と同じようにして行くと「n と 2499 の大小」に帰着され，「n と 2500 の大小」に比べるとキリの悪い数値を扱うことになります．少し「運が悪かった」と思ってあきらめましょう．

補足2

本問の n は，① を見てもわかるように $n \geq 196$ を満たします．ただし，それをとくに明言しなくても，当然そのような n についてのみ考えているとみなされ，減点されることはないでしょう．

参考

本問の結果は，次のように考えれば納得が行くでしょう．

	赤	赤＋白
2度目の100コ	4	100
箱全体	100	x

「2度目に取り出す100個」と「箱の中の玉全体」について，「赤」と「赤＋白」の個数の比はおおよそ等しいと思われますから

$$4 : 100 \fallingdotseq 100 : x,$$

i.e. $x \fallingdotseq 2500$ ……**本問の結果とほぼ一致！**

というのがいちばん "もっともらしい"，"ありがちな" 状況ではないかと考えられますね．ただし，このような直観的な考えを「答案」に書いても得点は与えられませんよ！

発展

数列 (a_n) の増減が，a_{n+1} と a_n の差をとっても比をとっても判定できない場合，1ずつ変化する「自然数 n」を，連続的に変化する「実数 x」にすり変えた関数の増減なら調べられることがあります．

68

方針

[2] は，[1] の誘導に従い，等しい辺があるタイプの三角形を利用して求めましょう．

解答 頂点を 記

$6n$ 個の頂点を $A_0, A_1, A_2, \cdots, A_{6n-1}$ と表し，O を中心とする外接円 C の周上に次図のように等間隔で並んでいるとする．

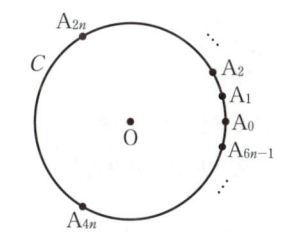

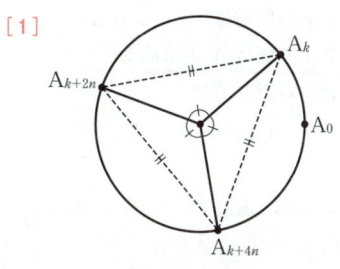

[1]

考えられる正三角形は

　$\triangle A_0 A_{2n} A_{4n}$, $\triangle A_1 A_{2n+1} A_{4n+1}$, $\cdots$,
　$\triangle A_{2n-1} A_{4n-1} A_{6n-1}$,

つまり

　$A_k A_{k+2n} A_{k+4n}$

　　$(k = 0, 1, 2, \cdots, 2n-1)$. …①

よって求める個数は

　$2n$.

[2] ○作られる三角形は，次の3タイプに分けられる．

68 の解答 35

全タイプを 視

(i) 3辺が等しい

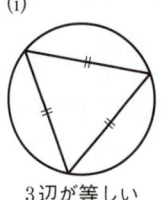

(ii) 2辺のみ等しい 「頂点」と呼ぶ

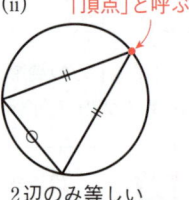

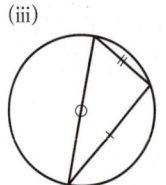

(iii) 3辺が全て相異

点の位置を 視

「A_k」の範囲

これは正三角形だからダメ

○ (i), (ii), (iii)全タイプの総数は
$${}_{6n}C_3 = \frac{6n(6n-1)(6n-2)}{3!}$$
$$= 2n(6n-1)(3n-1).$$

○ タイプ(i)の個数は，[1]より $2n$．

○ タイプ(ii)の個数 N を求める．

● 「頂点」の選び方は
  $A_0, A_1, A_2, \cdots, A_{6n-1}$ の $6n$ 通り．

● たとえば「頂点」が A_0 のとき，その対辺は
  $A_1 A_{6n-1}, A_2 A_{6n-2}, \cdots, A_{2n-1} A_{4n+1}$,
  $A_{2n} A_{4n}$ はダメ！！
  $A_{2n+1} A_{4n-1}, \cdots, A_{3n-1} A_{3n+1}$,
  つまり $A_k A_{6n-k}$ ($k=1, 2, \cdots,$
  $2n-1, 2n+1, \cdots, 3n-1$)
  の $(3n-1)-1 = 3n-2$ (通り)．

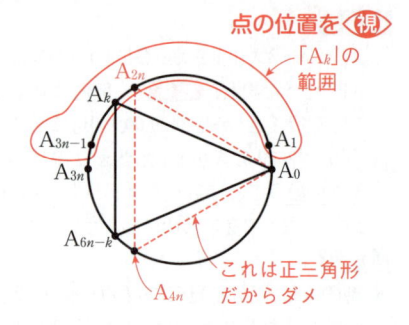

● よって，タイプ(ii)の個数は
  $6n(3n-2)$．

○ 以上より，求めるタイプ(iii)の個数は
$$2n(6n-1)(3n-1) - 2n \cdot 6n(3n-2)$$
$$= 2n\{(6n-1)(3n-1) - 1 - 3(3n-2)\}$$
$$= 2n(18n^2 - 18n + 6)$$
$$= \mathbf{12n(3n^2 - 3n + 1)}.$$

解説
タイプ(ii)の三角形は，「頂点」という特徴的な点があるおかげで，ダブリの心配をすることなく数えることができますね． モレなく ダブリなく

注意
ただし，タイプ(ii)の中で A_0 を「頂点」とする二等辺三角形を数える際，うっかり「$\triangle A_0 A_{2n} A_{4n}$」という正三角形(タイプ(i))まで数えてしまわないように！ そのためにも， 解答 にあるような図をしっかり描いて考えましょう．

補足
タイプ(ii)において，「頂点」の対辺が「$A_k A_{6n-k}$」と，2点の番号の和がキレイに「$6n$」となっていますね．これは，頂点の番号を「1番から」ではなく「0番」から始めたおかげです．多くの場合，正多角形の頂点の番号は「0番」からにすると考えやすくなりますよ．

69

着眼 3つの正の実数 a, b, c が三角形の3辺をなすための条件は
$$|b-c|<a<b+c$$
ですが，a が最大辺の長さだと決まっているときは，$|b-c|<a$ は自ずと成り立つので
$$a<b+c$$
だけで OK です．

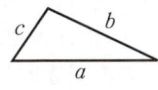

それから，問われているのは「3数の組合せ」ですが，下記 **解答** ①のように大小関係を指定した3文字を用いれば，順序を区別した「組」を考えればよいですね．

「組合せ」 ⟷ 「組」
　　大小関係を指定

（⇦ **類題 20** [1]）

解答 条件を満たす3つの数は，最大辺の長さを $2k$ として
$$x, y, 2k \quad (k=2, 3, 4, \cdots, n),$$
ただし，$\begin{cases} 1\leq x<y<2k, & \cdots ① \\ x+y>2k & \cdots ② \end{cases}$

とおける．k を固定したとき，上記①，②を満たす組 (x, y) は，下図赤色部分（境界は実線のみ含む）内の格子点で表される．

座標平面で ⟨視⟩

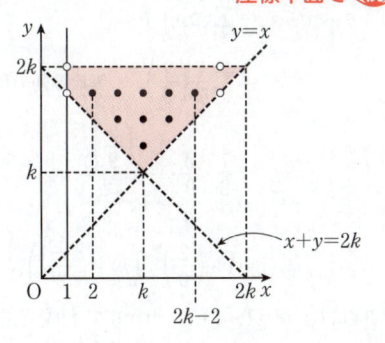

格子点の個数は，直線 $x=2, 3, \cdots, k, \cdots, 2k-2$ 上の個数を順に考えて
$$1+2+3+\cdots+(k-2)+\overset{x=k 上}{(k-1)}$$
$$+(k-2)+\cdots+3+2+1 \quad \cdots ③$$
$$=2\cdot\frac{(k-2)(k-1)}{2}+(k-1)$$
$$=(k-1)^2.$$

求める組合せの個数は，これを $k=2, 3, 4, \cdots, n$ について加えて
$$\sum_{k=2}^{n}(k-1)^2=1^2+2^2+3^2+\cdots+(n-1)^2$$
$$\cdots ④$$
$$=\frac{1}{6}(n-1)n(2n-1).$$

解説
2直線 $y=x, x+y=2k$ の傾きはそれぞれ1，-1 ですから，直線 $x=l$ （l は整数）上の格子点の数は，x が1増えるごとに1個増えるか1個減るかのどちらかですね．よって，③のようになります．

ちなみに直線 $x=k$ 上の格子点の y 座標は
$$y=k+1, k+2, \cdots, 2k-1$$
であり，その個数は
$$\underset{終り}{(2k-1)}-\underset{初め-1}{k}=k-1$$

（⇦ p.167 **特講E** [3](4) **補足**）
となります．

注意 $\sum_{k=2}^{n}(k-1)^2$ を計算する際，$(k-1)^2$ を展開してはいけません．④のように項がどう並んでいるかを考えましょう．

70

解 答

○各回の事象とその確率は次のとおり．

$$\begin{cases} A：\text{「Aが出る」}\cdots \dfrac{2}{3}, \\ B：\text{「Bが出る」}\cdots \dfrac{1}{3}. \end{cases}$$

○Aが連続して終了するのは次の①，②の場合である．

$\underline{AB}\,\underline{AB}\,\underline{AB}\,\cdots\,\underline{AB}\,AA$ …①
$\underline{AB}$ が k 回 $(k=0,\ 1,\ 2,\ \cdots)$（試行回数は偶数）

事象を ⦅視⦆

$B\,\underline{AB}\,\underline{AB}\,\underline{AB}\,\cdots\,\underline{AB}\,AA$ …②
$\underline{AB}$ が k 回 $(k=0,\ 1,\ 2,\ \cdots)$（試行回数は奇数）

○Bが連続して終了するのは，上記において「A」と「B」を入れ替えた場合である．

○ちょうど n 回目で終了する確率を p_n，n 回目までに終了する確率を q_n とする．

[1] ○ちょうど $2n$ 回後 $(n=1,\ 2,\ 3,\ \cdots)$ にAが連続して終了する場合，①のみが考えられる．$\underline{AB}$ の反復回数を k とすると $2n=2k+2\ (k=n-1)$ であり，この確率は

$$\left(\dfrac{2}{3}\cdot\dfrac{1}{3}\right)^k\cdot\dfrac{2}{3}\cdot\dfrac{2}{3}\quad\cdots③$$
$$=\left(\dfrac{2}{9}\right)^{n-1}\cdot\dfrac{2}{3}\cdot\dfrac{2}{3}$$
$$=2\left(\dfrac{2}{9}\right)^n.\quad\cdots③'$$

○ちょうど $2n$ 回後 $(n=1,\ 2,\ 3,\ \cdots)$ にBが連続して終了する確率は，③において「$\dfrac{2}{3}$」と「$\dfrac{1}{3}$」を入れ替えて

前の結果を利用

$$\left(\dfrac{1}{3}\cdot\dfrac{2}{3}\right)^{n-1}\cdot\dfrac{1}{3}\cdot\dfrac{1}{3}=\dfrac{1}{2}\left(\dfrac{2}{9}\right)^n.\quad\cdots④$$

○よって求める確率は，③'，④を加えて
$$p_{2n}=2\left(\dfrac{2}{9}\right)^n+\dfrac{1}{2}\left(\dfrac{2}{9}\right)^n=\dfrac{5}{2}\left(\dfrac{2}{9}\right)^n.$$

[2] ○ちょうど $2n+1$ 回後 $(n=1,\ 2,\ 3,\ \cdots)$ にAが連続して終了する場合，②のみが考えられる．$\underline{AB}$ の反復回数を k とすると $2n+1=2k+3\ (k=n-1)$ であり，この確率は

$$\dfrac{1}{3}\cdot\left(\dfrac{2}{3}\cdot\dfrac{1}{3}\right)^k\cdot\dfrac{2}{3}\cdot\dfrac{2}{3}\quad\cdots⑤$$
$$=\dfrac{1}{3}\cdot\left(\dfrac{2}{9}\right)^{n-1}\cdot\dfrac{2}{3}\cdot\dfrac{2}{3}$$
$$=\dfrac{2}{3}\left(\dfrac{2}{9}\right)^n.\quad\cdots⑤'$$

○ちょうど $2n+1$ 回後にBが連続して終了する確率は，⑤において「$\dfrac{2}{3}$」と「$\dfrac{1}{3}$」を入れ替えて

$$\dfrac{2}{3}\cdot\left(\dfrac{1}{3}\cdot\dfrac{2}{3}\right)^{n-1}\cdot\dfrac{1}{3}\cdot\dfrac{1}{3}=\dfrac{1}{3}\left(\dfrac{2}{9}\right)^n.\cdots⑥$$

○ちょうど $2n+1$ 回後に終了する確率は，⑤'，⑥を加えて
$$p_{2n+1}=\dfrac{2}{3}\left(\dfrac{2}{9}\right)^n+\dfrac{1}{3}\left(\dfrac{2}{9}\right)^n=\left(\dfrac{2}{9}\right)^n.$$

○よって $n=2m+1\ (m=1,\ 2,\ 3,\ \cdots)$ のとき
$$q_n=q_{2m+1}=\sum_{l=1}^{m}(p_{2l}+p_{2l+1})$$
$$=\sum_{l=1}^{m}\dfrac{7}{2}\left(\dfrac{2}{9}\right)^l\quad\text{等比数列の和}$$
$$=\dfrac{7}{2}\cdot\dfrac{2}{9}\cdot\dfrac{1-\left(\dfrac{2}{9}\right)^m}{1-\dfrac{2}{9}}$$
$$=1-\left(\dfrac{2}{9}\right)^m\ \left(m=\dfrac{n-1}{2}\right).$$

（これは，$n=1$，i.e. $m=0$ でも成立．）

○ $n=2m$ ($m=1, 2, 3, \cdots$)のとき
$$q_n = q_{2m} = q_{2m+1} - p_{2m+1}$$ 〈前の結果を利用〉
$$= 1 - \left(\frac{2}{9}\right)^m - \left(\frac{2}{9}\right)^m$$
$$= 1 - 2\left(\frac{2}{9}\right)^m \quad \left(m = \frac{n}{2}\right).$$

○ 以上より
$$q_n = \begin{cases} 1 - \left(\dfrac{2}{9}\right)^{\frac{n-1}{2}} & (\boldsymbol{n} : \mathbf{odd}), \\ 1 - 2\left(\dfrac{2}{9}\right)^{\frac{n}{2}} & (\boldsymbol{n} : \mathbf{even}). \end{cases}$$

補足
$2m$ 回までに終了していない事象は
$\underbrace{\boxed{AB}\,\boxed{AB}\cdots\boxed{AB}}_{AB\text{ が }m\text{ 回}}$, or $\underbrace{\boxed{BA}\,\boxed{BA}\cdots\boxed{BA}}_{BA\text{ が }m\text{ 回}}$.
これの余事象の確率として q_{2m} を求めることもできます．（q_{2m+1} も同様．）

71

着眼
[1] 例題55 [2] でも述べた通りです．6 は $2\cdot 3$ と素因数分解されるので，「2 の倍数であること」と「3 の倍数であること」に分解して考えます．

[2] [1] をどう利用すればよいのか？しっかり視覚化していきましょう．

解答
[1] ○ 6 は $2\cdot 3$ と素因数分解されるから，
  A：「X が 2 の倍数」，
   i.e.「少なくとも 1 回は 2 の倍数」，
  B：「X が 3 の倍数」，
   i.e.「少なくとも 1 回は 3 の倍数」
とすると， 〈かつ〉
   「X が 6 の倍数」 $\iff$ 「$A\cap B$」．
よって求める確率 p_n は 〈ド・モルガンの法則〉
$$p_n = P(\overline{A\cap B}) = P(\overline{A}\cup\overline{B}).$$

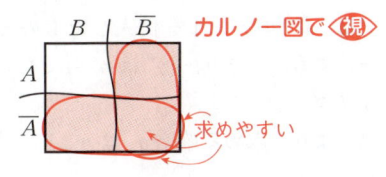

〈カルノー図で〉〈視〉

〈求めやすい〉

$\overline{A}$：「n 回とも 1, 3, 5」,
$\overline{B}$：「n 回とも 1, 2, 4, 5」,
$\overline{A}\cap\overline{B}$：「$n$ 回とも 1, 5」.

○ よって求める確率は 〈包除原理〉
$$p_n = P(\overline{A}\cup\overline{B})$$
$$= P(\overline{A}) + P(\overline{B}) - P(\overline{A}\cap\overline{B})$$
$$= \left(\frac{3}{6}\right)^n + \left(\frac{4}{6}\right)^n - \left(\frac{2}{6}\right)^n$$
$$= \left(\frac{1}{2}\right)^n + \left(\frac{2}{3}\right)^n - \left(\frac{1}{3}\right)^n.$$

[2] ○ まず，$n\geqq 2$ のときを考える．
$X_1, X_2, X_3, \cdots$ のうち初めて 6 の倍数になるものの番号を k とすると，k のとり得る値は次のとおり．

$k : 1, 2, \cdots, n-1, \underbrace{n, n+1, \cdots}_{p_{n-1}}^{p_n}$

〈全体像を〉〈視〉

p_n は，
  $k = \quad n+1, n+2, \cdots$
となる確率,
p_{n-1} は，
  $k = n, n+1, n+2, \cdots$
となる確率.

$\therefore\ q_n = p_{n-1} - p_n$ $\cdots$①
$$= \left\{\left(\frac{1}{2}\right)^{n-1} + \left(\frac{2}{3}\right)^{n-1} - \left(\frac{1}{3}\right)^{n-1}\right\}$$
$$\quad - \left\{\left(\frac{1}{2}\right)^n + \left(\frac{2}{3}\right)^n - \left(\frac{1}{3}\right)^n\right\} \cdots ①'$$
$$= \frac{1}{2}\left(\frac{1}{2}\right)^{n-1} + \frac{1}{3}\left(\frac{2}{3}\right)^{n-1} - \frac{2}{3}\left(\frac{1}{3}\right)^{n-1}.$$
$$(n\geqq 2)\cdots ①''$$

○ $q_1 = 1 - p_1$
$$= 1 - \left(\frac{1}{2} + \frac{2}{3} - \frac{1}{3}\right). \quad \cdots ②$$

②は，①'の n に 1 を代入したものと一致する．つまり，①" は $n=1$ でも成り立つ．

○以上より，求める確率 q_n は $n≧1$ に対して
$$q_n = \frac{1}{2}\left(\frac{1}{2}\right)^{n-1} + \frac{1}{3}\left(\frac{2}{3}\right)^{n-1} - \frac{2}{3}\left(\frac{1}{3}\right)^{n-1}.$$

【重要】
①を正しく立式するには，事象の全体像をちゃんと視覚的に捉えることが大切です．

【補足】
「q_1」とは
　　　「初めて 6 の倍数になるのが X_1」
　i.e. 「X_1 が 6 の倍数」　　　…③
　i.e. 「第 1 回の目が 6」

の確率ですから，$q_1 = \frac{1}{6}$ です．しかし，【解答】ではあえて③に注目して「[1]の余事象の確率 $1-p_1$」と求めることで，①'と比べやすくしています．

72

【方針】
[1]，[2]の 1 回のじゃんけんにおける確率は，ITEM 46 で見た通りです．「人」と「手」を両方区別して考えましょう．
[3]は，推移を視覚的に表します．

【解答】
3 人を A，B，C と区別し，ジャンケンの手を「グー：○」，「チョキ：∨」，「パー：□」と表す．"手"を記

[1]　○人，手を区別したときの出し方：3^3 通りの各々は等確率．

○そのうち 1 人だけが勝つ出し方は，
$\begin{cases} 勝つ人…A，B，C の 3 通り， \\ 勝つ手…○，∨，□ の \underline{3} 通り． \end{cases}$

よって 1 人だけが勝つ確率は
$$\frac{3\cdot 3}{3^3} = \frac{1}{3}.$$

○2 人だけが勝つ出し方は，
$\begin{cases} 勝つ人…{}_3C_2 = 3(通り)， \\ 勝つ手…○，∨，□ の 3 通り． \end{cases}$

よって，2 人だけが勝つ確率は
$$\frac{3\cdot 3}{3^3} = \frac{1}{3}.$$

[2]　2 人でじゃんけんして 1 人だけ勝つ確率は，[1]と同様にして
$$\frac{2\cdot 3}{3^2} = \frac{2}{3}.$$

[3]　○各回のじゃんけんにおいて，負けずに"残る人"の数は[1]，[2]の結果より次の確率で推移する．

各回の推移
確率を【視】

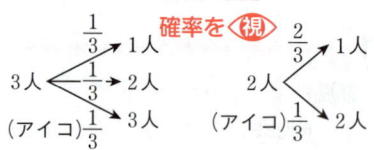

3人 $\begin{array}{l} \xrightarrow{1/3} 1人 \\ \xrightarrow{1/3} 2人 \\ \xrightarrow{1/3} 3人 \end{array}$ (アイコ)
　　2人 $\begin{array}{l} \xrightarrow{2/3} 1人 \\ \xrightarrow{1/3} 2人 \end{array}$ (アイコ)

○$n≧2$ のとき，n 回目のじゃんけんで初めて勝者が 1 人に決まるような"残る人"の推移は次のとおり．

事象全体を【視】

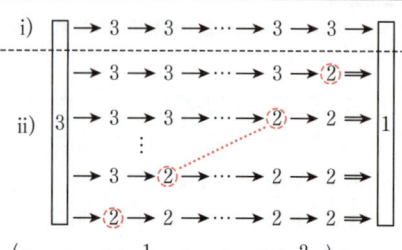

| 回：0 | 1 | 2 | … | $n-2$ | $n-1$ | n |

i) $3 \to 3 \to 3 \to \cdots \to 3 \to 3 \Rightarrow$

ii) $3 \begin{cases} \to 3 \to 3 \to \cdots \to 3 \to ② \Rightarrow \\ \to 3 \to 3 \to \cdots \to ② \to 2 \Rightarrow \\ \quad \vdots \\ \to 3 \to ② \to \cdots \to 2 \to 2 \Rightarrow \\ \to ② \to 2 \to \cdots \to 2 \to 2 \Rightarrow \end{cases} 1$

$\left(\text{「}\to\text{」は確率}\frac{1}{3}\text{，「}\Rightarrow\text{」は確率}\frac{2}{3}.\right)$

○i)の確率は，$\left(\frac{1}{3}\right)^n$．

○ ii)の各々の確率は，$\left(\frac{1}{3}\right)^{n-1}\cdot\frac{2}{3}$.

また，残り人数が初めて2となる回に注目すると，$n-1$ 通りある．

○ 以上より，求める確率は
$$\left(\frac{1}{3}\right)^n + \underbrace{(n-1)\cdot\left(\frac{1}{3}\right)^{n-1}\cdot\frac{2}{3}}_{\text{⑦}} = \frac{2n-1}{3^n}.$$

（これは $n=1$ でも成り立つ．）

補足
$n=1$ のとき，ii)は起こり得ませんが，その確率⑦が0となるので，上記結果は $n=1$ でも成り立ちます．

重要
推移図に現れた

3→3, 3→2, 3→1, 2→2

の4つは，

事象としては異なりますが確率は等しいですね．そこで，これら各々の回数を数えたりせず，合計回数だけを考えることにより，確率の等しい $n-1$ 通りの事象を「ii)」とグループ化することができました．
（⇨ ITEM30 注意）そして，各事象の確率が等しいおかげで，例題72 とは異なり Σ 計算は不要となり，単に"個数倍"するだけとなりました！

注意
ただし，各回の推移のうち唯一確率が $\frac{2}{3}$ である「2→1」が現れない事象だけは特別扱いせざるを得ません．それが「i)」です．
（⇦ 例題72 補足2）

73

着眼
カードは3枚ありますが，「独立に」とありますから1枚のカードについて考えれ

ば OK です．
カードの直前・直後の関係が規定されていますから，"ドミノ式"に攻めて行きます．

解答

○「白が表」を W，「赤が表」を R で表す．カードを 1, 2, 3 と区別し，まずカード 1 が n 回後に「R」である確率 p_n を求める．

○ 各回の操作において，カード 1 の状態は次の確率で推移する．

$$\frac{2}{3}\circlearrowleft W \underset{\frac{1}{3}}{\overset{\frac{1}{3}}{\rightleftarrows}} R \circlearrowright \frac{2}{3} \quad \text{推移を}⟨視⟩$$

○ $n+1$ 回後に R である事象は，n 回後の状態に注目して場合分けすると，次の 2 パターンである．

n 回後 　　　　　 $n+1$ 回後
$R \xrightarrow{\frac{2}{3}}$
　　　　　　　　　　　　R
$W \xrightarrow{\frac{1}{3}}$

$\therefore\ p_{n+1} = p_n \cdot \frac{2}{3} + (1-p_n)\cdot\frac{1}{3}$

$\qquad = \frac{1}{3}p_n + \frac{1}{3}.\quad \cdots ①$

○ また，最初は W だったので
$p_0 = 0.\quad \cdots ②$

○ ①を変形すると
$$p_{n+1} - \frac{1}{2} = \frac{1}{3}\left(p_n - \frac{1}{2}\right).$$

$\therefore\ p_n - \frac{1}{2} = \left(p_0 - \frac{1}{2}\right)\left(\frac{1}{3}\right)^n.$ 　$n-0$

○ これと②より
$$p_n = \frac{1}{2} - \frac{1}{2}\left(\frac{1}{3}\right)^n = \frac{1}{2}\left\{1 - \left(\frac{1}{3}\right)^n\right\}.$$

○ カード 2, 3 についても同様であり，3

枚のカードに対する操作は独立に行われるから，求める確率は 独立試行 ？
$$p_n{}^3 = \frac{1}{8}\left\{1-\left(\frac{1}{3}\right)^n\right\}^3.$$

注意　　　　　　　カードを区別 ？
カード3枚を区別して考えていることを意識して下さい．たとえば「n 回後，ちょうど 2 枚が R」の確率は，どの 2 枚が R かも考えて
$${}_3C_2\, p_n{}^2(1-p_n)$$
となります．

74

着眼　最初の数回の例を作って実験します．

例を 視

回	1	2	3	4	5	6
カード	7	2	3	9	1	8
合計	7	9	12	21	22	30

　　　　　+3　+9　+1

上の表で，出た数の合計が偶数のところに赤下線が引いてあります．これを見るとわかるように，合計数は，奇数のカードが出たときに偶奇が変わり，それ以外のときは変化しません．そこで，合計数に関して直前，直後の関係を考えます．

解答

○求める確率を p_n とおく．
　各回における事象とその確率は，次のとおり．
$$\begin{cases} \text{偶数が出る}\cdots \dfrac{4}{9}, & 2,\ 4,\ 6,\ 8 \\ \text{奇数が出る}\cdots \dfrac{5}{9}. & 1,\ 3,\ 5,\ 7,\ 9 \end{cases}$$

○$n+1$ 回までの合計数が偶数となる事象は，n 回までの合計数の偶奇に注目して場合分けすると，次のようになる．

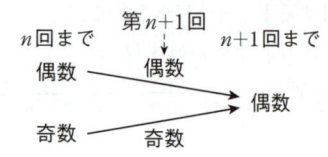

推移を 視

n 回まで　　第 $n+1$ 回　　$n+1$ 回まで
偶数　　　　偶数
　　　　　　　　　　　偶数
奇数　　　　奇数

したがって
$$p_{n+1}=p_n\cdot\frac{4}{9}+(1-p_n)\cdot\frac{5}{9},\quad \cdots\text{①}$$

i.e. $\quad p_{n+1}=-\dfrac{1}{9}p_n+\dfrac{5}{9}.\quad \cdots\text{①}'$

○また，第 0 回後（つまり最初）には合計数は 0 だから
「$0(=2\cdot 0)$」も偶数！
$$p_0=1.\quad \cdots\text{②}$$

○①$'$ を変形すると
$$p_{n+1}-\frac{1}{2}=-\frac{1}{9}\left(p_n-\frac{1}{2}\right).\quad \cdots\text{①}''$$
（⇐ p.172 特講E [8](2)(a)(例 1)）

∴ $\quad p_n-\dfrac{1}{2}=\left(p_0-\dfrac{1}{2}\right)\left(-\dfrac{1}{9}\right)^n.$

これと②より
$$p_n=\frac{1}{2}+\frac{1}{2}\left(-\frac{1}{9}\right)^n.$$

解説
n 回までの合計数を X_n とすると
$$X_{n+1}=X_n+(\text{第 }n+1\text{ 回の数})\quad \cdots\text{③}$$
　　　　　ドミノ構造

が成り立ちます．つまり **例題74** の「回数」と同様，本問の「和」もきれいなドミノ構造を持っています．だから，「漸化式」が有効な手段となるのです．

補足
②の p_0 や，①を $n=0$ に対して使うことに抵抗感を覚える人は，もちろん

$p_1 = P(\text{第1回が偶数}) = \dfrac{4}{9}$

から始めてもかまいません．
しかし，前記③で $n=0$ とした等式：
$\quad X_1 = X_0 + (\text{第1回の数})$
は，$X_0 = 0\,(\because \text{even})$ という自然な定義のもとで $X_1 = (\text{第1回の数})$ という正しい等式となります．よって，**解答**のように $p_0 = 1$ から始めることもできるのです．

75

着眼 持ち点そのものではなく，持ち点の偶奇に注目します．

解答
各回における事象とその確率は，次のとおり．

$\begin{cases} A：\text{「持ち点が 0 点へ」} \cdots \dfrac{1}{6}\quad \text{6の目} \\[4pt] B：\text{「持ち点に偶数を加算」} \cdots \dfrac{2}{6} = \dfrac{1}{3},\quad \text{2, 4の目} \\[4pt] C：\text{「持ち点に奇数を加算」} \cdots \dfrac{3}{6} = \dfrac{1}{2}.\quad \text{1, 3, 5の目} \end{cases}$

（終了するわけではない！ 事象を 記）

[1] 求めるものは，n 回目に A が起きる確率だから，$\dfrac{1}{6}$．

[2] ○ $n+1$ 回後の持ち点が 0 でない偶数となる事象は，n 回後の持ち点の偶奇，および 0 か否かに注目して**場合分け**すると，次のようになる．

推移を〈視〉

```
          第n+1回
n回後       ↓        n+1回後
  0 ───────B──────→
  0でない偶数 ──B──→ 0でない偶数
  奇数 ──────C──────↗
```

したがって
$p_{n+1} = \dfrac{1}{6} \cdot \dfrac{1}{3} + p_n \cdot \dfrac{1}{3}$
$\qquad\qquad + \left(1 - \dfrac{1}{6} - p_n\right) \cdot \dfrac{1}{2}, \quad \cdots ①$

i.e. $p_{n+1} = -\dfrac{1}{6} p_n + \dfrac{17}{36}. \quad \cdots ①'$

○ p_1 は，第 1 回に B が起きる確率だから，$p_1 = \dfrac{1}{3}. \quad \cdots ②$

「p_0」は用いない

○ ①′ を変形すると
$p_{n+1} - \dfrac{17}{42} = -\dfrac{1}{6}\left(p_n - \dfrac{17}{42}\right). \quad \cdots ①''$

（⇐ p.172 **特講E** [8](2)(a)(例1)）

∴ $p_n - \dfrac{17}{42} = \left(p_1 - \dfrac{17}{42}\right)\left(-\dfrac{1}{6}\right)^{n-1}.$

これと② より
$p_n = \dfrac{17}{42} - \dfrac{1}{14}\left(-\dfrac{1}{6}\right)^{n-1}.$

解説
①の右辺の最後の項には，「$1 - p_n$」ではなく「$1 - \dfrac{1}{6} - p_n$」が現れます．持ち点は，「0 でない偶数」，「奇数」以外に「0」という可能性もあるからです．

確率 p_n

注意
持ち点が 0 点である確率は，第 1 回以降はつねに $\dfrac{1}{6}$ ですが，最初，つまり第 0 回だけは「1」です．このことから，本問では「第 0 回」は例外扱いし，除外して考えるべきです．**例題75** と同じですね．

初項を「第 0 番」にとるのが自然だったり楽だったりする問題はたしかに多いですが，不安を感じたときには安全策として初項は「第 1 番」にとりましょう．

別解

解答 の推移図および①を見るとわかるように，「持ち点が0」と「持ち点が0以外の偶数」からの推移確率はどちらも $\frac{1}{3}$ です．よってこの2つを分けずに，"束ねて"考え，次のように立式することも可能です．

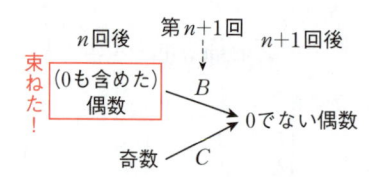

```
         n回後      第n+1回    n+1回後
束ねた!  (0も含めた)   ↓         
         偶数       B → 0でない偶数
         奇数          C
```

$$p_{n+1} = \left(\frac{1}{6} + p_n\right) \cdot \frac{1}{3} + \left\{1 - \left(\frac{1}{6} + p_n\right)\right\} \cdot \frac{1}{2}$$

このような"束ねる"という考え方が，次のITEMのテーマです．

76

方針

[1]ではPが「Aにあるか，否か」が重要であり，B，C，Dのどこにあるかを区別することに意味はありません．これら3点は**束ねて**しまいましょう．

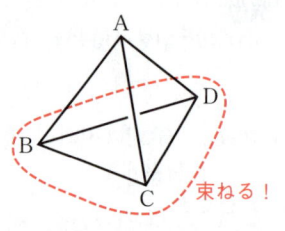

[1]ができれば，[2]ではそれが利用できます．

解答 [1] ○PがAにあることを「A」，それ以外の点にあることを「他」と表し，n秒後にPが「A」である確率を a_n とおく．1秒毎にPの位置は次の確率で推移する．

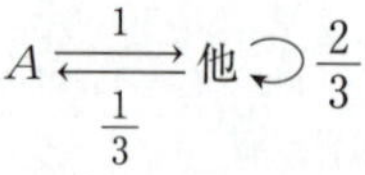

$$A \underset{\frac{1}{3}}{\overset{1}{\rightleftarrows}} 他 \circlearrowright \frac{2}{3}$$

○$n+1$秒後にAである事象は，n秒後におけるPの位置に注目すると，次のようになる． **推移を視**

```
  n秒後    1/3    n+1秒後
   他   ——→    A
```

∴ $a_{n+1} = (1-a_n) \cdot \frac{1}{3}$ …①

○また，最初PはAにあったので
$a_0 = 1$． …②

○①を変形すると
$$a_{n+1} - \frac{1}{4} = -\frac{1}{3}\left(a_n - \frac{1}{4}\right).$$
∴ $a_n - \frac{1}{4} = \left(a_0 - \frac{1}{4}\right)\left(-\frac{1}{3}\right)^n.$

これと②より，求める確率は
$$a_n = \frac{1}{4} + \frac{3}{4}\left(-\frac{1}{3}\right)^n.$$

[2] ○Pは初めAにあるので，n秒後にB，C，Dにある確率は全て等しい．よって求めるBにある確率は
$$\frac{1-a_n}{3} = \frac{1}{4} - \frac{1}{4}\left(-\frac{1}{3}\right)^n.$$

解説

[1]で，PがB，C，Dの3点にある事象を**束ねて**直接①を書くのが難しいと感じる人は，次のようにしましょう．

n秒後にPがA，B，C，Dにある確率をそれぞれ a_n, b_n, c_n, d_n とする．$n+1$秒後にPがAにある事象は，n秒後のPの位置に注目して**場合分け**すると，次の3パターンである．

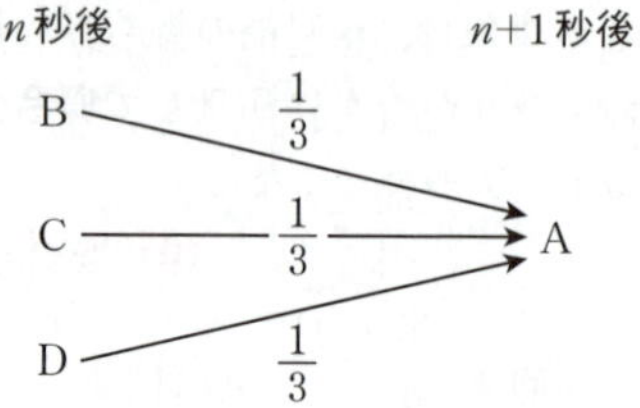

```
  n秒後              n+1秒後
   B ——1/3——→
   C ——1/3——→ A
   D ——1/3——→
```

$$\therefore \quad a_{n+1} = b_n \cdot \frac{1}{3} + c_n \cdot \frac{1}{3} + d_n \cdot \frac{1}{3} \quad \cdots ③$$

$$= (b_n + c_n + d_n) \cdot \frac{1}{3}$$

$$= (1 - a_n) \cdot \frac{1}{3}$$

$$(\because a_n + b_n + c_n + d_n = 1).$$

③における「推移確率」が全て等しく $\frac{1}{3}$ であることを見越して，初めから3パターンを区別せずに考えたのが 解答 の①です．
なお，①のように初めから"束ねて"式を作ると，確率漸化式の作り方の鉄則：「場合分け」が行われていないように見えてしまいますね．でも実際には，少なくとも頭の中では上記③式を作るときのような場合分け感覚はちゃんと残っているべきです．

補足
[2]では，上記 b_n, c_n, d_n が等しいことを対称性より自明として解答しました．もちろんこれで正解ですが，そのことをちゃんと示すなら，次のように"ドミノ式"に考えます．
③と同様に

$$\begin{cases} b_{n+1} = a_n \cdot \frac{1}{3} \quad\quad\quad + c_n \cdot \frac{1}{3} + d_n \cdot \frac{1}{3}, \\ c_{n+1} = a_n \cdot \frac{1}{3} + b_n \cdot \frac{1}{3} \quad\quad\quad + d_n \cdot \frac{1}{3}, \\ d_{n+1} = a_n \cdot \frac{1}{3} + b_n \cdot \frac{1}{3} + c_n \cdot \frac{1}{3}. \end{cases}$$

したがって，$b_n = c_n = d_n (= p$ とおく$)$ ならば

$$\begin{cases} b_{n+1} = \frac{1}{3} a_n + \frac{2}{3} p, \\ c_{n+1} = \frac{1}{3} a_n + \frac{2}{3} p, \\ d_{n+1} = \frac{1}{3} a_n + \frac{2}{3} p \end{cases}$$

となり，$b_{n+1} = c_{n+1} = d_{n+1}$ も成り立つ．
また，$b_0 = c_0 = d_0 = 0$ である．よって，帰納的に　「数学的帰納法より」ってこと
　　$b_n = c_n = d_n \ (n = 0, 1, 2, \cdots).$

参考 理系
$n \to \infty$ のとき，4つの確率 a_n, b_n, c_n, d_n はどれも $\frac{1}{4}$ に収束します．つまり，P が四面体の頂点上をランダムに動いていると，時間が経つうちに「最初 A にあった」ことの影響は薄れ，どの頂点にもほぼ等確率で位置することになる訳です．

77

着眼　類題 73 とよく似た設定ですが，本問ではあるカードをひっくり返すとき他のカードはひっくり返さないので，3枚のカードに対する操作が独立ではありません． 独立試行？
　よって，3枚の状態を"セットで"追いかけて行くことになります．その際，もちろんカードは区別して推移確率を考えますが，問われているのが「1枚だけ赤が表」の確率ですから，「3枚中何枚が赤か」だけを考え，「どのカードが赤か」は区別しないで行きましょう．

解答
○白をW，赤をRで表す．各回において，カード3枚の表の色は次の確率で推移する．（R の枚数を r で表す．)

　　$\{W, W, W\} \cdots r = 0$
　　　　$1 \downarrow \uparrow \frac{1}{3}$
　　$\{R, W, W\} \cdots r = 1$
　　　　$\frac{2}{3} \downarrow \uparrow \frac{2}{3}$　　推移を 視
　　$\{R, R, W\} \cdots r = 2$
　　　　$\frac{1}{3} \downarrow \uparrow 1$
　　$\{R, R, R\} \cdots r = 3$

また，n 回後に $\{R, W, W\} (r = 1)$ とな

っている確率を p_n とおく.

○ 最初(0回後)は $\{W, W, W\}(r=0)$ であり,各回の操作において r の値は1だけ増減するから,n 回後の状態は次のように推移する.

n	0	1	2	3	4	5	$\cdots$
r	0	1	0 or 2	1 or 3	0 or 2	1 or 3	$\cdots$

つまり,$r = \begin{cases} 0, 2 & (n : \text{even}) \\ 1, 3 & (n : \text{odd}) \end{cases}$ $\cdots(*)$

となるから,

$p_n = 0$ (n : even).

○ $2k-1$ 回後 $(k=1, 2, 3, \cdots)$ に $\{R, W, W\}(r=1)$ となる確率 $q_k(=p_{2k-1})$ を求める.$2k+1(=2(k+1)-1)$ 回後に $\{R, W, W\}$ となる事象は,$2k-1$ 回後の状態に注目すると,次のように場合分けされる.

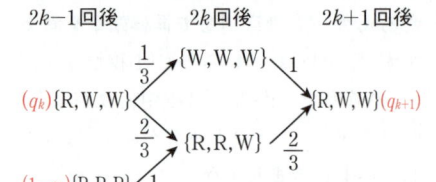

$2k-1$回後　　　$2k$回後　　　$2k+1$回後

$(q_k)\{R,W,W\}$ $\xrightarrow{\frac{1}{3}}$ $\{W,W,W\}$ $\xrightarrow{1}$ $\{R,W,W\}(q_{k+1})$

$\phantom{(q_k)\{R,W,W\}}$ $\xrightarrow{\frac{2}{3}}$ $\{R,R,W\}$ $\xrightarrow{\frac{2}{3}}$

$(1-q_k)\{R,R,R\}$ $\xrightarrow{1}$

推移図で 視

$\therefore \quad q_{k+1} = q_k \cdot \left(\frac{1}{3} \cdot 1 + \frac{2}{3} \cdot \frac{2}{3}\right) + (1-q_k) \cdot 1 \cdot \frac{2}{3}$

$= \frac{7}{9} q_k + \frac{2}{3}(1 - q_k)$

$= \frac{1}{9} q_k + \frac{2}{3}.$ $\cdots$①

○ また,

0回後 1回後
$\{W, W, W\} \xrightarrow{1} \{R, W, W\}$

と推移するから

$(p_1 =) q_1 = 1.$ $\cdots$②

○ ①を変形すると

$q_{k+1} - \frac{3}{4} = \frac{1}{9}\left(q_k - \frac{3}{4}\right).$

$\therefore \quad q_k - \frac{3}{4} = \left(q_1 - \frac{3}{4}\right)\left(\frac{1}{9}\right)^{k-1}.$

これと②より

$q_k = \frac{3}{4} + \frac{1}{4}\left(\frac{1}{9}\right)^{k-1}.$

すなわち,$n = 2k-1$ のとき

$p_n = p_{2k-1}$
$= q_k$
$= \frac{3}{4} + \frac{1}{4}\left(\frac{1}{9}\right)^{k-1} \quad \left(k = \frac{n+1}{2}\right).$

○ 以上より,求める確率は

$p_n = \begin{cases} 0 & (n : \text{even}), \\ \frac{3}{4} + \frac{1}{4}\left(\frac{1}{9}\right)^{\frac{n-1}{2}} = \frac{3}{4} + \frac{1}{4}\left(\frac{1}{3}\right)^{n-1} & (n : \text{odd}). \end{cases}$

補足

推移図において,たとえば

$\{R, W, W\}$
$\downarrow \frac{2}{3}$
$\{R, R, W\}$

という確率は,$\{R, W, W\}$ となっている3枚のうち,W である2枚のどちらかを選んでひっくり返す事象の確率として求めています.

参考

本問では,3枚中に占める R の枚数「r」が,回数の進行にともなって変化して行きますから,その様子を「推移グラフ」で表すのも良い方法ですね.(⇒ ITEM37)

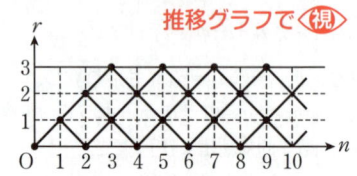

推移グラフで 視

これを見ると,**解答** 中の(*)にもより気付きやすくなりますね.

78

着眼 [1]ではPが「B or D」にある確率が問われているので、わりと自然に「BとDを"**束ねる**"」という発想は得られるでしょう。これと「A」、「C」で「各回3状態」ですね。

解答

[1] ○Pが「Aにある」確率を a_n、「BorDにある」確率を p_n とする。各回におけるPの位置は、次の確率で推移する。

n回後にそうなる確率

(a_n) (p_n) $(1-a_n-p_n)$

$\frac{1}{3}$ ⤴ A $\underset{\frac{1}{4}}{\overset{\frac{2}{3}}{\rightleftarrows}}$ $\begin{array}{c}\text{B}\\\text{or}\\\text{D}\end{array}$ $\underset{\frac{1}{4}}{\overset{\frac{2}{3}}{\rightleftarrows}}$ C ⤴ $\frac{1}{3}$

束ねる！ ↻ $\frac{1}{2}$ 推移確率を👁

∴ $p_{n+1} = a_n \cdot \frac{2}{3} + p_n \cdot \frac{1}{2}$
$\qquad\qquad + (1-a_n-p_n)\cdot\frac{2}{3}$
$= -\frac{1}{6}p_n + \frac{2}{3}.\quad \cdots ①$

○また、最初(0回後)PはAにあるので
$p_0 = 0.\quad \cdots ②$

○①を変形すると
$p_{n+1} - \frac{4}{7} = -\frac{1}{6}\left(p_n - \frac{4}{7}\right).$
∴ $p_n - \frac{4}{7} = \left(p_0 - \frac{4}{7}\right)\left(-\frac{1}{6}\right)^n.$

これと②より
$p_n = \frac{4}{7} - \frac{4}{7}\left(-\frac{1}{6}\right)^n.$

[2] ○[1]の推移図より
$a_{n+1} = a_n \cdot \frac{1}{3} + p_n \cdot \frac{1}{4}$
$= \frac{1}{3}a_n + \frac{1}{7} - \frac{1}{7}\left(-\frac{1}{6}\right)^n.\quad \cdots ③$

○また、$a_0 = 1.\quad \cdots ④$

○③を変形すると
$a_{n+1} - \frac{3}{14} - \frac{2}{7}\left(-\frac{1}{6}\right)^{n+1}$
$= \frac{1}{3}\left\{a_n - \frac{3}{14} - \frac{2}{7}\left(-\frac{1}{6}\right)^n\right\}.\quad \cdots ③'$

∴ $a_n - \frac{3}{14} - \frac{2}{7}\left(-\frac{1}{6}\right)^n$
$= \left\{a_0 - \frac{3}{14} - \frac{2}{7}\left(-\frac{1}{6}\right)^0\right\}\left(\frac{1}{3}\right)^n.$

これと④より求める確率は
$a_n = \frac{3}{14} + \frac{2}{7}\left(-\frac{1}{6}\right)^n + \frac{1}{2}\left(\frac{1}{3}\right)^n.$

解説1

本問の推移図も、例題78 と同様きれいな対称性を持っています。そこで、AとCも束ねてしまえば、さらにシンプルな推移図が得られ、漸化式①も手早くできます。

n回後 　　　　*n+1回後*

(p_n) BorD $\searrow^{\frac{1}{2}}$
$\qquad\qquad\qquad\qquad$ BorD (p_{n+1})
$(1-p_n)$ AorC $\nearrow_{\frac{2}{3}}$

∴ $p_{n+1} = p_n \cdot \frac{1}{2} + (1-p_n) \cdot \frac{2}{3}$
$= -\frac{1}{6}p_n + \frac{2}{3}.$

補足

たとえば

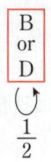

$\begin{array}{c}\text{B}\\\text{or}\\\text{D}\end{array}$ ↻ $\frac{1}{2}$

という推移確率は次のように求めています．

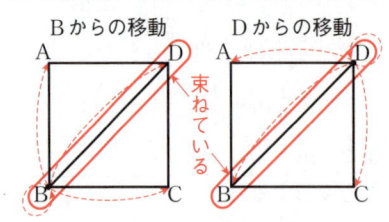

Bからの移動　　Dからの移動

Bからは B，A，C，D の 4 点へそれぞれ等確率で移動します．これらのうち束ねて考えている「B or D」に含まれる移動先は B，D の 2 つなので，B →「B or D」の推移確率は $\frac{2}{4}\left(=\frac{1}{2}\right)$ です．D →「B or D」の推移確率も，同様に $\frac{2}{4}$ です．したがって，P が「B or D」にあるとき，B，D のどちらからでも確率 $\frac{2}{4}$ で「B or D」へ移動するので

$$\boxed{\begin{array}{c}B\\ \text{or}\\ D\end{array}} \circlearrowleft \frac{2}{4}$$

となります．

解説2

漸化式③を③′ へ変形する方法について説明します．

p.172 **特講E** [8](2)(a) の

③：$\underbrace{a_{n+1}=\frac{1}{3}a_n}_{\text{等比型}}+\underbrace{\overbrace{\frac{1}{7}-\frac{1}{7}\left(-\frac{1}{6}\right)^n}^{\text{ジャマなもの}}}_{\substack{\text{定数}\quad\text{指数関数}}}$

を等比数列型の漸化式へ帰着させるため，

(例1)：$\underbrace{a_{n+1}=3a_n}_{\text{等比型}}\underbrace{-2}_{\text{ジャマな定数}}$

　　→ $a_{n+1}-\alpha=3(a_n-\underbrace{\alpha}_{\text{定数}})$ と変形

(例3)：$\underbrace{a_{n+1}=3a_n}_{\text{等比型}}\underbrace{+2^n}_{\text{ジャマな指数関数}}$

　　→ $a_{n+1}-\alpha\cdot 2^{n+1}=3(a_n-\alpha\cdot\underbrace{2^n}_{\text{指数関数}})$ と変形

の 2 つを "合わせ技" として使います．
③を

$a_{n+1}-\alpha-\beta\left(-\frac{1}{6}\right)^{n+1}$
　　$=\frac{1}{3}\left\{a_n-\alpha-\beta\left(-\frac{1}{6}\right)^n\right\}$, …(＊)

i.e. $a_{n+1}=\frac{1}{3}a_n+\underbrace{\overbrace{\frac{2}{3}\alpha}^{\text{ジャマなもの}}-\frac{\beta}{2}\left(-\frac{1}{6}\right)^n}_{\substack{\text{定数}\quad\text{指数関数}}}$

と変形するには，ジャマなものどうしを比較して

$\frac{1}{7}=\frac{2}{3}\alpha,\ -\frac{1}{7}\left(-\frac{1}{6}\right)^n=-\frac{\beta}{2}\left(-\frac{1}{6}\right)^n$,

i.e. $\alpha=\frac{3}{14},\ \beta=\frac{2}{7}$

であればよい．このとき(＊)は…(ここまで下書き)…

これで③′への変形ができました．

参考

P は初め A にあるので，P の動き方の対称性により，n 秒後に B，D にいる確率は互いに等しく，いずれも [1] の答えの $\frac{1}{2}$ 倍です．

(⇐ 類題 76 補足)

79

着眼

例題79 とはまた違ったルールで玉を交換します．A から 1 個を B に移し，いったん玉が 5 個になった B から 1 個を A に戻します．

解答

○ 赤玉を R，白玉を W で表し，$\dfrac{\text{A の玉}}{\text{B の玉}}$ と書くと，各回における事象は次図の確率で推移する． 推移図で視

n 回後にそうなる確率

$$\frac{1}{5} \underset{}{\circlearrowleft} \underset{\text{WWWW}}{\text{RR}} \underset{\frac{1}{10}}{\overset{\frac{4}{5}}{\rightleftarrows}} \underset{\text{RWWW}}{\text{RW}} \underset{\frac{3}{10}}{\overset{\frac{2}{5}}{\rightleftarrows}} \underset{\text{RRWW}}{\text{WW}} \circlearrowright \frac{3}{5}$$

(p_n) (q_n) $(1-p_n-q_n)$

$\frac{3}{5}$ (下向き矢印)

上の推移図より，$n \geq 0$ に対して

$$\begin{cases} p_{n+1} = p_n \cdot \frac{1}{5} + q_n \cdot \frac{1}{10}, & \cdots ① \\ q_{n+1} = p_n \cdot \frac{4}{5} + q_n \cdot \frac{3}{5} + (1-p_n-q_n) \cdot \frac{2}{5} \\ \phantom{q_{n+1}} = \frac{2}{5} p_n + \frac{1}{5} q_n + \frac{2}{5}. & \cdots ② \end{cases}$$

○ また，最初 (第 0 回) A には赤が 2 個入っていたから

$$p_0 = 1, \quad q_0 = 0. \quad \cdots ③$$

○ ②，①より　　p_{n+1} を発見！

$$q_{n+1} = 2\left(\frac{1}{5} p_n + \frac{1}{10} q_n\right) + \frac{2}{5}$$

$$= 2 p_{n+1} + \frac{2}{5} \quad (n \geq 0). \quad \cdots ④$$

これと①より

$$p_{n+2} = \frac{1}{5} p_{n+1} + \frac{1}{10} q_{n+1}$$

$$= \frac{1}{5} p_{n+1} + \frac{1}{10}\left(2 p_{n+1} + \frac{2}{5}\right)$$

$$= \frac{2}{5} p_{n+1} + \frac{1}{25} \quad (n \geq 0),$$

i.e. $\quad p_{n+1} = \frac{2}{5} p_n + \frac{1}{25} \quad (n \geq 1). \quad \cdots ⑤$

①，③より

$$p_1 = 1 \cdot \frac{1}{5} = \frac{1}{5}. \quad \cdots ⑥$$

⑤を変形すると

$$p_{n+1} - \frac{1}{15} = \frac{2}{5}\left(p_n - \frac{1}{15}\right).$$

$$\therefore \quad p_n - \frac{1}{15} = \left(p_1 - \frac{1}{15}\right)\left(\frac{2}{5}\right)^{n-1}.$$

これと⑥より

$$p_n = \frac{1}{15} + \frac{2}{15}\left(\frac{2}{5}\right)^{n-1}$$

$$= \frac{1}{15} + \frac{1}{3}\left(\frac{2}{5}\right)^n \quad (n \geq 1).$$

これと④より $n \geq 1$ のとき

$$q_n = 2 p_n + \frac{2}{5}$$

$$= 2\left\{\frac{1}{15} + \frac{1}{3}\left(\frac{2}{5}\right)^n\right\} + \frac{2}{5}$$

$$= \frac{8}{15} + \frac{2}{3}\left(\frac{2}{5}\right)^n.$$

参考1

例題79 と同じ流れで (p_n) だけの漸化式を作ると次のようになります．

①より

$$q_n = 10 p_{n+1} - 2 p_n.$$

これを②に代入して

$$10 p_{n+2} - 2 p_{n+1} = \frac{2}{5} p_n + \frac{1}{5}(10 p_{n+1} - 2 p_n) + \frac{2}{5}.$$

$$p_{n+2} = \frac{2}{5} p_{n+1} + \frac{1}{25}.$$

これで，⑤の 1 行上の式ができましたね．

補足

推移図にある確率の求め方を，一部説明しておきます．

○ $\dfrac{\text{RR}}{\text{WWWW}} \xrightarrow{\frac{4}{5}} \dfrac{\text{RW}}{\text{RWWW}}$ について．

箱の状態を 視

B の中はいったん必ず $\dfrac{\text{R}}{\text{RWWWW}}$ となる．ここから W を A に戻す確率を考えて，$\dfrac{4}{5}$．

○ $\dfrac{\text{RW}}{\text{RWWW}} \xrightarrow{\frac{1}{10}} \dfrac{\text{RR}}{\text{WWWW}}$ について．

A から W を B へ移す．$\cdots \dfrac{1}{2}$．

B の中はいったん $\dfrac{\text{R}}{\text{RWWWW}}$ となる．こ

こから R を A に戻す確率は，$\dfrac{1}{5}$．

よってこの推移の確率は $\dfrac{1}{2} \cdot \dfrac{1}{5} = \dfrac{1}{10}$．

注意
漸化式⑤や p_n, q_n の結果は，$n≧1$ についてのみ成り立ち，$n=0$ では，成立しません．ですからもし本問が「$n≧0$」について問われているなら，答えに③も付け加えておくべきです．ただ，本問のように「$n≧0$」と明記されていないケースでは，「$n≧1$」，つまり自然数 n について答えればよいのが普通と思われますので，解答では③を付けませんでした．

参考2
例題78，例題79，類題79 は，「玉の交換」という試行の代表的な3つです．ルールの違いを視覚的にまとめておきます．

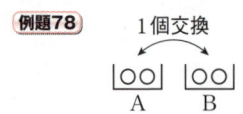

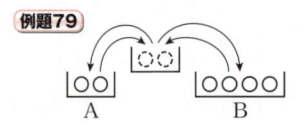

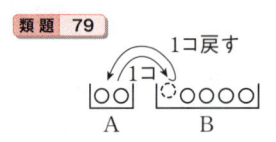

例題78 1個交換
A ─ B

例題79
A ─ B

類題79 1コ戻す
A ─ B

80

解答

○ 赤：R，緑：G，青：B と表し，求める場合の数を a_n とおく．
タイルを左から順に並べるとき，横幅が $10(n+2)$ cm となる並べ方は，<u>最後（右端）のタイルの横幅に注目して</u>次の2つに分けられる．

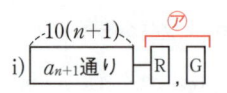

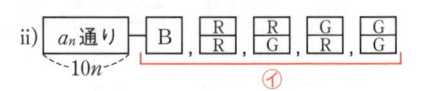

i) $\underbrace{a_{n+1}通り}_{10(n+1)}$ ─ $\boxed{R}$, $\boxed{G}$ ㋐ 推移図で〈視〉

ii) $\underbrace{a_n通り}_{10n}$ ─ $\boxed{B}$, $\boxed{\begin{array}{c}R\\R\end{array}}$, $\boxed{\begin{array}{c}R\\G\end{array}}$, $\boxed{\begin{array}{c}G\\R\end{array}}$, $\boxed{\begin{array}{c}G\\G\end{array}}$ ㋑

∴ $a_{n+2} = a_{n+1}\cdot 2 + a_n \cdot 5$. …①

○ また，上図㋐を考えて
  ∴ $a_1 = 2$.
  ㋑と右の㋒を合わせて
  $a_2 = 9$. …②

$\boxed{R R}$ $\boxed{R G}$ $\boxed{G R}$ $\boxed{G G}$ ㋒

○ 方程式 $x^2 - 2x - 5 = 0$ の2解：
$p = 1-\sqrt{6},\ q = 1+\sqrt{6}$ を用いて①を変形すると （⇦p.175 特講E [8](2)(b)）

複雑な数値は文字で表す

$\begin{cases} a_{n+2} - pa_{n+1} = q(a_{n+1} - pa_n), \\ a_{n+2} - qa_{n+1} = p(a_{n+1} - qa_n). \end{cases}$

∴ $\begin{cases} a_{n+1} - pa_n = (a_2 - pa_1)q^{n-1} \\ \qquad\qquad = (9-2p)q^{n-1}, \\ a_{n+1} - qa_n = (a_2 - qa_1)p^{n-1} \\ \qquad\qquad = (9-2q)p^{n-1}. \end{cases}$

ここで，$p+q=2$ と $q^2 - 2q - 5 = 0$ より，
$9 - 2p = 9 - 2(2-q) = 5 + 2q = q^2$. …③

同様にして $9 - 2q = p^2$ だから
$\begin{cases} a_{n+1} - pa_n = q^{n+1}, \\ a_{n+1} - qa_n = p^{n+1}. \end{cases}$

辺々差をとると
$(q-p)a_n = q^{n+1} - p^{n+1}$

最後の答えは数値で書く

∴ $a_n = \dfrac{1}{2\sqrt{6}}\{(1+\sqrt{6})^{n+1} - (1-\sqrt{6})^{n+1}\}$.

注意
推移図の ii) の"右端"として，うっかり

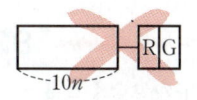

などを考えたりしないように！ⅰ)と完全にダブってますね。　モレなく　ダブりなく

逆に，a_2 を求める②においては㋐以外にも㋒があることをもらさないように．

補足1
①の変形法について確認します．
①：$a_{n+2}=2a_{n+1}+5a_n$ を
　　$a_{n+2}-\alpha a_{n+1}=\beta(a_{n+1}-\alpha a_n)$，　…(＊)
i.e. $a_{n+2}=(\alpha+\beta)a_{n+1}-\alpha\beta a_n$
と変形するには，a_{n+1}, a_n の係数を比較して
$\begin{cases} \alpha+\beta=2, \\ \alpha\beta=-5 \end{cases}$
であればよいですが，これを満たす簡単な α, β の値は見つからないので，α, β を2解とする2次方程式を利用します．それは
　　$(x-\alpha)(x-\beta)=0$.
　　$x^2-(\alpha+\beta)x+\alpha\beta=0$.
i.e. $x^2-2x-5=0$.
これが 解答 中で使用した方程式であり，3項間漸化式①を
　　$a_{n+2}-2a_{n+1}-5a_n=0$
と右辺が0の形にしたときの係数が，そのまま現れます（「特性方程式」という呼び名を知っている人もいることでしょう）．これの2解 $x=1\pm\sqrt{6}$ のどちらかを(＊)の α へ，他方を β へ代入することで，①の2通りの変形が得られます．

補足2
③の変形は，絶対気付かなければならないものではありませんが，"よく行われる変形"であることはいちおう記憶しておきましょう．

着眼　まずは例を作って現象観察から．(0点になることを「アガリ」と言い表しています．)

n	a_n	X_n	
0		0	
1	5	$\|0-5\|=5$	どの目が出てもアガリは不可能
2	1	$\|5-1\|=4$	5の目が出ればアガリだった
3	6	$\|4-6\|=2$	4の目が出ればアガリだった
4	2	$\|2-2\|=0$	2の目が出たのでアガリ！

例を 視

この例では，第4回で初めて得点が0となりました．赤字部分を見れば気が付くとおり，$n\geq 2$ においては
　直前の得点と同じ目が出ればアガリ，
　それ以外の目が出ればアガリでない
　　(＊)
となります．この(＊)を束ねて考えれば，ごく単純な構造を持った問題にすぎません．

解答
○ $X_1=|X_0-a_1|=a_1$ と $1\leq a_1\leq 6$ より
　　$X_1=1, 2, 3, 4, 5, 6$.
○ $X_2=|X_1-a_2|$ と $1\leq X_1\leq 6$, $1\leq a_2\leq 6$ より
　　$X_2=0, 1, 2, 3, 4, 5$.
○ ㋐ 以下同様にして $n\geq 2$ においては次の2つの状態だけが考えられる．
　　A：「$X_n=0$」
　　B：「$X_n=1, 2, 3, 4, 5$」
状態を 記

○ 題意の事象：$X_k\neq 0$ ($k=1, 2, 3, \cdots, n-1$)，$X_n=0$ が起きるのは，次のように推移するときである．
　　回：　1　　2　3　…　$n-1$　n
　　　1～6点$\to B\to B\to\cdots\to B\to A$　…①

○各回における推移確率は次のとおり．

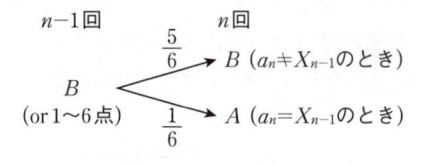

$n-1$ 回　　　n 回

B (or 1～6点) ──$\frac{5}{6}$──→ B ($a_n \neq X_{n-1}$ のとき)

　　　　　　 ──$\frac{1}{6}$──→ A ($a_n = X_{n-1}$ のとき)

○以上より，求める確率は
$$\left(\frac{5}{6}\right)^{n-2} \cdot \frac{1}{6}.$$
（これは $n=2$ でも成り立つ.）

解説

$n-1$ 回から n 回への推移確率を詳しく説明します．
$X_n = |X_{n-1} - a_n|$ が 0 になるサイコロの目 a_n は X_{n-1} の各値に対して，次のようになります．

X_{n-1}	1	2	3	4	5	6
a_n	1	2	3	4	5	6

つまり，X_{n-1} が 1～6 のどの値であっても，$X_n=0$ への推移確率は「$\frac{1}{6}$」と一定です．よって，$X_{n-1}=1, 2, 3, 4, 5, 6$ という 6 つの事象を"束ねて"考えてしまうことができるのです．（⇨ ITEM76 ）

なお，解答①のように推移するときには，$n \geq 2$ において $X_n=6$ となることはありません．でも，上記の推移確率 $\frac{1}{6}$ には何の影響もありませんね．

補足

赤下線部㋐を厳密に記述するなら「数学的帰納法」を用いることになりますが，本問でそこまで要求されることはないと思います．

82

着眼　「隣り合う 2 文字の少なくとも一方が A」ということは,
　AA, AB, BA
が許され
　BB
だけは許されない，つまり,
　「B どうしは**隣り合わない**」
ということですね．これを念頭に置いて，誘導に従って行きます．

解答

[1] ○隣り合う 2 文字は，次のようになる

A ＜ A
　　　B　　　　B ── A 　…㋐

○上記条件を満たす $n+1$ 個の文字列は，最後 ($n+1$ 番目) に注目して場合分けすると，次のようになる．

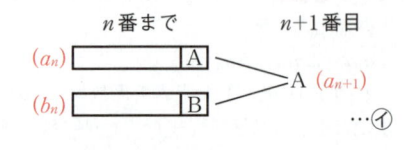

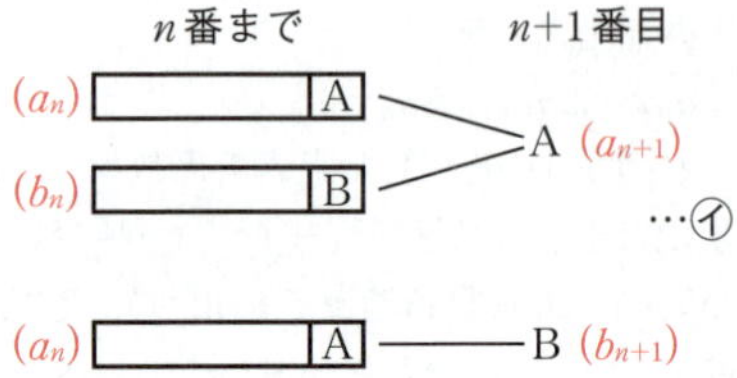

n 番まで　　　　　$n+1$ 番目

(a_n) [　　A] ＼
　　　　　　　　　 A (a_{n+1})
(b_n) [　　B] ／
　　　　　　　　　　…㋑

(a_n) [　　A] ── B (b_{n+1})

∴ $\begin{cases} a_{n+1} = a_n + b_n, & \cdots ① \\ b_{n+1} = a_n. & \cdots ② \end{cases}$

[2] ○1 個の文字列は「A」と「B」のみだから
　$a_1 = 1$, $b_1 = 1$. 　…③

○①, ② は $n=1, 2, 3, \cdots$ に対して成り立つ．

②を①へ代入して a_n を消去すると
　$b_{n+2} = b_{n+1} + b_n$. 　…④

○また, ③, ② より
　$b_1 = 1$, $b_2 = a_1 = 1$. 　…⑤

○ **文字で書くと楽** 方程式 $x^2-x-1=0$ の2解 $p=\dfrac{1-\sqrt{5}}{2}$,
$q=\dfrac{1+\sqrt{5}}{2}$ を用いて④を変形すると

(⇦ 類題 80 補足1)

$$\begin{cases} b_{n+2}-pb_{n+1}=q(b_{n+1}-pb_n), \\ b_{n+2}-qb_{n+1}=p(b_{n+1}-qb_n). \end{cases}$$

∴ $\begin{cases} b_{n+1}-pb_n=(b_2-pb_1)q^{n-1} \\ \qquad\qquad =(1-p)q^{n-1}, \\ b_{n+1}-qb_n=(b_2-qb_1)p^{n-1} \\ \qquad\qquad =(1-q)p^{n-1}. \end{cases}$

これと $p+q=1$ より
$$\begin{cases} b_{n+1}-pb_n=q^n, \\ b_{n+1}-qb_n=p^n. \end{cases}$$

辺々差をとると
$(q-p)b_n=q^n-p^n.$

∴ $b_n=\dfrac{1}{\sqrt{5}}(q^n-p^n).$

○ 求める文字列の総数は
$$\begin{aligned} a_n+b_n &= a_{n+1} \quad(\because ①) \\ &= b_{n+2} \quad(\because ②) \\ &= \dfrac{1}{\sqrt{5}}\left\{\left(\dfrac{1+\sqrt{5}}{2}\right)^{n+2}-\left(\dfrac{1-\sqrt{5}}{2}\right)^{n+2}\right\}. \end{aligned}$$

解説

「推移」,つまり直前・直後の関係を考える際,まずは㋐のように前→後の向きに対応を考えるのが自然でわかりやすいでしょう.しかし漸化式を作るときはふつう「$a_{n+1}=\sim$」,「$b_{n+1}=\sim$」のように立式するので,④のように「後」($n+1$回)を決めてそれに対応する「前」(n回)を考えることになります.

参考　　　　　　　ドミノ的に

④と⑤によって帰納的に定まる数列は,「フィボナッチ数列」と呼ばれる有名な数列で,様々な美しい性質をもつことが知られています.

83

解答

○ 求める領域の個数を a_n とおく.
○ a_{n+1} と a_n の関係を考える.

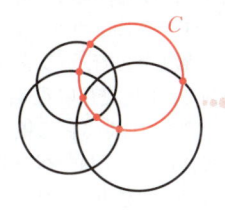

$n→n+1$ の変化に注目

$n+1$ 個目の円 C をかくとき,C はそれ以前にかかれていた n 個の円と2回ずつ交わり,異なる $2n$ 個の交点により,$2n$ 個の部分に分けられる.

"植木算(池のまわり版)"ですね

そして各々の部分が,1つだった領域を2つに分割する.

∴ $a_{n+1}-a_n=2n.$ …①

○ 円を1個だけかくとき,平面は2つの領域に分かれるから
$a_1=2.$ …②

○ よって $n\geq 2$ のとき
$$a_n=a_1+\sum_{k=1}^{n-1}2k$$
(⇦ p.168 特講E [5](1))
$$=2+2\cdot\dfrac{1}{2}(n-1)n$$
$$=\boldsymbol{n^2-n+2}.$$
(これは $n=1$ でも成立する.)

参考

「円の内か外かによって平面領域を分割する」といえば,集合の関係を視覚化する「ベン図」を連想しますね.n 個の集合 $A_1, A_2, A_3, \cdots, A_n$ のそれぞれに属するか否かを図示するには 2^n 個の領域が要ります.そこで,「2^n」と本問の「a_n」を比べてみましょう.

n	1	2	3	4	5	⋯
2^n	2	4	8	16	32	⋯
a_n	2	4	8	14	22	⋯

これを見るとわかるように, $n=1,\ 2,\ 3$ においては(奇跡的に?)一致しています. じつは, このおかげで1, 2, 3個の集合に関してベン図が描けたのです. 逆にいうと, $n=4$, 5, …では両者は不一致ですので, ベン図は描けません. という訳で,「円」を用いて集合の関係を表すことが可能なのは, 3個の集合までです. 安心してください. 入試でベン図を描いて考えたり「包除原理」を使ったりするのも, ふつう3個の集合までですから.

⬆(Stage 5・ITEM 97 で n 個の包除原理を扱います.)

4個以上も

84

着眼 例として $n=5$ くらいで試してみましょう. (**解答** 冒頭のように記号化します.)

例を〈視〉

第0回↓　　　　↓第5回
$B\ B\ B\ B\ \underline{R}\ \underline{R}$ …確率 $\frac{1}{5}$ が1回

$B\ B\ B\ \underline{R}\ B\ \underline{R}$ …確率 $\frac{1}{5}$ が3回

$B\ B\ \underline{R}\ B\ B\ \underline{R}$ …確率 $\frac{1}{5}$ が3回

$B\ \underline{R}\ B\ B\ B\ \underline{R}$ …確率 $\frac{1}{5}$ が3回

赤下線を付した所が, 直前と色が異なり確率 $\frac{1}{5}$ で起きる事象です(他は全て確率 $\frac{4}{5}$).

これを見ると, 1度目の R がどこに来るかで「確率 $\frac{1}{5}$」の現れる回数が決まることがわかりますね. 漸化式の出番はありません.

解答

○ $\begin{cases} B:\lceil 青が光る\rfloor, \\ R:\lceil 赤が光る\rfloor \end{cases}$ と表す.

○ 直前と異なる色が光る回数を N とすると,

$$1\sim n\ \text{回} \begin{cases} 直前と異なる色\left(確率\ \frac{1}{5}\right) \\ \qquad\qquad\qquad\qquad\cdots N\ \text{回}, \\ 直前と同じ色\left(確率\ \frac{4}{5}\right) \\ \qquad\qquad\qquad\qquad\cdots n-N\ \text{回}. \end{cases}$$

○ $n\geq 3$ のとき, 直前と異なる色の回数 N に注目すると, 次のように分けられる.

事象全体を〈視〉

回:0	1	2	⋯	$n-3$	$n-2$	$n-1$	n	N
B	B	B	⋯	B	B	$\underline{R}$	R	→1
B	B	B	⋯	B	$\underline{R}$	$\underline{B}$	$\underline{R}$	→3
B	B	B	⋯	$\underline{R}$	$\underline{B}$	B	$\underline{R}$	→3
			⋮					
B	B	$\underline{R}$	$\underline{B}$⋯	B	B	B	$\underline{R}$	→3
B	$\underline{R}$	$\underline{B}$	⋯	B	B	B	$\underline{R}$	→3

$N=3$ となるとき, 1度目の R の出る回は 1, 2, 3, …, $n-2$ の $n-2$ 通り.

∴ p_n

$= \underbrace{\frac{1}{5}\cdot\left(\frac{4}{5}\right)^{n-1}}_{N=1} + \underbrace{(n-2)\left(\frac{1}{5}\right)^3\left(\frac{4}{5}\right)^{n-3}}_{N=3}$ ⋯①

$= \frac{4^{n-3}(14+n)}{5^n}\ (n\geq 3).$ ⋯②

○ $n=2$ のとき, 題意の事象は

回:0	1	2
B	R	R

だから, $p_2 = \frac{1}{5}\cdot\frac{4}{5} = \frac{4}{25}$.

○ ②の右辺は, $n=2$ のとき, $\frac{4^{-1}\cdot 16}{5^2} = \frac{4}{25}$ であり, p_2 と一致する. よって

$$p_n = \frac{4^{n-3}(14+n)}{5^n} \ (n \geq 2).$$

補足

②が $n=2$ でも成り立つ理由は，①を見るとわかります．$n=2$ のとき，「$N=3$」となる事象はありません．と同時にその確率を表す①の右辺の第2項は0となり，第1項の値：$\frac{1}{5} \cdot \left(\frac{4}{5}\right)^1$ だけとなるので，p_2 と一致する訳です．

85

着眼 例題78 と同様な玉の交換を行いますが，「箱Aに赤玉がなくなった時点で操作を終了」という設定により，推移の対称性が崩れていることに注意してください． 試行を◁視

1個交換
○○ ⇄ ○○
A   B

解答

[1] ○ 赤玉をR，白玉をWで表し，$\frac{\text{Aの玉}}{\text{Bの玉}}$ と表すと，各回における事象は次図の確率で推移する． 推移図で◁視

n 回後にそうなる確率

(p_n)　　　　　(q_n)
$\frac{\text{RR}}{\text{WW}}$ ⇄$\frac{1}{4}$ $\frac{\text{RW}}{\text{RW}}$ →$\frac{1}{4}$ $\frac{\text{WW}}{\text{RR}}$
　　　$\frac{1}{1}$　　　　↺　　　　　(終了)
　　　　　　　 $\frac{1}{2}$

∴ $\begin{cases} p_{n+1} = q_n \cdot \frac{1}{4}, & \cdots ① \\ q_{n+1} = p_n \cdot 1 + q_n \cdot \frac{1}{2}. & \cdots ② \end{cases}$

○ また，箱Aには最初赤玉が2個入っていたので

$p_0 = 1, \ q_0 = 0. \quad \cdots ③$

①，②より

$q_{n+2} = p_{n+1} + \frac{1}{2} q_{n+1}$
$= \frac{1}{4} q_n + \frac{1}{2} q_{n+1}. \quad \cdots ④$

また，③，②より

$q_0 = 0, \ q_1 = 1. \quad \cdots ⑤$

○ 方程式 $x^2 - \frac{1}{2}x - \frac{1}{4} = 0$,

i.e. $4x^2 - 2x - 1 = 0$ の2解：

$s = \frac{1-\sqrt{5}}{4}, \ t = \frac{1+\sqrt{5}}{4}$ を用いて④を変形すると（⇐類題80 補足1）

$\begin{cases} q_{n+2} - s q_{n+1} = t(q_{n+1} - s q_n), \\ q_{n+2} - t q_{n+1} = s(q_{n+1} - t q_n). \end{cases}$

∴ $\begin{cases} q_{n+1} - s q_n = (q_1 - s q_0) t^n = t^n, \\ q_{n+1} - t q_n = (q_1 - t q_0) s^n = s^n. \end{cases}$ (∵ ⑤)

辺々差をとると

$(t-s) q_n = t^n - s^n.$

∴ $q_n = \frac{t^n - s^n}{t-s}$

$= \frac{2}{\sqrt{5}} \left\{ \left(\frac{1+\sqrt{5}}{4}\right)^n - \left(\frac{1-\sqrt{5}}{4}\right)^n \right\}.$

[2] ○ E：「$n+1$ 回後，A の赤玉が1個」，
F：「n 回後，A の赤玉が1個」
とすると，求めるものは条件付き確率

$P_E(F) = \frac{P(E \cap F)}{P(E)}. \quad \cdots ⑥$ まずはこの式を明示！

○ ここで，
$P(E) = q_{n+1}.$

また，$E \cap F$：$\frac{\text{RW}}{\text{RW}} \xrightarrow{n回 \ \ n+1回} \frac{\text{RW}}{\text{RW}}$ の確率

は，②の右辺の第2項：$q_n \cdot \frac{1}{2}$ である．

○ $\therefore P_E(F) = \dfrac{\frac{1}{2}q_n}{q_{n+1}}$

$= \dfrac{1}{2} \cdot \dfrac{t^n - s^n}{t - s} \cdot \dfrac{t - s}{t^{n+1} - s^{n+1}}$

$= \dfrac{1}{2} \cdot \dfrac{t^n - s^n}{t^{n+1} - s^{n+1}}$

$= \dfrac{1}{2} \cdot \dfrac{\left(\dfrac{1+\sqrt{5}}{4}\right)^n - \left(\dfrac{1-\sqrt{5}}{4}\right)^n}{\left(\dfrac{1+\sqrt{5}}{4}\right)^{n+1} - \left(\dfrac{1-\sqrt{5}}{4}\right)^{n+1}}$

$= 2 \cdot \dfrac{(1+\sqrt{5})^n - (1-\sqrt{5})^n}{(1+\sqrt{5})^{n+1} - (1-\sqrt{5})^{n+1}}.$

[解説]

[2]で鍵を握るのは，漸化式②です．

$q_{n+1} = \underbrace{p_n}_{P(E)} \cdot 1 + \underbrace{q_n}_{P(E \cap F)} \cdot \underbrace{\dfrac{1}{2}}_{P(E \cap F)}.$

この式の中に⑥式右辺の分母，分子がどちらも現れていますね．

86

[着眼] $2n$ 個の箱の中には，次のように玉が入っています．

（Rは赤玉，Wは白玉）

R:1コ	R:2コ	...	R:nコ	...	R:$2n$コ
W:$2n-1$コ	W:$2n-2$コ		W:nコ		W:0コ
1番	2番		n番		$2n$番

箱の中身を⟨視⟩

[解答] 事象を記

○ A:「2回とも赤玉を取り出す」，
 B:「1番〜n番の箱を選ぶ」
とすると，求める条件付き確率は，

$P_A(B) = \dfrac{P(A \cap B)}{P(A)}.$ …①

目標を明示

○ k 番の箱を選ぶ確率は，$\dfrac{1}{2n}$.

これを忘れないように！

k 番の箱から赤玉を2回続けて取り出す確率は，$\left(\dfrac{k}{2n}\right)^2$

$\therefore P(A) = \sum_{k=1}^{2n} \dfrac{1}{2n} \cdot \left(\dfrac{k}{2n}\right)^2$

$= \dfrac{1}{(2n)^3} \cdot \dfrac{2n(2n+1)(4n+1)}{6}.$ …②

○ $A \cap B$:「1番〜n番の箱を選んで2回とも赤玉を取り出す」だから

$\therefore P(A \cap B) = \sum_{k=1}^{n} \dfrac{1}{2n} \cdot \left(\dfrac{k}{2n}\right)^2$

Σの公式

$= \dfrac{1}{(2n)^3} \cdot \dfrac{n(n+1)(2n+1)}{6}.$ …③

○ ②，③を①へ代入して約分することにより，求める条件付き確率は

$P_A(B) = \dfrac{n(n+1)(2n+1)}{2n(2n+1)(4n+1)}$ …④

$= \dfrac{n+1}{2(4n+1)}.$

[補足]

④式を作るとき，$\dfrac{1}{(2n)^3}$ と $\dfrac{1}{6}$ は頭の中で約分し，書かないで済ませました．

87

[方針] n 個の箱の中には，次のように玉が入っています．

（Rは赤玉，Wは白玉） 箱の中身を⟨視⟩

| R:1コ | R:2コ | ... | R:kコ | ... | R:nコ |
| W:$n-1$コ | W:$n-2$コ | | W:$n-k$コ | | W:0コ |

[解答]

○ k 番の箱を選ぶ確率は，$\dfrac{1}{n}$.

○ そこから玉を取り出してもとに戻すとき，各回における事象とその確率は次のとおり．

$\begin{cases} 赤玉が出る \cdots \dfrac{k}{n}, \\ 白玉が出る \cdots 1-\dfrac{k}{n}. \end{cases}$

[1] ○ k 番の箱を選び，さらにそこから 10 回続けて赤玉を取り出す確率は，
$\dfrac{1}{n} \cdot \left(\dfrac{k}{n}\right)^{10}.$

○ これを $k=1, 2, 3, \cdots, n$ について加えて，
$p_n = \sum_{k=1}^{n} \dfrac{1}{n} \cdot \left(\dfrac{k}{n}\right)^{10}.$

○ ∴ $\displaystyle\lim_{n\to\infty} p_n = \lim_{n\to\infty} \sum_{k=1}^{n} \left(\dfrac{k}{n}\right)^{10} \cdot \dfrac{1}{n}$

$\dfrac{k}{n}$ を x, $\dfrac{1}{n}$ を dx に変える

区分求積法 $= \displaystyle\int_0^1 x^{10} \, dx$

（⇐p.179 **特講E** [13]）

$= \left[\dfrac{x^{11}}{11}\right]_0^1 = \dfrac{1}{11}.$

[2] ○ k 番の箱を選び，さらにそこから
10 回 $\begin{cases} 赤：3 回, \\ 白：7 回 \end{cases}$
と取り出す確率は，
$\dfrac{1}{n} \cdot {}_{10}C_3 \left(\dfrac{k}{n}\right)^3 \left(1-\dfrac{k}{n}\right)^7.$

○ これを $k=1, 2, 3, \cdots, n$ について加えて，
$q_n = \sum_{k=1}^{n} \dfrac{1}{n} \cdot {}_{10}C_3 \left(\dfrac{k}{n}\right)^3 \left(1-\dfrac{k}{n}\right)^7.$

○ ∴ $\displaystyle\lim_{n\to\infty} q_n$
$= \lim_{n\to\infty} \sum_{k=1}^{n} {}_{10}C_3 \left(\dfrac{k}{n}\right)^3 \left(1-\dfrac{k}{n}\right)^7 \cdot \dfrac{1}{n}$
$= \displaystyle\int_0^1 {}_{10}C_3 \, x^3 (1-x)^7 \, dx$
$= \displaystyle\int_1^0 10 \cdot 3 \cdot 4 (1-t)^3 t^7 (-1) \, dt$
$\qquad\qquad (t=1-x \text{ とおいた})$
$= \displaystyle\int_0^1 10 \cdot 3 \cdot 4 (t^7 - 3t^8 + 3t^9 - t^{10}) \, dt$

$= 10 \cdot 3 \cdot 4 \left(\dfrac{1}{8} - \dfrac{1}{3} + \dfrac{3}{10} - \dfrac{1}{11}\right)$
$= 15 - 40 + 36 - \dfrac{120}{11}$
$= 11 - \dfrac{120}{11}$
$= \dfrac{1}{11}.$

参考

[1], [2] の結果が一致していますね．じつは，
10 回 $\begin{cases} 赤：r 回, \\ 白：10-r 回 \end{cases}$
となる確率の極限を $P(r)$ とすると，
$P(0) = P(1) = P(2) = \cdots = P(10) = \dfrac{1}{11}$ $\cdots(*)$
となることが，次のようにして示されます．
前記解答と同様にして
$P(r) = \displaystyle\lim_{n\to\infty} \sum_{k=1}^{n} {}_{10}C_r \left(\dfrac{k}{n}\right)^r \left(1-\dfrac{k}{n}\right)^{10-r} \cdot \dfrac{1}{n}$
$= \displaystyle\int_0^1 {}_{10}C_r \, x^r (1-x)^{10-r} \, dx.$ $\cdots①$

ここで，$1 \leq r \leq 10$ のとき**部分積分法**を用いると
$\displaystyle\int_0^1 x^r (1-x)^{10-r} \, dx$
$= \left[-x^r \dfrac{(1-x)^{11-r}}{11-r}\right]_0^1 + \displaystyle\int_0^1 r x^{r-1} \cdot \dfrac{(1-x)^{11-r}}{11-r} \, dx$
$= \dfrac{r}{11-r} \displaystyle\int_0^1 x^{r-1} (1-x)^{11-r} \, dx.$

これと①より
$P(r) = \displaystyle\int_0^1 {}_{10}C_r \cdot \dfrac{r}{11-r} x^{r-1} (1-x)^{11-r} \, dx.\cdots②$

ここで
${}_{10}C_r \cdot \dfrac{r}{11-r} = \dfrac{10!}{r!(10-r)!} \cdot \dfrac{r}{11-r}$
$= \dfrac{10!}{(r-1)!(11-r)!}$
$= {}_{10}C_{r-1}.$

これと②より

$$P(r) = \int_0^1 {}_{10}C_{r-1} x^{r-1}(1-x)^{11-r} dx$$
$$= P(r-1) \quad (r=1, 2, 3, \cdots, 10).$$
$$\therefore \quad P(0) = P(1) = P(2) = \cdots = P(10). \quad \cdots ③$$

これと $P(10) = \int_0^1 x^{10} dx = \dfrac{1}{11}$ より，（＊）が示された．

なお，この値は③の確率 11 個の和が全事象の確率 1 に等しいことからも得られます．

ちなみに，前記と同様，本問[2]の定積分も，部分積分法を繰り返して計算することができます．

発展

本問の反復回数 10 回を一般化して a 回としてみます．つまり **例題87** と同じ設定です．

$$A' : a \text{ 回} \begin{cases} 赤：r \text{ 回}, \\ 白：a-r \text{ 回} \end{cases} \quad \cdots ④$$

となる確率の極限は，前記 **参考** とまったく同様にして，$r = 0, 1, 2, \cdots, a$ に対して全て

$$\lim_{n\to\infty} \sum_{k=1}^n {}_a C_r \left(\dfrac{k}{n}\right)^r \left(1 - \dfrac{k}{n}\right)^{a-r} \cdot \dfrac{1}{n}$$
$$= \int_0^1 {}_a C_r x^r (1-x)^{a-r} dx \quad \cdots ⑤$$
$$= \dfrac{1}{a+1} \quad (r \text{ によらない定数}) \quad \cdots ⑤'$$

となります．これをもとにして，**例題87**(3) と同様に

A' のとき，B：「第 $a+1$ 回が赤」

という条件付き確率 $P_{A'}(B)$ の極限を求めてみましょう．

○ $P_{A'}(B) = \dfrac{P(A' \cap B)}{P(A')} \quad \cdots ⑥$

○ ここで，$\lim_{n\to\infty} P(A') = \dfrac{1}{a+1}.$

○ また，$A' \cap B$ は次の事象である．

$$\begin{array}{cc} 1 \sim a \text{ 回} & a+1 \text{ 回} \\ A' : a \text{ 回} \begin{cases} 赤：r \text{ 回}, \\ 白：a-r \text{ 回} \end{cases} & \to B：「赤」 \end{array}$$

$$\therefore \quad \lim_{n\to\infty} P(A' \cap B)$$
$$= \lim_{n\to\infty} \sum_{k=1}^n {}_a C_r \left(\dfrac{k}{n}\right)^{r+1} \left(1 - \dfrac{k}{n}\right)^{a-r} \cdot \dfrac{1}{n}$$
$$= \int_0^1 {}_a C_r x^{r+1}(1-x)^{a-r} dx.$$

ここで，${}_{a+1}C_{r+1}(r+1) = (a+1){}_a C_r$ だから，（⇦ p.162 **特講D** [3](c)）

$$\lim_{n\to\infty} P(A' \cap B)$$
$$= \dfrac{r+1}{a+1} \int_0^1 {}_{a+1}C_{r+1} x^{r+1}(1-x)^{(a+1)-(r+1)} dx.$$

上記で定積分の部分は，⑤において「a」を「$a+1$」，「r」を「$r+1$」に置き換えたものであり，⑤の結果⑤' は r によらない値だったので

$$\int_0^1 {}_{a+1}C_{r+1} x^{r+1}(1-x)^{(a+1)-(r+1)} dx = \dfrac{1}{a+2}.$$
$$\lim_{n\to\infty} P(A' \cap B) = \dfrac{r+1}{a+1} \cdot \dfrac{1}{a+2}.$$

よって⑥より

$$\lim_{n\to\infty} P_{A'}(B) = \dfrac{r+1}{a+1} \cdot \dfrac{1}{a+2} \cdot (a+1)$$
$$= \dfrac{r+1}{a+2} \quad (r = 0, 1, 2, \cdots, a). \cdots ⑦$$

この⑦式がもつ意味に関して，本冊 p.236 のコラムに書きました．

88

着眼 各回における試行は次のように行われます．

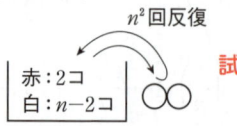

n^2 回反復

赤：2 コ
白：$n-2$ コ ○○ **試行を** ⦅視⦆

解答 各回の試行において，
「白が含まれる」,
i.e.「少なくとも 1 個は白」
の確率は，その余事象：「2 個とも赤」を利用して，

$$1-\frac{{}_nC_2}{{}_nC_2}=1-\frac{2}{n(n-1)}.$$

よって求める極限は

$$\lim_{n\to\infty} p_n = \lim_{n\to\infty}\left\{1-\frac{2}{n(n-1)}\right\}^{n^2}.$$ ◀ 1^∞ 型不定形

そこで, $h=-\dfrac{2}{n(n-1)}$ …① とおくと,

$n\to\infty$ のとき $h\to 0$ であり,

$$\lim_{n\to\infty} p_n = \lim_{n\to\infty}(1+h)^{n^2}$$

$$=\lim_{n\to\infty}\left\{(1+h)^{\frac{1}{h}}\right\}^{hn^2}. \quad\cdots ②$$

◀ 本冊 ITEM 88 (＊)の形を作る

ここで $n\to\infty$ のとき,

$(1+h)^{\frac{1}{h}} \to e$ （∵ $h\to 0$）,

$hn^2 = -\dfrac{2n^2}{n(n-1)} = -\dfrac{2}{1-\dfrac{1}{n}} \to -2.$

これらと②より, 求める極限は

$$\lim_{n\to\infty} p_n = e^{-2} = \frac{1}{e^2}.$$

解説

本問と 例題88 (1) の 解答 における極限処理の部分を比べてみます. ②のように{ }の"内"を「$(1+h)^{\frac{1}{h}}$」という e に収束する形にする点は, 両者共通です. 異なるのは{ }の"外"の処理です. 例題88 では「$h=-\dfrac{1}{n}$」から簡単に n が h で表せましたが, 本問①からそうするのはやや面倒なので, 無理せず「n」で表して処理しています. 状況に応じて使いやすい方を選びましょう.

89

方針

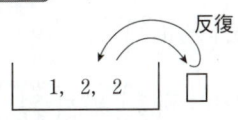

反復

$\boxed{\ 1,\ 2,\ 2\ }\ \square$

試行を◀視

記録された数が「2, 2, 2, …, 2, 1」となる「**事象**」に対して,「X の値」と「確率」を求めます.

解答

○ 記録された数が順に

ⅰ) $\underbrace{2,\ 2,\ 2,\ \cdots,\ 2}_{k\text{個}},\ 1\ \ (0\leq k\leq n-1)$

事象を◀視

ⅱ) $\underbrace{2,\ 2,\ 2,\ \cdots\cdots,\ 2}_{n\text{個}}$

となる**事象**を考える.

○ ⅰ) については,

$\begin{cases} X=2k+1, \\ \text{その確率は } \left(\dfrac{2}{3}\right)^k\cdot\dfrac{1}{3}. \end{cases}$ …①

○ ⅱ) については,

$\begin{cases} X=2n, \\ \text{その確率は } \left(\dfrac{2}{3}\right)^n. \end{cases}$

○ 以上より, 求める期待値は

$E(X)$

$=\displaystyle\sum_{k=0}^{n-1}(2k+1)\cdot\left(\frac{2}{3}\right)^k\frac{1}{3}+2n\cdot\left(\frac{2}{3}\right)^n.$ …②

○ ここで, $S_n=\displaystyle\sum_{k=0}^{n-1}(2k+1)\left(\frac{2}{3}\right)^k$ を求める.

$a=\dfrac{2}{3}$ とおくと

等差×等比の和
（⇐p.169 特講E [7](3)）

文字で書くと楽

$\begin{array}{rl} & S_n = 1\cdot 1 + 3a + 5a^2 + \cdots + (2n-1)a^{n-1} \\ -) & aS_n = 1\cdot a + 3a^2 + \cdots + (2n-3)a^{n-1} + (2n-1)a^n \\ \hline \end{array}$

$\dfrac{1}{3}S_n = 1 + 2a + 2a^2 + \cdots + 2a^{n-1} - (2n-1)a^n$

$= 1 + 2a\cdot\dfrac{1-a^{n-1}}{1-a} - (2n-1)a^n$

$$= 1 + 6(a - a^n) - (2n-1)a^n$$
$$= 5 - (2n+5)a^n.$$

○ これと②より
$$E(X) = \frac{1}{3}S_n + 2n \cdot \left(\frac{2}{3}\right)^n$$
$$= 5 - (2n+5)\left(\frac{2}{3}\right)^n + 2n\left(\frac{2}{3}\right)^n$$
$$= \mathbf{5 - 5\left(\frac{2}{3}\right)^n}.$$

解説
考察の中心となる事象は 1 が出て終了する ⅰ)ですが，2 が n 回連続して出る事象ⅱ)だけは，1 の出る確率「$\frac{1}{3}$」が現れないので別扱いせざるを得ません．

補足
事象 ⅰ)は $k=0$ のとき
　　第 1 回に 1 が出て終了
となります．このとき $X=1$，その確率は $\frac{1}{3}$ であり，これは①で $k=0$ としたものと一致しています．よって，①および②は $k=0$ に対しても適用できます．
また，$n=1$ のとき ⅰ)は $0 \leq k \leq \underset{n-1}{0}$, i.e. $k=0$(のみ)となりますが，上記により，やはり①，②は適用可能です．

参考 ⬆ **理系**
「n 回に達したら終了」という制限を設けず，単に
　　「1 が出たら終了」
というルールで X の期待値を求めてみましょう．
この場合，解答 の事象ⅱ)は考えず，代わりに事象 ⅰ)における「2 の連続回数 k」に制限がなくなりますから，期待値は次のように無限級数の和として求まります．

$$E(X) = \lim_{n \to \infty} \sum_{k=0}^{n-1}(2k+1) \cdot \left(\frac{2}{3}\right)^k \frac{1}{3}.$$

さらにこれは 解答 で用いた有限項の和 S_n を用いて
$$E(X) = \lim_{n \to \infty} \frac{1}{3}S_n$$
$$= \lim_{n \to \infty}\left\{5 - (2n+5)\underbrace{\left(\frac{2}{3}\right)^n}_{\infty \times 0 型}\right\} \quad \cdots ③$$
　　　　　　　b_n とおく

によって求まります．下線部 b_n はいわゆる不定形ですが，次のようにして 0 に収束することが示せます．

$$b_n = 2 \times \underbrace{\frac{n}{\left(\frac{3}{2}\right)^n}}_{\frac{\infty}{\infty}型不定形} + 5\underbrace{\left(\frac{2}{3}\right)^n}_{0 に収束}. \quad \cdots ④$$

ここで，一般に
$r > 1$ のとき $\lim_{n \to \infty} \frac{n}{r^n} = 0$ （n は自然数） $\cdots$(*)
が成り立つことを示します．$n \to \infty$ とするので $n \geq 2$ としてよく，$r = 1 + h$（h は正の定数）とおくと，二項定理より
$$r^n = (1+h)^n$$
$$= 1 + {}_nC_1 h + {}_nC_2 h^2 + \cdots + h^n$$
$$> {}_nC_2 h^2$$
$$= \frac{n(n-1)}{2} \cdot h^2$$
$$= \frac{h^2}{2}n(n-1).$$

$\therefore \; 0 < \frac{n}{r^n} < \frac{n}{\frac{h^2}{2}n(n-1)} = \frac{2}{h^2} \cdot \frac{1}{n-1} \xrightarrow[n \to \infty]{} 0.$

よってはさみうちの手法により
$$\lim_{n \to \infty} \frac{n}{r^n} = 0.$$

したがって④において，$n \to \infty$ のとき
$\frac{n}{\left(\frac{3}{2}\right)^n} \to 0$ より $b_n \to 0$．これと③より

$$E(X) = 5$$
と求まりました．

90

着眼 例えば $n=10$ くらいのときの例を作ってみましょう．

例を視

回	1	2	3	4	5	6	7	8	9	10	計
目	3	5	5	4	6	1	1	1	4	2	
点			1				2	4			7

この例では，直前と同じ目が出て点を得ることが3回起こっており，順に1点，2点，4点を得て合計得点 X は7点です．

さて，合計得点 X の期待値はどうすれば求まるかわかりましたか？「7点」という X の値は，何に対して定まったのですか？その答えは「直前と同じ目が出て点を得ることが3回起こる」という**事象**です！

これで方針がはっきりしました．この事象を中心に，次の方向性で考えます．

事象 ─ 直前と同じ 目の回数 ─ 確率
          ─ 合計得点 X

なお，第1回の目は「直前と同じ目かどうか」を判定する対象から除かれていることに注意しましょう．

解答

○第2回〜第 n 回の各回における事象とその確率は次のとおり．

$$\begin{cases} 直前と同じ目 \cdots 確率 \dfrac{1}{6}, \\ 直前と異なる目 \cdots 確率 \dfrac{5}{6}. \end{cases}$$

○ $n-1$ 回 $\begin{cases} 直前と同じ目 ：k 回, \\ 直前と異なる目：n-1-k 回 \end{cases}$

(k は 0 以上 $n-1$ 以下の整数)

となる事象に対して，次のように定まる．

事象に対して定まる「確率」

$$\begin{cases} その確率は，{}_{n-1}C_k \left(\dfrac{1}{6}\right)^k \left(\dfrac{5}{6}\right)^{n-1-k}, \\ 事象に対して定まる「確率変数」 \\ X の値は，1+2+2^2+\cdots+2^{k-1} \\ \qquad = 1\cdot\dfrac{2^k-1}{2-1} = 2^k-1. \end{cases}$$

等比数列の和（⇦p.168 特講E [4](4)）

○よって求める期待値は

$$E(X) = \sum_{k=0}^{n-1} (2^k-1)\cdot {}_{n-1}C_k \left(\dfrac{1}{6}\right)^k \left(\dfrac{5}{6}\right)^{n-1-k}$$

$$= \sum_{k=0}^{n-1} {}_{n-1}C_k \left(\dfrac{2}{6}\right)^k \left(\dfrac{5}{6}\right)^{n-1-k}$$

$$- \sum_{k=0}^{n-1} {}_{n-1}C_k \left(\dfrac{1}{6}\right)^k \left(\dfrac{5}{6}\right)^{n-1-k} \quad\cdots ①$$

二項定理（⇦p.164 特講D [4]）

$$= \left(\dfrac{2}{6}+\dfrac{5}{6}\right)^{n-1} - \left(\dfrac{1}{6}+\dfrac{5}{6}\right)^{n-1}$$

$$= \left(\dfrac{7}{6}\right)^{n-1} - 1.$$

補足 ①の第2項は，「直前と同じ目の回数が k」の確率を，k のとり得る全ての値について加えたものですから，全事象の確率1となるのは当然ですね．

91

着眼 求める確率は自然数 N に対して定まるもの：数列です．直接「一般項」が得られるのか，それとも「漸化式」が有効なのかはすぐにはわかりませんから，まずは具体例を作って実験です．下に，題意の条件が満たされる $N=5$ のときの一例をあげます．

適当な大きさの N で実験

赤：R，白：W と表し，交換されたところに赤下線を付す．

（例）：

↓回後	1	2	3	4	5	6(=$N+1$)
0	W	W	W	W	W	R
1	W	W	W	W	W	R
2	W	R	W	W	W	W
3	W	R	W	W	W	W
4	W	W	W	R	W	W
5	W	W	W	R	W	W
6	W	W	W	W	W	R

この例における「Rの位置」を追跡してみましょう．

○ 第2回に $6(=N+1)$ 番のRが交換されて2番に移されました．
○ 第4回に2番のRが交換されて4番に移されました．
○ 第6回に4番のRが交換されて $6(=N+1)$ 番に移されて，題意の事象が起こりました．

これを見ると，6回後にRが6番にあるのは，

その直前の5回後にRが1〜5番のどこかにあり，…①

6回目に，6番の交換相手としてRのある箱が選ばれる …②

ときであることがわかります．②の確率はもちろん $\dfrac{1}{N}$ ですから，あとは①です．

表にかかれた斜め破線が何を意味するかわかりますか？

解 答

○ 赤玉を「R」と表す．$N+1$ 回後にRが $N+1$ 番にあるのは，

$\begin{cases} N \text{回後にRが1〜}N\text{番のどこかにあり，…①} \\ N+1 \text{回目に，}N+1\text{番の交換相手としてRのある箱が選ばれる　…②} \end{cases}$

ときである．

○ 第 N 回までの交換を考える．

第 k 回 ($k \leq N$) の交換でRが $N+1$ 番から k 番へ移されたとすると，そのRは，

(∗) $\begin{cases} \bullet\ k+1\text{回後には }k, k+1\text{番のどちらかにある．} \\ \bullet\ k+2\text{回後には }k, k+1, k+2\text{番のどこかにある．} \\ \bullet\ \text{以下同様にして，第 }N\text{ 回後には }k, k+1, \cdots, N\text{番のどこかにある．} \end{cases}$

○ つまり，N 回後においてRが1〜N 番のどこかにあるための条件は，1, 2, 3, $\cdots$, N 回目の交換において $N+1$ 番が少なくとも1回交換対象になることである．よって①の確率は，余事象を利用して

$$1 - \left(\dfrac{N-1}{N}\right)^N.$$

○ ②の確率は $\dfrac{1}{N}$．

○ 以上より，求める確率は

$$\left\{1 - \left(\dfrac{N-1}{N}\right)^N\right\}\dfrac{1}{N}.$$

解説

（例）にかき入れた斜線が表していたのは，$N+1$ 番から移動したRの，N 回までにおける位置の"右限界"でした．それを言葉で記述したのが (∗) です．

補足

「以下同様にして」をより厳密に記述するなら，数学的帰納法を用いることになります．

参考

本問は「数列との融合」といえるかどうか微妙ですが…，素朴な思考力が試される **例題91** の類題としてここに置きました．いやぁーさすが京大．傑作です．

92

解答 （勝敗結果の表し方，および各試合における確率を表す文字設定は，全て 例題92 と同じです．）

推移を〈視〉

○ⅰ) $\dfrac{A}{B} \dfrac{C}{A} \boxed{\dfrac{B}{C} \dfrac{A}{B} \dfrac{C}{A}} \cdots \boxed{\dfrac{B}{C} \dfrac{A}{B} \dfrac{C}{A}} \dfrac{C}{B}$

ⅱ) $\dfrac{B}{A} \dfrac{C}{B} \boxed{\dfrac{A}{C} \dfrac{B}{A} \dfrac{C}{B}} \cdots \boxed{\dfrac{A}{C} \dfrac{B}{A} \dfrac{C}{B}} \dfrac{C}{A}$

Cが優勝する事象は，

$$\begin{cases} ⅰ）: 第1回が \dfrac{A}{B}, \\ ⅱ）: 第1回が \dfrac{B}{A} \end{cases}$$

の2つのケースに分けられる．

モレなく ダブりなく

○ⅰ) の事象は次のとおり．

$\dfrac{A}{B} \to \dfrac{C}{A} \to \left(\dfrac{B}{C}, \dfrac{A}{B}, \dfrac{C}{A} \right)$ を k 回反復

$\to \dfrac{C}{B}$ $\quad (k=0, 1, 2, \cdots)$

○ⅱ) の事象は次のとおり．

$\dfrac{B}{A} \to \dfrac{C}{B} \to \left(\dfrac{A}{C}, \dfrac{B}{A}, \dfrac{C}{B} \right)$ を k 回反復

$\to \dfrac{C}{A}$ $\quad (k=0, 1, 2, \cdots)$

○求める確率は，これらの総和を求めて

$\displaystyle \lim_{n\to\infty} \sum_{k=0}^{n-1} pq' \cdot (rpq')^k \cdot r'$

$\displaystyle \quad + \lim_{n\to\infty} \sum_{k=0}^{n-1} p'r' \cdot (qp'r')^k \cdot q'$

どちらの項も収束する

$=\displaystyle \lim_{n\to\infty} pq'r' \cdot \dfrac{1-(rpq')^n}{1-rpq'}$

$\quad + \displaystyle \lim_{n\to\infty} p'r'q' \cdot \dfrac{1-(qp'r')^n}{1-qp'r'}$

等比数列の和

$= \underbrace{pq'r' \cdot \dfrac{1}{1-rpq'}}_{\text{⑦}} + \underbrace{p'r'q' \cdot \dfrac{1}{1-qp'r'}}_{\text{④}}$ …②

$= \dfrac{3}{4} \cdot \dfrac{1}{5} \cdot \dfrac{1}{3} \cdot \dfrac{1}{1-\dfrac{2}{3}\cdot\dfrac{3}{4}\cdot\dfrac{1}{5}}$

$\quad + \dfrac{1}{4} \cdot \dfrac{1}{3} \cdot \dfrac{1}{5} \cdot \dfrac{1}{1-\dfrac{4}{5}\cdot\dfrac{1}{4}\cdot\dfrac{1}{3}}$

$= \dfrac{3}{60-6} + \dfrac{1}{60-4}$ …③

$= \dfrac{1}{18} + \dfrac{1}{56}$

$= \dfrac{37}{504}.$

解説

ケースⅱ)は，ケースⅰ)と比べて「A」と「B」の立場が逆になります．よって，ⅰ)の確率⑦において

$\quad p$ と p', q と r, q' と r' …⑨

をそれぞれ入れ替えることによってⅱ)の確率④を得ることもできます．

参考

Bの優勝確率も同様にして求めることができます．例題92 とは「A」と「B」の立場が逆になるので，例題92 解答 ③において⑨の入れ替えを行うことにより，Bの優勝確率は

$p'r \cdot \dfrac{1}{1-r'qp'} + pq'rp' \cdot \dfrac{1}{1-pq'r}$

$= \dfrac{1}{4} \cdot \dfrac{2}{3} \cdot \dfrac{1}{1-\dfrac{1}{3}\cdot\dfrac{4}{5}\cdot\dfrac{1}{4}}$

$\quad + \dfrac{3}{4} \cdot \dfrac{1}{5} \cdot \dfrac{2}{3} \cdot \dfrac{1}{4} \cdot \dfrac{1}{1-\dfrac{3}{4}\cdot\dfrac{1}{5}\cdot\dfrac{2}{3}}$

$= \dfrac{5}{2} \cdot \dfrac{1}{14} + \dfrac{1}{2} \cdot \dfrac{1}{18}$

$= \dfrac{45+7}{4\cdot 7\cdot 9} = \dfrac{13}{63}.$

これとAの優勝確率を全事象の確率1から引くことによって 類題 92 のCの優勝確率を求めることもできます．

なお，3人の優勝確率は，比べやすくするた

め分母を共通にすると次のとおりです．

$$\begin{cases} A: \dfrac{363}{504} = 0.720\cdots, \\ B: \dfrac{104}{504} = 0.206\cdots, \\ C: \dfrac{37}{504} = 0.073\cdots. \end{cases}$$ 合計はたしかに 1

当然のことながら，各試合における勝利確率の高い A が，断然優勝確率も高く，逆に各試合における勝利確率の低い C が優勝できる見込みはあまりないということがわかります．

補足
ⅰ) の事象は，次のように捉えてもかまいません．

$$\left(\dfrac{A}{B}, \dfrac{C}{A}, \dfrac{B}{C}\right) \text{を } k \text{ 回反復} \rightarrow \dfrac{A}{B} \rightarrow \dfrac{C}{A} \rightarrow \dfrac{C}{B}$$
$$(k = 0,\ 1,\ 2,\ \cdots)$$

たしかに確率は **解答** のⅰ)と同じになりますね．

別解
「方程式」を用いる方法も練習しておきましょう．

同じ事象が再現!

$$\dfrac{A}{B} - \dfrac{C}{A} \Big\langle \begin{array}{l} \dfrac{C}{B} \\ \dfrac{B}{C} - \dfrac{A}{B} - \text{C が優勝} \end{array}$$

$$\dfrac{B}{A} - \dfrac{C}{B} \Big\langle \begin{array}{l} \dfrac{C}{A} \\ \dfrac{A}{C} - \dfrac{B}{A} - \text{C が優勝} \end{array}$$

$\dfrac{A}{B}$ が起きたとき，その後 C が優勝する条件付き確率を z，$\dfrac{B}{A}$ が起きたとき，その後 C が優勝する条件付き確率を w とすると

$$\begin{cases} z = q'(r' + rpz), \\ w = r'(q' + qp'w). \end{cases}$$

$$\therefore \begin{cases} z = \dfrac{q'r'}{1 - q'rp}, \\ w = \dfrac{r'q'}{1 - r'qp'}. \end{cases}$$

よって求める C が優勝する確率は

$$pz + p'w = p\cdot\dfrac{q'r'}{1-q'rp} + p'\cdot\dfrac{r'q'}{1-r'qp'}.$$

これは②と一致していますね．

93

方針

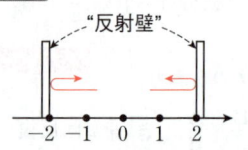

"反射壁"

$$-2\quad-1\quad 0\quad 1\quad 2$$

時刻（秒）の変化にともなって点が移動していく様子を「推移グラフ」で視覚化しましょう．**例題93** と異なり，動き方が左右対称なので少し助かります．

注意
[1]と[2]の違いはわかりますか？
[1]…A, B を切り離して考えてよい．
[2]…A, B の位置関係を追跡しなければならない．
この違いに留意して行きましょう．

解答
[1] ○事象 A, B を次のように定める．
 A：「動点 A が n 秒後に初めて点 O に位置する」
 B：「動点 B が n 秒後に初めて点 O に位置する」

独立試行？
2 点 A, B の移動は独立に行われるか

ら，求める確率は
$$P(A\cap B)=P(A)\cdot P(B).$$
乗法定理（独立試行）

○事象 A が起きるのは，次図のように推移するとき．

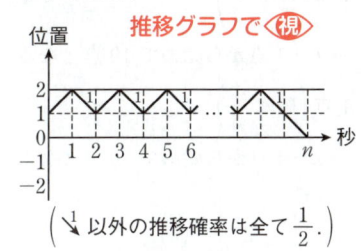

推移グラフで〈視〉

（↘以外の推移確率は全て $\frac{1}{2}$．）

○「$\overset{\frac{1}{2}}{\nearrow}\overset{}{\searrow}$」を k 回反復 ～ $\overset{\frac{1}{2}}{\searrow}$ のとき，$n=2k+1$ $(k=0, 1, 2, \cdots)$ となる．

○よって n が偶数のとき，$P(A)=0$．

○$n=2k+1$ $(k=0, 1, 2, \cdots)$ のとき，
$$P(A)=\left(\frac{1}{2}\cdot 1\right)^k \cdot \frac{1}{2}$$
$$=\left(\frac{1}{2}\right)^{k+1} \quad \left(k=\frac{n-1}{2}\right).$$

○事象 B が起きるのは，次図のように推移するとき．

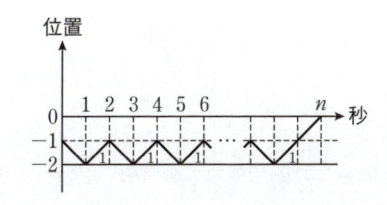

○よって，$P(B)=P(A)$ である．
○以上より，求める確率は
$$P(A\cap B)$$
$$=\begin{cases} 0 & (n:\mathbf{even}), \\ \left\{\left(\frac{1}{2}\right)^{\frac{n+1}{2}}\right\}^2=\left(\frac{1}{2}\right)^{n+1} & (n:\mathbf{odd}). \end{cases}$$

[2] ○2つの動点 A，B は，次の図のように移動する．

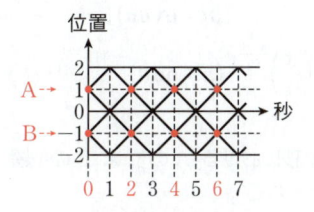

よって時刻 n が偶数のとき，A，B はどちらも -1 or 1 にある．

○時刻 $n=2k+1$ $(k=0, 1, 2, \cdots)$ において「A，B がともに点 O」となるのは，次のように移動するとき．

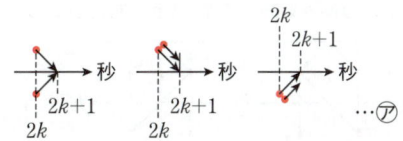

…㋐

全パターンを〈視〉

これらの推移確率は，どれも $\left(\frac{1}{2}\right)^2=\frac{1}{4}$ である．

○上記以外 $\left(\text{推移確率 } 1-\frac{1}{4}=\frac{3}{4}\right)$ のとき，2点 A，B は次のように移動する．
（$k=0, 1, 2, \cdots$ とする．）

$2k$ 秒　　　 $2k+1$ 秒　　 $2k+2$ 秒
A，B が　～「A，B が　～ A，B が
ともに ± 1　ともに 0」　 ともに ± 1
　　　　　　　　　　　　　ではない
　　　　　　　　　　　　　　　…㋑

○「A，B がともに 0」が初めて起きるのは，
㋑を l 回反復 ～ ㋐　$(l=0, 1, 2, \cdots)$
となるときである．このとき時刻 $n=2l+1$ (odd) であり，その確率は
$$\left(\frac{3}{4}\right)^l \cdot \frac{1}{4} \quad \left(l=\frac{n-1}{2}\right).$$

○以上より，求める確率は

$$\begin{cases} 0 & (n : \text{even}), \\ \dfrac{1}{4} \cdot \left(\dfrac{3}{4}\right)^{\frac{n-1}{2}} & (n : \text{odd}). \end{cases}$$

解説 ㋐では，$2k$ 秒における（A の位置，B の位置）として考えられる

$(1, 1), (-1, -1), (1, -1), (-1, 1)$

の 4 つを，$2k+1$ 秒において $(0, 0)$ となる推移確率が等しいことに注目して**束ねて処理し**ました．じつに強力な手法ですね！

補足 ㋐の余事象である㋑の動き方の例を，下に 2 つだけあげておきます．（他にもいろいろ！）

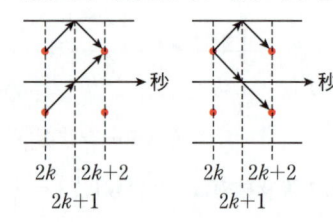

94

補足1

例題94 とは逆に，「成功」で終わる確率が問われています．

解答 推移グラフで様子を㊝

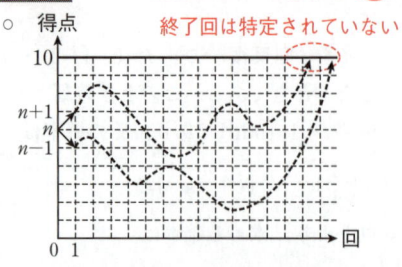

○ 得点　終了回は特定されていない

$1 \leqq n \leqq 9$ のとき，n 点から始めて 10 点

となって終了する事象は，第 1 回の得点に注目して次の排反な 2 通りだけに**場合分け**される．

第 1 回
↓
$$\begin{cases} +1 \text{ 点} \left(\text{確率 } \dfrac{2}{3}\right) \\ \quad \to n+1 \text{ 点から始めて } 10 \text{ 点となる} \\ -1 \text{ 点} \left(\text{確率 } \dfrac{1}{3}\right) \\ \quad \to n-1 \text{ 点から始めて } 10 \text{ 点となる} \end{cases}$$

したがって
$$q_n = \dfrac{2}{3} q_{n+1} + \dfrac{1}{3} q_{n-1},$$

i.e. $q_{n+1} = \dfrac{3}{2} q_n - \dfrac{1}{2} q_{n-1}$. …①

○ また，$q_0 = 0$, $q_{10} = 1$ …②. 　q_1 は不明

○ ①，②を用いて q_n を求める．

①は次の 2 通りに変形できる．
$$\begin{cases} q_{n+1} - q_n = \dfrac{1}{2}(q_n - q_{n-1}), \\ \quad (q_{n+1} - q_n) \text{ は公比 } \dfrac{1}{2} \text{ の等比数列} \\ q_{n+1} - \dfrac{1}{2} q_n = q_n - \dfrac{1}{2} q_{n-1}. \end{cases}$$

$$\begin{cases} q_{n+1} - q_n = (q_1 - q_0)\left(\dfrac{1}{2}\right)^n \\ \qquad\qquad = q_1 \left(\dfrac{1}{2}\right)^n, \text{ …③} \\ q_{n+1} - \dfrac{1}{2} q_n = q_1 - \dfrac{1}{2} q_0 = q_1. \text{ …④} \end{cases}$$

④ − ③ より
$$q_n = 2 q_1 \left\{1 - \left(\dfrac{1}{2}\right)^n\right\}. \text{ …⑤}$$

これと $q_{10} = 1$ より
$$1 = 2 q_1 \left\{1 - \left(\dfrac{1}{2}\right)^{10}\right\}. \text{ …⑥}$$

⑤ ÷ ⑥ より　q_{10} を利用して q_1 が定まる

$$q_n = \dfrac{1 - \left(\dfrac{1}{2}\right)^n}{1 - \left(\dfrac{1}{2}\right)^{10}}.$$

補足2
答えがいわゆる「繁分数」になっていますが，分子と分母の形が揃っていてきれいなので，このままにするのがよいと思います．

参考
得られた結果を表に表すと，次のようになります．（小数第 5 位を四捨五入）

n	0	1	2	3	4	5
q_n	0	0.5005	0.7507	0.8759	0.9384	0.9697

6	7	8	9	10
0.9853	0.9932	0.9971	0.9990	1

q_n は，ある持ち点 n から始めて 10 点を得る，つまり"成功"して終了する確率です．

例題94 では各回の"勝ち"，"負け"の確率が同じだったので初めの持ち点 n が 1 点だと 90％は"破産"するという悲しい結論でしたが，この類題の設定では，各回「$\frac{2}{3}$」という高確率で勝てるおかげで，破産寸前の「1 点」から始めても"破産"より"成功"の確率の方が大きいですし，「3 点」から始めても 90％近くは成功します．"実力"があれば，たとえスタート時点で恵まれていなくとも成功を手に入れられるチャンスが大きいということですね．

95

方針　[1]は，単に $2n$ 回に占める $+1$，-1 の移動回数だけで求まりますね．ところが[2]は，途中経過も問われますから「推移グラフ」の出番．これを描いてみると…例題95 (2)の手法が使えることに気付ける…かもしれません…（笑）．

解答

[1] ○ $2n$ 回 $\begin{cases} +1\cdots k \text{ 回}, \\ -1\cdots 2n-k \text{ 回} \end{cases}$

のとき，
$$X_{2n} = 1\cdot k + (-1)(2n-k)$$
$$= 2k - 2n.$$
よって $X_{2n} = 2m$ のとき，
$$2k - 2n = 2m. \quad k = n+m.$$

○ したがって
$2n$ 回 $\begin{cases} +1\cdots n+m \text{ 回}, \\ -1\cdots n-m \text{ 回} \end{cases}$

となる移動の仕方の数を求めればよく，$+1$，-1 の順序を考えて，求める個数は　順序を区別　？

$_{2n}C_{n+m}$.

[2]　推移グラフで（視）

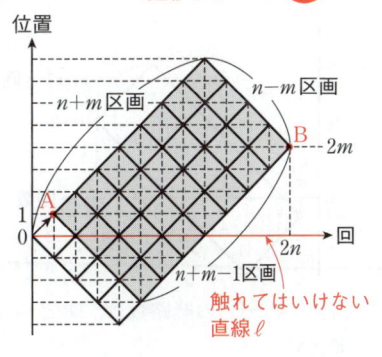

○ [1]で考えた移動の仕方は，上の推移グラフにおいて実線で描かれた経路と対応する．　…もちろん，1対1対応

○ 上記のうち[2]の条件を満たす移動を表すのは，
$$O(0, 0) \to A(1, 1) \to B(2n, 2m) \quad \cdots ㋐$$
と行く経路（図の網かけ部）のうち直線 ℓ に触れないものである．

○ ㋐の経路数は，
$(n+m-1 \text{ 区画}) \times (n-m \text{ 区画})$ の格子における最短経路数を考えて
$$_{2n-1}C_{n-m}. \quad \cdots ①$$

○ ㋐のうち，ℓ に触れるタイプ①の経路数を考える．

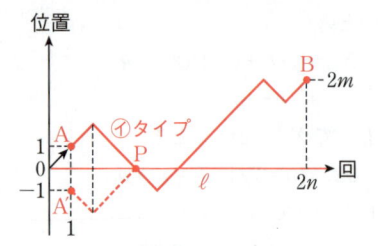

このタイプの経路は，初めて ℓ と触れる点を P として，点 A から P までの部分を ℓ に関して対称移動することにより，上図のように
点 $A'(1, -1)$ から点 B へ到る経路と 1 対 1 に対応する．

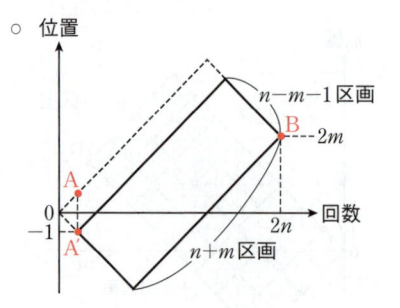

○ 前記「$A' \to B$」の経路数は，㋐と同様に考えて
$$_{2n-1}C_{n+m}. \quad \cdots ②$$

○ 以上①，②より，求める移動の仕方の数は
$$_{2n-1}C_{n-m} - _{2n-1}C_{n+m}$$
$$= \frac{(2n-1)!}{(n-m)!(n+m-1)!}$$
$$\qquad - \frac{(2n-1)!}{(n+m)!(n-m-1)!}$$
$$= \frac{(2n-1)!}{(n-m)!(n+m)!}\{(n+m)-(n-m)\}$$
$$= \frac{(2n)!}{(n-m)!(n+m)!} \cdot \frac{2m}{2n} = \frac{m}{n}{}_{2n}C_{n+m}.$$

重要
[2]の最大のポイントは，0 から 1 度正の向きへ移動し，触れてはいけない直線 ℓ から 1 区画だけズレた点 A からの経路㋐を考え，ℓ に触れてしまう経路㋑について「対称移動」のテクニックを使うことです．

参考
[2]の結果が[1]の結果の「$\dfrac{m}{n}$ 倍」というのが美しいですね．

96

着眼 壺に入っている玉の状態変化が独特ですから，（赤の個数，黒の個数）と記号化して推移とその確率を視覚化します．最初の 2 回は次のとおりです．

最初の数回を視

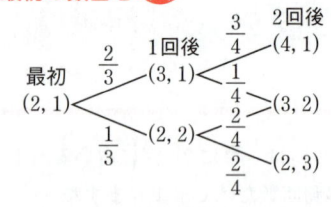

最初　　1回後　　　　2回後
(2,1) ─ 2/3 ─ (3,1) ─ 3/4 ─ (4,1)
　　　　　　　　　　　1/4 ─ (3,2)
　　　　1/3 ─ (2,2) ─ 2/4 ─ (3,2)
　　　　　　　　　　　2/4 ─ (2,3)

もちろん **例題96** と同じルートでも解答できますが，ここでは問題文に結果が与えられています．そこで，壺の中の状態に関する直前・直後の関係に注目して，「数学的帰納法」で証明する方針で行きます．n 回後と $n+1$ 回後の関係は，次のとおりです．

直前→直後の推移を視

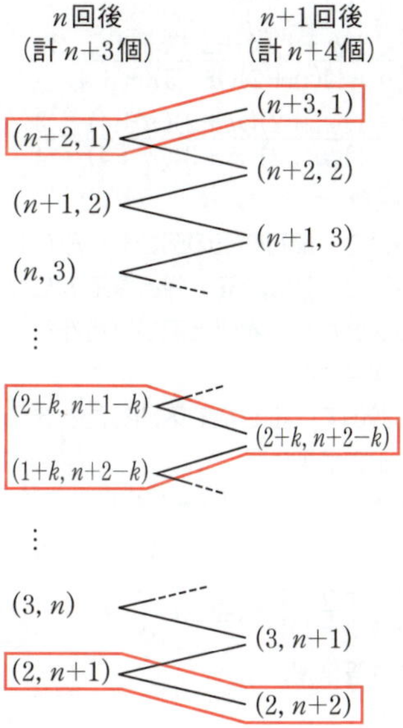

n回後　　　　　$n+1$回後
（計$n+3$個）　　（計$n+4$個）

$(n+2, 1)$ ── $(n+3, 1)$
$(n+1, 2)$ ── $(n+2, 2)$
$(n, 3)$ ── $(n+1, 3)$
⋮
$(2+k, n+1-k)$ ── $(2+k, n+2-k)$
$(1+k, n+2-k)$
⋮
$(3, n)$ ── $(3, n+1)$
$(2, n+1)$ ── $(2, n+2)$

解答

$p_n(0) : p_n(1) : p_n(2) : \cdots : p_n(n)$
$= 1 : 2 : 3 : \cdots : (n+1)$

のとき，ある定数 a を用いて

$p_n(k) = a(k+1) \quad (k=0, 1, 2, \cdots, n)$

とおけて，これら $n+1$ 個の確率の和が全事象の確率であることより

$$\sum_{k=0}^{n} a(k+1) = a \cdot \frac{1+(n+1)}{2} \cdot (n+1) = 1.$$

　　　　等差数列の和

$\therefore \quad a = \dfrac{2}{(n+1)(n+2)}.$

そこで，命題

$Q(n) :$ 「$p_n(k) = \dfrac{2(k+1)}{(n+1)(n+2)}$
$(k=0, 1, 2, \cdots, n)$」

を，$n=1, 2, 3, \cdots$ に対して数学的帰納法で示す．

1° $Q(1) :$ 「$p_1(k) = \dfrac{2(k+1)}{2 \cdot 3} \quad (k=0, 1)$」

　　i.e. 「$p_1(0) = \dfrac{1}{3}, \ p_1(1) = \dfrac{2}{3}$」

は，1回目に黒，赤が出る確率がそれぞれ $\dfrac{1}{3}, \dfrac{2}{3}$ であることより成り立つ．

2° n を固定する．

$Q(n)$ を仮定し，$Q(n+1)$:

「$p_{n+1}(k) = \dfrac{2(k+1)}{(n+2)(n+3)}$
$(k=0, 1, 2, \cdots, n, n+1)$」

を示す．

(赤の個数, 黒の個数) と表す．$n+1$ 回後に $(2+k, n+2-k) \ (k=1, 2, \cdots, n)$ となる事象は n 回後の状態に注目すると次の2つに分けられる．

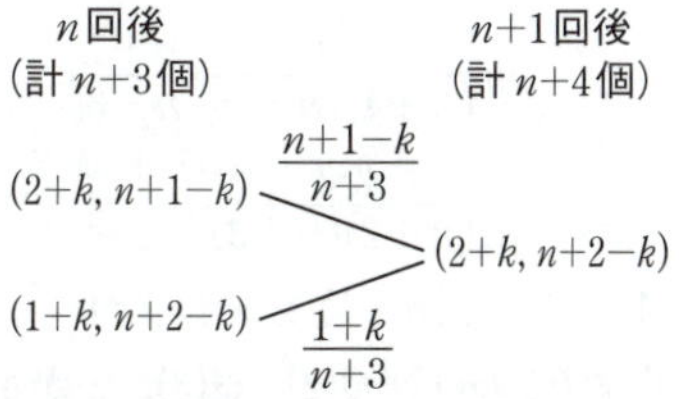

n回後　　　　　$n+1$回後
（計$n+3$個）　　（計$n+4$個）

$(2+k, n+1-k)$ ──$\dfrac{n+1-k}{n+3}$── $(2+k, n+2-k)$
$(1+k, n+2-k)$ ──$\dfrac{1+k}{n+3}$──

よって $k=1, 2, \cdots, n$ に対して

$p_{n+1}(k)$
$= p_n(k) \cdot \dfrac{n+1-k}{n+3} + p_n(k-1) \cdot \dfrac{1+k}{n+3}$
$= \dfrac{2(k+1)}{(n+1)(n+2)} \cdot \dfrac{n+1-k}{n+3}$
$\qquad + \dfrac{2k}{(n+1)(n+2)} \cdot \dfrac{1+k}{n+3}$
$= 2 \cdot \dfrac{(k+1)(n+1-k) + k(1+k)}{(n+1)(n+2)(n+3)}$
$= 2 \cdot \dfrac{(n+1)(k+1)}{(n+1)(n+2)(n+3)}$
$= \dfrac{2(k+1)}{(n+2)(n+3)}.$

また，$k=n+1, 0$ については次のようになる．

n 回後		$n+1$ 回後
$(n+2, 1)$	$\xrightarrow{\frac{n+2}{n+3}}$	$(n+3, 1)$
$(2, n+1)$	$\xrightarrow{\frac{n+1}{n+3}}$	$(2, n+2)$

$$p_{n+1}(n+1) = p_n(n) \cdot \frac{n+2}{n+3}$$
$$= \frac{2(n+1)}{(n+1)(n+2)} \cdot \frac{n+2}{n+3}$$
$$= \frac{2(n+2)}{(n+2)(n+3)},$$
$$p_{n+1}(0) = p_n(0) \cdot \frac{n+1}{n+3}$$
$$= \frac{2 \cdot 1}{(n+1)(n+2)} \cdot \frac{n+1}{n+3}$$
$$= \frac{2 \cdot 1}{(n+2)(n+3)}.$$

以上より，$Q(n+1)$ も成り立つ．
1°, 2° より，$Q(1), Q(2), Q(3), \cdots$ が示せた．よって
$$p_n(0) : p_n(1) : p_n(2) : \cdots : p_n(n)$$
$$= 1 : 2 : 3 : \cdots : (n+1). \ \square$$

(以下は，本冊に書き切れなかった内容です．)

参考
例題96 **参考** の Σ 計算の過程を書いておきます．
$$\sum_{k=0}^{n} \frac{3(k+1)(k+2)(k+3)}{(n+1)(n+2)(n+3)(n+4)}$$
において，
$$\sum_{k=0}^{n} (k+1)(k+2)(k+3)$$
(⇐本冊 p.171 **特講E** [7](5)⑤)
$$= \sum_{k=0}^{n} \frac{1}{4}\{(k+1)(k+2)(k+3)(k+4)$$
$$- k(k+1)(k+2)(k+3)\}$$

階差の形へ分解

$$= \frac{1}{4}(n+1)(n+2)(n+3)(n+4).$$
$$\therefore \sum_{k=0}^{n} \frac{3(k+1)(k+2)(k+3)}{(n+1)(n+2)(n+3)(n+4)}$$
$$= \frac{3(n+1)(n+2)(n+3)(n+4)}{4(n+1)(n+2)(n+3)(n+4)} = \frac{3}{4}.$$

発展
本問において，最初の玉の個数を一般化してみます．初め，壺に赤玉 r 個と黒玉 b 個が入っている状態から，本問と同じ試行を行います (r, b は自然数)．

○ 各回において，玉を全て区別したときの取り出す玉の順列：
$$(r+b)(r+b+1)(r+b+2)$$
$$\cdots (r+b+n-1)$$
$$= \frac{(r+b+n-1)!}{(r+b-1)!} \text{ (通り)}$$
の各々は等確率．

○ そのうち
n 回 $\begin{cases} 赤玉を取り出す \cdots k \text{ 回} \\ 黒玉を取り出す \cdots n-k \text{ 回} \end{cases}$
となるものを考えると，
$$\begin{cases} 赤，黒の出る順序 \cdots {}_nC_k = \frac{n!}{k!(n-k)!} \text{ (通り)}. \ (以下，この順序によらず) \\ 赤玉 \cdots r(r+1)(r+2)\cdots(r+k-1) \\ \quad = \frac{(r+k-1)!}{(r-1)!} \text{ (通り)}, \\ 黒玉 \cdots b(b+1)(b+2)\cdots(b+n-k-1) \\ \quad = \frac{(b+n-k-1)!}{(b-1)!} \text{ (通り)}. \end{cases}$$

○ よってこの確率は
$$\frac{(r+k-1)!}{(r-1)!} \cdot \frac{(b+n-k-1)!}{(b-1)!}$$
$$\times \frac{n!}{k!(n-k)!} \cdot \frac{(r+b-1)!}{(r+b+n-1)!}$$
$$= \frac{(r-1+k)!}{(r-1)!k!} \cdot \frac{(b-1+n-k)!}{(b-1)!(n-k)!}$$
$$\times \frac{(r+b-1)!n!}{(r+b-1+n)!}$$
$$= \frac{{}_{r-1+k}C_{r-1} \cdot {}_{b-1+n-k}C_{b-1}}{{}_{r+b-1+n}C_{r+b-1}}.$$

これは，**例題96**：$(r, b)=(3, 1)$ では
$$\frac{{}_{2+k}C_2 \cdot {}_{n-k}C_0}{{}_{3+n}C_3} = \frac{3(k+2)(k+1)}{(n+3)(n+2)(n+1)}.$$
類題 96：$(r, b)=(2, 1)$ では
$$\frac{{}_{1+k}C_1 \cdot {}_{n-k}C_0}{{}_{2+n}C_2} = \frac{2(k+1)}{(n+2)(n+1)}.$$
となり，それぞれの「答え」と確かに一致しますね．**類題 96** の確率 $p_n(k)$ がきれいな k の 1 次式であることは，最初の玉の個数 r, b が 2, 1 という値だったことに依存していたのです．

第 $n+1$ 回に赤玉を取り出す確率を求めてみます．結果は **例題96** の **参考** で述べた通り，初回と同じ確率 $\dfrac{r}{r+b}$ となるはずです．

n 回後の壺の中が $(r+k, b+n-k)$ であるという条件のもとで第 $n+1$ 回に赤玉を取り出す条件付き確率は $\dfrac{r+k}{r+b+n}$ ですから，求める確率は

$$\sum_{k=0}^{n} \frac{{}_{r-1+k}C_{r-1} \cdot {}_{b-1+n-k}C_{b-1}}{{}_{r+b-1+n}C_{r+b-1}} \cdot \frac{r+k}{r+b+n}$$
$$= \frac{r}{r+b} \cdot \frac{1}{{}_{r+b+n}C_{r+b}} \sum_{k=0}^{n} {}_{r+k}C_r \cdot {}_{b-1+n-k}C_{b-1}.$$
（⇐p. 162 **特講D** [3](c)）

この $\sum$ 部分は，順に並んだ $r+b+n$ 個のものから $r+b$ 個を取る組合せの個数を考え，取るもののうち左から $r+1$ 番目が $r+k+1$ 番目にあるとして，$k=0, 1, 2, \cdots, n$ について場合分けしたものだから，${}_{r+b+n}C_{r+b}$ 通り．

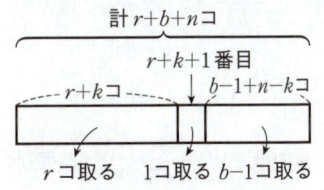

計 $r+b+n$ コ
$r+k+1$ 番目
$r+k$ コ ↓ $b-1+n-k$ コ
r コ取る　1 コ取る　$b-1$ コ取る

よって求める確率は，$\dfrac{r}{r+b}$．

例題96 **参考** [問題] の考え方を知っていると，ほとんど徒労としか思えませんでした．(笑)

97

解答

○並べ方全体 U(10^n 通り) の部分集合として，
　A_1：「1 を含まない」,
　A_2：「2 を含まない」,
　A_3：「3 を含まない」,
　A_4：「4 を含まない」,
　A_5：「5 を含まない」
を考えると，求める個数は
$$n(\overline{A_1}\,\overline{A_2}\,\overline{A_3}\,\overline{A_4}\,\overline{A_5})$$
$$= n(\overline{A_1 \cup A_2 \cup A_3 \cup A_4 \cup A_5})$$
　　　　ド・モルガンの法則
$$= n(U) - n(A_1 \cup A_2 \cup A_3 \cup A_4 \cup A_5). \quad \cdots ①$$

○ここで，
$n(A_1) = n(A_2) = \cdots = 9^n,$
$n(A_1 A_2) = n(A_1 A_3) = \cdots = 8^n,$
$n(A_1 A_2 A_3) = n(A_1 A_2 A_4) = \cdots = 7^n,$
$n(A_1 A_2 A_3 A_4) = n(A_1 A_2 A_3 A_5) = \cdots = 6^n,$
$n(A_1 A_2 A_3 A_4 A_5) = 5^n.$

○これらと **包除原理** より
$n(A_1 \cup A_2 \cup A_3 \cup A_4 \cup A_5)$
$= {}_5C_1 9^n - {}_5C_2 8^n + {}_5C_3 7^n - {}_5C_4 6^n + {}_5C_5 5^n.$
これと ① より，求める個数は
$$10^n - 5 \cdot 9^n + 10 \cdot 8^n - 10 \cdot 7^n + 5 \cdot 6^n - 5^n.$$

参考

例題42 (1) を包除原理を使って解答すると，次のようになります．

○ボールの入れ方全体 U(3^n 通り) の部分集合として，
　A：「A に 1 つも入らない」,
　B：「B に 1 つも入らない」,
　C：「C に 1 つも入らない」
を考えると，求める個数は

97 の解答　71

$n(\overline{A}\,\overline{B}\,\overline{C})$
$=n(\overline{A\cup B\cup C})$　ド・モルガンの法則
$=n(U)-n(A\cup B\cup C)$. …②
○ここで，
　$n(A)=n(B)=n(C)=2^n$,
　$n(AB)=n(AC)=n(BC)=1^n$,
　$(ABC=\emptyset)$.　空集合
○これらと包除原理より，求める個数は
　$n(U)-n(A\cup B\cup C)$
　$=3^n-({}_3C_1 2^n -{}_3C_2 1^n +0)$
　$=3^n-3\cdot 2^n +3$.
（もちろん，この程度の問題では包除原理を持ち出すまでもないですが.）

98

着眼 1度目の配り方を数えたりしてはなりません．考えるべきは，1度目に対する2度目の関係だけです．ITEM 29：「一方を固定して」の考え方ですね．こう考えれば，本問は 例題98 と実質的に同じ問題です．

解答

○n人の生徒を $\boxed{1}$, $\boxed{2}$, $\boxed{3}$, …, $\boxed{n}$ とし，それぞれが1度目に配られたメッセージを 1, 2, 3, …, n とする．また，たとえば人$\boxed{3}$が2度目にメッセージ2を受け取ることを「$\boxed{3}$-2」と表す．

○2度目の配り方の全事象を $U(n!\ 通り)$ とし，事象
　A_1：「$\boxed{1}$-1」，A_2：「$\boxed{2}$-2」，
　A_3：「$\boxed{3}$-3」，…，A_n：「$\boxed{n}$-n」
を考えると，求める確率は
　$P(\overline{A_1}\,\overline{A_2}\,\overline{A_3}\cdots\overline{A_n})$
　$=P(\overline{A_1\cup A_2\cup A_3\cup\cdots\cup A_n})$
　　ド・モルガンの法則
　$=1-P(A_1\cup A_2\cup A_3\cup\cdots\cup A_n)$. …①

○ここで $P(A_1)$，つまり「$\boxed{1}$-1」となる確率は，$\boxed{2}$, $\boxed{3}$, …, $\boxed{n}$ にメッセージ 2, 3, …, n を配る方法の数を考えて
$$P(A_1)=\frac{(n-1)!}{n!}.$$
これと同様にして
$$P(A_1)=P(A_2)=\cdots=\frac{(n-1)!}{n!},$$
$$P(A_1 A_2)=P(A_1 A_3)=\cdots=\frac{(n-2)!}{n!},$$
$$P(A_1 A_2 A_3)=P(A_1 A_2 A_4)=\cdots$$
$$=\frac{(n-3)!}{n!},$$
$$\vdots$$
$$P(A_1 A_2 A_3 \cdots A_k)=\cdots=\frac{(n-k)!}{n!},$$
$$\vdots$$
$$P(A_1 A_2 A_3 \cdots\cdots A_n)=\frac{(n-n)!}{n!}.$$

○これらと包除原理より
$P(A_1\cup A_2\cup A_3\cup\cdots\cup A_n)$
$=\sum_{k=1}^{n}(-1)^{k-1}{}_nC_k\cdot\frac{(n-k)!}{n!}$
$=\sum_{k=1}^{n}(-1)^{k-1}\cdot\frac{n!}{k!(n-k)!}\cdot\frac{(n-k)!}{n!}$
$=\sum_{k=1}^{n}\frac{(-1)^{k-1}}{k!}$.

これと①より，求める確率は
$$1-\sum_{k=1}^{n}\frac{(-1)^{k-1}}{k!}=\sum_{k=0}^{n}\frac{(-1)^k}{k!}. \quad \square$$

補足

本問の結果：$\sum_{k=0}^{n}\frac{(-1)^k}{k!}$ は，最初の2項の和が
$$\frac{(-1)^0}{0!}+\frac{(-1)^1}{1!}=1+(-1)=0$$
ですから，例題98 の確率 $\sum_{k=2}^{n}\frac{(-1)^k}{k!}$ と確かに一致していますね．

発展 理系

本問および 例題98 の答えの極限について，
$$\sum_{k=0}^{\infty}\frac{(-1)^k}{k!}=\lim_{n\to\infty}\sum_{k=0}^{n}\frac{(-1)^k}{k!}=\frac{1}{e}$$
　e は自然対数の底

が成り立つことを示します．ついでに，ITEM 88 発展 で述べた

$$\sum_{k=0}^{\infty}\frac{1}{k!}=\lim_{n\to\infty}\sum_{k=0}^{n}\frac{1}{k!}=e$$

も示しましょう．大学以降では有名な手法で，部分積分法を繰り返し用います．

$e^x - e^0$
$= \int_0^x 1 \cdot e^t dt$
$= \left[-(x-t)e^t\right]_0^x + \int_0^x (x-t)e^t dt$
$= x + \left[-\frac{(x-t)^2}{2}e^t\right]_0^x + \int_0^x \frac{(x-t)^2}{2}e^t dt$
$= x + \frac{x^2}{2} + \left[-\frac{(x-t)^3}{3!}e^t\right]_0^x + \int_0^x \frac{(x-t)^3}{3!}e^t dt$
$= x + \frac{x^2}{2} + \frac{x^3}{3!} + \cdots + \left[-\frac{(x-t)^n}{n!}e^t\right]_0^x$
$\qquad + \int_0^x \frac{(x-t)^n}{n!}e^t dt.$

$\therefore\ e^x = 1 + x + \frac{x^2}{2} + \frac{x^3}{3!} + \cdots + \frac{x^n}{n!}$
$\qquad + \underbrace{\int_0^x \frac{(x-t)^n}{n!}e^t dt}_{R_n(x) \text{とおく}},$

i.e. $\sum_{k=0}^{n}\frac{x^k}{k!} = e^x - R_n(x).\quad \cdots ②$

ここで，$x = \pm 1$ のときを考える．

$R_n(1) = \int_0^1 \frac{(1-t)^n}{n!}e^t dt$ より

$0 \leq R_n(1) \leq \int_0^1 \frac{1}{n!}e^1 dt = \frac{e}{n!} \xrightarrow[n\to\infty]{} 0.$

よってはさみうちの手法により，

$R_n(1) \xrightarrow[n\to\infty]{} 0.$

同様に，

$R_n(-1) = \int_0^{-1} \frac{(-1-t)^n}{n!}e^t dt$
$\qquad = (-1)^{n+1}\int_{-1}^0 \frac{(1+t)^n}{n!}e^t dt$

より

$(0 \leq) |R_n(-1)| = \int_{-1}^0 \frac{(1+t)^n}{n!}e^t dt$
$\qquad \leq \int_{-1}^0 \frac{1}{n!}e^0 dt = \frac{1}{n!} \xrightarrow[n\to\infty]{} 0.$

よってはさみうちの手法により，
$|R_n(-1)| \xrightarrow[n\to\infty]{} 0,$
i.e. $R_n(-1) \xrightarrow[n\to\infty]{} 0.$

これらと②より

$\sum_{k=0}^{\infty}\frac{1}{k!} = e^1 = e,$

$\sum_{k=0}^{\infty}\frac{(-1)^k}{k!} = e^{-1} = \frac{1}{e}.$

以上で目標の等式が得られました．

99

方針　「第1回に何個のサイコロが5以上か」と考えて場合分けしようものなら大変です！「第1回」「第2回」ではなく，「サイコロごと」に分けて考えれば簡単です．

解答

○ サイコロ n 個に $1, 2, 3, \cdots, n$ と番号をつけ，それぞれのサイコロの第2回の目を確率変数 $X_k (k=1, 2, 3, \cdots, n)$ とする．ただし，第2回にサイコロ k 番を投げないときは $X_k = 0$ とする．

○ $X = X_1 + X_2 + X_3 + \cdots + X_n$
だから，<u>期待値の加法性</u>より
$E(X)$
$= E(X_1) + E(X_2) + \cdots + E(X_n).\quad \cdots ①$

○ サイコロ k 番について，第2回を投げ，その目が $1, 2, 3, \cdots, 6$ である確率はそれぞれ $\frac{2}{6}\cdot\frac{1}{6}$ だから

$E(X_k)$
$= 1\cdot\frac{2}{6}\cdot\frac{1}{6} + 2\cdot\frac{2}{6}\cdot\frac{1}{6} + 3\cdot\frac{2}{6}\cdot\frac{1}{6} + \cdots$
$\qquad\qquad\qquad\qquad + 6\cdot\frac{2}{6}\cdot\frac{1}{6}$
$= \frac{2}{6\cdot 6}(1 + 2 + 3 + \cdots + 6)$

$= \dfrac{2}{6\cdot 6}\cdot\dfrac{6\cdot 7}{2}=\dfrac{7}{6}$ $(k=1,\ 2,\ 3,\ \cdots,\ n)$．

○ これと①より，求める期待値は
$$E(X)=\dfrac{7}{6}n.$$

〔「期待値の加法性」の証明〕🔼

X が $x_1,\ x_2,\ \cdots,\ x_m$ のいずれかの値，Y が $y_1,\ y_2,\ \cdots,\ y_n$ のいずれかの値をとるとし，$X=x_i$ かつ $Y=y_j$ となる確率を p_{ij} とすると

$$E(X+Y)=\sum_{i=1}^{m}\sum_{j=1}^{n}(x_i+y_j)p_{ij}$$
$$=\sum_{i=1}^{m}\sum_{j=1}^{n}x_ip_{ij}+\underline{\sum_{i=1}^{m}\sum_{j=1}^{n}y_jp_{ij}}_{㋐}$$
$$=\sum_{i=1}^{m}x_i\sum_{j=1}^{n}p_{ij}+\underline{\sum_{j=1}^{n}y_j\sum_{i=1}^{m}p_{ij}}_{㋑}$$
$$=\sum_{i=1}^{m}x_iP(X=x_i)$$
$$\qquad+\sum_{j=1}^{n}y_jP(Y=y_j)$$
$$=E(X)+E(Y).\ \square$$

この意味不明な(？)大学風な書き方を，$m=2$，$n=3$ として噛み砕いて書いたのが下記です．

$E(X+Y)$
$=(x_1+y_1)p_{11}+(x_1+y_2)p_{12}+(x_1+y_3)p_{13}$
$\quad+(x_2+y_1)p_{21}+(x_2+y_2)p_{22}+(x_2+y_3)p_{23}$
$=x_1p_{11}\quad\ +x_1p_{12}\quad\ +x_1p_{13}$
$\quad\ +y_1p_{11}\quad\ +y_2p_{12}\quad\ +y_3p_{13}$
$\ +x_2p_{21}\quad\ +x_2p_{22}\quad\ +x_2p_{23}$
$\quad\ +y_1p_{21}\quad\ +y_2p_{22}\quad\ +y_3p_{23}$
$=x_1(p_{11}+p_{12}+p_{13})+x_2(p_{21}+p_{22}+p_{23})$

　　　x は横の並びでまとめる
$\quad+y_1(p_{11}+p_{21})+y_2(p_{12}+p_{22})+y_3(p_{13}+p_{23})$

　　　y は縦の並びでまとめる
$=x_1P(X=x_1)+x_2P(X=x_2)$
$\ +y_1P(Y=y_1)+y_2P(Y=y_2)+y_3P(Y=y_3)$

$=E(X)+E(Y)$．

㋐を㋑に変形する過程を解説します．初めに，$\sum\limits_{i=1}^{m}\sum\limits_{j=1}^{n}y_jp_{ij}$ とは $\sum\limits_{i=1}^{m}\left(\sum\limits_{j=1}^{n}y_jp_{ij}\right)$ を意味することを覚えておいてください．

$$\sum_{i=1}^{m}\sum_{j=1}^{n}y_jp_{ij}=\underbrace{\sum_{j=1}^{n}\sum_{i=1}^{m}y_jp_{ij}}_{\Sigma\text{の順序は交換可能}}=\sum_{j=1}^{n}y_j\underbrace{\sum_{i=1}^{m}p_{ij}}_{y_j\text{は }i\text{ によらない定数}}.$$

この変形の噛み砕きバージョンが下記です．これを見て納得してください．

$(y_1p_{11}+y_2p_{12}+y_3p_{13})$
$+(y_1p_{21}+y_2p_{22}+y_3p_{23})$

　　　横の並びでまとまっているものを
$=(y_1p_{11}+y_1p_{21})+(y_2p_{12}+y_2p_{22})$
$\qquad\qquad\qquad\quad+(y_3p_{13}+y_3p_{23})$

　　　縦の並びにまとめ直す
$=y_1(p_{11}+p_{21})+y_2(p_{12}+p_{22})$
$\qquad\qquad\qquad\quad+y_3(p_{13}+p_{23})$．

　　　y_j でくくる

参考 🔼

これを見ると，2 つの変数に関する Σ の順序は交換できることがわかりますね．

類題 100 の 解答 発展 の計算でも，これと同じ「Σ の交換」を行います．

100

解答

[1] ○r 種類の商品に $1, 2, \cdots, r$ と番号を付ける.

n 回の出方の全事象を $U(r^n$ 通り$)$ とし, n 回後までに $1, 2, \cdots, r$ 番の商品が出ていない事象をそれぞれ $A_1, A_2, \cdots, A_r$ とすると, n 回までに全種類収集している確率は

$p_n = P(\overline{A_1} \overline{A_2} \overline{A_3} \cdots \overline{A_r})$
$= P(\overline{A_1 \cup A_2 \cup A_3 \cup \cdots \cup A_r})$

　　ド・モルガンの法則

$= 1 - P(A_1 \cup A_2 \cup A_3 \cup \cdots \cup A_r)$.
　　　　　　　　　　　　　　　…①

○ここで $P(A_1)$, つまり「n 回後までに 1 番の商品が出ていない」となる確率は, n 回とも 1 番以外の商品が出る確率を考えて

$$P(A_1) = \left(1 - \frac{1}{r}\right)^n.$$

これと同様にして

$P(A_1) = P(A_2) = \cdots = \left(1 - \frac{1}{r}\right)^n,$

$P(A_1 A_2) = P(A_1 A_3) = \cdots = \left(1 - \frac{2}{r}\right)^n,$

$P(A_1 A_2 A_3) = P(A_1 A_2 A_4) = \cdots$
$\qquad\qquad\qquad = \left(1 - \frac{3}{r}\right)^n,$

$\vdots$

$P(A_1 A_2 A_3 \cdots A_k) = \cdots = \left(1 - \frac{k}{r}\right)^n,$

$\vdots$

$P(A_1 A_2 A_3 \cdots A_{r-1}) = \cdots = \left(1 - \frac{r-1}{r}\right)^n.$

$(A_1 A_2 A_3 \cdots A_r = \varnothing.)$　　空集合

○これらと包除原理より

$P(A_1 \cup A_2 \cup A_3 \cup \cdots \cup A_r)$

$= \sum_{k=1}^{r-1} (-1)^{k-1} {}_r C_k \left(1 - \frac{k}{r}\right)^n.$

これと①より, 求める確率は

$p_n = 1 - \sum_{k=1}^{r-1} (-1)^{k-1} {}_r C_k \left(1 - \frac{k}{r}\right)^n.$ □

[2] 初めて全 r 種類収集する回:

$\underbrace{r, r+1, r+2, \cdots, n-1}_{p_{n-1}}, \overbrace{n}^{p_n}, n+1, \cdots.$

ちょうど n 回後に全種類収集する確率は, $n \geq r+1$ のとき

$q_n = p_n - p_{n-1}$ 　　　　…②

$= \left\{1 - \sum_{k=1}^{r-1} (-1)^{k-1} {}_r C_k \left(1 - \frac{k}{r}\right)^n\right\}$

$\quad - \left\{1 - \sum_{k=1}^{r-1} (-1)^{k-1} {}_r C_k \left(1 - \frac{k}{r}\right)^{n-1}\right\}$

$= \sum_{k=1}^{r-1} (-1)^{k-1} {}_r C_k \left\{\left(1 - \frac{k}{r}\right)^{n-1} - \left(1 - \frac{k}{r}\right)^n\right\}$

$= \sum_{k=1}^{r-1} (-1)^{k-1} {}_r C_k \cdot \frac{k}{r} \left(1 - \frac{k}{r}\right)^{n-1}.$

ここで, ${}_r C_k \cdot k = r \cdot {}_{r-1} C_{k-1}$ だから

（⇦p.162 特講D [3](C)）

$q_n = \sum_{k=1}^{r-1} (-1)^{k-1} {}_{r-1} C_{k-1} \left(1 - \frac{k}{r}\right)^{n-1}.$

□

解説
ITEM 71:「『まで』から『ちょうど』へ」で用いた手法そのものですね.

補足
当然ながら,
　$2 \leq n < r$ のとき,
　[1] および [2] の結果の式は 0 　…③
となります. たとえば $r=4$ のとき

$p_3 = 1 - \sum_{k=1}^{3} (-1)^{k-1} {}_4 C_k \left(1 - \frac{k}{4}\right)^3$

$= 1 - 4\left(\frac{3}{4}\right)^3 + 6\left(\frac{2}{4}\right)^3 - 4\left(\frac{1}{4}\right)^3$

$= 1 - \frac{27}{16} + \frac{3}{4} - \frac{1}{16} = \frac{7}{4} - \frac{28}{16} = 0$

ですね.

このことを認めるなら，解答[2]の②式は $n=r$ のとき
$$q_r = p_r - p_{r-1},$$
i.e. $q_r = p_r$
となります．商品が r 種類あるので，「r 回後に全種類収集している」と「r 回後に初めて全種類収集する」は同じ事象ですから，この等式は成り立ちます．よって，②は $n=r$ においても正しい式です．

参考1

[1]の結果は，次のようにまとめることもできますね．
$$p_n = 1 - \sum_{k=1}^{r-1}(-1)^{k-1}{}_rC_k\left(1-\frac{k}{r}\right)^n$$
$$= \sum_{k=0}^{r-1}(-1)^{k}{}_rC_k\left(1-\frac{k}{r}\right)^n.$$

参考2 ⬆

p_n を経ず，直接 q_n ($n \geq r \geq 2$) を求めることもできます．それは，$n-1$ 回の時点でちょうど $r-1$ 種類が集まっている確率と，第 n 回に最後の 1 種類が出る確率 $\frac{1}{r}$ の積として得られます．

○ まず，$n-1$ 回後の時点で考える．1, 2, $\cdots$, r 番が出ていない事象をそれぞれ B_1, B_2, $\cdots$, B_r とすると，たとえば r 番だけが出ていない確率は
$$P(\overline{B_1}\overline{B_2}\cdots\overline{B_{r-1}}B_r)$$
$$= P(\overline{(B_1}\overline{B_2}\cdots\overline{B_{r-1})}B_r)$$
$$= P(\overline{(B_1 \cup B_2 \cup \cdots \cup B_{r-1})}B_r)$$
$$= P(B_r) - P((B_1 \cup B_2 \cup \cdots \cup B_{r-1})B_r)$$
$$= P(B_r) - P(B_1B_r \cup B_2B_r \cup \cdots \cup B_{r-1}B_r).$$
$\cdots$④

○ $n-1$ 回後の時点で，r 番を含めて特定の k 種類 ($k=1, 2, 3, \cdots, r-1$) が出ていない事象の確率は
$$\left(1-\frac{k}{r}\right)^{n-1}.$$

○ その k 種類のうち，r 番以外の $k-1$ 種類の選び方は ${}_{r-1}C_{k-1}$ 通りあるから，④において B_1B_r, B_2B_r, $\cdots$, $B_{r-1}B_r$ に対して包除原理を用いると
$$P(\overline{B_1}\overline{B_2}\cdots\overline{B_{r-1}}B_r)$$
$$= {}_{r-1}C_0\left(1-\frac{1}{r}\right)^{n-1}$$
$$- \sum_{k=2}^{r-1}(-1)^{k-2}{}_{r-1}C_{k-1}\left(1-\frac{k}{r}\right)^{n-1}$$
$$= \sum_{k=1}^{r-1}(-1)^{k-1}{}_{r-1}C_{k-1}\left(1-\frac{k}{r}\right)^{n-1}.$$

$n-1$ 回後の時点で唯一出ていなかった番号は r 通り考えられ，n 回目にその番号が出る確率は $\frac{1}{r}$ だから
$$q_n = \left\{\sum_{k=1}^{r-1}(-1)^{k-1}{}_{r-1}C_{k-1}\left(1-\frac{k}{r}\right)^{n-1}\right\} \cdot r \cdot \frac{1}{r}$$
$$= \sum_{k=1}^{r-1}(-1)^{k-1}{}_{r-1}C_{k-1}\left(1-\frac{k}{r}\right)^{n-1}. \square$$

発展 理系 ⬆⬆

今度は確率 q_n を用いて，コンプリートするまでの回数 X の期待値を求めてみます．ついて来たい人だけついて来なさい！(笑)
$$E(X) = \lim_{N\to\infty}\sum_{n=2}^{N}n \cdot q_n.$$
q_n が正の値をもつのは $n \geq r$ のときのみですから，$\sum_{n=r}^{N}$ とする方が自然かもしれませんが，計算の簡便さを優先し，前述した③：「$2 \leq n < r$ のとき，[1]および[2]の結果の式は 0」が成り立つことを認める立場で，「$\sum_{n=2}^{N}$」として求めます．

また，$k=r$ のとき $\left(1-\frac{k}{r}\right)^{n-1}=0$ なので，q_n は $\sum_{k=1}^{r-1}\cdots$ である所を $\sum_{k=1}^{r}\cdots$ に変えて扱い

ます.
$$\sum_{n=2}^{N} n \cdot q_n$$
$$= \sum_{n=2}^{N} n \left\{ \sum_{k=1}^{r} (-1)^{k-1} {}_{r-1}C_{k-1} \left(1-\frac{k}{r}\right)^{n-1} \right\}$$
$$= \sum_{n=2}^{N} \left\{ \sum_{k=1}^{r} (-1)^{k-1} {}_{r-1}C_{k-1} n\left(1-\frac{k}{r}\right)^{n-1} \right\}$$
$$= \sum_{k=1}^{r} \left\{ \sum_{n=2}^{N} (-1)^{k-1} {}_{r-1}C_{k-1} n\left(1-\frac{k}{r}\right)^{n-1} \right\}$$

（⇐ シグマの順序の交換 類題 99 参考）

$$= \sum_{k=1}^{r} \left\{ (-1)^{k-1} {}_{r-1}C_{k-1} \underbrace{\sum_{n=2}^{N} n\left(1-\frac{k}{r}\right)^{n-1}}_{S\,とおく} \right\}.$$

ここで，$a = 1-\dfrac{k}{r}$ とおくと $0 \le a < 1$ であり

$$S = \sum_{n=2}^{N} n a^{n-1} \quad (\Leftarrow \text{p. 169 \ 特講E [7](3)})$$
$$= 2a + 3a^2 + 4a^3 + \cdots + Na^{N-1},$$
$$aS = \quad\; 2a^2 + 3a^3 + \cdots + (N-1)a^{N-1} + Na^N.$$

辺々差をとると
$$(1-a)S = 2a + a^2 + a^3 + \cdots + a^{N-1} - Na^N$$
$$= a - 1$$
$$\quad + 1 + a + a^2 + a^3 + \cdots + a^{N-1} - Na^N$$
$$= a - 1 + 1 \cdot \frac{1-a^N}{1-a} - Na^N$$
$$\xrightarrow[N \to \infty]{} a - 1 + \frac{1}{1-a}.$$

$(\because\ 0 \le a < 1\ \text{より}, a^N,\ Na^N \to 0)$

（⇐ 類題 89 参考（*））

$\therefore\ S \xrightarrow[N \to \infty]{} -1 + \dfrac{1}{\left\{1-\left(1-\dfrac{k}{r}\right)\right\}^2}$
$= -1 + \left(\dfrac{r}{k}\right)^2.$

したがって

$$E(X) = \sum_{k=1}^{r} (-1)^{k-1} {}_{r-1}C_{k-1} \left\{ \left(\frac{r}{k}\right)^2 - 1 \right\}$$
$$= \sum_{k=1}^{r} (-1)^{k-1} {}_{r-1}C_{k-1} \frac{r^2}{k^2}$$
$$\quad - \sum_{l=0}^{r-1} (-1)^l {}_{r-1}C_l \quad (l = k-1)$$
$$= \sum_{k=1}^{r} (-1)^{k-1} {}_{r}C_k k \cdot \frac{r}{k^2} - (1-1)^{r-1}$$

（⇐ p. 162 特講D [3](C)）

$$= r \sum_{k=1}^{r} (-1)^{k-1} {}_{r}C_k \cdot \frac{1}{k}. \quad \cdots ⑤$$

この和を求めるため，x の多項式を用いる.
$$\underline{1 - x^r = (1-x)(1+x+x^2+\cdots+x^{r-1}).}$$
の部分で $t = 1-x$ とおくと
$$1 - (1-t)^r = t(1+x+x^2+\cdots+x^{r-1}).$$
$$1 - 1 - \sum_{k=1}^{r} {}_{r}C_k(-t)^k$$
$$\qquad = t(1+x+x^2+\cdots+x^{r-1}).$$
$$\sum_{k=1}^{r} {}_{r}C_k(-t)^{k-1} = 1 + x + x^2 + \cdots + x^{r-1}$$
$$\int_0^1 \sum_{k=1}^{r} {}_{r}C_k(-t)^{k-1} dx$$
$$\qquad = \int_0^1 (1+x+x^2+\cdots+x^{r-1}) dx.$$

$dx = -dt,\ \begin{array}{c|cc} x & 0 \to 1 \\ \hline t & 1 \to 0 \end{array}$ だから，左辺は

$$\int_1^0 \sum_{k=1}^{r} {}_{r}C_k(-t)^{k-1}(-1) dt$$
$$= \int_0^1 \sum_{k=1}^{r} {}_{r}C_k(-1)^{k-1} t^{k-1} dt.$$

したがって
$$\left[\sum_{k=1}^{r} {}_{r}C_k(-1)^{k-1} \cdot \frac{t^k}{k} \right]_0^1$$
$$\qquad = \left[x + \frac{x^2}{2} + \frac{x^3}{3} + \cdots + \frac{x^r}{r} \right]_0^1$$

$\therefore\ \displaystyle\sum_{k=1}^{r} {}_{r}C_k(-1)^{k-1} \cdot \frac{1}{k} = 1 + \frac{1}{2} + \frac{1}{3} + \cdots + \frac{1}{r}.$

これと⑤より
$$E(X) = r\left(1 + \frac{1}{2} + \frac{1}{3} + \cdots + \frac{1}{r}\right).$$

例題100 より少し（かなり？）大変でしたね.
例題100 で用いた「期待値の加法性」が，いかに強力なツールだったかがわかります.

100 の解答　77

参考3 理系

$$\lim_{r\to\infty}\frac{E(X)}{r\log r}=1$$

が成り立つことを示します．

$H_r=1+\dfrac{1}{2}+\dfrac{1}{3}+\cdots+\dfrac{1}{r}$ とおく．関数 $y=\dfrac{1}{x}$（$x>0$）は減少するから，下図のようになる．

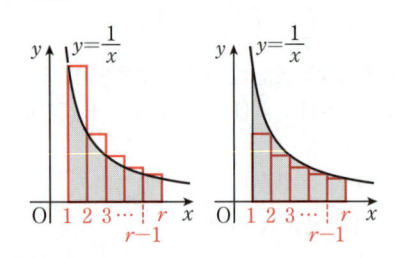

左側の図において

$$\frac{1}{1}\cdot 1+\frac{1}{2}\cdot 1+\cdots+\frac{1}{r-1}\cdot 1>\int_1^r\frac{1}{x}dx.$$

$$H_r-\frac{1}{r}>\Big[\log x\Big]_1^r.$$

$$\therefore\quad H_r>\log r+\frac{1}{r}.$$

右側の図において

$$\frac{1}{2}\cdot 1+\frac{1}{3}\cdot 1+\cdots+\frac{1}{r}\cdot 1<\int_1^r\frac{1}{x}dx.$$

$$H_r-\frac{1}{1}<\Big[\log x\Big]_1^r.$$

$$\therefore\quad H_r<\log r+1.$$

まとめると

$$\log r+\frac{1}{r}<H_r<\log r+1.$$

これと $\dfrac{E(X)}{r\log r}=\dfrac{H_r}{\log r}$ より

$$1+\frac{1}{r\log r}<\frac{E(X)}{r\log r}<1+\frac{1}{\log r}.$$

$$(\because\ r\geqq 2 \text{ より } \log r>0.)$$

$r\to\infty$ のとき，上式の最左辺，最右辺はどちらも1に収束するから，はさみうちの手法により

$$\lim_{r\to\infty}\frac{E(X)}{r\log r}=1.\ \square$$

つまり，全 r 種類コンプリートに要する回数の期待値は，r が大きいとき

　　　　ほぼ，種類の数 r の $\log r$ 倍

であるということです．こんなところにも「自然対数」は現れるのですねー．

　　最後まで読んだ方…お疲れ様でした．

MEMO

MEMO